李达全集

汪信砚 主编

第十九卷

人民出版社

国家社会科学基金重大招标项目
"李达全集整理与研究"（批准号：10ZD&062）最终成果

国家出版基金项目
"《李达全集》（1-20卷）的整理、编纂与出版"最终成果

目　　录

历史唯物主义讲座(1958.1—1959.8)

巩固胜利,继续跃进

—— 欢送伟大的 1958 年,欢迎更伟大的 1959 年

（1959.1）

1958 年是敌人一天天烂下去,我们一天天好起来的一年。在这一年当中,社会主义阵营经济繁荣,生产高涨,人民的物质生活和文化生活的水平有显著的提高;帝国主义阵营经济萧条,生产下降,失业人数增多,无法解决。社会主义阵营空前团结,坚如磐石;社会主义国家与民族独立国家和一切反殖民主义斗争的民族的友谊日益加强。帝国主义阵营分崩离析,矛盾重重;它遭受着非洲、亚洲和南美各民族的反殖民主义的斗争,脖子上的绞索越套越紧。总起来说,和平民主社会主义阵营的力量日益增长,有如旭日东升,光芒万丈;帝国主义阵营的力量日益衰退,有如日薄西山,奄奄一息。可以断言,1959 年,东风将以更猛烈的气势,继续压倒西风。

1958 年是我国社会主义生产以空前的速度发展的一年。在工业战线上,贯彻了以钢为纲,全面跃进的方针,钢产量达到了 1100 多万吨,比去年增加一倍以上;机床达到 9 万多台,比去年增加将近 4 倍;煤产量达到 2.7 亿多吨,比去年增加一倍以上;其他各种工业和交通运输业,也有相应的增长。在农业战线上,粮食达到 7500 亿斤,棉花达到 6700 万担,都比去年增加一倍以上,其他各种农副产品,也都有相应的增长。在科学文化教育战线上,也有很大的跃进,科学上的创造发明层出不穷,有很多项目已经超过或达到国际水平;学校遍设于工厂和农村,在全国工人农民中涌现出学文化、学科学技术、学理论、学哲学、写诗歌、写文章的文化大高潮。所有这些都标志着我国社会主义建设事业划时代的成就。

1958 年 11—12 月党的八届六中全会总结了这些伟大成就和取得这伟大

成就的经验,制定了有关人民公社一系列的政策,并规定了 1959 年我国国民经济发展的方针。1959 年国民经济计划将是一个宏伟的跃进计划。现在我们可以预言,在党的领导下,在 1958 年伟大胜利和丰富经验的基础上,我国人民继续鼓足干劲,力争上游,不但有可能在 1959 年继续跃进,而且有可能实现比 1958 年更伟大的跃进,完成和超额完成 1959 年国民经济计划。

1958 年是我校和其他各高等学校在教育革命方面取得了决定性胜利的一年,在党的领导下,彻底批判了所谓"少数专家办学"的资产阶级路线,破除了"为教育而教育"的资产阶级观点,以及"迷信"、"自卑"等各式各样的右倾保守思想,坚持了党的"教育为无产阶级政治服务,教育与生产劳动相结合"的方针。我们在 1959 年的任务是:进一步贯彻党的教育方针,继续批判资产阶级的教育思想和学术思想,在各门学科各门课程中牢固地树立马克思列宁主义的红旗;结合生产劳动继续进行思想改造,建立又红又专的师资队伍;大力开展科学研究工作,使我校成为教学、科学研究和生产三结合的基地。为了完成以上的任务,各系必须以教学为中心,合理地安排教学、科学研究和生产劳动的时间,每天的作息时间,也必须很好地安排,保证有 8 小时的睡眠时间;拟订共产主义思想教育计划;重新修订各专业的教学计划;改革课程内容,提高教学质量;大胆创造,改进教学方法;拟订科学研究规划,尽量结合社会主义建设,研究与国民经济有关系的重大问题,写成科学论文,向国庆十周年献礼;拟订培养工人阶级师资队伍的计划;加强各级教学和行政机构,提高工作效率。我们相信,在党的领导下,贯彻党的教育方针,一定能使我校尽快地成为一个共产主义的先进大学。

1959 年是我国苦战三年的决定性的一年,让我们和全国人民一道,高举红旗,在党的领导下,继续跃进再跃进,争取在新的一年中取得更伟大的胜利!

(原载 1959 年 1 月 1 日武汉大学校报《新武大》第 288 期,署名李达)

苏联火箭上月宫

（诗二首）

（1959.1）

苏联火箭上月宫，万众欢腾庆伟功。
伤哉艾杜愁眉锁，望断长空只拍胸。

宇宙交通新纪元，登天从此有飞船。
寄语嫦娥归故土，好凭信使把书传。

（原载 1959 年 1 月 8 日武汉大学校报《新武大》第 289 期，署名李达）

中共武汉大学第二届党代会开幕词

（1959.1）

同志们：

中共武汉大学第二届党员代表大会开幕了！

这届大会是我校有历史意义的一件大事，尤其是在国内外形式都发生了巨大变化的情况下召开这次会议，更有其重大的政治意义，全校师生员工对这次党员代表大会的召开都充满了信心和希望。

这次总的任务和指导思想是：以党的八届六中全会文件为武器，总结和检查过去两年来我校党的工作，肯定成绩，指出缺点，在这个基础上讨论和制定今后任务和 1959 年的规划，并选举新的党委会，达到提高觉悟、统一思想、统一行动的目的。

因此，我们必须充分发扬民主，既要充分肯定成绩，鼓励我们继续前进，也要严肃对待缺点，找出改进工作的方向，把鼓足干劲和科学分析精神结合起来，为把我校建成一个以教学为中心的教学、生产劳动、科学研究紧密相结合的共产主义大学而奋斗。

同志们，这是一个艰巨的任务。这个任务必须依靠我们全党同志团结全校师生员工共同努力，才能完成。

两年以来，我校在中央和省委的领导下，经过了整风、反右、双反运动、教育大革命，已经发生了根本的变化，由一个落后的学校变成了先进的学校之一。我们比较彻底地批判了资产阶级教育思想，树立起社会主义的教育方向；广大师生员工的觉悟已有所提高；教学改革、生产劳动和科学研究都取得了一定的成绩；党不仅在政治上，而且在业务上，都掌握着比较巩固的领导权。但是，从客观要求来看，我们的工作还做得不够，正如同志们在预备会议上所提出的,还有不少缺点,亟待改正。

当前,我们存在的主要问题是:党的领导水平和党的思想状况、组织状况不能完全适应客观形势发展的要求。我们必须极大地提高党的领导水平,加强党的思想建设和组织建设,进一步坚决贯彻群众路线。为此,我们要认真学习马列主义和毛主席著作,学习中央有关政策决议,学习业务知识。全党干部和党员都要朝着"又红又专"的方向前进,不但要大大地提高政治觉悟和马列主义水平,而且要使自己逐步由外行变为内行。党的领导作风还要继续发扬深入实际、深入群众、艰苦奋斗的优良传统。党的队伍还必须进一步地扩大。只有如此,才能把党的领导渗透到各种具体业务中去,加强党对学校全面工作的领导。

我们要求全体代表集中精力开好这次党代会,热烈地展开讨论,胜利地完成党代会的任务。

同志们!让我们高举马列主义的红旗,朝着共产主义大学的方向奋勇迈进!

(原载 1959 年 1 月 19 日武汉大学校报《新武大》第 291 期,署名李达)

正确认识由社会主义
向共产主义过渡的问题*

（1959.1）

1958 年是我国社会主义建设大跃进的一年，大跃进的形势一日千里，波澜壮阔，共产主义的新人新事不断涌现。看来，共产主义在我国的实现已经不是什么遥远将来的事情了。现在，实现共产主义成了几亿人民最感兴趣的话题。于是，什么是共产主义社会，共产主义与社会主义的关系怎样，要通过怎样的途径去实现共产主义，也就成为人们最关心的问题了。因此，我想就这些问题作一些简单的介绍。

一、社会主义和共产主义两个阶段的联系和差别

马克思在 1875 年所写的《哥达纲领批判》中，把共产主义社会分为两个阶段：一是"在自己基础上发展起来的共产主义社会"，一是"从资本主义社会里刚刚产生出来的共产主义社会"。列宁在 1917 年所写的《国家与革命》中指出："马克思把通常所说的社会主义称作共产主义社会的'第一'阶段或低级阶段。既然生产资料已成为公有财产，那末'共产主义'这个名词在这里也是可以用的，只要不忘记这还不是完全的共产主义。"①由此可见，社会主义和共产主义是同一共产主义社会的两个阶段，而共产主义是在社会主义的基础

---

* 本文是 1959 年 1 月 21 日李达在中共武汉大学第二次党员代表大会上的报告，亦曾以《共产主义社会的两个阶段》为题发表于 1959 年 1 月 24 日武汉大学校报《新武大》第 292 期、1959 年 1 月 31 日《长江日报》及《武汉大学人文科学学报》1959 年第 1 期。——编者注
① 《列宁全集》第 25 卷，人民出版社 1958 年版，第 457 页。

上发展起来的,两者具有有机的不可分离的联系。所以它们之间既有基本的共同点,又有重要的差别。

社会主义和共产主义的共同点大致如下:

第一,生产方式建立在生产资料公有制的基础上,没有阶级对立和人剥削人的现象,没有种族压迫和民族压迫。一切社会成员都是劳动者。劳动成为最光荣的事情,每个人都各尽所能地为整个社会劳动。

第二,国民经济都是按照有计划(按比例)的规律发展的。生产的目的是最大限度地满足整个社会经常增长的物质和文化的需要,达到这个目的的手段是在高度技术基础上使生产不断增长和不断完善。整个社会的工农业生产和科学文化教育事业以历史上未有过的速度不断向前跃进,劳动者过着越来越美好的幸福生活。

第三,马克思列宁主义思想在整个社会中占统治地位。

社会主义和共产主义的差别是:

第一,在社会主义阶段,社会生产虽然有了很大的发展,但是生产力发展水平还不是很高,社会产品还不是很丰富。

在共产主义阶段,由于全面地实现了机械化、电气化、化学化、自动化和原子能的普遍利用,生产力和劳动者的劳动生产率也极大地提高了,因而社会产品极其丰富,可以充分满足人们日益增长的各方面的需要,人们的劳动强度将大为减轻,劳动的时间将大为缩短。其余的时间则可以用来进行科学研究和文化娱乐活动。

第二,在社会主义阶段,一般还存在着两种生产资料的公有制,即集体所有制和全民所有制(在我国社会主义阶段,集体所有制将要转变为全民所有制),因而还必须继续发展商品生产,在国家计划的领导下,在国营企业和人民公社之间,以及人民公社和人民公社之间,实行必要的商品交换。并且商品的生产和交换,在社会主义全民所有制实现以后,在相当时间内还是存在的。

在共产主义阶段,实现了共产主义的全面的全民所有制,社会产品完全根据计划生产,根据计划调拨,因而商品生产、商品交换、价值价格、货币等就不需要了。

第三,在社会主义阶段,工农之间、城乡之间、脑力劳动和体力劳动之间的对立已经消失,但是它们之间的重大差别还保存着。反映这些差别的资产阶级式法权,也不能不暂时存在。

在共产主义阶段,旧社会遗留下来的那种不合理的"分工"消灭了。人人都是脑力劳动者,也都是体力劳动者,他们都是具有高度文化技术修养的"多面手",因而用不着终身固定在某一种职业上,而可以根据社会的需要和个人的爱好,随时从一个工作岗位转移到另一个工作岗位。那时,城市和乡村的差别也消灭了。到处都是几万人一个的居民点,在这种居民点中有现代化的城市所必需的一切设备。农村城市化了,无所谓"下乡",也无所谓"进城",全国的各个居民点都得到了均衡的发展。随着两种社会主义所有制形式间的差别的消除,随着城市和乡村间、脑力劳动和体力劳动间的重大差别的消除,工人、农民和知识分子之间的界限也消灭了。共产主义是没有阶级的社会。资产阶级法权的残余也消灭了。

第四,在社会主义阶段,消灭了用自由平等的虚伪词句掩盖起来了的、允许人剥削人的资产阶级工资制度,而代之以"不劳动者不得食"、"各尽所能,按劳分配"的原则。

在共产主义阶段,社会产品极大地丰富了,实现了"各尽所能,按需分配"的原则。决定消费品分配的是每个人的需要(每个人的需要是不相同的),而不是按照每个人劳动的数量和质量。这就实现了真正的平等——每个人都有满足自己需要的平等权利。生活水平上的差别没有了。在这种时候,劳动已经不再是谋生的手段,而是生活的第一需要,就像人们对于求知和文化娱乐的需要一样。

第五,在社会主义阶段,国家还没有消亡。这一方面是由于国内的阶级斗争还没有结束,另一方面也由于还没有达到全体人民都已学会管理生产的地步。列宁说得好:"既然在消费品的分配方面存在着资产阶级的法权,那当然一定要有(资产阶级的国家)。因为如果没有一个能够迫使人们遵守法规的机关,权利也就等于零。"①

在共产主义阶段,由于大家都已学会了管理生产,都认识到了遵守公共生

---

① 《列宁全集》第 25 卷,人民出版社 1958 年版,第 458 页。

活规则的必要性,而由旧社会遗留下来的剥削阶级分子也已经被群众轻而易举地监督起来了,因此,国家的对内的职能,就因为失去必要而自行消亡了。我们将再也看不到"资产阶级式的国家",再也看不到专门担任"公职"的"干部"了。但在外国侵略的可能性还没有最后消除的时候,国家的对外职能还是不会消亡的。

第六,在社会主义阶段,在经济战线上(即生产资料所有制范围内)虽然已经取得社会主义的决定性的胜利,但是在政治战线和思想战线上,还有着社会主义和资本主义两条道路的斗争。作为一种旧社会的遗毒,资产阶级法权观念在人们的思想中还存有一定的影响,尤其在资产阶级及其知识分子中表现得更为突出。

在共产主义阶段,人们头脑中残存的资产阶级法权观念最后地消灭了,大家都具有高尚的共产主义道德,大公无私,热爱劳动,爱护集体,遵守纪律等美德,将成为一切社会成员自觉的行动规范。

第七,在社会主义阶段,科学文化虽然有了很大的发展,但是发展水平还不够高。

在共产主义阶段,全民教育的普及与提高已经完全实现,人人都是大学生,各方面人才辈出,到处都是科学家、文学家、艺术家,科学文化艺术将达到空前的全盛的繁荣,使过去最伟大的时代相形见绌,黯然无光。

二、从社会主义社会向共产主义社会的过渡

社会主义和共产主义既然是同一社会经济形态的两个不同阶段,因此,从社会主义向共产主义过渡是逐步的,不是经过革命爆发来实现的。关于从社会主义向共产主义过渡的一般理论,马克思、恩格斯、列宁、斯大林是作过清楚的论证的。但是,他们没有给我们指出过渡的具体形式,这是因为在他们的时代,共产主义还没有提到行动日程上来,还没有这样实践的缘故。今天,在我们中国,农民群众在党的社会主义建设总路线的鼓舞下,在1958年社会主义建设大跃进的实践中,找到了"建成社会主义和逐步向共产主义过渡的最好的组织形式"。这种组织形式就是"我国农村中的大规模的、工农商学兵相结

合的、政社合一的人民公社"。党的八届六中全会在《关于人民公社若干问题的决议》中,对于我国农村人民公社运动给了很高的评价,认为"农村人民公社制度的发展,还有更为深远的意义。这就是:它为我国人民指出了农村逐步工业化的道路,农业中的集体所有制逐步过渡到全民所有制的道路,社会主义的'按劳分配'(即按劳付酬)逐步过渡到共产主义的'按需分配'(即各取所需)的道路,城乡差别、工农差别、脑力劳动和体力劳动的差别逐步缩小以至消失的道路以及国家对内职能逐步缩小以至消失的道路。"因此,党的决议认为人民公社将成为我国农村由集体所有制过渡到全民所有制,由社会主义过渡到共产主义社会的最好的形式,并且将成为共产主义社会的社会结构的基层单位。现在,我们根据党的决议,试图说明由社会主义社会过渡到共产主义社会的一些物质条件和精神条件。

第一,人民公社由集体所有制变为全民所有制。人民公社是由原有若干个农业合作社合并过来的,它使集体所有制的经济增加了若干全民所有制的成分。如:人民公社和基层政权合而为一;农村中原有的全民所有制的银行、商店和某些其他企业下放到公社管理;公社开始兴办或者参加协作兴办具有全民所有制性质的工业和其他建设事业;许多县成立了统一领导全县公社的县联社,县联社有权调度各公社的适当部分的人力、物力和财力,去进行全县性的或者较大规模的建设事业,并且有些地方已经在着手进行这些事业等。这种全民所有制成分,将在不断发展中继续增长。但是,目前人民公社的性质,仍然是集体所有制。它的生产和分配基本上还是由公社独立、自由支配,而不是由国家按全民需要统一分配。今后,随着生产的发展和人们共产主义觉悟的提高,逐步将人民公社企业和国营企业更加紧密地结合为一个统一的经济体系,普遍地成立县联社,增加人民公社的生产资料的全民性部分和产品能由国家调拨的部分。这样,人民公社就很自然地由集体所有制逐步过渡到全民所有制。这里必须指出的是,完成了集体所有制向全民所有制的过渡,并不等于由社会主义过渡到了共产主义。但是,集体所有制改变为全民所有制,则是过渡到共产主义的根本前提。

第二,高速度地发展社会生产力。共产主义的生产关系是以生产力的高度发展水平为基础的。没有建立在全国电气化、整个劳动过程的全盘机械化、生产过程的全面自动化和化学化上面的工业和农业的大规模社会主义生产,就谈不到进入共产主义。因此,为了过渡到共产主义,必须高速度地发展社会生产力,使社会产品极大地丰富起来。目前,我们必须继续鼓足干劲,力争上游,在"两条腿走路"一整套的方针指导下,首先争取实现国家工业化、公社工业化、农业机械化电气化。

第三,大大地提高全体社会成员的共产主义思想觉悟和道德品质。共产主义时代的人们都具有高度的共产主义思想觉悟和崇高的共产主义道德品质,即令还有极少数坏人,他们的行为也将受到社会舆论的谴责和制止。人民公社的建立,由于彻底消除了生产资料私有制的某些最后残余,实行了组织军事化、行动战斗化、生活集体化、管理民主化以及大力兴办集体福利事业,因此加速了人们共产主义道德品质的成长和集体主义觉悟的提高。现在广大农民群众自己带着干粮参加义务劳动;广大工人群众自动要求取消计件工资制度;各地区各部门互相协作、互相支援;这些都是共产主义思想的光芒。从现在起,我们就要大力宣扬共产主义精神,破除资产阶级法权观念,为共产主义的到来准备精神条件。

第四,普及与提高全民教育。自从党中央提出全民办教育和勤工俭学以后,一年来我国的教育事业有了很大的发展。很多县市基本上扫除了文盲,全国各地创办了许多小学、中学、大学和科学研究机关,还完成了某些少数民族文字的创制和改革。党的八届六中全会《关于人民公社若干问题的决议》中,对于如何普及与提高全民教育也作了指示。照着党的指示做去,用不着多久时间,每个劳动者都具有相当高的文化、科学、技术水平,大部分人员可以达到工程技术人员、农艺师的水平,我国就将成为一个具有高度发展的现代科学文化的国家。

第五,消灭城乡差别与工农差别。城乡、工农之间的重大差别目前主要表现为:生产资料公有制的两种形式和工业的城市与农业的乡村,以及由此产生的在文化、科学、技术上的差别和交通运输条件上的差别。消除这些差别的主要办法是:一方面人民公社大办工业,实行工农业并举,使农村工业化、现代化,这样可以加速培养"进厂是工人,下田是农民"的新型的人,促进农村科学文化的发展,以及根本改变农村交通运输条件;另一方面,改造现有城市工业和建立新工业,并注意建立自己的农业基地。

第六,消灭脑力劳动与体力劳动的差别。要使人人都成为既能做脑力劳动,又能做体力劳动的全才,必须使体力劳动者很快地获得文化、科学、技术知识,达到"劳动人民知识化"的目的;同时,使脑力劳动者参加体力劳动和进行思想改造,普遍实行"知识分子劳动化",彻底改造知识分子成为能劳动的知识分子或有知识的劳动者。目前人民公社、工厂和街道创办各种业余学校,国家机关和学校建立工厂、农场,就是逐渐使脑力劳动和体力劳动互相结合的一种行之有效的办法。

第七,消灭资产阶级法权的残余。如前所述,资产阶级法权的残余,是工农差别、城乡差别、脑力劳动与体力劳动差别的反映,现在还不可能完全消灭。但是,随着社会生产的高速发展,人们共产主义思想觉悟的日益提高,以及上述差别的日趋消灭,资产阶级法权的残余就将逐渐消除。

第八,促进国家对内职能的消失。前面说过,国家对内职能的消失决定于国内阶级斗争的结束和全体社会成员的学会管理社会生产。因此,现在还不可能消失。但是我们正在创造条件。例如依靠广大群众做好公安工作和审判工作,依靠广大群众有效地改造地、富、反、坏、右等等,就是为了促使国内阶级斗争的早日结束;劳动者参加生产管理,干部参加生产,就是为了促使全体社会成员早日学会管理社会生产。依此做去,国家对内职能就将因为丧失作用而逐渐地归于消失了。那时候,国家的职能将只是为了对付外部敌人的侵略。

以上几点,都是过渡到共产主义社会的必要条件。当这些条件全部成熟了的时候,我国就进入了共产主义时代。正如党的决议所指出的,过渡到了全民所有制,"然后再经过多少年,社会产品极大地丰富了,全体人民的共产主义的思想觉悟和道德品质都极大地提高了,全民教育普及并且提高了,社会主义时期还不得不保存的旧社会遗留下来的工农差别、城乡差别、脑力劳动与体力劳动的差别,都逐步地消失了,反映这些差别的不平等的资产阶级法权的残余,也逐步地消失了,国家职能只是为了对付外部敌人的侵略,对内已经不起作用了,在这种时候,我国社会就将进入各尽所能,按需分配的共产主义时代。"

三、办好人民公社是我国过渡到共产主义的关键

党的决议指出,摆在我国人民面前的任务是:"经过人民公社这种社会组织形式,根据党所提出的社会主义建设的总路线,高速度地发展社会生产力,促进国家工业化、公社工业化、农业机械化电气化,逐步地使社会主义的集体所有制过渡到社会主义的全民所有制,从而使我国的社会主义经济全面地实现全民所有制,逐步地把我国建成为一个具有高度发展的现代工业、现代农业和现代科学文化的伟大的社会主义国家。在这一过程中,共产主义的因素必将逐步增长,这就在物质条件方面和精神条件方面为社会主义过渡到共产主义奠定基础。"由此可见,办好人民公社是我国过渡到共产主义社会的一个关键。而办好人民公社最根本的问题是加强党的领导。只有加强党的领导,才能实行政治挂帅,才能使人民公社的干部和社员正确地执行党的路线和政策。为此,党在人民公社的工作中,必须注意教育公社的各级领导、工作人员发扬优良的作风,首先是群众路线的作风和实事求是的作风。公社的各级领导工作人员只有执行群众路钱,才能加强人民群众对党和政府的充分信任,才能促进群众的革命积极性的高涨,才能使人民公社巩固起来。只有贯彻实事求是的作风,把革命热情和科学精神结合起来,才能够保持冷静的头脑,既看到大的成绩也不忽视小的缺点,才能防止浮夸倾向,才能区别事物的真象和假象,区别有根据的要求和没有根据的要求,作出接近客观实际的判断。

因此,为了办好人民公社,必须根据党的决议,作好下述三件工作:

第一,大规模地进行共产主义思想教育。首先,必须澄清一些错误思想。如有些人认为,农村人民公社现在就已经属于全民所有制性质了。社会主义的"按劳分配"可以过渡到共产主义的"按需分配"了,这是一种误解。农业生产合作社转变为人民公社,虽然扩大了公有化的程度,但并不等于已由集体所有制转变为全民所有制。要在全国农村实现全民所有制,还需要经过一段相当的时间。同时,由集体所有制转变为全民所有制,也并不等于由社会主义过渡到了共产主义。1958 年,我国在各方面虽然获得了伟大的胜利,但是目前的生产力发展水平毕竟还是相当低的。我国现在还是处于社会主义阶段,社

会消费品的分配还不得不实行"按劳分配"的原则,工资制还不得不暂时保留。人民公社实行的与工资制相结合的供给制这种分配制度,也只是具有共产主义的萌芽,它的基本性质还是社会主义的"按劳分配"。目前,公社的供给范围还不宜过宽,在提高供给标准的同时,按劳分配的工资部分长时期内必须占有重要地位,在一段时间内将占有主要地位。我们是马克思列宁主义的不断革命论者,又是革命发展的阶段论者。我们既不能在社会主义阶段上停步不前,但也不能超越社会主义阶段而跳入共产主义,看到一点共产主义的萌芽就认为是实现了共产主义,这样就会降低共产主义的标准,助长平均主义倾向,不利于生产的高速发展。

其次,必须加强共产主义教育,破除个人主义、本位主义。人民公社成立的时间虽然不久,但是广大农民群众亲身感受到了它的好处。由于生产的发展和举办了托儿所、公共食堂等集体生活福利事业,广大社员从切身的利益中感到人民公社是加速社会主义建设和将来由社会主义过渡到共产主义的一种最好的组织形式,因而积极拥护。但是,也还有少数人存在着个人主义、本位主义的思想,患得患失,斤斤计较。对于这些人应该加强共产主义教育,使他们克服掉个人主义、本位主义的思想,树立集体主义的思想。此外,要教育广大农民提高革命警惕性,严防地、富、反、坏、右的破坏活动。复杂的阶级斗争,不但在国外严重地存在着,就是在国内也还是存在着。

第二,有计划地发展生产。发展生产是巩固和提高人民公社的中心环节。1958 年农业生产已经取得了空前伟大的胜利,粮食、棉花的产量都比去年翻一番还多,长期存在的农业生产赶不上工业发展需要的问题,现在已经解决了。但是,还要鼓足干劲,逐步改进耕种技术,争取更大的跃进。不仅要使粮食、棉花增产,而且还要保证油料和麻类作物过关,要搞多种经营,要在农林牧副渔五业中来一个全线大革命,彻底改变整个农业战线的面貌。人民公社还必须大办工业,并使工业生产和农业生产密切结合起来。人民公社无论在工业方面或农业方面,都必须发展自给性生产和商品性生产。有的人认为,人民公社化以后,应该取消商品生产和商品交换了,这是错误的。在整个社会主义阶段,商品的生产和交换是继续发展的,只有进到共产主义阶段,才能取消。

第三,在发展生产的基础上,逐步改善人民的生活。发展生产的根本目的是最大限度地满足全体社会成员经常增长的物质和文化生活的需要,而人民群众的生活越过得好,干劲就越足,生产就越发展。所以生产和生活是矛盾的统一,是辩证的关系。党的决议指出,把生产和生活对立起来,认为重视群众生活就会妨害生产的观点,是错误的。当然,离开提高觉悟和发展生产,片面地或者过分地强调改善生活而不提倡为长远利益而艰苦奋斗,也是错误的。因此,党的决议中,对于逐步改善人民生活的问题,作了一些具体的指示。

首先必须把劳动和休息有节奏地结合起来,使劳动者有足够的睡眠时间(8 小时)、休息时间和一定的文化娱乐时间;办好公共食堂,使每个在食堂吃饭的人吃得饱,吃得暖,吃得好,吃得干净卫生,称心如意;逐步改善房屋住宅,特别是要在今后若干年内,分批完成集体新村的建设工作。新建住宅要便于一家男女老少的团聚(那种怀疑人民公社将拆散家庭的无稽之谈,不攻自破);关心老年人和妇女儿童,办好托儿所、幼儿园、妇产院、敬老院,使小孩子个个长得活泼健壮,使无依无靠的老年人晚年得到依靠,使妇女在怀孕、生孩子、奶孩子期间得到一定的休息和营养,在月经期间,不干重活,不下水田;做好清洁卫生工作;积极开展群众性的文化娱乐和体育活动。同时,必须加强集体生活福利事业和服务性部门的政治思想工作,并指导社会舆论,把办好集体生活福利事业和作好服务性工作,看成是为人民服务的一种崇高的工作,批判和纠正那种轻视群众生活福利工作、轻视服务性劳动的剥削阶级观点。

总括以上三项,就是抓思想,抓生产,抓生活——这三项是党领导人民办好公社的精神条件和物质条件。

我国当前的任务,是加速社会主义建设。我国过渡到共产主义并不是遥远将来的事情了,我们全国人民必须在党的领导下,鼓足干劲,力争上游,在工业战线上、农业战线上和科学文化战线上,继续跃进再跃进!

(原载 1959 年 1 月 29 日《光明日报》,署名李达)

武汉大学首届师生员工代表大会开幕词

（1959.2）

同志们！

在中共武汉大学第二次代表大会胜利闭幕不久，今天，我们全校师生员工所殷切期望的代表大会正式开幕了。对于我们学校来说，这又是一件具有历史意义的大事情。

1958年是大革命、大跃进、大胜利的一年，国内外局势发生了巨大的变化。在国际上是东风压倒了西风，敌人一天天烂下去，我们一天天好起来。在国内，我国工农业和文化教育事业都取得了史无前例的巨大成绩。我校就是在这样的形势下，在中央和省委的正确领导下高举马列主义的红旗，坚决贯彻党的教育方针，放手发动群众，掀起了伟大的教育革命运动，比较彻底地批判了资产阶级教育思想，树立起社会主义的教育方针。党的领导不仅在政治上而且在教学上树立起来了。同时由于正确地执行了党对知识分子的团结、教育、改造政策，广大师生员工的社会主义觉悟有所提高。但是也要看到一年来我们工作中的缺点还是不少，教训也是很多的，必须严肃对待。

这次大会主要的任务，是要以党的六中全会和我校党代表大会的精神，认真总结这二年来的工作，特别是教育革命运动以来的经验和教训。讨论和制定1959年的工作规划。在提高觉悟，统一思想的基础上，进一步贯彻党的教育方针，深入教育革命，争取1959年更大、更好、更全面的跃进，为把我校建成以教学为中心的、教学和科学研究、生产劳动紧密结合的基地而奋斗。

同时，在充分发扬民主的基础上，选举校务委员会，建立在党委领导下的校务委员会负责制。

同志们，这是摆在我们全校师生员工面前一项光荣而艰巨的政治任务，必须胜利完成。

要开好这次会,必须发扬民主,展开大鸣、大放、大争、大辩、大字报,会内和会外相结合,经过全校师生员工的热烈讨论,才能胜利地完成这个政治任务。

同志们! 让我们高举马列主义的红旗,让我们全校师生员工在党的领导下团结一致,向着一个共同的目标前进,以更大的革命干劲,争取1959年更大的胜利。

（原载1959年2月4日武汉大学校报《新武大》第294期,署名李达）

建立新的师生关系，
为贯彻党的教育方针而共同奋斗

(1959.2)

孔家店把朋友列为五伦之一，师生关系属于朋友一伦。可是师道尊严，无与伦比。学生因为请求老师传孔子之道，授儒家之业，解经典之惑，不惜以头抢地，铿然做声。老师竟被捧到神龛之上，与天地君亲同为，师生虽属朋友，实则分隔云泥。这是封建的师生关系。

辛亥革命前后，到处兴办了洋学堂，做老师的，在观念上仍然坐在神龛之上。土教师讲授国故，把学生引向故纸堆中。洋教师对学生念诵洋文教本，管教不管学。"学生混文凭，教师混饭吃"，交易而已，各得其所。这是半殖民地半封建的师生关系。

人民共和国成立以后，劳动人民成了国家的主人，共产党成了领导社会主义事业的核心力量，马克思列宁主义成了为指导人民思想的理论基础。随着政治革命经济革命以时俱来的，是文化教育革命。教育革命的步骤，首先是学习苏联先进经验结合中国具体情况，进行教学改革。在思想改造的各种运动中，青年学生们在党的领导下，帮助老师们改造思想，并且还大胆地批判一些老师们的资产阶级思想，这未免唐突了先生们。但他们仍然恭敬地向老师们学习着。从此以后，一些老师们则感到师生关系有些"不正常"了，而且这种"不正常"状态似乎更趋严重。自从1957年整风运动和反右派斗争以后，1958年春季又进行了双反斗争，接着进行了教学大改革，学生们破除了迷信，解放了思想。他们一方面自己进行了思想改造的斗争，经过了一番大争大辩之后，一致认识了毛主席所提出的"有社会主义觉悟、有文化的劳动者"这一培养目标是完全正确的；另一方面则要求老师们把自己改造为社会主义的教师,以适合全国工农业生产大跃进的需要。学生们受到了党的"教育为无产阶级政治服务、教育与生产劳动相结合"这个教育方针所鼓舞,不但批评了一些教师的资产阶级个人主义,而且还揭发了那些教师的学术上的缺点和错误。这样一来,就大大地触犯了那些教师的尊严,师生关系未免"太不正常"了。但学生们仍然是恭敬地向老师们学习着。某些老师们呢,在这次运动之后,觉得自尊心受到了损害,而自己有些东西是破了,却又立不起来,未免情绪低落,意态消极。"教然后知困",大概就是这样吧。

不破不立,要破得彻底,才能立得坚牢。怎样才能破得彻底呢?我认为必须彻底破掉自己的资产阶级立场,勇敢地转到无产阶级立场上去,自然就立得坚牢了,党对知识分子的政策,是期望一些老师们转变为无产阶级的知识分子。党的教育方针,就是期望有这样的教师能够教导学生成为有社会主义觉悟、有文化的劳动者。所以,只要是教师们真正转到了无产阶级的立场,就会心情舒畅,意气风发;就会乐于接受马列主义作为自己的思想和学术的指南;就会发挥出高度的积极性和创造性,密切联系无产阶级政治和当前的生产劳动,提高教学和科学研究的质量,更多更好地为社会主义教育事业服务。

老师们和学生们如果都转到了无产阶级的立场,师生关系就变成了同志关系,学生们将更加尊敬老师,努力向老师学习,老师们将更加热爱学生,尽量把自己钻研的东西教给学生。这种同志关系是在真理前面一律平等的关系,"批评和自我批评"将成为师生相互间改正自己缺点的武器,"百花齐放,百家争鸣"将成为辨别真理繁荣学术的有效方法。师生们只有建立了这样的新的关系,才能形成思想上政治上的一致,把本届师生员工代表大会所通过的本年度工作计划付诸实施,为贯彻党的教育方针而共同奋斗。

(原载 1959 年 2 月 24 日武汉大学校报《新武大》第 296 期,署名李达)

关于我国由社会主义
过渡到共产主义的问题

（1959.3）

武汉哲学社会科学联合会最近举行两次座谈会,讨论了关于我国由社会主义过渡到共产主义的问题。在座谈会上发言的人很多,在讨论中提出了两种不同的意见:

第一种意见认为:共产主义的胎儿正在社会主义的母腹中成长,瓜熟蒂落之日,就是共产主义诞生之时,什么时候建成了社会主义社会,什么时候就算开始进入了共产主义社会,在这两个阶段之间不需要再经过一个过渡时期。

第二种意见:认为由社会主义建成到共产主义,有一个过渡期。这又有两种说法。一种说法认为:不能把建成社会主义与进入共产主义看作一回事,社会主义建成之时,只能完成向社会主义过渡的任务,而不能同时完成向共产主义过渡的任务,建成社会主义之后,才开始向共产主义过渡,要进入共产主义,还需要经过一个相当长相当复杂的过渡时期。个别同志甚至认为这个过渡是从此岸到彼岸,中间横隔着一条大河,有如长江或汉水。另一种说法认为:由社会主义建成到共产主义是有一个过渡期的,但时间不会太长。

现在,我也就这个问题谈谈个人的看法。

马克思在《哥达纲领批判》中把共产主义社会分为两个阶段:一是"在自己基础上发展起来的共产主义社会",二是"从资本主义社会里刚刚产生出来的共产主义社会"。列宁在《国家与革命》中指出:"马克思把通常所说的社会主义称作共产主义社会的'第一'阶段或低级阶段。既然生产资料已成为公有财产,那末'共产主义'这个名词在这里也是可以用的,只要不忘记这还不是完全的共产主义。"①由此可见,社会主义和共产主义是同一社会经济形态的发展程度不同的两个阶段,两者是相互联系而又相互区别的。所谓联系,就是共产主义是在社会主义基础上发展起来的,两个阶段的生产方式都建立在生产资料公有制的基础之上,生产关系都是同志式的平等互助关系,没有阶级对立和人剥削人的现象。所谓区别,就是生产力发展程度的不同,因而表现在生产关系中的分配关系方面,在社会主义社会是"各尽所能,按劳分配",在共产主义社会是"各尽所能,按需分配"。

现在我们来谈谈由社会主义过渡到共产主义的问题。

首先要说,这里所说的"过渡",同由资本主义到社会主义的"过渡",其含义是根本不同的。由资本主义到社会主义过渡,是社会主义战胜资本主义的问题,还伴随着由资产阶级政权到无产阶级政权的转变。

至于由社会主义到共产主义的过渡,则是共产主义因素在自己的基础上,即在社会主义的基础上发生发展而成熟起来的。就我国农村人民公社所已实行的工资制和供给制相结合的分配制度来说,供给制部分是以按需分配原则的萌芽形态同按劳分配的工资制一同存在的。从现在起,"在人民公社的社员收入中,按劳分配的工资部分,在长时期内必须占有重要地位,在一段时间内并将占有主要地位,……并且在若干年内必须比供给部分增加得更快"。但是随着生产力的不断发展,按需分配的部分也将有相应的增加,并且在经过了"一段时间"以后,按需分配的供给部分将会代替按劳分配的工资部分而占居主要地位,并且在此后若干年,社会将实行全面的按需分配,于是共产主义时代到来了。由此可见,共产主义因素是在社会主义的基础上不断发展起来,成熟起来的。

这里再根据党的决议试图说明进入共产主义的条件在社会主义发展过程中逐步准备起来的情形。决议说:

> 从现在开始,摆在我国人民面前的任务是:经过人民公社这种社会组织形式,根据党所提出的社会主义建设的总路线,高速度地发展社会生产

---

① 《列宁全集》第 25 卷,人民出版社 1958 年版,第 457 页。

力，促进国家工业化、公社工业化、农业机械化电气化，逐步地使社会主义的集体所有制过渡到社会主义的全民所有制，从而使我国的社会主义经济全面地实现全民所有制，逐步把我国建成一个具有高度发展的现代工业、现代农业和现代科学文化的伟大的社会主义国家。在这一过程中，共产主义的因素必将逐步增长，这就将在物质条件方面和精神条件方面为社会主义过渡到共产主义奠定基础。

上面这一段话，说明了从现在开始到社会主义建成为止的全部过程。这全部过程包括两个步骤：其一是从现在起，人民公社由集体所有制向全民所有制过渡，因为各地方发展不平衡，大约经过四、五、六年或者更多一些时间都可以完成；其二是从现在起到社会主义建成，"将需要经过十五年、二十年或者更多一些时间"。

进入共产主义的条件怎样在社会主义的长期发展过程中准备起来的呢？

现在的农村人民公社已经有按需分配原则的萌芽。"人民公社实行的工农业同时并举和互相结合的方针，为缩小城乡差别、工农差别开辟了道路；农村人民公社由社会主义集体所有制过渡到了社会主义的全民所有制以后，它的共产主义因素将有新的增长；……而且，随着社会产品由于全国工农业日益高涨，逐步由不丰富到丰富，公社分配制度中的供给部分逐步由少到多、供给标准逐步由低到高，以及人民共产主义觉悟日益提高，全民教育日益发展，脑力劳动和体力劳动差别逐步缩小，国家政权对内作用逐步缩小，等等，随着这一切，准备向共产主义过渡的条件也将逐步成熟起来"。特别是到了接近于社会主义建成的时候，生产力将有飞跃的发展，共产主义因素也同时飞跃地发展起来，为进入共产主义的五个条件奠定了基础。即：一、社会产品极大地丰富了；二、全体人民的共产主义的思想觉悟和道德品质都极大地提高了；三、全民教育普及并且提高了；四、社会主义时期还不得不保存的旧社会遗留下来的工农差别、城乡差别、脑力劳动和体力劳动差别，都逐步地消失了，反映这些差别的不平等的资产阶级法权残余，也逐步地消失了；五、国家的职能只是为了对付外部敌人的侵略，对内已经不起作用了。那时，我国就会很自然地进入共产主义时代，中间不需要再经过一个过渡时期。这是不断革命论和革命发展阶段论的统一。也许有人会说,为实现进入共产主义的那五个条件奠定基础,并不等于是完全具备了那五个条件。这个问题我们要从发展的观点来看,并且见物还要见人(下面还要谈到)。总之,我们不能说,社会主义建成之后,才开始向共产主义过渡,而且这个过渡时期是相当长相当复杂的,同样,在建成了的社会主义和共产主义之间也不可能有什么长江或汉水来阻隔,而需要另找过渡的船只到达共产主义。

我们在研究由社会主义向共产主义过渡的问题时,还应当从发展的观点出发,估计到今后若干年内国际国内情况的变化,这样,有些问题就比较容易弄清楚了。

第一,党的决议指出,我们从现在起经过十五年、二十年或者更长一些的时间,就可以把我国建设成为"具有高度发展的现代工业、现代农业和现代科学文化的伟大的社会主义国家"。这里所说的"现代"的标准是什么?是目前最发达的资本主义国家的标准吗?我看不是,这里所说的"现代"标准,是指十五年、二十年以后的苏联的标准。这就是说,十五年、二十年以后,我国的工业、农业和科学文化的发展水平将同那时的苏联水平相接近。不用说,那时的苏联已经进入共产主义好几年了,我们所说的那五个条件早就具备了。既然如此,可不可以推断那时的我国也同样地具备了进入共产主义的条件呢?我以为是可以的。那时,我国既然具有同共产主义的苏联相接近的工业、农业和科学文化水平,当然也就可以进入共产主义时代,这是很自然的。

第二,在向共产主义过渡的过程中,各社会主义国家之间的互相援助的作用是必须予以充分估计的,赫鲁晓夫同志在苏共二十一次非常代表大会上的报告中说:

"社会主义国家有效地利用社会主义制度所具有的可能性,将大致同时过渡到共产主义社会的高级阶段。"

"在社会主义经济制度下,起作用的是有计划、按比例发展的规律,因此,从前经济上落后的国家依靠其他社会主义国家的经验,依靠合作和互助,就迅速弥补时间,使自己的经济和文化赶上去。这样,就可以把所有社会主义国家的经济发展和文化发展平衡成同一的水平。"

这些论断是什么意思呢?这就是说苏联将要携着我们的手一同进入共产

主义社会。不能设想,在苏联已经进入了共产主义好几年的情况下,我国竟还处在社会主义时期。可以预料,在今后若干年内,苏联将不仅很乐意、而且有足够的力量给予我们越来越大的援助,我国建成社会主义之日,也必然会同时具备了实现共产主义的条件,进入共产主义时代,完全无需在乎一个"制造条件"的"过渡时期"。

第三,我们的高瞻远瞩的党的领导的正确而及时,我国劳动人民的不断提高的共产主义觉悟,以及他们的冲天干劲,也是必须估计到的。等到我国已经具有了"高度发展的现代工业、现代农业和现代科学文化"的时候,我国人民在苏联的榜样的鼓舞之下,难道还会愿意停留在社会主义阶段吗? 显然是不会的。可以设想,到了那种时候,他们将会以不可遏止的共产主义热情要求取消按劳分配,实行全面的按需分配,正像今天的工人热烈要求取消计件工资一样。而那时的物质条件也确实可以做得到了。这样,社会主义建成之日,岂不也就是进入共产主义之时吗?

由此可见,只要用发展的眼光推想一下今后若干年的情况,那么,建成社会主义之日就是进入共产主义之时的说法是不难理解的。我们可以这样说:到了社会主义建成之日,社会主义时代的人就变为共产主义时代的人。

(原载 1959 年《七一》第 3 期,署名李达)

做好总结，继续前进

——为武汉大学哲学系下放归来师生的题词

（1959.3）

本系党总支委员会已经订出了"哲学系劳动锻炼总结计划"，这个计划很全面，很切实，希望本系的教师们和同学们在党总支的领导下，按照这个计划，实事求是地做好总结工作，为贯彻执行党的教育方针，建立以教学为中心的教学、科学研究、生产劳动三结合的教学体系打下良好的基础。

（原载 1959 年 3 月 28 日武汉大学校报《新武大》第 301 期，署名李达）

脑力劳动和体力劳动从分离必然走向结合

（1959.4）

一、随着阶级的分裂和对立，脑力劳动和
体力劳动萌芽状态的分离也对立起来

劳动是劳动力的使用，是劳动力作用于自然的状态，劳动力即是劳动能力，是存在于人类肉体中的种种物理的精神的能力的总和，当人们改造自然物为有用物的时候，就使用这种劳动力。

在人类的初期时代，原始人利用简单粗糙的工具猎取或采集自然界的动植物为生，因为当时的生产力非常幼稚，没有剩余产物，那种脱离体力劳动而专做脑力劳动的事情是不能发生的。往后，生产力稍见发展，开始有了剩余产物，同时一个母氏族分化为许多子氏族，于是氏族中许多公共事务就需要有人去做，如对外防御他族袭击的武装组织，对内掌管疏水灌溉、生产和分配、排难解纷、宗教祭祀、魔术、治病等一系列的事情，都需要有人去做，做这类事的人是由氏族全体人员共同推选的，并且他们也只是暂时担任这类工作，还不是完全脱离体力劳动的。随着生产力向前发展，剩余产物多起来了，同时氏族又分化为许多家族，父家长制代替了母家长制，各家族有了一些私有财产。由于感到劳动力的不足，就把战争所得的俘虏分配给各家族，于是形成了家内奴隶制，开始有了奴隶与主人的差别。在另一方面，随着畜牧业与农业的分工，又发生了农业和手工业的分工。于是又有商业这一门行业出现了。交换最初是在氏族与氏族之间进行的，后来也在氏族内部实行了。商业腐蚀了氏族社会，增加私有财产成为人们追逐的目标，从前定期分配给各家族使用的土地，后来也变成各家族的私产了，从前由氏族推举担任公职的一群人，后来变成世袭

了。这类担任公职的人,就利用特殊势力来扩大自己的私产。从此,氏族内部各家族的私产发生了很大的分歧。由于土地抵押和利息借贷的流行,穷人负债不能偿还,就沦为富人的奴隶。于是社会分为主人与奴隶两大阶级,人类的历史进到了奴隶制社会的时代,同时,随着阶级的分裂和对立,从前那种只是萌芽状态的脑力劳动和体力劳动的分离,就转变为两者的对立了,从此,脑力劳动成为剥削阶级的特权,而体力劳动就专由被剥削阶级负担了。

二、阶级社会全部的历史是脑力劳动和体力劳动对立的历史

在奴隶制社会中,奴隶主这一阶级,一般地参与统治奴隶阶级的公共事务,特别地产生了属于这个阶级的知识分子。"知识是必要的闲暇"。这类知识分子专靠奴隶养活,成了有闲阶级,他们有充分的时间,去从事哲学、科学、文学、艺术等的研究,因而创造出古代的灿烂的文化(这完全是奴隶的血汗灌溉出来的)。至于奴隶们,则被当作是只能说话的工具,终年在主人们鞭挞之下干着笨重的体力劳动,永远也没有增进智力的机会。这种脑力劳动和体力劳动的对立,简直是剥削者与被剥削者的对立。

在封建社会中,地主阶级与农民阶级的对立,表现为"劳心者"与"劳力者"的对立。"劳心者治人,劳力者治于人","治人者食于人,治于人者食人",这充分地说明了脑力劳动者和体力劳动者的关系是剥削者和被剥削者的关系。毛泽东同志曾经指出:"中国历来只是地主有文化,农民没有文化。可是地主的文化是由农民造成的,因为造成地主文化的东西,不是别的,正是从农民身上掠取的血汗。"①

到了资本主义社会,随着阶级矛盾的加深,脑力劳动和体力劳动的对立也达到空前的高度。资产阶级知识分子所有关于哲学、自然科学、人文科学的研究,都成了资产阶级加强对于无产阶级的统治和剥削的工具。无产阶级则成为机器的附件,单调地、机械地重复同一的操作。这样的体力劳动,成为工人

---

① 见《湖南农民运动考察报告》。

们的苦役,他们不能也不愿发挥任何创造性。资产阶级知识分子,实际上成了工人阶级的敌人。正如斯大林所指出的,在资本主义制度下,工人对待厂长、经理、工程师及其他技术人员,就好像对待自己的敌人一样。在几千年的阶级社会中,统治阶级及其知识分子,为了巩固自己阶级的统治,有意把体力劳动说成是下贱的,把脑力劳动说成是高贵的。此外,他们还说脑力劳动者是精神的化身,体力劳动者是物质的化身,精神高于物质,先于物质(这是剥削阶级唯心论产生的根源之一)。因此,轻视和贱视体力劳动,就成了一切剥削阶级传统的恶习惯。

三、脑力劳动和体力劳动的结合是社会发展的规律

社会主义社会,是劳动人民在共产党领导下,推翻了一切剥削制度和剥削阶级后建立起来的新社会,劳动人民当家做主,要用自己的劳动建成社会主义,并过渡到共产主义,劳动变成了光荣豪迈的事情。人民共和国成立以来,厂矿的工人们发挥了劳动的积极性和创造性,提高了劳动生产率,他们根据自己的经验,提出了无数合理化建议;他们学习了苏联先进经验,进行技术革新,还创造了新的机器,制造了我国从前所没有的许多产品,并且出现了许多工程师、技师和模范。这表明着工人们所以能够发挥这样的创造性劳动,是因为他们把发展了的智力和体力相结合的结果。其次,农民们在走上了社会主义道路以后,劳动热情空前高涨,他们苦干实干巧干,创造了许多奇迹,出现了许多专家和模范。他们在水、肥、土、种、密、保、工、管八字宪法指导下,创造了新的农业生产技术,因而获得了 1958 年的空前大丰收。这也表明着农民们所以能够发挥出这样的创造性的劳动,是他们把发展了的智力和体力相结合的结果。近年以来,广大的工农群众,普遍地学文化、学科学、学技术、学哲学,写诗歌、写文章,他们的智力必将逐步提高,他们的劳动生产率也将不断提高。这标志着脑力劳动和体力劳动将在高度的水准上结合起来。目前,我国农村已经人民公社化,各个人民公社都将普遍设立各级学校,劳动人民的子弟都要在半工半读中从小学到中学,直到大学毕业,人人都是脑力劳动者兼体力劳动者,人

人都可以做哲学家、科学家、文学家、艺术家,到了那个时候,脑力劳动和体力劳动就在高度水准上结合起来了,社会也就将进到共产主义时代了。

由此可见,脑力劳动与体力劳动的结合,是社会发展的规律。

四、我国逐步消灭脑力劳动和体力劳动的差别的具体途径

在现阶段,我国还有一些资产阶级分子(包括其中的知识分子)和一些知识青年,他们的脑力劳动还没有和体力劳动结合起来。还有工作干部(包括原有的革命干部),他们或者未曾参加过生产劳动,或者脱离生产劳动已久,他们也必须参加体力劳动,以便和他们的脑力劳动结合起来。为此,党中央发布了干部轮流下放参加劳动的决定,在学校教育方面,党也提出了"有社会主义觉悟、有文化的劳动者"这一培养目标;并制定了"教育为无产阶级政治服务,教育与生产劳动结合"这一教育方针。这些方针、决定和培养目标,就是采取一定的措施,使脑力劳动和体力劳动逐步缩小距离以至于使两者结合起来。可是,当着党中央的方针、决定发出的时候,资产阶级分子和一些知识青年,狃于过去轻视和贱视劳动的旧时代的恶习,抱有抵触情绪,特别是一些知识青年,曾经发出了许多议论,例如说:"大学毕业后还要做普通劳动者,何必读书,然后劳动。"又如说:"农民无知识,下乡劳动,学不到什么。"又如说:"共产主义时代,还需要有人攻尖端科学,发明创造,可见,那时脑力劳动和体力劳动还是分离的。"又如说:"共产主义时代,体力劳动不存在,只有脑力劳动存在。"这些奇谈与怪论,无非是厌恶劳动和回避劳动的借口。

大家知道,我们要建成社会主义并向共产主义过渡,就必须高速度地发展生产力,实现高度工业化和农业电气化、机械化。这就要求很多具有相当高度的文化的人去从事这方面的劳动,才能胜任。那种不读书而无文化的人是不能胜任的。

其次,那种嫌恶农民没有知识,下乡劳动学不到什么的思想,毛主席早已批评过了。他说:"有许多知识分子,他们自以为很有知识,大摆其知识架子,而不知道这种架子是不好的,是有害的,是阻碍他们前进的。他们应该知道一

个真理,就是许多所谓知识分子,其实是比较地最无知识的,工农分子的知识有时倒比他们多一点。"①工农分子的知识有时的确比知识分子多一点,凡是曾经下厂下乡劳动锻炼过的知识分子都可以作证。

再次,共产主义时代的新人,都是在半工半读条件下培养出来的"一专多能"的人,既有高度的科学文化水平,又通晓整个生产的过程,既能从事体力劳动,也能从事脑力劳动。至于什么人去攻尖端科学,去发明创造,则是由计划机关按照各人的特长去调配的,并且被决定做这类工作的人也不是完全脱离体力劳动的。有人设想:那时各尽所能,人人都要选择脑力劳动,谁去从事体力劳动呢? 这种想法是不正确的。共产主义社会虽然没有国家(在资本主义的包围还存在的时候,国家的对外职能还存在),而社会的组织和计划机关的系统却是很严密的,社会全体成员的劳动力是由组织统筹分配,全面安排的。具有高度共产主义道德品质的社会成员是完全服从组织的调配的。在这种社会中,体力劳动和脑力劳动是在高度的水准上结合着,那种专搞脑力劳动而不搞体力劳动的现象是不可能有的。

最后要说的是:在共产主义时代,体力劳动还是存在的,所谓"体力劳动不存在,只有脑力劳动存在"的说法,是不正确的,体力劳动是脑力劳动所以发达的基础,如果没有创造性的体力劳动,人们的体力和智力就不能和谐地发展,就不能获得关于客观世界的各种科学的知识,因而也就谈不上什么科学技术方面的发明和创造。在那个时代,体力劳动还是存在的,所不同的地方是:它已摆脱了笨重的性质,并与高度的脑力劳动结合着,恩格斯说得好,在共产主义时代,"生产劳动供给每人以全面发展并运用自己一切体力智力的可能,它不再是奴役人们的手段,而是解放人们的手段,因此,生产劳动从一种繁重负担变成一种快乐。"②

脑力劳动和体力劳动由分离而趋向结合,这是社会主义社会发展的必然趋势。目前,脑力劳动和体力劳动的关系已不是剥削和被剥削的关系,两者的对立已经消失,但它们仍然是有距离的。党中央和毛主席关于干部和学生参

---

① 见《整顿党的作风》。
② 《反杜林论》。

加生产劳动的措施,正是要逐步缩短脑力劳动和体力劳动的距离,并使两者趋向于结合。现在,全国各高等学校和中等学校都规定了学生每年参加两个月到四个月的生产劳动,有的学校还实行了半工半读。从这种趋势看,将来各级学校的毕业生都将成为有文化的劳动者。在另一方面,广大的工人和农民群众,由于文化的普及和提高,也都将成为有文化的劳动者。全国有文化的劳动者从事生产劳动,就可以大大地提高劳动生产率,就可以促速国家高度工业化和农业电气化、机械化,因而就可以加快建成社会主义并向共产主义过渡的过程,这是没有疑义的。

（原载 1959 年 4 月 3 日《人民日报》,署名李达）

"五四"以来我国知识分子的道路[*]

（1959.4）

"五四"运动到今年已经 40 周年了。这是我国人民在中国共产党的领导下艰苦奋斗，终于完成了民主主义革命，取得了社会主义革命的决定性胜利，并且开辟了共产主义的灿烂前途的 40 年，同时也是我国知识分子在中国共产党的领导、关怀和教育下，逐步走上与工农群众相结合的正确道路的 40 年。回顾 40 年来我国知识分子所走的道路，从中吸取经验教训，对于我们今天的青年知识分子将是有益的。

一、"五四"以前的知识分子

清朝末年以来，我国变成了半封建半殖民地的国家，外国资本主义和本国封建主义的压迫和剥削，使得我国民族危机极其严重。处在这种情况下的我国知识分子，除了一部分为帝国主义者服务的文化汉奸或文化买办以外，绝大多数都是不同程度的爱国主义者。许多先进人物为了救国救民，不辞千辛万苦，努力寻找真理。他们努力学习西方资本主义国家的政治和文化，企图按照西方资本主义国家的模型来改造旧中国。在这类人物中，又有改良派与革命派之别。改良派（以康有为为代表）主张在保存封建制度的条件下发展资本主义；革命派（以孙中山为代表）则主张推翻清朝统治、建立资产阶级共和国。所有这些先进人物，都在一定时期内和一定程度上促进了人民的觉醒，推动了

---

　　* 本文第三部分曾以《青年知识分子要走又红又专的道路——纪念"五四"运动 40 周年》为题发表于 1959 年 5 月 4 日《新武大》第 307 期。——编者注

中国历史的前进,他们的历史功绩是不朽的。但是在几十年的长时期中,他们始终未能推翻帝国主义和封建主义的统治。辛亥革命虽然推翻了清朝的统治,但是国家权力却落在北洋军阀手里,中国的半殖民地半封建的性质依然没有改变。这是由于当时的先进分子受了历史条件和本身阶级立场的限制,不了解马克思主义,没有与工农群众相结合,不懂得中国社会发展的规律和中国革命的规律,因而也就不能找到一条正确的革命道路。他们的一切可歌可泣的努力,归根到底都失败了。

二、新民主主义革命时期的知识分子

1919 年的"五四"运动根本改变了这种情形。1917 年,俄国爆发了十月革命,建立了世界上第一个社会主义国家。当时正为中国的出路而苦闷彷徨的革命知识分子,在漫长的黑夜里突然看见了黎明的曙光,增添了无限的信心和勇气。他们从苏联第一次得到了马克思列宁主义这个新式武器,作为考察国家命运的工具,得出了"走俄国人的路"的结论。于是在我国出现了第一批具有初步共产主义觉悟的工人阶级知识分子(以李大钊、毛泽东为代表)。他们同小资产阶级知识分子、资产阶级知识分子结成统一战线,掀起了"五四"运动。在接着到来的"六三"运动中,工人阶级第一次登上了政治斗争的舞台,共产主义知识分子从这里找到了领导力量。

五四以前,资产阶级的哲学思想、文艺思想和社会学说就已经被贩卖到中国来了。五四以后马克思主义的传播占了首位。这时,我国知识界形成了公开的分化,即分化为马克思主义派和反马克思主义派。反马克思主义派的知识分子中有买办资产阶级派(胡适为代表)、地主阶级派(梁漱溟为代表)、民族资产阶级派(梁启超、张东荪为代表)、小资产阶级派(无政府主义者区声白等为代表),他们分别用世界主义、实用主义、改良主义、儒家伦理主义和无政府主义等等陈旧武器向马克思主义开火。马克思主义派则给予坚决的还击。经过一场尖锐激烈的论战,马克思主义终于取得了优势。在马克思主义与工人运动相结合的基础上,中国共产党于 1921 年正式成立了。

中国共产党一成立,就成了全国的舵手和灯塔。所有的革命知识分子都集合在共产党的旗帜之下，参加了轰轰烈烈的革命运动（例如1925年上海的"五卅"运动，1926年北京的"三一八"运动）。北伐军进入武汉以后，除了极少数反动知识分子外，都卷入了革命的漩涡。革命的知识分子多数加入了共产党（党的队伍由1921年的几十个党员发展到五万多党员，其中知识分子的数字很大）；中间派的知识分子，包括许多大学教授、留学生及其他一些中年知识分子，也同情革命，纷纷投效；至于为数极少的买办资产阶级知识分子，则极力破坏革命，例如胡适就设法破坏五卅运动，并对青年宣传"救国要先救自己"的谬论。

1927年大革命失败以后，白色区域的知识分子的革命活动十分困难，有些知识分子动摇叛变。但许多革命知识分子仍然望着井冈山的革命灯塔，配合苏区的革命运动，用各种方式展开了反帝反封建的斗争。"九一八"事变以后，学生运动蓬勃发展，像1932年的"一·二八"运动，1935年的"一二·九"运动，都是影响很大的学生运动。这时，知识分子分为两派：一派集合于共产党旗帜之下，主张抗日救亡；另一派集合于国民党旗帜之下，认为抗日有罪，斗争十分激烈。

抗日战争时期，革命的灯塔从江西苏区移到延安，许多少壮的知识分子奔赴延安圣地，参加抗日民族解放战争；留在蒋管区的进步知识分子，又配合着做过许多革命的工作，极少数反动的知识分子，则依附国民党，继续反共反人民。解放战争时期，知识分子的分化更加旗帜鲜明。有坚决跟着共产党走的左派，即革命派；有坚决反共反人民的右派，即反动派；还有幻想走"第三条道路"的中间派。革命知识分子在党的领导下配合解放战争，开展了声势浩大的反内战、反饥饿、反迫害运动，给反动统治以很大的打击。反动的知识分子（其中有"中统"、"军统"派的职业特务，有其他党团分子，有"无党派"的"学者"、"闻人"等等）则极力维护反动统治，迫害进步知识分子。主张"第三条道路"的知识分子，在人民革命临近胜利的时候，有些人放弃了这种幻想，愿意接受共产党的领导；有的人则继续坚持原来的幻想，起着维护反动统治和阻挠人民革命的作用。随着人民革命的胜利和中华人民共和国的成立，为帝国主义、封建主义和官僚资本主义服务的知识分子，以及坚持第三条道路的知识分子的政治企图一齐破了产，他们当中有的人跑到台湾或美国去了，有的则被革命的浪潮卷到新社会里来了。

三、社会主义革命时期的知识分子

中华人民共和国成立,我国进入了社会主义革命的历史时期,原来为旧社会服务的几百万知识分子,现在转而为新社会服务。事情发展得这样快,以致使很多人感到突然,感到需要重新学习。我们党本着一贯争取、团结、教育、改造的政策,耐心地帮助他们改造思想,转变立场。在社会主义革命过程中,知识分子分成了左、中、右三派。左派拥护共产党、拥护社会主义,是革命派;右派反对共产党、反对社会主义,是反革命派;中间派则动摇于两者之间。左派和右派都是少数,多数是中间派,他们是左右两派争取的对象。反右派斗争取得胜利以后,反革命右派知识分子在人民中间彻底孤立了;中间派当中许多人觉悟过来,逐渐向左靠,要求加强自我改造。这是必要的。解放以后,中间派的知识分子在党的教育下虽然有了显著的进步,但毕竟还是资产阶级知识分子,他们大都浸透了资产阶级的世界观和偏见,同工农群众格格不入,如果不经过长期的甚至是痛苦的改造过程,就不能真正变成工人阶级的知识分子,就不能很好地为社会主义服务。我们党相信大多数资产阶级知识分子是可以在党的领导下经过一段相当长的时间,逐步脱离中间状态,转到工人阶级的立场上来,为社会主义和共产主义事业作出贡献的。

从40年来我国知识分子走过的道路中,我们可以汲取一些什么经验教训呢?

第一,我国知识分子可以选择的道路,归根到底只有两条:一条是拥护共产党、拥护社会主义的道路;另一条是反对共产党、反对社会主义的道路。第三条道路是没有的,幻想走这条道路的人,最后都不得不在上述两条道路中选择一条。一切真正热爱祖国的知识分子,都应当坚决地选择拥护共产党、拥护社会主义的道路,把自己改造成工人阶级的革命的知识分子。

第二,要做工人阶级的革命知识分子,就必须下决心实行与工农群众相结合。毛主席告诉我们:"知识分子如果不和工农民众相结合,则将一事无成。革命的或不革命的或反革命的知识分子的最后分界,看其是否愿意并且实行和工农民众相结合。他们的最后分界仅仅在这一点。"

第三，要做工人阶级的革命知识分子，就必须坚持不断革命。历史是发展着的，人是变化着的。在民主革命的长途中，革命知识分子中就有一些人经不起历史的考验，变成了革命的叛徒；在社会主义革命阶段中，也有一些原来在民主革命阶段是革命知识分子的人，堕落成为反党反社会主义的右派分子。这是一方面。另一方面，无论在民主革命阶段或者社会主义革命阶段，都有一些原来处于中间状态的知识分子由于不断革命，逐步地变成了工人阶级的知识分子。

四、青年知识分子要走又红又专的道路

我们的祖国正处在建设社会主义和为共产主义过渡创造条件的伟大历史时期，宏伟的建设事业需要一支庞大的工人阶级知识分子的队伍。除了依靠老一辈的革命知识分子以外，除了把现有的资产阶级知识分子逐渐改造成为工人阶级知识分子以外，就要依靠我们的青年一代了。毛主席对青年们说："世界是你们的，也是我们的，但是归根结底是你们的，你们青年人朝气蓬勃，正在兴旺时期，好像早晨八九点钟的太阳。希望寄托在你们身上。"这一段充满热情的话表现了党和领袖对于我们青年一代深厚的关怀和殷切的期望，同时也表明了青年一代所肩负的繁重的历史任务。为此，我们青年一代必须依照党和毛主席的教导，努力把自己造就成为"又红又专"的工人阶级的知识分子。

首先是要"红"。我们的青年在党的培育下，是有很大的进步的。但是不能否认，我们一般说来是在和平环境里成长起来的，没有经历过革命先辈们所经历过的那些惊涛骇浪，没有"经风雨、见世面"，没有经过严重的锻炼和考验，在政治上还不成熟。我们当中还有一些青年受了资产阶级思想的影响，还有一些错误思想。为了做老一辈共产主义者的接班人，我们必须克服各种错误思想，巩固地树立起共产主义世界观和人生观。怎样才能做到这一点呢？第一，坚决实行与工农群众相结合。而在目前就是坚决拥护党的教育与生产劳动相结合的方针，积极地参加劳动锻炼。只有这样才能培养出劳动人民的

思想感情,才能彻底肃清轻视体力劳动的资产阶级思想。有的青年把参加劳动锻炼和"专"对立起来,似乎参加劳动锻炼就影响"专",就不能当专家,要想"专"就不能参加劳动锻炼。这是不正确的。这些青年心目中的专家仍然是脱离体力劳动、高踞于工农群众之上的资产阶级专家,殊不知这样的专家正是需要彻底改造的。我们所需要的工人阶级的红色专家,就是具有社会主义觉悟的、有文化的劳动者。要做红色专家,首先就要下决心参加体力劳动。第二,必须努力学习马克思列宁主义。有的同学认为政治课可有可无,只要好好地劳动就可以自然地"红"起来。这种认识是片面的。马克思列宁主义是指导我们思想的理论基础,是从事任何专业的人都必须认真学习的一门科学。毛主席说:"不论是知识分子,还是青年学生,都应该努力学习。除了学习专业之外,在思想上要有所进步,政治上也要有所进步,这就需要学习马克思主义,学习时事政治。"第三,还必须坚持不断革命。有的青年在反右派斗争的时候是左派,就以为已经够"红"了,不需要继续进步了。他们开始放松对自己的要求,不愿担任组织分配给自己的社会工作;少数青年甚至盛气凌人,看不起比自己落后的青年,这种想法和倾向是值得注意的。"红"是没有止境的,也不是一成不变的。当你开始骄傲自满的时候,"红"色就开始减退了。应当记住毛主席的教导:"虚心使人进步,骄傲使人落后。"永远谦虚谨慎,不骄不躁,不断革命,"红"益求"红"。另外有的青年在政治上不是左派,或者犯过某些错误,就以为自己没有前途了,于是甘居中游,不求上进。这也是不对的。如果我们过去比较落后。这就正好说明我们需要更加努力地改造,怎么可以反而停滞起来呢?只要下定决心改造自己,又有什么力量阻止我们成为共产主义者呢?

不仅要"红",而且要"专"。为了实现国家工业化和农业机械化电气化,需要高度的文化水平和科学技术水平。目前,我们国家的文化水平和科学技术水平整个说来还是低的,青年们的知识也还很不足,因此,必须努力学习,巩固地掌握知识,把自己锻炼成为精通本门业务的专家。知识有书本知识和实际知识两种,应当使两者很好地结合起来。有的同学认为只有书本知识才是知识,而实际知识就不算知识,因而迷信书本,脱离实际,这是一种坏学风。这种学风在前些时候已经受到了较深刻的批判,今后仍然应当继续防止。现在又有些青年认为只有实际知识才是知识，而书本知识都是"空洞的教条"，因而忽视读书。如有的同学说，农民没有学过生物学照样亩产万斤，养出大号肥猪，学不学书本知识关系不大。这种看法也是不对的。科学的书本知识是几千年来生产斗争和阶级斗争经验的总结，是阐明科学规律的。不读书，就不能继承已有的科学成果，就不能扩大知识领域，就不能使自己的经验上升为理论的认识。我们反对脱离实际的死读书，但是也反对不读书或是忽视读书。有些同学不重视基础课，认为不能解决实际问题。如有的中学同学说，整天学 X+Y，究竟有何用？有的同学甚至建议取消历史课和地理课。这是一种近视的观点。学习科学知识必须循序渐进，只有打好了牢固的基础，才能攀上科学的高峰。我们应当有长远的打算，而不应事事要求立竿见影。

"红"和"专"是对立的统一，不应当把二者机械地对立起来。前一段时间，"只专不红"、"先专后红"的思想曾经在一部分知识青年中间流行过。这是资产阶级个人主义思想的表现。经过辩论和教育，多数知识青年已经认识了这种思想的实质和危害性。但是现在又出现了"只红不专"、"先红后专"或者"红了自然专"的思想。有的青年说："只要政治上积极，好好劳动，就可以为人民服务，何必努力学习？"这种认识是很不全面的。什么叫做政治上积极，难道不是首先要听党的话吗？党教导我们，一方面要努力改造思想，另一方面要顽强地掌握知识技能。因为不这样就不能适应今天的社会主义建设和将来的共产主义建设的需要。如果我们不听党的话，不肯顽强地掌握科学知识，这能够算得政治上积极吗？这种"红"，能够算得真正的"红"吗？有些中学同学说："我们不打算升学，愿意早日参加工作，做一个普通的工人、农民或干部，何必努力学习？"愿意早点参加实际工作，如果是出于纯洁的动机，自然是好的。但是无论参加什么工作，仍然必须努力学习。今天的工人、农民和干部在工作岗位上不是都在努力学习吗？那么，当我们还在学校里学习的时候，学习就是党和人民交给我们的任务，那就更不容许有丝毫的懈怠了，我们应当去掉那些不正确的想法，朝着党所指示的"又红又专"的道路勇猛前进！

（原载 1959 年《中国青年》第 8 期，署名李达）

积极发展哲学社会科学的理论研究工作

——为纪念"五四"运动 40 周年而作

（1959.5）

40 年前的"五四"运动，是我国民主革命由资产阶级领导的旧民主主义革命到无产阶级领导的新民主主义革命的转折点，是我国有史以来最大变化的枢纽。"五四"以来的 40 年，是中国人民在中国共产党的领导下艰苦奋斗、终于完成了民主主义革命、取得了社会主义革命的决定性的胜利、并且开辟了共产主义的灿烂前途的 40 年，同时也是马克思列宁主义的科学真理在一个占世界人口四分之一的大国中逐步地掌握群众、从而变成了伟大的物质力量的 40 年。

"没有革命的理论，就不会有革命的运动。""五四"运动的最伟大的意义，就在于它促成了马克思列宁主义理论与中国工人运动的结合，从而产生了中国共产党。"五四"以前，中国的先进分子为了寻找救国救民的真理，不惜流血牺牲，前仆后继，其英勇奋斗的精神是可歌可泣的；但是由于没有正确的革命理论的指导，一切的努力都不可避免地遭到了失败。只有在俄国十月革命一声炮响，给我们送来马克思列宁主义之后，中国革命的面目才为之一新。由此可见，马克思列宁主义的指导对于中国革命事业的胜利是起了决定性的作用的。

"五四"运动以后，以李大钊同志为代表的具有初步共产主义思想的革命知识分子传播了马克思列宁主义，并且同以胡适为代表的反马克思主义的各种反动的哲学思想、文艺思想、政治思想进行了激烈的斗争，取得了胜利，为中国共产党的成立作了思想上的准备。党成立以后，立即投入了轰轰烈烈的革命斗争。但是当时的党还是幼年的党，当时的共产主义者对马克思列宁主义还是知之不多的,党内绝对多数同志对马克思列宁主义的理论与中国革命的实践都还缺乏统一的了解,因而在革命斗争中犯了几次重大的错误。这种情形证明,有了马克思列宁主义的一般理论,还必须与中国革命的具体实践结合起来,才能指导中国革命走向胜利。党在革命斗争中,终于找到了把马克思列宁主义的理论同中国革命的具体实践完全恰当地统一起来的最伟大的代表,这个最伟大的代表,就是毛泽东同志。

毛泽东同志从进入中国革命事业的第一天起,就注重运用马克思列宁主义理论来研究、考察和解决中国革命的实际问题。在长期的革命斗争的实践中,他发现了中国社会发展的规律、中国革命斗争的规律以及中国经济发展的规律,系统地解决了关于中国革命建设的一系列的根本问题,制定了中国革命和建设的纲领、路线、策略、方针、政策,指导中国革命从胜利走向胜利,并且在许多方面丰富了和发展了马克思列宁主义的理论。在毛泽东同志的领导下,中国共产党已经成为一个政治上完全成熟的马克思列宁主义的党。党的纲领性的文件和毛泽东同志的一切著作,都是马克思列宁主义与中国革命实践的结合,都是马克思列宁主义的哲学社会科学的理论,这是为多年来中国革命的实践所证明了的真理。

由此可见,马克思列宁主义的哲学社会科学是一个具有指导革命实践的伟大作用的重要科学部门。五四以来,这一科学部门取得了伟大的成就,这种成就应当归功于党和毛泽东同志。毛泽东同志和党的其他领袖们,都是马克思列宁主义的哲学社会科学的巨匠,他们在创造性地运用、宣传和发展马克思列宁主义的哲学社会科学理论上作出了杰出的贡献。

在党和毛泽东同志的领导下,我国也拥有一支马克思列宁主义的哲学社会科学的专业队伍。这支队伍是党和工人阶级在思想战线上的战斗员。这支队伍在长时期的革命斗争中是做了很多工作,起了很大的作用的。新中国成立以后,这支队伍在数量上和质量上都有所提高。党对于这支队伍寄予了很高的期望。周恩来总理在向第二届全国人民代表大会上第一次会议所作的《政府工作报告》中指出:

社会科学方面的理论研究工作也应当积极发展,加强领导。忽视它的重要性是不允许的。应当鼓励社会科学理论工作者在马克思列宁主义指导下,进行有系统的、长时间的努力,充分掌握有关的资料,从事独立的、创造性的研究。

这一指示,对于我们社会科学理论工作者是一个很大的鼓舞。在党的"鼓足干劲,力争上游,多快好省地建设社会主义"的总战线的指导下,我们要大力地发展自然科学,并应用它来革新技术,改革技术,促进社会生产力的高速度的发展。这在目前和今后都是十分重要的。但是,努力加强哲学社会科学的研究,以服务于社会主义建设,这在目前和今后都是十分重要,"忽视它的重要性是不允许的"。这是党交给我们哲学社会科学工作者的光荣任务。

要加强马克思列宁主义的哲学社会科学的理论研究,就必须努力钻研党的一切纲领性的文件和毛泽东同志的一切著作,这就决定了我们一方面要努力钻研马克思列宁主义的普遍真理,即努力钻研马克思列宁主义的经典著作,精通它,在中国的社会生活中应用它;另一方面要了解中国革命的具体情况,即是说要深入实际、深入群众,同群众打成一片,做实际调查工作,广泛地搜集社会生活的庞大资料,用马克思列宁主义的立场、观点、方法,用矛盾分析的方法,发现问题,提出问题,分析问题,解决问题,然后进行科学的综合工作,从其中找出一些固有的而不是臆造的规律性,用来指导我们的实践。毛主席在1942年就明确地指示我们:只有"善于应用马克思列宁主义的立场、观点和方法,善于应用列宁斯大林关于中国革命的学说,进一步地从中国的历史实际和革命突际的认真研究中,在各方面作出合乎中国需要的理论性的创造,才叫做理论和实际相联系。"只有"能够依据马克思列宁主义的立场、观点和方法,正确地解释历史中和革命中所发生的实际问题,能够在中国的经济、政治、军事、交化种种问题上给予科学的解释,给予理论的说明",才算得一个马克思主义的理论家。可见,要真正做到理论和实际相联系,要真正做一个合格的马克思主义理论工作者,是非常不容易的。党交给我们的任务,是很繁重的。我们必须向毛泽东主席学习,向党中央的其他领袖们学习,向党的各级领导者学习,只有这样,才能理解党的方针路线、领会毛主席著作的精神,在工作中少犯错误和不犯重大的错误,并且做出一些成绩。

毋庸讳言,过去我们做哲学社会科学理论工作的人是有浓厚的教条主义倾向的,我们的工作成绩离开党对我们的要求,离开革命建设的实践对我们的要求,都差得很远。1957年的全民整风运动和反右派斗争,使这种情况有了一个大的转变。理论工作者认识了理论脱离实际的危害性,积极响应党的号召,纷纷下乡下厂,一面实行劳动锻炼,认真地接触工农群众,改造自己的立场、观点、方法,一面深入实际,进行了调查研究。由于采取这样的革命措施,最近一年来在理论战线上出现了一片新的气象,认真地研究革命建设的实际问题的风气,开始形成起来,重理论,轻实际的错误倾向已经基本上被扭转了过来。这种成绩是应该予以充分的估计,并且加以巩固和提高的。

但是,与此同时,在一部分同志中间又产生一种重实际、轻理论的倾向。他们认为"实际就是理论","读书越多就越容易犯教条主义"。有些青年同志们甚至把马克思列宁主义的经典著作看成"教条",看成"空洞的理论",不愿意刻苦地钻研。这实在是对于反对教条主义的误解。反对教条主义绝不是反对学习理论,绝不是反对读书。教条主义是主观主义的一种形式,它的特征就是把马克思列宁主义的个别词句当作包医百病的灵丹圣药,不问时间、地点、条件,到处乱套,以致造成认识和实践相脱离、主观和客观相脱离、理论和实际相脱离的结果。教条主义是完全违反马克思列宁主义的,它的危害性是非常之大的,所以我们党过去、现在和将来都坚持反对教条主义。但是学习理论,认真读书,却完全是另外一回事。如果我们不刻苦地钻研马克思列宁主义的经典著作,我们就不能掌握马克思列宁主义的普遍真理,就不能掌握正确的立场、观点和方法。如果我们不刻苦地钻研党的文件和毛主席的著作,我们就不能领会马克思列宁主义的普遍真理与中国革命实践的统一,就不知道怎样运用马克思列宁主义的立场、观点和方法来研究中国革命建设中的实际问题。这样,在大量的实际材料面前就不会做科学的分析和综合工作,不能找出事物的规律性。毛主席在1938年就曾经号召"一切有相当研究能力的共产党员,都要研究马克思、恩格斯、列宁、斯大林的理论"。"普遍地深入地研究马克思列宁主义的理论的任务,对于我们,是一个亟待解决并须着重地致力才能解决的大问题。"可见,反对教条主义同反对读书混为一谈,是不正确的。在继续坚持反对教条主义的同时,我们应当提倡认真地刻苦地钻研马克思列宁主义的经典著作，钻研毛泽东同志的一切著作和党的文件。

另外也有些同志因为害怕妨碍读书，主张今后不要再提反对教条主义。我以为这是不妥当的。教条主义的倾向现在虽然有很大程度的克服，但是不能说已经肃清，而且也不可能一劳永逸地予以肃清。反对教条主义的任务，无论现在或将来，都是不能取消的。书必须读，教条主义也必须灭。我们不是无条件地提倡读书，而是在理论联系实际的前提下提倡读书。毛泽东同志说："对于马克思主义的理论，要能够精通它、应用它，精通的目的全在于应用。"这一条必须永远坚持。我们既不能因为反对教条主义而忽视钻研理论，也不能因为提倡钻研理论而忽视反对教务主义。

要使我们的理论研究工作取得较大的成绩，就必须充分地、全面地、系统地掌握有关的资料。毛泽东同志屡次告诉我们，只有"详细地占有材料，加以科学的分析和综合的研究"，才能"从这些材料中引出正确的结论"。如果不下工夫做"系统的周密的收集材料加以研究的工作"，是不可能对任何问题作出科学的理论说明的。我以为理论工作者应当亲自动手做一部分资料工作，而不要仅仅依靠辅助人员去做。这样经过长期的积累，一定可以看出效果。

我们应当学习毛泽东同志和党的其他领袖们善于"观风向，插红旗"的本领。毛泽东同志从三户贫农组成的"穷棒子社"看出了五亿农民的方向，从一部分农民组织公社的事实中看出了全国人民公社化的必然趋势。这种高瞻远瞩、辨别风向，善于从纷繁庞杂的现象中找出本质、抓住主流，善于从新生事物的萌芽状态中看出它们的发展前途的敏锐眼光，是我们哲学社会科学工作者必须很认真地学习的。只有多少具备了这样的本领，才可以使我们的工作不致于长久地落在实际需要的后面。

在进行研究的过程中，我们必须继续执行党的"百花齐放，百家争鸣"的政策。人民内部的学术观点的斗争，绝不可以采取粗暴的强制的方法，而只能采取讨论的方法、批评的方法、说理的方法。对于资产阶级学术思想，一定要展开斗争，但是这种斗争也仍然只能用讨论、批评和说理的方法，并且要容许被批评的人们进行反批评，容许他们放弃自己的意见或者保留自己的意见。一切的批评或反批评，都应当是经过了认真的研究之后才提出的，而不是"看到一点就写"的。只有这样，才能真正发展正确意见，克服错误意见，并使哲学社会科学工作在斗争中受到锻炼和教育。在今后，我们应当鼓励和提倡在独立思考，刻苦研究的基础上大胆地发表自己的意见。当然，独立思考，进行创造性的劳动，完全不犯错误是不可能的。但是，犯了错误，接受批评，又可以使自己提高一步，这对于自己，对于科学的发展，都将只有好处，没有坏处。因为害怕犯错误而不敢"从事独立的、创造性的研究"，这种态度是不正确的，也是不必要的。

为了很好地完成党交给我们的任务，我们还必须努力扩大队伍。专业哲学社会科学工作者的队伍近年来虽有很大的发展，但是无论在数量上和质量上都还远不能适应形势的需要。扩大专业哲学社会科学工作者的队伍是建立工人阶级知识分子队伍这个总任务的组成部分。它应当从培养新生力量和改造旧知识分子两方面着手。对于愿意在马克思列宁主义指导下进行研究工作的旧的哲学社会科学工作者，应当耐心地帮助他们认真改造思想，改变立场观点方法，使他们能够在长时期的工作实践中彻底地同资产阶级世界观决裂，变成马克思列宁主义者。对于大量的正在成长起来的年青的哲学社会科学工作者，应当鼓励他们以充沛的革命热情和顽强的毅力不断地攀登科学知识的高峰，教育他们在任何时候都不要骄傲自满。经过一定时期的努力，哲学社会科学工作者的队伍是可以变得更加强大的。

当前的革命实践向我们提出了许多重大的课题，需要我们研究。无论在哲学方面、经济学方面、法学方面、历史学方面、逻辑学方面，以及其他方面，都有自己的繁重的任务。例如两个过渡的问题、人民公社问题（我主张搞政治经济学的同志们要全面地研究这一方面的问题）、商品生产和价值规律问题、马克思主义辩证法问题、逻辑问题以及批判现代资产阶级思想体系特别是现代修正主义思想的问题等等，都是迫切地需要研究的。赫鲁晓夫同志在苏共二十一次代表大会上对苏联的哲学、社会科学工作者说："我们的经济学家、哲学家、史学家有责任来深入研究从社会主义过渡到共产主义的规律性，研究经济建设和文化建设的经验，促进用共产主义精神来教育劳动人民。社会科学家，特别是经济学家所面临的任务是：对生活所提出的新问题要作出创造性的概括和大胆从理论上来解答这些问题。必须全面地分析资本主义世界所发生的重大过程，揭穿资产阶级的思想体系，为纯洁马克思列宁主义理论而斗争。"我认为这里提出的任务对我们也是完全适用的。我相信,只要我们在党的领导下团结一致,发挥高度的干劲和钻劲,经过长期的有系统的努力,是可以在理论战线上作出一定的贡献的。

（原载 1959 年《理论战线》第 5 期,署名李达）

哲学社会科学工作者努力的方向*

（1959.5）

周恩来总理在《政府工作报告》中说："社会科学方面的理论研究工作也应当积极发展，加强领导。忽视它的重要性是不允许的。应当鼓励社会科学理论工作者在马克思列宁主义指导下，进行有系统的、长时间的努力，充分掌握有关的资料，从事独立的、创造性的研究。"这一指示，对于我们社会科学理论工作者是一个很大的鼓舞。

在党的"鼓足干劲、力争上游，多快好省地建设社会主义"的总路线的指导下，我们要大力地发展自然科学，并应用它来革新技术，改革技术，促进社会生产力的高速度的发展。这在目前和今后应是十分重要的。但是，努力加强哲学和社会科学的研究，以服务于社会主义的建设，这在目前和今后也同样十分重要，"忽视它的重要性是不允许的"。大家知道，我们的党和毛泽东主席从党成立的时候起，所有关于中国革命和建设的纲领、路线、政策、方针，都是根据所发现的中国社会发展的规律、中国革命斗争的规律以及中国经济发展的规律制定出来的，党的纲领性的文件和毛主席的著作，都是马克思列宁主义的普遍真理与中国革命的具体实践的结合，都是马克思列宁主义的哲学社会科学的理论。这是为多年来的中国革命实践所证明了的客观真理。

我们要从事马克思列宁主义的哲学社会科学的理论研究，就必须努力钻研党的一切纲领性的文件和毛主席的一切著作。这就决定了我们一方面要努力钻研马克思列宁主义的普遍真理，即努力钻研马克思列宁主义的经典著作，

---

　　* 本文是 1959 年 4 月 18—28 日李达出席第二届全国人民代表大会第一次会议期间在大会上的发言稿。——编者注

精通它,在中国的社会生活中运用它;另一方面要了解中国革命的具体情况,即是说要深入实际,深入群众,同群众打成一片,做实际调查工作,广泛地搜集社会生活的庞大资料,用马克思列宁主义的立场、观点、方法,用矛盾分析的方法,发现问题,提出问题,分析问题,解决问题,然后进行科学的综合工作,从其中找出一些固有的而不是臆造的规律性,用来指导我们的实践。毛主席在1942年就明确地指示我们:只有"善于应用马克思列宁主义的立场、观点和方法,善于应用列宁斯大林关于中国革命的学说,进一步地从中国的历史实际和革命实际的认真研究中,在各方面作出合乎中国需要的理论性的创造,才叫做理论和实际相联系。"只有"能够依据马克思列宁主义的立场、观点和方法,正确地解释历史中和革命中所发生的实际问题,能够在中国的经济、政治、军事、文化种种问题上给予科学的解释,给予理论的说明",才算得一个马克思主义的理论家。可见,要真正做到理论和实际相联系,要真正做一个合格的马克思主义理论工作者,是非常不容易的。党交给我们的任务,是很繁重的。我们必须向毛泽东主席学习,向党中央的其他领袖们学习,向党的各级领导者学习,只有这样,才能理解党的方针路线、领会毛主席著作的精神,在工作中少犯错误和不犯重大的错误,并且做出一些成绩。

毋庸讳言,过去我们做哲学社会科学理论工作的人是有浓厚的教条主义倾向的,我们的工作成绩离开党对我们的要求,离开革命建设的实践对我们的要求,都差得很远。1957年的全民整风运动和反右派斗争,使这种情况有了一个大的转变。理论工作者认识了理论脱离实际的危害性,积极响应党的号召,纷纷下乡下厂,一面实行劳动锻炼,认真地接触工农群众,改造自己的立场、观点、方法,一面深入实际,进行了调查研究。由于采取这样的革命措施,最近一年来在理论战线上出现了一片新的气象,认真地研究革命建设的实际问题的风气,开始形成起来,重理论、轻实际的错误倾向已经基本上被扭转过来。这种成绩是应该予以充分的估计,并且加以巩固和提高的。

但是,与此同时,在一部分同志中却又产生了一种重实际、轻理论的倾向。他们认为"实际就是理论","读书越多就越容易犯教条主义"。有些青年同志们甚至把马克思列宁主义的理论著作看成"教条",看成"空洞的理论",不愿意刻苦地钻研。这实在是对于反对教条主义的误解。反对教条主义绝不是反对学习理论,绝不是反对读书。教条主义是主观主义的一种形式,它的特点就是把马克思列宁主义的个别词句当作包医百病的灵丹圣药,不问时间、地点、条件,到处乱套,以致造成认识和实践相脱离、主观和客观相脱离、理论和实际相脱离的结果。教条主义是完全违反马克思列宁主义的,它的危害性是非常大的,所以我们党过去、现在和将来都坚持反对教条主义。但是学习理论,认真读书,却完全是另外一回事。如果我们不刻苦地钻研马克思列宁主义的经典著作,我们就不能掌握马克思列宁主义的普遍真理,就不能掌握正确的立场、观点和方法。如果我们不刻苦地钻研党的文件和毛主席的著作,我们就不能领会马克思列宁主义的普遍真理与中国革命实践的统一,就不知道怎样运用马克思列宁主义的立场、观点和方法来研究中国革命建设中的实际问题。这样,在大量的实际材料面前就不会做科学的分析和综合工作,不能找出事物的规律性。毛主席在1938年就曾经号召"一切有相当研究能力的共产党员,都要研究马克思、恩格斯、列宁、斯大林的理论。""普遍地深入地研究马克思列宁主义的理论的任务,对于我们,是一个亟待解决并须着重地致力才能解决的大问题。"可见,把反对教条主义同反对读书混为一谈,是不正确的。在继续坚持反对教条主义的同时,我们应当大力提倡读书,提倡认真地刻苦地钻研马克思列宁主义的经典著作,钻研毛主席的一切著作和党的文件。

另外也有些同志因为害怕妨碍读书,主张今后不要再提反对教条主义。我以为这也是不妥当的。教条主义的倾向现在虽然有很大程度的克服,但是不能说已经完全肃清,而且也不可能完全肃清。反对教条主义的任务,无论现在或将来,都是不能取消、不能放松的。书必须读,教条主义也必须反。我们不是无条件地提倡读书,而是在理论联系实际的前提下提倡读书。毛主席说:"对于马克思主义的理论,要能够精通它,应用它,精通的目的全在于应用。"这一条必须永远坚持。我们既不能因为反对教条主义而忽视钻研理论,也不能因为提倡钻研理论而忽视反对教条主义。

要使我们的工作取得较大的成绩,必须充分地、全面地、系统地掌握有关的资料。毛主席屡次告诉我们,只有"详细地占有材料,加以科学分析和综合的研究",才能"从这些材料中引出正确的结论"。如果不下工夫做"系统的周密的收集材料加以研究的工作","是不可能对任何问题作出科学的理论说明的"。我以为理论工作者今后应当亲自动手做资料工作,而不要仅依靠辅助人员去做。这样经过长期的积累,一定可以看出效果。

我们做哲学社会科学理论工作的同志,应当学习毛泽东同志和党的其他领袖们善于"观风向,插红旗"的本领。毛泽东同志从佃户贫农组成的"穷棒子社"看出了五亿农民的方向,从一部分农民组织公社的事实中看出了人民公社的必然趋势。这种高瞻远瞩、辨别风向,善于从纷繁庞杂的现象中找出本质、抓住主流,善于从新生事物的萌芽状态中看出它们的发展前途的敏锐眼光,是我们哲学社会科学工作者必须很认真地学习的。只有多少具备了这样的本领,才可以使我们的工作不至于长久地落在实际需要的后面。

当前摆在我们面前需要去研究的重大理论问题是很多的。例如两个过渡的问题、人民公社问题(我主张搞政治经济学的同志们要全面地研究这一方面的问题)、商品生产和价值规律问题、马克思主义辩证法问题、逻辑问题以及批判现代资产阶级思想体系的问题等等,都是迫切地需要研究的。赫鲁晓夫同志在苏共二十一次代表大会上对苏联的哲学、社会科学工作者说:"我们的经济学家、哲学家、史学家有责任来深入研究从社会主义过渡到共产主义的规律性,研究经济建设和文化建设的经验,促进用共产主义精神来教育劳动人民。社会科学家,特别是经济学家所面临的任务是:对生活所提出的新问题要作出创造性的概括和大胆从理论上来解答这些问题。必须全面地分析资本主义世界所发生的重大过程,揭穿资产阶级的思想体系,为纯洁马克思列宁主义理论而斗争。"我认为这里提出的任务对我们也是完全适用的。我相信,只要我们在党的领导下团结一致,发挥高度的干劲和钻劲,经过长期的有系统的努力,是可以在理论战线上作出一定的贡献的。

(原载 1959 年 5 月 9 日《人民日报》,署名李达)

掀起理论学习的高潮[*]

（1959.7）

我们的国家已经进入了以技术革命和文化革命为中心的社会主义建设的新时期。全党全民在这个时期的历史任务，就是在党的社会主义建设总路线的指导下，尽快地把我国建设成为一个具有高度发展的现代工业、现代农业和现代科学文化的伟大的社会主义国家。迅速发展科学文化事业，是这一任务的不可分割的组成部分。

科学的发展决定于工农业生产的发展，反过来又给予工农业生产以伟大的推动作用。在这个意义上可以说，没有科学的高度发展，就不可能建立起现代工业和现代农业。苏联建国40年来，科学事业突飞猛进，一日千里，无论在自然科学方面或者社会科学方面，都已经跃居世界科学成就的最高峰。这不仅是增强苏联的国防力量、开辟向共产主义过渡途径的极重要的因素；而且也是增强整个社会主义阵营的经济实力，形成"东风压倒西风"的国际形势的极重要的因素。我国的科学水平，在目前还是很落后的，必须加紧努力，才能赶上世界科学的先进水平。在自然科学方面，中央已经制定了十二年远景规划。这个计划的如期实现，就可以使我国自然科学的落后面貌全部改观。自然科学本身是没有阶级性的，我们不仅可以学习苏联和其他兄弟国家的自然科学成就，而且可以学习资本主义国家的自然科学成就（只要细心地剔除那些资产阶级学者对于这些成就的唯心主义的曲解就行了），我们要在很短的时间内赶上世界科学的先进水平是确有把握的。但在社会科学方面，我们就只能

　　* 本文发表于《七一》1959 年第 7 期、1959 年 7 月 17 日武汉大学校报《新武大》第 319 期。——编者注

向苏联和其他兄弟国家学习,以及向资本主义国家中的兄弟党和一切马克思主义者学习,而不能去学习资产阶级的反动的"社会科学"(当然,我们也需要去了解、研究和批判这种反动的"社会科学")。至于如何运用马克思列宁主义的一般原理来解决中国革命建设中的实际问题和中国历史上的问题,则是不能从别人那里学来的。编写中国近代史,探讨我国社会主义建设中的特殊规律等,只能由我们自己动手去做。就这一点说,在社会科学领域中需要独立创造的东西比在自然科学领域中更多,要达到世界科学的高峰更不容易。周恩来总理在第二届全国人民代表大会第一次会议上所作的《政府工作报告》中指出:"社会科学方面的理论研究工作也应当积极发展,加强领导。忽视它的重要性是不允许的。应当鼓励社会科学理论工作者在马克思列宁主义指导下,进行有系统的、长时间的努力,充分掌握有关的资料,从事独立的、创造性的研究。"这个指示是非常重要的。

我们的社会科学的理论水平究竟怎样呢?这个问题需要作具体分析。我们的党中央和毛泽东同志运用马克思列宁主义的一般原理解决中国革命和建设中的实际问题,发现了中国社会发展的特殊规律和中国革命斗争的特殊规律,制定了适合中国实际情况的革命纲领、路线、战略、策略,在许多方面丰富了和发展了马克思列宁主义的理论。毛泽东同志和党中央的其他领导同志们是马克思列宁主义社会科学的巨匠。但是,我们专门从事社会科学理论研究工作的专业队伍的情况怎样呢?可不可以说我们的理论水平已经达到了应有的高度呢?我觉得还不能这样说。当然,我们专业队伍在党的领导下,无论在数量上和质量上都在不断地扩大与提高,多年来在这个科学领域中作出了一定的成绩,特别是经过1942年和1957年的两次整风运动,破除了理论脱离实际的教条主义作风以后,成绩更为显著。这是必须肯定的。可是,如果同党中央和毛泽东同志的伟大贡献比较起来,同当前革命建设的实际的丰富内容比较起来,我们的成绩就显得太不相称了。18年前,毛泽东同志在《改造我们的学习》、《整顿党的作风》等著名的演说中曾经指出了党的理论水平落后于革命实践的情况,号召大家系统地研究现状,研究历史,研究理论,号召大家学会用马克思列宁主义的立场观点方法深刻地研究中国的经济、政治、军事、文化,写出切合中国实际的具有科学形态的理论著作来。但直到现在,我们还没有做出显著的成绩。

我们专业理论队伍理论水平之所以低,除了别的原因之外,认真读书做得不够也是一个重要原因。许多做理论工作的同志,对于理论却漫不经心,有些人确实有所谓"不读书,好求甚解"的毛病。他们不但不肯下一番苦工夫去研究马克思主义经典作家的著作,而且也不肯认真地钻研党中央的政策决议。例如中央在《关于在农村建立人民公社问题的决议》中,已经清清楚楚地说明了当前我国的社会性质还是社会主义,分配原则还是"各尽所能,按劳分配",资产阶级法权的残余在现阶段仍然不得不保存等一系列的原则问题,而关于这些问题的一般原理则在经典著作中早已得到了科学的论证,这本来是不应当引起任何混乱的。但是我们有不少的理论工作者却不肯认真地去钻研经典著作和党的文件。有的人写文章随意否定"按劳分配"的原则,这不能算是对于实际问题"给予科学的解释,给予理论的说明",不能算是运用了马克思列宁主义的立场观点方法。什么是科学研究?只有运用马克思列宁主义的理论武器,对于大量的实际材料作出客观的科学的分析,找出它们的内部联系,即规律性,才称得起是科学研究。现象罗列,就事论事,不能算科学研究;不以马克思列宁主义理论为武器,随便说出些意见,也不能算科学研究。社会科学的研究工作若不以马克思列宁主义的理论做指导,是不能做出成绩的。

社会科学工作者必须研究的课题是异常广泛的。例如在经济学方面,关于国民经济有计划按比例发展规律及其他经济规律的利用问题,社会主义扩大再生产问题,商品生产和价值规律问题,社会主义的生产配置问题,提高劳动生产率的途径问题等等;在历史学方面,中国近百年的经济史,政治史,军事史,文化史,中国古代史,中国各少数民族的历史,世界各国的历史等等;在法学方面,我国人民民主专政的历史经验的总结;在哲学方面,关于社会主义的基础和上层建筑的形成及其发展规律问题,关于人民群众和个人、客观因素和主观因素在历史上的作用问题,关于在实际工作中运用唯物辩证法问题,关于辩证逻辑问题等等,都是具有重大的理论意义和实践意义,迫切需要我们进行创造性的研究的问题。我们应当在例如这样一些问题上,写出切合中国实际情况的理论著作来。同时,在高等学校中,还应当就上述各门科学的课程编写出理论水平较高的、密切联系中国实际的教材。当然,这是异常艰巨的任务,必须有一段时间才能完成，不可能一蹴而成。但是我们相信，不管任务如何艰巨，只要我们在党的领导下，分工合作，用马克思主义的立场观点方法，积累资料，刻苦钻研，是可以使我们的理论工作逐渐与极端丰富的革命实践相平行，并对革命实践起应有的推动作用的。从目前看来，关键的问题就在于迅速提高我们的马克思列宁主义的理论水平，掌握武器。在这一点上需要我们付出极大的努力。

就我们的从事实际工作的同志来说，也迫切需要提高马克思列宁主义理论水平。我们的同志有冲天的干劲，但是有些同志由于理论水平不高，不能正确地理解中央的政策决议和上级指示的精神，不懂得主观认识必须与客观实际相符合，发挥主观能动性必须建立在认识客观规律性的基础之上的道理，因而把主观愿望当成客观现实，以个人感想代替党的政策，碰了钉子，走了弯路，使工作受到了损失。这些同志的教训告诉我们，只有认真地多读点书，认真地钻研党的文件，学习马克思列宁主义的立场观点方法，才能在工作中防止片面性，减少错误和避免重大的错误。

为了迅速提高我们的马克思列宁主义水平，适应飞跃发展的形势的需要，有必要掀起一个理论学习的高潮！

（原载 1959 年 7 月 10 日《人民日报》，署名李达）

历史唯物主义讲座[*]

（1958. 1 — 1959. 8）

---

* 《历史唯物主义讲座》由1958年至1959年间李达逐章发表于《理论战线》"历史唯物主义讲座"栏目中的文章构成。该书第一章"历史唯物主义与辩证唯物主义的关系"发表于《理论战线》1958年第1期，第二章"历史唯物主义的对象"发表于《理论战线》1958年第2期，第三章"资产阶级社会学说的批判"发表于《理论战线》1958年第8、9期，第四章"生产力与生产关系"发表于《理论战线》1958年第3、5期，第五章"世界无产阶级社会主义革命论"发表于《理论战线》1958年第6、7期，第六章"中国共产党的中国革命论"发表于《理论战线》1959年第1、2期，第七章"由民主主义革命到社会主义革命"发表于《理论战线》1959年第3、4、6期，第八章"从社会主义到共产主义"的第一节发表于《理论战线》1959年第8期（其中，第二章第五节以"社会发展的一般规律和特殊规律"为题、第四、五、六章的内容以原题被收入由人民出版社1988年8月出版的《李达文集》第四卷）。该书是一部未完成的著作，以往未曾作为整体出版。——编者注

第一章　历史唯物主义与辩证唯物主义的关系

第一节　学习历史唯物主义的目的和任务

一、学习历史唯物主义为世界共产主义事业服务

马克思列宁主义是工人阶级进行解放斗争的万能的科学武器。我们学习马克思列宁主义的唯一目的,就是为工人阶级的解放斗争服务,为世界共产主义事业服务,而首先要为当前国际国内的现实斗争服务。因此,在学习马克思列宁主义的历史观和社会观——历史唯物主义这门科学的时候,必须首先明了当前国际国内的基本形势以及共产主义者的战斗任务,这样,才能懂得我们为什么要学习这门科学,才能有一个端正的学习态度。

我们所处的时代是一个伟大的时代。这个时代的主要内容,是由伟大的十月革命开始的由资本主义到社会主义的过渡;而这个时代的主要特征,则是和平民主社会主义力量的日益壮大和帝国主义侵略势力的日益削弱。1957年 11 月 14 日至 16 日,十二个社会主义国家的共产党和工人党的代表在莫斯科举行了会议,就当前的国际局势,就争取持久和平和社会主义斗争中的迫切问题,就各国兄弟党之间的关系问题,交换了意见;并在与资本主义国家兄弟党进行协商的基础上发表了《社会主义国家共产党和工人党代表会议宣言》。这个宣言深刻地分析了当前的国际形势,说明了社会主义国家间相互关系的原则以及加强相互间友好团结和合作互助的极端重要性,总结了各国社会主义革命和社会主义建设的基本经验,捍卫和发展了马克思列宁主义,提出了国际共产主义运动和各国人民的当前任务,回答了国际共产主义运动中新发生的各项重大问题。在 16 日至 19 日,所有在莫斯科参加庆祝伟大十月社会主

义革命四十周年的六十四个国家的共产党和工人党的代表又举行了会议,并发表了向一切国家、全体人民和各界人士呼吁的《和平宣言》。这二次会议,是国际共产主义运动史上具有伟大历史意义的事件;这两个宣言,是继1848年《共产党宣言》和1919年共产国际宣言之后的第三个具有最伟大的划时代的革命文献。

俄国的十月革命产生了一个新世界,经过了40年的斗争,新世界的力量已经超过了旧世界。现在,在全世界27亿人口中,属于社会主义阵营的有近10亿人口;属于新从殖民主义的压迫下解放出来,取得了民族独立的国家的有7亿多人口;属于正在争取独立或者正在争取完全独立的国家的有6亿人口;而属于帝国主义阵营的人口不过4亿左右,并且他们的内部是分崩离析的。而国际共产主义运动的空前团结,苏联人造卫星的发射成功,更使两大阵营的力量对比推进到了一个新的转折点。按照毛泽东同志的通俗的说法,现在不是西风压倒东风,而是东风压倒西风。再经过大约十五年左右的和平竞赛,社会主义阵营就将要把帝国主义阵营更远地抛在后面。不管帝国主义反动派怎样阻挠,世界的未来总是属于社会主义、属于人民的。

但是,这并不是说,在通往共产主义的道路上已经没有重大的障碍,已经不需要作出重大的努力。恰恰相反,摆在一切共产主义者面前的还有极其严重的战斗任务。

第一,尽管和平力量已经强大到足以制止侵略战争的程度,但是只要帝国主义存在一天,侵略战争的可能性也就存在一天。直到现在,帝国主义者还在继续进行"冷战",进行军备竞赛,建立新的军事基地,实行破坏和平的侵略政策,造成新战争的危险。在这种情况下,我们共产主义者必须和一切爱好和平、反对侵略战争的人们团结起来,一分钟也不松懈地来保卫世界的持久和平,不遗余力来防止战争。

第二,因为国际共产主义运动的团结一致给予帝国主义侵略集团很大的"威胁",所以帝国主义者极力用各种卑鄙的手法来破坏各社会主义国家之间的团结,破坏各国共产党和工人党之间的团结,特别是挑拨中、苏两大国之间的关系。在这种情况下,我们共产主义者必须坚持工人阶级国际主义的立场,坚决反对任何形式的民族主义倾向,并以这种精神去教育和鼓舞一切社会主义国家的人民和全世界的工人阶级。

第三,因为社会主义思想正在世界各地深入人心,掌握着越来越多的成千成万的人们的意识,大大地不利于帝国主义的反动统治,所以帝国主义者动员了一切可能的力量,极力宣传腐朽的资产阶级唯心主义和反动的社会学说,颂扬"美国生活方式",歪曲和诋毁马克思列宁主义,以便从思想上腐蚀群众,在群众中制造迷惑和混乱。在这种情况下,我们共产主义者必须加强对于资产阶级反动思想的斗争,加强对群众的马克思列宁主义的宣传教育,揭穿帝国主义的自我吹嘘以及对社会主义制度的造谣诬蔑。这种思想斗争是整个国际阶级斗争的一个极为重要的组成部分。

第四,由于帝国主义的压力和资产阶级影响的存在,在国际工人运动中还存在着各种机会主义的流派,即教条主义和修正主义的流派。教条主义的特点是理论与实际分离,认识与实践分离,主观与客观分离,对于工人阶级革命事业的危害性是很严重的。但是在现阶段危害性最大的还是修正主义。修正主义是一种资产阶级思潮,它打着"发展"马克思主义、"修正"马克思主义以及反对"教条主义"等等的漂亮旗号,实际上阉割了马克思主义的最本质的东西,腐蚀了马克思主义的革命灵魂。现代的修正主义者否认无产阶级专政,否认共产党的领导,否认无产阶级国际主义的原则,这一切,对于世界共产主义事业的发展具有很大的危害性。因此,修正主义者的论调受到了帝国主义者的热烈欢迎。在这种情况下,我们真正的共产主义者必须高举马克思列宁主义的旗帜,对现代修正主义流派展开说理斗争,从而加强国际共产主义运动队伍的纯洁性和坚定性。

第五,由于当前的斗争规模非常广大,情况异常复杂,因此,各国共产党和工人党,所有的共产主义者,要想能够在现实斗争中掌握正确的方向,就必须精通马克思列宁主义的理论基础——辩证唯物主义和历史唯物主义。苏联、中国的党及其他兄弟党之所以取得了辉煌的胜利,就是运用辩证唯物主义和历史唯物主义的原理分析各个时期、各个阶段上的具体情况,从而正确地规定自己的方针、路线、战略、策略,把革命事业推向前进的结果。因此,用辩证唯物主义和历史唯物主义去教育干部和群众,是共产党和工人党的迫切任务之一。

由以上所述的国际形势和我们的任务看来,学习辩证唯物主义和历史唯物主义的目的和任务是很明白的。为了保卫和平反对战争,为了坚持无产阶级的国际主义原则,为了加强对资产阶级反动思想的斗争,为了批判国际工人运动中的机会主义流派,为了正确地分析现实斗争中的复杂情况和解决重大问题,一句话,为了使共产主义事业更加迅速地发展,我们必须精通马克思列宁主义,必须精通辩证唯物主义和历史唯物主义。否则,我们就不可能完成上面说到的那些极其重大的任务。

这样看来,我们学习历史唯物主义这门科学,首先是为世界共产主义运动服务的。

二、学习历史唯物主义为社会主义革命服务

现在,我们再来看一看国内的形势。

我国已经进到社会主义时代了。社会主义建设正在突飞猛进地发展着。我们已经提前和超额完成了第一个五年计划,正在实行着第二个五年计划。同时,社会主义革命已经取得了基本的胜利。农业和手工业的全面合作化已经实现,资本主义工商业已经转变为全行业的公私合营。因此,我国的社会面貌已经发生了根本的变化,全国人民今后的任务,就是在党的领导下,团结一致,积极努力,为了建设一个伟大的社会主义的中国而奋斗。

可是我们的社会主义事业的发展,并不是一帆风顺地进行的,常常会遭遇到意料中的障碍。在目前阶段,最主要的障碍是一切反抗社会主义革命和敌视、破坏社会主义建设的社会势力和社会集团。这类社会势力和社会集团,占居首要地位的是资产阶级右派,其次是地主阶级和官僚资产阶级的残余,以及其他反革命分子和社会残渣。为什么资产阶级右派(实际是反动派)成为反社会主义的首要势力和集团呢? 这是因为我国的社会主义革命是采取和平手段消灭一切剥削制度和剥削阶级的革命,是比较新民主主义革命更为深刻更为严重的革命。而这个革命还只是初步实现了生产资料所有制的变革,即初步改变生产资料的资本家所有制为社会主义所有制。这就是说,我们还只是实现了经济战线上的社会主义革命,至于政治战线和思想战线上的社会主义革命,还远远没有完成。正是因为这样,行将消灭的资产阶级右派就进行政治

阴谋活动,企图反对共产党,反对社会主义,使资本主义在中国复辟。党早就估计到了社会主义前进道路中必然发生的这类障碍,一方面对资产阶级分子进行社会主义改造的教育,使他们认识大势所趋,人心所向,善于选择他们自己的命运,走到社会主义道路上来;另一方面又向那些代表资产阶级的民主党派提出了"长期共存,互相监督"的方针,期望他们由资产阶级民主主义的党派转变为社会主义的民主党派,教育他们的成员和所联系的群众转变为社会主义者。此外,党还向资产阶级知识分子宣布了"百花齐放,百家争鸣"的政策,使他们在社会主义基础上,展开艺术上不同形式和风格的自由发展,展开科学上不同学派的自由争论,借以解决艺术和科学中的是非问题,这样来繁荣社会主义的文化,为社会主义事业服务。

当着社会主义的关头,资产阶级及其知识分子的政治上的分化充分暴露了。他们分化为左、中、右三派。左派是愿意放弃资本主义立场,努力改造自己成为自食其力的劳动者,坚决拥护共产党,拥护社会主义的。右派是一贯坚决反对共产党,反对社会主义的。中派占居多数,左右摇摆。那些右派分子,在解放以前,有反共的言论,也有反共的活动。右派的大多数,在解放以后混入了各民主党派,想利用政治地位搞反共反社会主义的阴谋。他们有的成了各民主党派的骨干分子,有的占居了各民主党派的领导地位。章伯钧、罗隆基联盟就是代表这些右派分子的政治势力。这些右派分子总想伺机而动,实现反党反社会主义的阴谋。他们被自己的阴谋冲昏了头脑,误会了党的上述政策,竟把共产党看做敌党,有纲领、有计划、有组织、有步骤地进行阴谋活动,搞出了所谓"团结落后,蒙蔽中间,打击进步"的"大发展"的组织路线,大规模地吸收落后的、反党的"大"知识分子加入他们的队伍,作为政治资本。他们趁着共产党宣布整风的机会,就到处点火,大鸣大放,向党进攻。他们放出了许多毒草,鸣出了许多牛鬼蛇神,企图制造出中国的"匈牙利事件",把共产党挤下台去,由他们来组织政府,把历史车轮扭回到半殖民地半封建的老路上去。物极必反,这是辩证法的规律。当右派集团向党猖狂进攻达到顶点的时候,人民起来锄去毒草,消灭牛鬼蛇神了。反右派的斗争在全国范围内如火如荼地展开起来了。人民的力量是不可估量的,右派的反动阴谋立即遭到了可耻的失败。

为了巩固社会主义革命的基本的胜利,必须在政治战线和思想战线上对资产阶级右派进行严重的阶级斗争,完成政治上和思想上的社会主义革命。所以反右派斗争是一场关系社会主义和国家民族生死存亡的斗争,是一场关系6亿人民生命和社会发展方向的斗争,是一场具有伟大历史意义和国际意义的斗争。这一场斗争如果不能取得最后的胜利,我们的社会主义事业就得不到保证。

党从当前的政治形势出发,决定在全国人民中,即在工人阶级、农民阶级、资产阶级和知识分子中,结合反右派斗争,开展全民整风运动,进行大规模的社会主义思想教育,使全国人民反对资产阶级思想,树立社会主义思想,这个决定是完全必要的。

从这次反右派的斗争中,我们看到右派分子的多数都是资产阶级的"大"知识分子,他们混入民主党派、教育界、文艺界、新闻界、科学技术界、工商界、司法界,用反动的、腐朽的资产阶级学说来反对马克思主义、历史唯物主义,企图夺取这些方面的思想上的领导权,然后进一步夺取全国领导权。他们说,党不能领导科学,不能领导学校;又说,马克思主义只是一些教条;又说,历史唯物主义不能代替资产阶级社会学,因而叫嚣着要恢复资产阶级社会学来代替历史唯物主义。真是猖狂之极!因此,我们站在马克思主义旗帜下的人们,必须同这班右派知识分子进行意识形态方面的斗争。这个斗争将是长期的,我们必须持久地进行下去。毛泽东同志指示我们说:

> 我国社会主义和资本主义之间在意识形态方面的谁胜谁负的斗争,还需要一个相当长的时间才能解决。这是因为资产阶级和从旧社会来的知识分子的影响还要在我国长期存在。……思想斗争同其他的斗争不同,它不能采取粗暴的强制的方法,只能用细致的讲理的方法。①

因此,我们必须加强马克思主义、历史唯物主义的学习,用关于社会发展的客观规律的知识、关于阶级斗争规律的知识把头脑武装起来,同时要坚守马

---

① 毛泽东:《关于正确处理人民内部矛盾问题》,第27页。

克思主义的理论联系实际这一条基本原则,灵活地具体地运用历史唯物主义的观点和方法,结合具体情况,针对敌方反动的社会科学的实质,击中它的要害,然后才能迫使敌人缴械投降,并提高广大人民的觉悟。

只有克服一切反抗社会主义革命和敌视、破坏社会主义建设的社会势力和社会集团,才能清除社会主义前进道路中的障碍,才能完成社会主义革命,才能建成社会主义社会并向着共产主义社会前进。

从以上所述的阶级斗争的形势看来,我们必须学习历史唯物主义,掌握住过渡时期社会阶级斗争的规律,投入政治上和思想上的阶级斗争,为完成社会主义革命事业而努力。

三、学习历史唯物主义为社会主义建设服务

前面所说的,主要是关于人民对敌人斗争的问题,是关于扫除社会主义革命前途中的障碍的问题。现在我们来谈谈关于人民内部矛盾的问题。过渡期中人民内部的矛盾是社会主义建设过程中所必然发生的矛盾。人民内部的矛盾是非问题,要用“团结——批评——团结”的方法去解决。为什么在建设会社会主义时期,人民内部会发生矛盾? 为什么要用“团结——批评——团结”的方法去解决? 这是因为这些矛盾是从过渡期社会中的主要矛盾产生出来的。如前面所说,我国虽然已经开始进到了社会主义时代,但仍处在过渡时期中。过渡期社会的主要矛盾是社会主义和资本主义的矛盾,这个矛盾贯穿于过渡时期的始终,要到社会主义完全战胜资本主义的时候才能消灭。

社会主义和资本主义的矛盾是通过过渡期社会的基础方面的矛盾、上层建筑方面的矛盾以及基础和上层建筑之间的矛盾表现出来的,而这些矛盾就是产生人民内部矛盾的根源。

第一,就基础方面说,社会主义和资本主义的矛盾通过生产力和生产关系表现出来。

新中国成立初期,我们接收了官僚资本的企业,把它变成社会主义企业,而资本主义工商业仍然存在。社会主义和资本主义的矛盾在这里是很明显的。往后,国家对于农业、手工业和资本主义工商业逐步实行社会主义的改造,直到 1956 年才基本完成,社会主义对于资本主义才取得决定性的胜利,因

而全国范围的社会主义生产关系已经建立了起来,已经凸显出了比旧时代的生产关系更为优越,更能够适合于生产力的性质,能够容许生产力以旧社会所没有的速度迅速发展,这是近几年来工农业生产的增长所证实了的。但在目前,社会主义生产关系还不够完善。因为在公私合营的工商业中,资本家还拿取定息,也就是还有剥削。在手工业合作化方面,有许多还只是初具形式,还必须与小生产者的散漫性和自私自利性作长期的斗争。在农业合作化方面,有许多地方还没有实现高级合作化,而实现了高级合作化的地方,也还要经过几年才能巩固,还必须与富裕农民的资本主义思想作斗争,与地主、富农及其他反社会主义分子的破坏活动作斗争。由此可见,我们的社会主义生产关系虽然和生产力的发展相适应,但是它又还很不完善,这些不完善的方面和生产力的发展又是相矛盾的。像这种生产关系和生产力发展的这种又相适应又相矛盾的情况,正是社会主义和资本主义这两条路线的矛盾的表现。正因为基础中有那种又相适应又相矛盾的情况,所以从基础中发生的人民内部的各种矛盾也体现了那两条路线的矛盾。例如工人阶级内部的矛盾,农民阶级内部的矛盾,知识分子内部的矛盾,工农两个阶级之间的矛盾,工人、农民同知识分子之间的矛盾,工人阶级和其他劳动人民同民族资产阶级之间的矛盾,民族资产阶级内部的矛盾,——这些矛盾都体现了社会主义和资本主义两条路线的矛盾。上述矛盾中,工人阶级和其他劳动人民同民族资产阶级之间的矛盾,虽然也属于人民内部的矛盾,但它体现剥削阶级同剥削阶级之间的矛盾,是社会主义同资本主义的矛盾最突出的表现,它除了非对抗性的一面以外,还有对抗性的一面。这个矛盾的对抗性的一面,是由于资产阶级还拿取定息;其非对抗的一面,是由于资产阶级拥护我们的社会主义宪法。资产阶级如果片面地扩大与工人阶级相对抗的一面,甚至要恢复资本主义,那么,工人阶级同资产阶级的矛盾就转变为我与敌之间的矛盾了。在目前,梦想恢复资本主义的只是资产阶级的右派分子,至于大多数的左派和中派分子是愿意接受社会主义的改造的。

第二,在政治的上层建筑方面,也表现出社会主义和资本主义的矛盾。

我们的国家是工人阶级领导的以工农联盟为基础的人民民主专政的国家。这个人民民主专政的政权的职能是对人民实行民主,对反动派实行专政,巩固社会秩序,保卫国家安全,其目的在于建设社会主义经济和社会主义文化,所以它是适合于社会主义经济基础的上层建筑,实质上就是无产阶级专政。但是,由于工人阶级在领导新民主主义时期曾经与资产阶级及其党派建立了反帝反封建的人民民主统一战线,因此在人民共和国成立以后,这个阶级及其当代的代表人物就参加了我国无产阶级专政的政权,并且同工人阶级继续保持密切的政治联系,表示拥护共产党,拥护社会主义。这是由我国具体条件决定的一种特殊现象。但这些民主党派本来是代表资产阶级的,习惯于资产阶级民主,不习惯于社会主义民主,它们之中的许多代表人物并没有真心诚意接受共产党的领导,走社会主义的道路。所以,我国的政治上层建筑中就有资产阶级民主和社会主义民主的矛盾,这就是经济基础中的两条路线的矛盾的表现。从1957年章罗联盟的政治阴谋被揭露以后,各民主党派都已进行整风,都表示要把自己改造为社会主义的民主党派,这当然是人民所希望的,但这也还需要经过相当时期的。

第三,在意识形态方面,马克思列宁主义是指导我们思想的理论基础,但是同马克思列宁主义并存并且互相对抗的,还有资产阶级思想。马克思列宁主义同资产阶级思想之间的矛盾,正是社会主义同资本主义的矛盾在意识形态领域中的反映。如前面所说,思想上的阶级斗争将是一个长期的过程。

第四,在上层建筑与基础的矛盾方面,也表现出社会主义与资本主义的矛盾。

毛泽东同志说:

> 人民民主专政的国家制度和法律,以马克思列宁主义为指导的社会主义意识形态,这些上层建筑对于我国社会主义改造的胜利和社会主义的劳动组织的建立起了积极的推动作用,它是和社会主义经济基础即社会主义生产关系相适应的;但是,资产阶级意识形态的存在,国家机构中某些官僚主义作风的存在,国家制度中某些环节上缺陷的存在,又是和社会主义经济基础相矛盾的。[1]

---

[1] 毛泽东:《关于正确处理人民内部矛盾问题》,第12页。

资产阶级意识形态和社会主义经济基础的矛盾,显然表现了社会主义与资本主义的矛盾。至于国家机构中某些官僚主义作风的存在,是资产阶级思想侵蚀了某些工作人员的结果。这种作风和基础的矛盾,也是社会主义和资本主义的矛盾的表现。国家制度中某些环节上有缺陷的存在,是可以及时加以调整的。

以上所说的过渡期社会中人民内部的各种矛盾,是基础的矛盾、上层建筑的矛盾以及上层建筑和基础的矛盾之具体的体现,而这些矛盾又都体现着社会主义和资本主义这两条路线的矛盾。我们知道,过渡时期是死亡着的资本主义和生长着的社会主义彼此斗争的时期,只有日益生长着的社会主义完全战胜那日趋死亡的资本主义,才能完全奠定社会主义社会的经济基础,社会主义生产关系才能更趋于完善,更适应于生产力的发展。当然,到了那个时候,不含有阶级对抗性的生产关系也不是经常地完全适应于生产力性质的,但那时已经没有衰朽力量的反抗,生产关系是可以随时改善的。随着社会主义社会的基础的完全建成,上层建筑中的社会主义民主制也因而扩展起来,马克思主义的思想也将成为全体人民一致的思想,到了这个时候,我国的过渡期就告结束,我们就完全建成了社会主义社会,可以向着共产主义迈进了。

在目前阶段,全国人民必须投入阶级斗争中,在党的领导下,为完成经济上、政治上和思想上的社会主义革命而奋斗。我们学习马克思列宁主义哲学,学习历史唯物主义,就是要掌握社会发展规律、阶级斗争规律,结合我国过渡时期的特点,学会运用马克思主义的立场、观点和方法,在社会的各个方面,不断地去观察矛盾,发现矛盾,分析矛盾和解决矛盾,才能促进社会主义事业的发展。

我们学习历史唯物主义是为社会主义革命和社会主义建设服务的。

四、怎样学习历史唯物主义

我们学习的基本方针是:"学习理论,提高认识,联系实际,改造思想"。因此,我们必须做到下列几项。

第一,历史唯物主义是共产党的历史观、社会观,我们必须坚定地一贯地站在工人阶级的立场,才能学好历史唯物主义,并且具体地、灵活地运用它,来为工人阶级和人民群众服务。

说起立场问题,右派知识分子是反对的。他们说,一个人有了立场,便受主观所蒙蔽,不能客观地看问题,就不符合于真理。他们标榜着自己是不偏不倚的超阶级的客观主义者。事实上究竟怎样呢? 就拿 1957 年春季知识界讨论匈牙利反革命问题一事来说吧。当讨论的时候,我们的人首先提出确定立场问题,右派分子却反对说立场问题已经过时了。但是他们在辩论时却用战争贩子杜勒斯的话来污蔑苏联干涉匈牙利内政,这不是站在帝国主义者的立场么? 其次,在大鸣大放期间,他们公开反党反社会主义,这不是站在资产阶级反动派的立场么? 右派分子反对讲立场,实际是只许他们有立场,反对我们有立场。

由于阶级立场不同,我们和敌人的意见就发生根本的分歧。例如就社会主义建设来说,我们是"肯定成绩,改正缺点",而敌人却只是"揭露缺点,否认成绩",这是工人阶级立场和资产阶级立场的鲜明对照。

新国家成立以来,资产阶级和小资产阶级知识分子,在学习马克思主义改造自己思想方面,可以分为三种类型。第一种人放弃了原来的立场转变到工人阶级立场,他们努力学习马克思主义,有一部分人已经成了共产主义者。第二种人原来抱着反党反社会主义的阴谋,混入马克思主义旗下,伺机而动,他们用马克思主义的词句教书写文章,引经据典,头头是道,很迷惑了一部分人,但是到了我党宣告整风的时候,他们就认为时机已到,就把多年酝酿的反革命的政治阴谋全盘托出来了。这是资产阶级反动派搞假马克思主义的实例。属于这一派的人是马克思主义贩卖商人,他们摆起马克思主义的摊子,招徕顾客,大赚其钱,风浪一起,他们就滚到反动派的队伍里去。第三种人表示要站在工人阶级方面,拥护社会主义,在教书写文章时讲马克思主义,但是遇到大是大非就左右摇摆,迷失方向,当右派分子向党猖狂进攻的时候,他们就跟着右派走,当人民起来揭露右派的反革命阴谋的时候,就感到自己上了右派的当,转过来倾向于左派。这种人立场不稳,也可以说是站在小资产阶级立场。在思想上的阶级斗争的过程中,这一种人如果努力改造自己的思想是可以转到工人阶级的立场上来的。

由此可见,站稳工人阶级立场来学习历史唯物主义,就能运用它的观点和方法来研究革命和建设中的各种具体问题,引出科学的结论来指导我们的行动。在这一点上,阶级性与科学性是一致的。

第二,我们要在革命斗争中去学习历史唯物主义。首先,历史唯物主义是关于社会主义革命的科学,是关于阶级斗争的科学。这一门科学是在工人阶级所进行的阶级斗争过程中生长起来,发展起来的。它自从由马克思、恩格斯创立起来以后,就和资产阶级一切反动的社会学说进行了一百多年的战争,它累战累胜,百炼成钢,从不害怕与任何敌人作战。因此,我们学习历史唯物主义,单靠课堂的讲授、书室的自修和经典著作的钻研是学不好的,也是不能战斗的。这好比温室的花一样,纵然开得很好,但见不得太阳,经不起风雨。毛泽东同志说得好:

> 马克思主义者不应该害怕任何人批评。相反,马克思主义者就是要在人们的批评中间,要在斗争的风雨中间,锻炼自己,发展自己,扩大自己的阵地。同错误思想作斗争,好比种牛痘,经过了牛痘疫苗的作用,人身上就增强免疫力。在温室里培养出来的东西,不会有强大的生命力。①

所以我们要学好历史唯物主义,必须投入阶级斗争中去,特别是投入现阶段的反右派的阶级斗争中去,才能把历史唯物主义的理论和阶级斗争的实际行动融合起来,才能提高自己,锻炼自己,把自己造就为一个马克思主义的战士。正如在战争中容易学好战争学一样,在阶级斗争中也容易学好阶级斗争的科学。

我们学习历史唯物主义,要做一个马克思主义的宣传家,要站在阶级斗争的前列,做一个冲锋陷阵的战士。我们不要做马克思主义的学究,只是关在书房里,钻研马克思主义的经典著作,对于一切资产阶级反革命的言论和行动,视而不见,听而不闻,和平共处,互不侵犯。这样不能战斗的马克思主义,人民是不需要的。

第三,从实际出发,密切地联系实际,是学好历史唯物主义的关键。历史

---

① 毛泽东:《关于正确处理人民内部矛盾问题》,第28页。

唯物主义对于社会历史的研究，是从个别的、历史上一定的社会关系出发的，而不是从这些社会关系是什么这种理论问题出发的。这种方法就是毛泽东同志所说的"从实际出发"的方法。毛泽东同志在《改造我们的学习》中说："我们要从国内外、省内外、县内外、区内外的实际出发，从其中引出其固有的而不是臆造的规律性，即找出周围事变的内部联系作为我们行动的向导。而要这样做，就须不凭主观想象，不凭热情，不凭书本，而凭客观存在的事实。详细占有材料，从这些事实中材料中引出正确的结论。"这种从实际出发的方法，是我们学习和运用历史唯物主义解决实际问题和从事实际工作的科学的方法。

我们党的文件（包括决议、政策、计划等）和毛泽东同志的著作，都是根据社会发展的规律结合我国具体情况并集中群众的意见和经验写出来的东西，都是从实际出发经过调查研究然后制订的东西，都是具体化、中国化的历史唯物主义。我们从党的文件和毛泽东同志的著作出发，也就是从实际出发，这对于我们学会运用历史唯物主义理论和方法，具有头等重要的意义。当然，党的政策是根据社会发展规律制定的，我们结合党的政策学习历史唯物主义，并不意味着以党的政策代替社会发展规律。

社会主义建设和社会主义革命，是我们所要联系的最大的实际。我们正在做着我们的先人所没有做过的事业，在前进的道路中所遇到的问题（即矛盾）是层出不穷的，我们要不断地发现问题，解决问题来促进我们的社会主义事业的发展。毛泽东同志所提出人民内部的各种矛盾，即是社会主义道路中所遇到的问题。我们必须善于运用历史唯物主义的观点和方法，具体地分析具体的矛盾，才能找出解决这些矛盾的方法。这就必须作系统的周密的调查工作和研究工作。因此，我主张我们搞哲学工作的人也要搞生产实习，每年要划出一定的时间到工厂和农村去，可以参加生产劳动，增强劳动观点和群众观点，懂得生产的基本过程，了解劳动人民的生活、思想和感情，认识群众的智慧和力量，同群众建立密切的联系。只有这样，我们才能真正站在劳动人民的立场，学会从群众的实际状况出发考虑问题，按照群众路线的工作方法解决问题。

为了联系实际，我们经常要阅读报纸，随时搜集有关的研究资料。特别重要的是学习人民日报的社论，因为这些社论是宣传和解释党的政策的文章，是党的文件的一部分。

其次，我们还要联系苏联和各兄弟国家建设社会主义的实际，来说明历史唯物主义所研究的各个重要问题。此外，也还要联系各帝国主义国家的工人阶级斗争和民族解放斗争的实际来说明资本主义必然灭亡，社会主义必然胜利的规律。同时还要联系和平民主社会主义阵营和反动侵略帝国主义阵营之间的斗争，指出前一阵营的日趋壮大和后一阵营的日趋削弱，指出前者必然能够战胜后者。

此外，还要联系我国的历史实际，联系半殖民地半封建社会时代的实际，两相对比，借以说明社会主义制度的优越性。

至于怎样联系实际，我认为必须通晓社会发展规律，善于运用历史唯物主义的观点与方法，具体地分析具体的情况，使联系成为有机的联系、本质的联系。

附带再说一句，当我们进行马克思主义的宣传或讲解的时候，必须联系听众的思想实际，对听众有所启发和帮助，只有这样的讲解或宣传才能收到预期的效果。

第四，钻研马克思主义的经典著作，提高理论水平。现在我们学习历史唯物主义这门科学，还没有很合适的讲义或教本。苏联康士坦丁诺夫主编的《历史唯物主义》是由五位哲学家合写的。这本书第一版在1950年发行以后，苏联哲学界提了很多意见，第二版经过修改，在1954年发行，但苏联哲学界仍然提了很多意见。可见，这样的教本是不容易写的。因为历史唯物主义是从实际出发，密切联系实际，反映实际的，而实际是不断地发展的。例如社会主义建设的实际，经过千百万群众的创造性的劳动，不断地发展着，所以历史唯物主义本身也是不断发展的。今天联系的实际，到明天就过时了，要写一本完全切合实际的讲义是很感困难的。有的同志主张不发讲义，最好直接钻研经典著作，结合实际来发挥，这确是一个好办法。钻研经典著作，不但可以避免第二手或第三手著作所易犯的错误，而且可以提高理论水平。但是学习经典著作，必须避免教条主义的学习的方法。因为马克思主义不是教条，而是行动的指导。依照毛泽东同志在《整顿党的作风》中所作的指示，我们学习马克思列宁主义，要能够精通它，然后应用它，精通的目的，全在于应用。我们要

"能够依据马恩列斯的立场、观点和方法,正确地解释历史中与革命中所发生的实际问题,能够在中国经济、政治、军事、文化种种问题上给予科学的解释,给予理论的说明,……那就要真正领会马克思列宁主义的实质,真正领会马克思列宁主义的立场、观点和方法,真正科学地分析中国的实际问题,找出它的发展规律,这样才是我们真正需要的理论家。"这样的学习方法是合乎马克思主义的。教条主义的学习方法不是这样。教条主义者学习经典著作,只是熟读强记,死扣条文,做文章或讲演时,只会引经据典,夸夸其谈,脱离实际,"不注重研究现状,不注重研究历史,不注重马列主义的应用,这些都是极坏的作风。"毛泽东同志指斥这种教条主义的态度"是党性不纯的表现"。为了学好历史唯物主义,钻研经典著作是极端重要的,但要坚持理论联系实际这一基本原则,把学得的理论来为社会主义革命和社会主义建设服务。即是说,要做一个马克思主义者,不要做一个教条主义者。

第五,在思想上的阶级斗争中要贯彻百家争鸣的方针。思想上的阶级斗争,将是我们相当长期的任务。思想斗争是社会主义和资本主义思想的斗争,是马克思主义思想和反马克思主义思想的斗争,就我们学习这门科学来说,是历史唯物主义和资产阶级社会学的斗争。我们进行这种思想斗争,必须贯彻百家争鸣的方针,因为这个方针也是长期适用的。

或许有些好心肠的人要问:既然百家争鸣方针是长期的,而马克思主义又是可以批判的,那为什么费孝通、吴景超、李景汉、陈达等人要恢复资产阶级社会学,你们便给他们扣上右派的帽子呢? 回答这个问题,首先应当把划分"左"右派的标准提了出来。这些标准就是:凡属积极团结全国各族人民、积极推进社会主义改造和社会主义建设、积极巩固人民民主专政和民主集中制,积极拥护共产党的领导、积极加强国际社会主义力量和世界和平力量团结的言论行动,就是左;积极反对这些的言论行动,就是右。简单地说,凡是拥护共产党拥护社会主义的人们就是左派,凡是反对共产党反对社会主义的人们就是右派。这些划分左右派的标准,对于百家争鸣也是适用的。因为各派各家虽然可以拿出自己的学说来争鸣,但总不能反对共产党反对社会主义,即反对社会主义革命(即反革命),这难道还不明显吗?

资产阶级社会学是彻头彻尾拥护资本主义制度,反对无产阶级反对社会主义的反动"学说",在我们社会主义国家的人民看来,它完全是毒草。但在百家争鸣的方针下,人们如果是单纯地要拿那种反动的资产阶级社会学来和历史唯物主义争鸣,历史唯物主义者就一定对他们应战,和他们展开说理斗争的大辩论,直到完全粉碎它的时候为止。但是,费孝通、吴景超、李景汉、陈达等人叫嚣着要恢复资产阶级社会学的目的,并不是为了要在学术上来争鸣,而是要在"社会学"的招牌下来实现他们反对共产党反对社会主义的政治阴谋,这是社会科学工作者们所已经充分揭露,而费孝通本人也已经直认不讳的了。所以我们把费孝通等人划为右派是十分正确的。右派费孝通等在"社会学"的招牌下发动思想上的进攻,是密切结合着他们的政治阴谋一同进行的,即是说,他们的反动的政治斗争是通过他们的反动的思想斗争表现的。因此我们对这些右派进行斗争时,先要揭发他们的政治阴谋,然后对他们所要恢复的"社会学"进行批判即争鸣(后面还要谈到)。

至于某些资产阶级的"社会学家",并没有反对共产党反对社会主义言论行动,或者口头上表示拥护共产党拥护社会主义,但他们迷恋于过去所学的"社会学",认为还有用处,想拿出来争鸣一番。这样的人,不算右派,要对他们的思想进行说理斗争,说服他们,这是要分别对待的。

同右派分子作斗争,要提高政治嗅觉,善于运用阶级分析的方法分别是非真假。右派分子和我们没有共通的语言,他们惯用两面派的手法来说话做文章,有时用江湖黑话把内容传达给他们的党徒并蒙蔽局外的人。他们不敢公开直说反党反社会主义,却尽量搜集缺点把党和社会主义事业丑化为漆黑一团。他们说左准是指右,说右准是指左;说前进准是指落后,说落后准是指前进;他们说拥护什么准是反对什么,说反对什么准是拥护什么;肯定什么准是否定什么,否定什么准是肯定什么;或者先肯定后否定,先否定后肯定;或只肯定而不否定,只否定而不肯定。他们总是弯弯曲曲地达到所要肯定或否定的目的。如果我们在政治上害了伤风,就容易让他们蒙混过去。所以我们必须提高政治嗅觉,从他们所写的字里行间,了解他们的言外之意(例如费孝通说江村农民粮食不够吃,与统购统销政策无关,而言外之意则是说统购统销政策弄得农民吃不饱)。这些是我们与右派斗争必须注意的地方。

怎么样学好历史唯物主义做一个马克思主义的战斗家和宣传家,我只列举上列五项作为参考,当然还有不够的地方,这里不多说了。

第二节　历史唯物主义是辩证唯物主义在社会历史领域中的扩张

一、历史唯物主义是辩证唯物主义的构成部分

我们应用辩证唯物主义的立场、观点和方法来研究社会历史,就进入历史唯物主义的领域。在这里,我们首先说起历史唯物主义和辩证唯物主义的关系。

首先,历史唯物主义是历史的唯物辩证法。我们已经知道:辩证唯物主义是世界观与方法论的统一、理论与实践的统一。这个哲学的对象,是自然、社会及人类思维发展的一般规律;而在唯物主义的认识论上,思维发展的一般规律是自然与社会发展一般规律的反映,两者在其内容上是一致的。所以在认识论或论理学上研究的思维发展的一般规律,是自然诸科学与社会诸科学的成果的普遍化的概括。因而辩证唯物主义,是人类一切知识的历史的总计、总和与结论。

当作世界观看的唯物辩证法,当作自然科学与社会科学的成果的普遍化概括看的唯物辩证法,其中包含两个部分,两个领域,即唯物主义的自然观(=自然辩证法)与唯物主义的历史观(=历史辩证法)。唯物主义的自然观,以自然现象的发展规律为对象,因而它是自然诸科学的成果的概括;唯物主义的历史观,以社会现象的发展规律为对象,因而它是社会诸科学的成果的概括。在这种意义上,唯物主义的自然观是唯物辩证法与自然科学之间的媒介的环节;唯物主义的历史观是唯物辩证法与社会科学之间的媒介的环节,所以唯物辩证法之与唯物主义的自然观及唯物主义的历史观,具有密切的不可分离的关联。如果没有唯物主义的自然观与唯物主义的历史观,就没有唯物辩证法;如果没有唯物辩证法,就没有近代的科学的唯物主义。所以,历史唯物主义与自然辩证法,同是唯物辩证法的必然的构成部分。

当作认识方法看的唯物辩证法,其一般的规律、原理和范畴,都是从一切个别科学抽象出来的东西,都具有极普遍的性质,所以它不但适合于特殊现象

的领域,并且适合于一切现象的领域。唯物辩证法在自然领域中具体地应用起来,就成为自然辩证法;在历史领域具体地应用起来,就成为历史唯物主义,即历史辩证法。所以唯物辩证法,是一切科学的方法论;一切科学只有依据唯物辩证法,才能正确地把握客观的真理。

基于上述见解,辩证唯物主义与历史唯物主义之间,具有极密切的关联。历史唯物主义,如果没有辩证唯物主义,它本身就不能成立;辩证唯物主义,如果没有历史唯物主义,也不能成为统一的世界观。

所谓辩证唯物主义与历史唯物主义的关联,这句话的本来的意义,就是彻底地把辩证唯物主义应用并扩张于社会历史的领域。只有彻底地把辩证唯物主义扩张于人类社会历史的领域,才能使辩证唯物主义更趋于深化和发展;人们才能在世界变动的过程中去认识世界,改造世界。

历史唯物主义虽是辩证唯物主义的构成部分,但它有自己的专门研究对象,有它自己的反映现实社会关系和社会发展规律的范畴,并综合这些范畴,组成一个严密的科学体系。它在一定的社会的物质基础之上研究一切经济现象、政治现象和精神现象以及这些现象之间的相互联系和相互作用。它分别地研究各种社会形态的固有的机能及其发展规律,从其中探求出符合于一切社会形态的发展的一般规律,由此以究明人类社会历史的联系,究明整个人类社会的发展过程。由于社会发展规律的认识,人民便可以根据这种规律去改造社会。由于资本主义社会发展规律的认识,无产阶级就可以根据这种规律去改造资本主义社会。

列宁说:"马克思的历史唯物主义是科学思想中的最大成果。"①它给予近代无产阶级以科学的历史观,以理论斗争的武器,使无产阶级能够积极地负起改造资本主义社会的使命。

现在我们来驳斥那些关于历史唯物主义的反动的见解。如上所述,历史唯物主义的积极意义,只有阐明在辩证唯物主义与历史唯物主义之间的内在的不可分的联系与统一,才能得到正确的理解。从前,一切形而上学的唯物主义者(连费尔巴哈包括在内),根本上不知道唯物辩证法与历史唯物主义,也

① 《列宁全集》第19卷,人民出版社1959年版,第5页。

不知道两者之间的关联和统一；他们的唯物主义，只是自然科学的唯物主义，他们不知道把唯物主义扩张到历史的领域，反而在历史认识的领域中变成唯心主义的俘虏。

历史唯物主义，是进步的阶级实践的理论斗争的武器，同时又是资产阶级最大的敌人，所以资产阶级不能不集中注意去攻击历史唯物主义。他们或者在认识论的领域中，赤裸裸地站在唯心主义的立场，从根本上去否认辩证唯物主义，因而否认历史唯物主义；或者用唯心主义的哲学去修正历史唯物主义，把它改造为历史唯心主义。这种修正主义的策略，在战斗的唯物主义者看来，它比较从根本上否认历史唯物主义的倾向更为险恶，而必须与它做无假借的斗争。例如修正主义柏恩斯坦因一派，否认辩证唯物主义的意义，而用新康德主义来修正历史唯物主义。他极力主张历史过程中的精神的契机的意义，否定了历史唯物主义所主张的"历史的发展之物质的规定性"；用逐渐的和平的进化的理论，代替历史的飞跃的辩证法。

又如，波格达诺夫，自称是历史唯物主义的信徒，却用马赫主义代替辩证唯物主义，因而毁坏历史唯物主义。玛克时亚德拉，也自称是历史唯物主义的信徒，却用新康德主义代替辩证唯物主义，因而修正历史唯物主义。

还有，叛徒考茨基，也努力表示着拥护哲学的唯物主义与历史唯物主义，承认"历史唯物主义是适用于历史领域的唯物主义"。可是他把哲学的唯物主义当作认识的方法，因而从哲学的世界观切离历史认识的方法，而达到于唯物史观与唯物主义哲学无关的结论。这种结论，引导他站立在分离世界观与方法论，分离理论与实践的机会主义的立场。

现代机械唯物主义者们，也不能理解辩证唯物主义与历史唯物主义的统一。他们主张用自然科学代替辩证唯物主义的哲学，并用自然科学的规律和范畴，来解释历史，造出了社会的自然生长性的历史理论。

最奇怪的事情：不久以前，苏联哲学家之中也还有人说历史唯物主义不是哲学的。这种见解是非常错误的，现在想想已得到纠正了。

又如1956年12月23日波兰《直言》周刊发表的维谢洛夫斯基的《马克思主义是现今的社会学》一文，内容非常错误，康士坦丁诺夫在《高等学校中马克思列宁主义的教学与研究》中指出：

作者没有对西方社会学进行阶级分析,而号召采用西方社会学的"登记、测定和分析现象"的方法,说这些方法已经显示了"它们在社会现象和社会活动技术的形成方面的实际效用"。然而,马克思主义者应当从无产阶级的立场、从共产主义党性的立场来分析国际政治生活和精神生活方面的事件和现象。只有这样一种态度才是正确的。无论今日的修正主义者或过去的修正主义者,都有一个共同的特点,就是不对现象进行阶级分析,谄媚资产阶级及其哲学和科学。①

我国右派知识分子费孝通、吴景超、李景汉、陈达等为了不可告人的目的,用修正主义来反对马克思主义,用资产阶级社会学来反对历史唯物主义。费孝通说:

> 我的看法,历史唯物主义只是社会学的基础,同时也是其他社会科学的基础,有了基础不等于就有了房子。

因此,他和他的同伙们要恢复资产阶级社会学,要在历史唯物主义基础上建筑资产阶级社会学的"房子",这个"房子"的内容怎样呢? 据他们说,是要用资产阶级的社会调查方法,即所谓"访问、观察、记录、统计、分析等技术",来进行社会调查。他们要调查什么问题呢? 他们原先说要调查人口问题、劳动问题、农民问题、家庭和婚姻等问题,后来却要调查关于人民民主专政等一系列的问题了。可是事实证明,他们这样做的目的,在政治上是反党反社会主义,在思想上是反对历史唯物主义。他们不是要恢复资产阶级社会学,而是要恢复资产阶级社会——这样的政治阴谋,已由党和人民充分揭露出来了。

二、哲学唯物主义在社会历史领域中的扩张

首先,哲学唯物主义怎样应用于社会历史的认识呢? 哲学唯物主义一般是承认:存在决定意识,意识不决定存在,存在是离开意识而独立的客观实在,

---

① 康坦丁诺夫:《高等学校中马克思列宁主义的教学与研究》,《学习译丛》1957 年 8 月号。

意识只是存在的反映。同样,历史唯物主义承认:社会存在决定社会意识,社会意识不决定社会存在;社会存在是离开人类意识而独立的客观实在,社会意识只是社会存在的反映。这所谓反映也只是对象之近似的正确的反映。

唯物主义是用存在说明意识,不是用意识说明存在。同样,历史唯物主义是用社会存在说明社会意识,不是用社会意识说明社会存在。

因此,社会存在决定社会意识,这是历史唯物主义的最根本的原理。历史唯物主义的全部内容,都是这个根本原理的说明。

社会存在是社会的物质基础,是社会的物质关系,是物质生活资料的生产方式,是人们在物质生活资料生产过程中发生的生产关系。社会意识是社会的精神生活,是社会的思想关系,是一定阶级或集团所具有的社会思想、社会理论、法律制度和政治制度。前者是第一性的现象,后者是第二性的现象,是从生的现象。

社会存在和社会意识具有密切的相互作用,社会存在对于社会意识的作用是带有决定性的根本的东西,社会意识对于社会存在的作用,也具有积极的能动性。

正确地反映了社会存在的社会思想和理论,能促进社会的发展;歪曲了社会存在的社会思想和理论,能阻碍社会的发展。在阶级社会中,总有旧的社会思想和理论,有新的社会思想和理论,两者是互相冲突的,两者的冲突是社会生产关系和生产力的冲突的表现。旧的社会思想和理论,代表着衰朽的、行将没落的阶级,拥护于自己有利的生产关系和社会秩序,阻碍着社会的前进。新的社会思想和理论代表新生的、进步的阶级,反对旧生产关系和社会秩序,要建立新生产关系和新社会秩序,它是促进社会前进的。新的社会思想和理论所以具有积极的能动性,就是因为它正确地忠实地反映了物质生活的需要。这样的社会思想和理论,有伟大的动员、组织和改造的作用,能够组织千百万的人民群众,为推翻旧社会建立新社会而斗争。

共产党的理论、政策和计划等,所以能够动员和组织广大人民群众在各个时期完成革命和建设的任务,就因为那些理论、政策和计划等正确地反映了各个时期的社会物质生活发展的需要。

其次,唯物主义认定历史及其发展规律性是完全可以认识的;自然现象的互相联系和互相制约,贯穿着物质发展的规律性,因而打破了唯心主义的不可知论;人们发现了自然规律,就可以依照这些规律,或者把这些规律的破坏作用引导到另一方面,利用它们来为社会谋福利。同样,历史唯物主义认为:社会及其发展的规律性也是完全可以认识的;社会现象的互相联系和互相制约,也贯串着社会发展的规律性。

马克思应用辩证唯物主义研究了社会历史,研究了各种社会问题和历史问题,因而发见了社会历史的发展规律,并且论证社会发展规律的客观性的原理,使社会科学能够成为像生物学一样的精密的科学。这是马克思一个伟大的创造性的功绩。

在马克思主义出世以前,在社会历史研究领域中,完全由唯心主义的社会观和历史观统治着。这些历史观和社会观认为:意识、理性、道德、宗教和政治法律等观点是社会发展的根据,而社会现象和历史现象,是由伟大人物的伟大意志统治着,这样的伟大意志能够控制世界,决定历史的方向。因此,唯心主义的历史观和社会观,认为错综复杂的社会现象都受偶然性所支配,其间并没有什么规律性。这类关于社会历史的谬见,在马克思主义以前,流传最广,不但唯心主义哲学家固持这样的谬见,甚至当时形而上学的唯物主义者也是这样,他们在自然领域中主张唯物主义,而在社会历史领域中却仍主张唯心主义。因此,在马克思主义以前所谓社会科学实际上并不是社会科学(如后面所述,在马克思出世以后,资产阶级学者继承孔德的衣钵,写出了各种形式的唯心主义社会学来反对马克思主义,反对历史唯物主义,它们都是用社会意识说明社会存在,不承认社会发展的客观规律的。从科学的角度看,它们是没有丝毫学术气味的。我国右派分子所要恢复的旧社会学就是这类的东西)。

由于社会发展规律的发现,历史唯物主义就成了科学的历史观,同时,它在社会历史的认识的领域中,肃清了唯心主义和神学的谬见,使社会科学建筑在牢固可靠的科学基础之上。

历史唯物主义教导无产阶级和共产党,一切理论和政策的制定,一切革命的实际活动,都应该以社会发展规律、社会经济发展规律为依据。历史证明:党的理论和政策如果是符合于社会发展规律,革命一定能够取得胜利,反之,革命一定遭到挫折和失败。这在中国革命史中,不缺乏这类实例。

中国共产党自从遵义会议以后，以毛泽东同志为领导的党，对于民主主义革命时期和社会主义革命时期的一切理论、政策、计划和决议等，都是严格地、郑重地依照社会发展规律制订出来的，正是因为如此，所以党能领导全国人民的革命，从胜利走向胜利。

共产党人和一切革命工作者在其本岗位的工作中，必须总结自己的工作的经验，总结群众的智慧和经验，从其中找出规律来，按照这类规律来进行本岗位工作，执行上级的指示和决议，一定能够胜利地完成任务。反之，就会得到相反的结果。关于社会发展规律的知识，对于共产党人和其他革命工作者，该有如何重大的意义！

三、唯物辩证法在社会历史领域中的扩张

唯物辩证法认定：世界是永远运动，永远变化，永远发展的。一切运动形态都是转变的。一切存在物的运动、变化和发展的根源，都由于存在物内部包含着矛盾。正因为存在物内部包含着矛盾，由于矛盾的斗争，存在物便发展起来，从一种形态转变为别种高级形态，这高级形态正是低级形态的否定。所以全部世界的发展，人类社会的发展，以及这些发展在人类头脑中的反映，只有依靠辩证法，就这些变化和发展之间的普遍的相互联系作不断的考察，才能理解。

同样，历史唯物主义认定：社会也是一个发生、发展及其转变的过程，社会的运动、变化、发展的根源由于社会内部包含着矛盾。正因为社会内部包含着矛盾，由于矛盾的运动和发展，社会就从一种形态转变为别种高级形态，低级社会形态为高级社会形态所否定。所以历史唯物主义可以称为历史辩证法，它对于社会存在和社会意识的关系，对于经济现象、政治现象和思想现象以及这些现象间的相互联系，都只有用辩证的方法、用矛盾分析的方法，不断地加以考察和研究，才能理解它们。

社会内部充满着各种矛盾：有属于物质生活方面的各种矛盾，有属于精神生活方面的各种矛盾，这两大类矛盾之间也有各种矛盾。这些矛盾之中，物质生活方面的矛盾是基本的东西，其中又以生产力和生产关系的矛盾最为重要，其他各种矛盾都是从这个矛盾产生的。

　　上述各类矛盾在人与人之间的关系上表现出来,有某一部分人的趋向与另一部分人的趋向之间的矛盾,有一个利益集团与另一利益集团的利益之间的矛盾,有一个民族和别个民族之间的矛盾、有人民内部之间的矛盾,有人民和人民的敌人之间的矛盾,有战争集团与和平集团之间的矛盾等。这一些矛盾,若是类别起来,就有内部矛盾和外部矛盾、普遍矛盾和特殊矛盾、对抗性矛盾和非对抗性矛盾的区别。马克思主义认为对抗性矛盾和非对抗性矛盾是区别一切社会形态的各种复杂矛盾的标准。非对抗性矛盾是一切形态所通有的矛盾。这种矛盾和对抗性矛盾不同,矛盾双方还有共同的利益,不至于发展到互相敌对、你死我活的地步,双方虽然也有斗争,但不会成为冲突,并且是可以用说理斗争的方法去解决的。但是也有例外,非对抗性矛盾的一方如果为了自己一方的利益不惜破坏双方共同的利益,那么,非对抗性矛盾就要转变为对抗性的矛盾了。马克思主义的总任务,着重揭发阶级社会的各种对抗性的矛盾,如奴隶阶级与奴隶主阶级的矛盾,农民阶级与地主阶级的矛盾,无产阶级与资产阶级的矛盾,帝国主义与被压迫民族的矛盾等。这类对抗性矛盾,都是以阶级或集团的相互间的不可调和的利益为基础的矛盾。为要解决这类的矛盾,进步的阶级或集团只有用社会政治革命方法,去推翻旧的社会制度,建立新的社会制度。现代的无产阶级为要获得自己阶级和其他一切劳动人民的解放,必须对于一切剥削者阶级进行彻底的不妥协的革命斗争,推翻剥削者阶级的政权,建立无产阶级专政,继续镇压已被推翻的剥削者阶级的反抗,才能胜利地过渡到社会主义社会。

　　马克思和恩格斯应用唯物辩证法研究社会历史,研究资本主义和先资本主义社会,就从社会发展的过程中发现了阶级斗争的规律,说明了人类社会的历史,除了原始社会土地共有的历史以外,都是阶级斗争的历史,因而创立了阶级斗争论和无产阶级专政论,作为无产阶级革命的指导,这样,社会主义就从空想变成了科学。

　　资产阶级的各种历史观、社会观,对于社会的阶级分裂和阶级斗争,有的避而不谈,有的故意隐瞒,却用不同的手法,坚决拥护资本主义制度,认为它是最进步的东西;或者主张资产阶级是具有高等的心理或意志的人们的集团,应当永远成为统治那些只具有低级的心理或意志的人们即无产阶级和劳动人民。有的直率地承认阶级差别和阶级斗争的事实,却坚决肯定资产阶级是优胜者,应当统治那些劣败者的工人阶级和劳动人民。现代我国地主资产阶级的历史观、社会观,有的根本反对阶级斗争而主张改良主义。例如胡适顽强地反对马克思主义,反对革命而主张一点一滴地解决个别的社会问题(如说为人力车夫增加一两角工资来解决人力车夫的问题),而反对对一切社会问题的总解决。后来他自己加入了蒋介石卖国集团,反共到底。有的根本否认中国社会有阶级存在,例如梁漱溟、费孝通等主张中国从来就是"伦理本位"的社会或"礼治社会",没有阶级区别。梁漱溟指责中国共产党故意在中国制造阶级和阶级斗争,而他自己却在山东邹平搞地主武装来镇压农民。费孝通在《江村调查》中把地主、佃户和雇工说成是权利义务和报酬是完全平等的三种人,却承认地主把拖欠田租的佃户加以逮捕是合法的。这类的历史观或社会观,表面上说是没有阶级观点的,而实际上是有阶级观点的,这即是反动的统治者的阶级观点。

第三节 历史唯物主义的创立适应于无产阶级革命的要求

一、历史唯物主义创立的背景

19 世纪 40 年代,马克思批判地采取了费尔巴哈唯物主义的"基本内核",并在唯物主义基础上改造了黑格尔的辩证法,因而创造了唯物主义辩证法。从这个时候起,马克思便从激进的民主主义者立场转到革命的无产阶级的立场了。他把毕生精力贡献于无产阶级,为无产阶级及其政党创立了全面的革命的学说——马克思主义。

马克思主义的产生,绝不是偶然的,它是资本主义社会发展过程中必然的产物,它是在资本主义社会已经开始自我批判、无产阶级已经登上政治斗争的舞台的时候才出现的。这完全是合乎社会发展规律的。

现在来说明历史唯物主义创立的社会背景及其意识形态上的准备。

19 世纪初期,资本主义社会的自我批判,首先表现为经济上的矛盾,即表现为资本主义生产方式的矛盾。第一个矛盾是工钱劳动和资本的对立。这个对立的发展表现为无产阶级对资产阶级的斗争。例如当时英、法、德各国工人阶级所举行的暴动和叛乱，表明着无产阶级已经开始从"自在的"阶级转变为"自为的"阶级了。

资本主义生产方式的第二个矛盾，是各个企业的有计划地组织和全社会生产的无政府状态之间的矛盾。这个矛盾的表现是经济危机。例如从1815年在英国发生经济危机以后，就蔓延到欧洲大陆，每隔几年发生一次，是带有周期性的。这种周期性的经济危机，扰乱了各种产业部门间的平衡，表现出财富和生产资料集中于一极，而穷乏和失业集中于另一极；它表现了生产力与生产关系的冲突，表现了无产阶级和资产阶级的冲突。

以上两种矛盾，在当时表现得最为明显。

其次，资本主义社会的自我批判，表现为政治上的矛盾。当资产阶级号召无产阶级和劳动人民进行反封建的革命斗争时，曾经约定要根据自由和平等的原则建立全民民主的国家，所以当时无产阶级和资产阶级结成了革命的联合战线，希望在推倒共同的敌人即封建主义后，可以实现自由平等的要求。但革命胜利以后，资产阶级爬上了统治阶级的地位，却建立了资产阶级专政的国家，把虚伪的、形式上的自由平等当作"民主主义"宣布了。于是从前资产阶级所宣称的要根据"理性"建立的"合理的国家"就变成完全"不合理的国家"了。这种政治上的矛盾，在19世纪初期已经完全暴露了。当时无产阶级已经在客观上意识到所谓民主国家实际上只是资产阶级国家，所以无产阶级为了争取自由和平等，就向着资产阶级国家进行大民主运动。例如当时法国劳动人民的政治斗争，英国工人争取选举权的斗争，表明了无产阶级已经登上政治斗争的舞台了。

再次，资本主义社会的自我批判表现为意识形态上的矛盾。资产阶级在进行反封建的革命时期，用唯物主义哲学反对宗教、反对封建主义，是起了进步作用的。但到资产阶级战胜了封建势力，掌握政权以后，就摒弃唯物主义，重新采用唯心主义和神学作为麻醉无产阶级的工具。19世纪初期的德国，黑格尔的唯心辩证法哲学，在精神界占据统治地位，但德国资产阶级反封建的斗争，首先表现为反基督教的斗争。反宗教斗争的结果，必然转到唯物主义的方向。于是黑格尔以后哲学的发展，采取了两个方向，因而分化为两派，一是坚持唯心主义的,一是复活唯物主义的。前者是黑格尔右派,代表着封建势力;后者是黑格尔左派,代表着资产阶级。这些都是思想的矛盾。

还有英国古典经济学是提倡自由主义和个人主义的,它把资本主义看做空前绝后的、极良好、极合理的制度,但是到了资本主义开始自我批判的时候,财富与贫困的对立,劳动与资本的对立,就暴露了它本来的面目,即宣告了它的破产。从此,资产阶级经济学就走上俗流化的倾向。

当时法国和英国的空想社会主义是暴露资本主义罪恶的学说。这些学说虽然意识到了资产阶级社会的阶级对立,却不能认识这个对立的本质,也不能看出解决这个矛盾的动力,也不能认识无产阶级的历史使命,而只是凭空创造新社会的理想,希望用政府立法和劝导富人放弃剥削的办法来实现这样的理想。由此可见,空想社会主义是建筑在唯心主义的基础之上的,是不能实现的社会理想。这表现着社会理想与社会实践的矛盾。

以上资本主义社会的经济的矛盾、政治的矛盾和意识形态上的矛盾,是马克思主义、历史唯物主义创立的前提条件。

二、历史唯物主义创立的思想上的准备

我们知道,马克思主义有三个来源和三个组成部分。马克思主义是坚决地站在无产阶级的立场,批判地克服了古典哲学、古典政治经济学和空想社会主义之后才创立的完整的科学理论。历史唯物主义是马克思主义三个组成部份的首要部分。

1842 年,马克思充任《莱茵报》的记者,开始了激进的民主主义政论家的活动,参加了关于所谓物质利益的斗争。为了丰富这一方面的知识,马克思从这个时期起,就应用辩证唯物主义去研究经济问题、政治问题特别是法国革命问题和历史问题。他研究了德、英、法、美等国的历史,研究了卢梭、孟德斯鸠、法国的启蒙学者、唯物主义者和法国复辟时代历史学家的著作,研究了黑格尔的历史哲学和法律哲学、亚当斯密派的经济学和空想社会主义者的著作。在这些著作中,也杂有一些片断的、科学的论点和推测,例如孟德斯鸠关于一切现象有规律地发展着的思想,卢梭关于铁器劳动工具和农业在产生人类不平等中的作用的推测,爱尔维修关于人是环境的产物的思想,法国历史学家关于

阶级斗争的论点,黑格尔关于人类历史是矛盾的发展过程的观点,古典经济学家关于论劳动的财富的来源的学说,空想主义者关于社会矛盾和阶级斗争的论点等——这些先进的资产阶级学者的哲学的、历史的、经济的、社会的个别的论点和天才推测,无疑地是历史唯物主义的先导。但这些论点和推测还只是一些生硬的原料,并且有些是用唯心主义笼罩着的东西。马克思把这些生硬的原料,放在唯物辩证法的基础上加以总结,并根据自己的研究和革命经验,作出了系统化的科学的历史理论。

在同一时期,马克思考察了里昂的工人暴动和英国工人争取选举权的大斗争,他认定这类无产阶级的运动是理解资本主义社会的关键。阐明了这类见解的著作,是1844年在《德法年鉴》上发表的《犹太人问题》和《黑格尔法律哲学批判序论》。在这些著作中,他指出了"人类的解放"不是资产阶级的民主主义的实现所能做到的,指出了"政治的国家"的"自然的基础"是市民社会,提出了社会的经济基础及其上层建筑的关系。如《政治经济学批判》的"序言"所说,他在《德法年鉴》时代研究的结果,早已达到了下述的结论:"就是法律关系如同国家形态一样,既不能就其本身来理解,也不能从所谓人类精神的一般发展来理解,不如说,它们是在物质生活关系之中生根的;这种物质生活关系的总体,黑格尔学18世纪的英国人和法国人的榜样,称之为市民社会,而市民社会的解剖,则应该求之于政治经济学。"接着,马克思把研究所得的"一般结论"写了出来。这"一般结论"就是历史唯物主义的基本原理,也是一般人所说的"唯物史观的公式"。

　　人们在自己生活的社会生产中彼此间发生一定的、必然的、不依他们本身意志为转移的关系,即与他们当时物质生产力的一定发展程度相适应的生产关系。这些生产关系的总和就组成为社会的经济结构,即法律的和政治的上层建筑所赖以树立起来而且有一定的社会意识形态与其相适应的现实基础。物质生活底生产方式决定着社会生活、政治生活以及精神生活的一般过程。不是人们的意识决定人们的存在,恰恰相反,正是人们的社会存在决定人们的意识。社会的物质生产力发展到一定程度时,便和它们向来在其中发展的那些现存生产关系,或不过是现存生产关系在法律上的表现的财产关系发生矛盾。于是这些关系便由生产力的发展形式变成了束缚生产力的桎梏。那时社会革命时代就到来了。随着经济基础的变更，在全部庞大的上层建筑中也就会或迟或速地发生变革。在考察这种变革时，必须时刻把经济生产条件方面所发生的那些可用自然科学精确眼光指明出来的物质变革，去与人们借以意识到这种冲突并力求把它克服的那些法律的、政治的、宗教的、艺术的或哲学的形式，——简言之，思想形式，——分别清楚。正如我们评判一个人时不能以他对于自己的揣度为根据一样，我们评判这样一个变革时代时也不能以它的意识为根据。恰恰相反，这种意识正须从物质生活的矛盾中，从社会生产力和生产关系间现存的冲突中求得解释。无论那一个社会形态，当它所给以充分发展余地的那一切生产力还没有展开以前，是决不会灭亡的；而新的更高的生产关系，当它们所借以存在的那些物质条件还没有在旧社会胞胎里成熟以前，是决不会出现的。所以人类始终只会提出自己所能够解决的任务，因为我们仔细去看时总可看出，任务本身，只有当它所能借以得到解决的那些物质条件已经存在或至少是已在形成过程中的时候，才会发生的。[①]

所以马克思把唯物辩证法运用到社会历史方面，创立了唯物史观，是和他对于历史学、经济学、社会主义的研究分不开的，和他对于无产阶级斗争和资本主义矛盾的考察是分不开的。由于这些研究和考察，便暴露了历史发展规律，暴露了资本主义社会发生、发展及其必然没落的规律，指出了否定这个社会的动力是无产阶级。而推翻资本主义社会、建立社会主义社会，正是无产阶级的历史使命。由此可见，历史唯物主义的创立，是符合于社会发展规律的，它武装了无产阶级及其政党。无产阶级及其政党只有正确运用这个武器，通晓社会发展的规律，通晓社会经济发展的规律，才能胜利地实现社会主义革命和社会主义建设的历史任务。

---

① 马克思：《政治经济学批判一书》序言，见《马克思恩格斯文选》两卷集，第 1 卷，莫斯科 1954 年版，第 340—341 页。

历史唯物主义是完全适合于无产阶级革命的要求的。正如马克思自己所说:"正如哲学在无产阶级之中发现物质的武器一样,无产阶级在哲学之中发现精神的武器"。

三、历史唯物主义的创立开辟了社会科学的新纪元

在马克思主义出世以前,资产阶级的历史观和社会观(包括 18 世纪法国唯物主义和 19 世纪初期费尔巴哈唯物主义的历史观和社会观在内),都贯彻着唯心主义。这些历史观和社会观认为社会现象和自然现象是不同的。自然现象是由必然统治着,而社会现象则由人的自由意志统治着,不存在客观的必然性。它们认为:人们的社会活动的动机是思想、意志或理性,一切历史事件、社会现象都是人的意志或理性的活动的表现,因而伟大人物的意志的活动能左右历史发展的方向。它们不知道人们社会活动的动机是由什么东西所引起的,不知道抓住社会关系体系发展中的客观规律性,不知道在物质的生产关系中探求那些引起个人活动的思想动机的根源。历史唯物主义认定人类社会原是大自然中的一部分,社会和自然原是统一的。社会也是一个自然的历史的过程,同样受着矛盾的统一和斗争的客观的普遍规律统治着,那种分裂社会和自然的主观主义见解是完全错误的。但是社会现象又和物理的、化学的、生物学的自然现象不同,它具有它自己的特殊的质的规定性,两者不能混同(历史唯物主义的敌人、19 世纪中叶以后的资产阶级社会学,正是这样)。马克思主义者一面说明社会和自然的统一性,一面指出社会和自然的区别。社会的质的特殊性表现于社会的劳动过程中,表现在物质生活的生产方式中,由于生产力的发展,就引起那种成为社会基础的生产关系体系的变化。随着社会基础的变化,就引起政治的法律的制度的变化和意识形态的变化。于是社会就由一种形态转变为高级形态。所以人们的"一切思想和各种趋向都归因于物质生产力状况的根源"①。

其次,唯心主义历史观、社会观既然认定思想、意志或理性的活动是一切

---

① 列宁:《卡尔·马克思》,见《论马克思恩格斯及马克思主义》,莫斯科 1950 年版,第 25 页。

社会现象和历史事件产生的根源,既然认定伟大人物的意志的活动能够左右历史发展的方向,其必然的结论,就是把历史归结为伟大人物的历史、帝王将相英雄豪杰的历史。资产阶级的历史学家、社会学家把自己所属的阶级比拟为超越于人民群众之上的阶级,是理性的化身,是天生的统治者;同时把人民群众比拟为不知不觉的群氓或阿斗,是天生的被统治者。马克思主义认为人们自己创造自己的历史,把个人的活动看做是社会阶级的活动。人们即大众活动的动机是由物质生活的生产方式所决定的,因而人类的历史首先是生产发展的历史,同时也就是物质资料生产者本身的历史,是劳动群众的历史。

资产阶级的历史观、社会观所以贯彻着唯心主义,也自有其认识论的和阶级的根源的。首先,在社会现象和历史事件的认识上,它们始终是坚持社会意识决定社会存在的原则的,是用社会意识去说明社会存在的。其次,资产阶级也和奴隶主阶级与地主阶级一样,同是生产资料所有者阶级,是剥削者阶级。它认为资本主义社会制度是万古长存的,它对于威胁它的存在的社会发展规律,资本主义为社会主义所代替的规律,是极端害怕而坚决反抗的。正因为如此,马克思以前的关于社会历史方面的理论,至多不过搜集了一些片断的生硬的材料,描写了历史过程的个别方面,它们不能把那些材料组成为理论体系。我们可以说,在马克思以前,关于社会历史的科学是不曾有过的。

只有马克思把唯物辩证法推广去研究社会历史,创立了历史唯物主义,我们才有了社会科学;只有历史唯物主义暴露了人类历史发展的规律,暴露了资本主义社会的发生、发展及其必然没落的规律,无产阶级政党才有可能根据这些规律,动员并组织无产阶级和劳动大众去进行有效的革命斗争,推翻资本主义社会,建立社会主义社会和共产主义社会。

第二章 历史唯物主义的对象

第一节 历史唯物主义所着手研究的社会

一、社会经济形态的概念

任何科学都有它特殊的研究对象,它的任务是在于发现它的对象的发展规律。同样,历史唯物主义也有它的研究对象,这个对象就是社会,它的任务就在于发现社会发展的一般规律。

历史唯物主义按照社会存在决定社会意识这一唯物主义原理,把社会理解为"社会经济形态"(简称"社会形态")。社会经济形态这个概念,是历史唯物主义的基本概念。它把社会这个概念作辩证唯物主义的解释,克服了唯心主义社会观和机械主义的社会观。由于社会经济形态这个概念的创立,我们便可以探求历史过程的物质基础发展的趋向,因而可以发现历史过程发展的规律性。

历史唯物主义认定:适合于特定历史阶段上物质生产力发展程度的生产诸关系的总和,形成社会的经济构造即社会的基础;在这个基础之上,有依赖它树立起来的法律的政治的上层建筑,即法律制度和政治制度;还有和它相适合的一定的社会的意识形态,即哲学、自然科学、社会科学、文学、艺术道德、宗教等。

因此,社会经济形态这个概念,可以用下面的图式表现出来。

由此可见,社会经济形态就是处于特定生产关系总和以及由它所产生的一定的法律政治制度和社会意识形态之上的社会。在一定的社会经济形态中,它的基础对于上层建筑具有决定作用,上层建筑对于基础也有一定的反作用,使基础受到一定的影响。但上层建筑这种反作用,是从基础得到力量的,

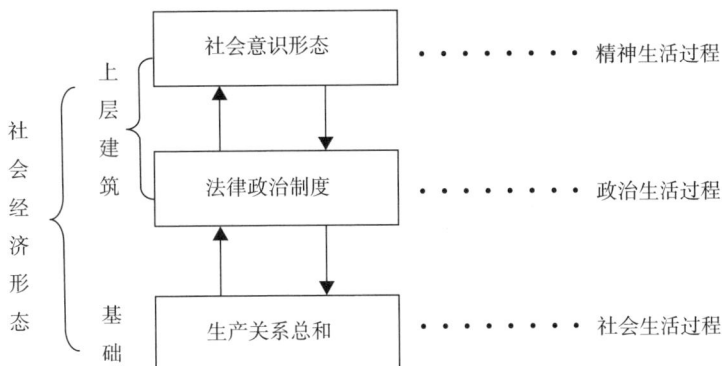

基础如果发生变化,上层建筑也必随着变化,因而社会全部性质也随着发生变化,于是那个社会形态就转变为高级社会形态。

在人类历史过程中,已经经历了五种社会经济形态:原始社会经济形态、奴隶制社会经济形态、封建社会经济形态、资本主义社会经济形态和社会主义社会经济形态。人类的历史是这五种社会经济形态顺次更替的历史。社会经济形态的更替,是由于生产力和生产关系的矛盾的发展所引起的。各种敌对的社会经济形态的更替,是由阶级斗争所引起的,例如由资产阶级经济形态到社会主义经济形态的转变,是生产力突破资本主义生产关系的结果,是无产阶级革命取得胜利的结果。

二、历史唯物主义所研究的社会是一定历史发展阶段上的社会

历史上各种经济形态,各自具有其质的特殊性,各自具有其特殊的发展规律,我们只有从个别的、历史上一定的社会经济形态着手研究,阐明它的特殊的发展规律,然后才能根据对各个社会经济形态的研究,去阐明存在于一切社会经济形态中的一般的发展规律,这些一般规律是贯穿于一切社会经济形态之中的,所以一切社会经济形态就顺次联结起来,构成一个统一的有规律的世界历史的发展过程。例如生产关系一定要适合生产力性质这一规律是贯串于一切社会形态的一般规律,这就表现着全部人类的历史是一个统一的自然史的过程。当然这一般的规律在各种社会形态中的表现是采取特殊的形式的,但特殊和一般仍是统一的。

因此,历史唯物主义是从个别的、历史上一定的社会形态着手研究的,即是说,它所研究的社会总是一定历史阶段上的社会。

社会经济形态的概念:包括社会基础和上层建筑的统一的原理,社会基础是决定上层建筑的东西,我们研究一定的社会形态时,只要理解了基础构成的原理,就可以从基础上去说明上层建筑,因而就可以了解这一社会形态的发展过程及其发展规律。所以马克思把一定历史发展阶段上的社会看作是一定生产关系总和。马克思在《雇佣劳动与资本》中这样写着:

> 生产关系总和起来,就构成所谓社会关系,构成所谓社会,并且是构成为一个处于一定历史发展阶段上的社会,具有其独特的特征的社会。古代社会、封建社会、资产阶级社会——每一个都是一定的生产关系总和,而每一个一定生产关系总和,同时,又代表着人类历史发展中的一个特殊阶段。①

根据马克思这一段话,前面所列举的历史上的五种顺次发展的社会经济形态,即是历史上的五种顺次发展的生产关系总和。历史唯物主义所着手研究的一定历史发展阶段上的社会,即是当作一定生产关系总和看的社会,只有个别地研究了当作一定的生产关系总和看的社会,阐明了各个阶段上的社会的发展过程及其发展规律,才能在最一般的大纲上把握住全部人类社会的客观的发展过程及其发展规律。根据马克思主义的文献,马克思首先研究了资产阶级社会,暴露了资本主义社会的发生、发展及其必然没落的规律,社会主义代替资本主义的规律,而从资本主义社会到社会主义的转变,是由无产阶级的革命的斗争来实现的。在究明了资产阶级社会以后,就准此逆溯而上,顺次去研究封建社会、奴隶制社会、和原始社会,分析各种不同的社会发展形态,并探寻出各种社会形态的内在联系。这些研究工作完成之后,全部人类历史的发展过程及其发展的一般规律,就在观念上反映出来,而全部历史过程就形成各个阶段上特殊形态的具体的统一。只有在一般的大纲上反映了全部社会的

---

① 《马克思恩格斯文选》,莫斯科中文版第 1 卷,第 67 页。

发展规律(如社会存在决定社会意识的规律,生产关系一定要适合生产力性质的规律等),才能理解这一般发展规律在各个阶段上的社会中所表现的特殊性格和面貌。

<h1 style="text-align:center">第二节　什么是基础</h1>

一、生产力与生产关系

当我们分析历史唯物主义的对象时,有说明基础与上层建筑的构成的一般原理的必要。

历史唯物主义所着手研究的社会,是一定历史发展阶段上的社会,是一定的生产关系总和,这是确定的前提。

历史唯物主义当研究这一定历史发展阶段上的社会,这一定生产关系总和的时候,总是从大量的物质的事实出发的,绝不是从理论出发的。这大量的物质的事实就是人们取得物质生活资料这类事实。一个社会为要继续维持其存在,第一件重要的根本的事情,就是要经常不间断地取得生活资料。为要取得生活资料,人们就必须从事于劳动。人们当劳动时,首先要有劳动工具,才能使用其劳动力。有了劳动工具之后,还要有加工的对象,即劳动对象(例如原料),才能造出生产物,供给消费之用,所以劳动力、劳动工具和劳动对象(两者加在一起,叫做生产资料),是劳动过程的三个要素。三者之中,如果缺少了一个,人类便不能生产。这三种要素,不能分散地各自孤立地存在着,它们必须互相结合起来,即是说,劳动力必须和生产资料结合起来而一同运动的时候,人们才能开始生产,才能造出物质生活资料。

劳动力属于劳动者所有,劳动者是具有一定的生产经验和劳动技能的人,劳动工具是劳动者在劳动过程中运用自己的经验和智慧创造出来的生产工具,劳动对象是劳动者运用劳动工具制造生产物时所必不可缺少的物质资料。所以社会的生产力就是劳动力、劳动工具和劳动对象这些要素的综合,即是人的要素和物的要素的综合。

现实的生产力,应当是劳动者运用劳动工具改造劳动对象,因而制造出生活资料和生产资料的那种生产力。

这里所说的生产,是社会的人类的生产,是社会上被规定了的人类的生产。所以生产力只有在特定的社会形态中,只有在特定的社会关系的形式中,才能存在。因而所谓生产力,只是由特定社会关系给以一定形式的生产力,即是在特定发展阶段上的社会的生产力。

人们当生产之时,不但劳动力要和生产资料结合起来,同时人与人也必须结合起来。人们只有共同劳动,并互相交换其活动,才能生产。所以人们为要生产,就必须结成一定的社会关系,只有在这种社会关系之内,他们才能作用于自然,才能生产。这种社会关系,即是人与人在生产过程中发生的相互关系,称为生产关系。

生产关系,是被给予着的东西,是离开人类意识而独立的客观存在,在社会中生活着的人们,无论自己愿意与否,都必然要加入这种生产关系。

生产关系是与特定发展阶段上的社会的生产力相适应的。因为生产关系与生产力,是不可分离地结合着,生产力是生产关系运动的内容,生产关系是生产力发展的形式。在生产关系与生产力之对立的统一过程中,生产关系常对生产力发生作用,而生产力对于生产关系占居优位。

生产力是不断地向前发展的,适应于生产力的特定发展阶段,就成立特定发展阶段的生产关系总和。

所以当我们说起生产力之时,是意指着特定发展阶段上的社会的生产力,而不是一般生产力;同样,我们说起生产关系之时,是意指着特定发展阶段上的社会的生产关系,而不是一般生产关系。

二、生产方式

在一定发展阶段上的社会中,生产关系怎样适应于"当时的物质生产力发展程度",而与生产力形成一个统一? 这一定"生产关系总和"怎样具有其阶段性而与别的阶段上的"生产关系总和"不同? 要说明这两个问题,就必须说明生产方式。

为了生产社会生活和发展所必需的物质资料,人们必需使用当时的物质生产力,我们已经知道,生产力有人的要素和物的要素两个方面:人的要素是劳动力,物的要素是生产资料,为要生产,就必须采取一定的方式把劳动力和生产资料结合起来,否则便不能生产。这种把劳动力和生产资料结合起来的方式,即使用生产力的方式,叫做生产方式。

在敌对的社会中,劳动力属于劳动者所有,劳动者是缺乏生产资料的;生产资料属于非劳动者所有,非劳动者是不使用其劳动力的。像这样,劳动力和生产资料怎样才能结合起来呢? 这就必然涉及生产资料所有制的问题,这个问题,是生产资料归谁所有,由谁支配的问题。生产资料归社会所有并由社会支配呢,或者归个人、集团和阶级所有并支配呢? 生产资料若归社会所有并由社会支配,那是没有什么问题的。生产资料若归个人、集团和阶级所有并支配,那就有问题了,因为独占生产资料的个人、集团和阶级要利用生产资料的独占去剥削缺乏生产资料的个人、集团和阶级,而后者为了维持自己的生存就只有忍受对方的剥削而替对方劳动了。所以伴随于生产资料各种私有制度而来的,就是各种形式的剥削制度。因此劳动力和生产资料结合的方式,就随着生产资料所有制的性质的不同而不同。生产资料若归社会所有,生产方式不含有对抗性质。生产资料若归个人、集团和阶级所有并利用去剥削其他的人,生产方式就具有对抗性质了。

基于一定的生产方式,劳动力和生产资料便结合起来,就形成现实的生产力。劳动力和生产资料的结合,同时是劳动力所有者和生产资料所有者的结合,就形成生产关系。正因为这样,生产力和生产关系形成一个统一。这生产力和生产关系的统一,就是一定社会中适应于当时生产力而形成的生产关系。如前面所说,生产力和生产关系是不可分离地结合着,生产力是生产关系运动的内容,生产关系是生产力发展的形式。形式和内容是密切结合着的。通常我们所说的生产关系是含有生产力的生产关系,即是具有内容的形式。离开了生产力便没有生产关系,正如离开了内容便没有形式一样。

一定的生产关系是和一定的生产方式密切联系着的,一定阶段上的社会形成了一定的生产方式,人们便按照他们的生产方式形成了生产关系。在原始社会时代,生产力非常低下,生产资料属于社会公有,因而劳动力和生产资料的结合的方式不含有对抗性质,适应于这种生产方式而形成的生产关系也不含有对抗性质。到了敌对社会时代,情形就不同了,生产资料属于奴隶主阶级、地主阶级、和资产阶级所独占,而奴隶、农奴和无产者的阶级,被剥夺了生产资料,除了劳动力以外,一无所有。在这三种社会中,独占生产资料的阶级就利用自己的生产资料,按照特定的剥削制度来剥削缺乏生产资料的阶级的劳动来生活,那些缺乏生产资料的阶级就只有忍受对方的剥削来维持自己的生存。这三种社会中的劳动力和生产资料结合的方式是三种敌对的生产方式,即奴隶制的生产方式、封建的生产方式和资本主义的生产方式。适应于这三种敌对的生产方式,就形成了劳动力所有者和生产资料所有者之间的关系,即奴隶制的、封建的和资本主义的生产关系。这三种敌对的生产关系都是剥削者和被剥削者之间的阶级关系,这三种社会中的阶级分裂和阶级斗争,都是由这三种敌对的生产关系产生的。

随着世界各国无产阶级革命的胜利,社会主义社会代替了资本主义社会。在社会主义社会中,生产资料属于社会所有,劳动力所有者同时是生产资料的所有者,劳动力和生产资料结合的方式是社会主义主义生产方式,适应于社会主义生产方式就形成了社会主义生产关系。

由此可见,原始公社的、奴隶制的、封建的、资本主义的和社会主义的生产方式是社会经济形态向前发展的五个时代。一定阶段上的社会的生产方式是决定那个社会全部的性质和面貌的。它通过生产关系决定社会生活的过程,就是这个生产关系决定法律政治组织和意识形态,即决定政治及精神生活的过程。马克思所说的"物质生活的生产方式决定社会生活、政治生活及一般精神生活的过程"这句话,应当这样去理解它。

上述五种生产方式和适应于它们而形成的五种生产关系,各自决定了五个顺次发展阶段的社会全部的性质和面貌。其中奴隶制的、封建的、资本主义的生产关系都是两个主要阶级的对抗关系。即奴隶制社会的两个主要阶级是奴隶主与奴隶,封建社会的两个主要阶级是地主与农民,资本主义社会的两个主要阶级是资本家与工人。阶级的分裂根源于生产资料私有制的生产关系,阶级的斗争是被剥夺了生产资料的阶级和独占生产资料的阶级之间的斗争。

三、生产关系的总和——社会的经济构造

"生产关系的总和组成为社会的经济构造"。这里所说的"总和"究竟是单纯一种生产关系的各方面的"总和"呢?还是几种生产关系的"总和"?这

一问题要看生产资料所有制的性质如何来决定。在生产资料公有制的社会中,例如在原始社会中,在共产主义社会中,生产关系的总和是单一的生产关系的各方面的总和。但在奴隶制的、封建的、资本主义的社会中,生产关系的总和是占居统治地位的生产关系和其他站在被统治地位的生产关系的总和。在过渡到社会主义的过渡期社会中,除了占居统治地位的社会主义生产关系以外,还有尚待克服的其他几种生产关系暂时存在。

　　在阶级社会中,在过渡期社会中,社会的经济构造是极其错综复杂的,所谓"纯粹的"单一的生产关系是不存在的。马克思《资本论》所研究的"纯粹"资本主义生产关系是从许多国家的由资本主义生产方式统治着的现实的生产关系总和中抽离出来的,现实地存在着的"纯粹的"资本主义生产关系是没有的。马克思在《政治经济学批判导言》中说过,资本主义社会是在已经覆灭了的社会的残余和因素上建立起来的。"这些残余和因素,一部分被它当作未及克服的遗物而保存着,一部分仅仅是征象的东西被发展为十分显著的东西,诸如此类。"由此可知,在复杂的经济构造中,除了占统治地位的生产关系以外,还有旧时代的生产关系的残余和新生产关系的因素。例如奴隶制社会形成以后,奴隶制生产关系占居统治地位,但原始公社的遗物仍和奴隶制杂然并存,也还有独立的手工业和小农业生产。在这个社会的后期,半解放了的奴隶即农奴制的生产也开始有了萌芽,这个萌芽往后发展起来,成为封建的生产关系。在封建社会中,封建的生产关系占居统治地位,但还保存着或者局部地保存着原始公社的土地所有制和奴隶制的残余。此外有从农奴身份获得自由的手工业者,随着出现了行会制,因而产生了行东与职工的对立。由于工商业的发展,往后又产生了资本主义的生产方式和生产关系,随着形成了资产阶级和封建主阶级的对抗,同时,工人阶级和资产阶级的对抗也发生了。

　　在资本主义国家,除了资本主义的生产关系以外,有先行时代生产关系的残余。这样的残余因国别而有所不同。英国的资本主义发达得较早,封建主早已用圈地法把农民逐领土以外,自己变成了大地主,有的创办了资本主义的农场,地主逐步资产阶级化了。美国没有封建残余,但有过近代奴隶制生产。19世纪前后的法国,19世纪初期的德国和19世纪的沙皇俄国和日本,资本主义生产关系虽已占居统治地位,而封建的生产关系仍然保存,土地私有制仍然存在,地主仍然利用土地所有权剥削农民,还有资本主义经营的农场,农村中有大量的小农业经营(这在法国特别是沙皇俄国最为普遍),此外,在德国和沙皇俄国还残留着原始公社的遗物。在城市中有手工业生产,还有为大工业服务的小业主的作坊。由此可知,在一些资本主义的国家中,社会的经济构造是复杂的,它是多种生产关系的总和,是"现实基础"。由于多种生产关系就形成了多种阶级关系。无产阶级同资产阶级的矛盾当然是主要矛盾,其次还有农民阶级同地主阶级和资产阶级的矛盾,有城乡小资产阶级和资产阶级的矛盾,还有地主阶级和资产阶级的矛盾。在这些阶级之中,无产阶级是最进步的阶级,它和广大的农民阶级有共通的利害,可以结成同盟去对抗地主资产阶级;其次城乡小资产阶级是动摇不定的,在一定场合也可以倾向于无产阶级。这是一些资本主义国家阶级构成的大概情形。

中国在半殖民地半封建社会的时代,经济构造是很复杂的,除了还有一些宗法的、奴隶制的遗物外,主要的经济成分是侵入中国的帝国主义经济、官僚资本主义经济、封建主义经济、民族资本主义经济、农民和手工业者的经济。因此,这个时代的阶级矛盾是:主要矛盾是中华民族同帝国主义之间的矛盾,人民群众同封建主义之间的矛盾。无产阶级是解决这两个主要矛盾的领导力量,它和农民是天然的同盟者,小资产阶级和民族资产阶级在一定的时期能成为无产阶级的朋友,因此无产阶级能够领导农民和人民群众去进行反帝反封建的阶级斗争。

中华人民共和国成立以后,我国就进入了过渡期,帝国主义经济、官僚资本主义经济和封建主义经济已经消灭了,新国家的生产资料所有制有下列四种:国家所有制即全民所有制,合作社所有制即劳动群众集体所有制,个体劳动者所有制,资本家所有制。全民所有制的社会主义所有制,是国民经济中的领导力量和国家实现社会主义改造的物质基础。由于对农业、手工业和资本主义工商业的社会主义改造的基本完成,生产资料的私有制基本上转变为社会主义所有制了。

苏联从前在过渡时期,除了消灭了地主阶级和资产阶级以外,有社会主义和国家资本主义,还有家长制的自然的农民经济、小商品生产、小工商业和富农的经济,经过第一个五年计划之后,社会主义社会已经建成,其他四种经济成分已经克服了。苏联在过渡期的情形和我国的过渡期有些不同的地方,苏联对资产阶级的生产资料是采取没收的政策,而我国对资产阶级的企业则采取和平改造的政策,这是由于我国资产阶级愿意接受社会主义改造,所以国家对它们采用了赎买的政策,这是我国的特点。

总括起来说:(一)一定的生产关系适应于当时的生产力,是生产力发展的形式,而生产力是当时生产关系的内容,那种把生产力摒除于生产关系之外,因而把它摒除于基础之外的说法是错误的。无产阶级革命的任务,在于消灭资本主义生产关系,而继承资本主义时代发展起来的生产力,同时建立社会主义生产关系,使生产力的发展获得充分广阔场所,所以生产力不但不随着资本主义生产关系的消灭而消灭,反而它在社会主义下获得飞跃的发展。上面那种顾虑生产力会随着资本主义生产关系一同消灭,因而把生产力划出基础之外的说法是不能成立的。

(二)社会的经济构造,社会的现实基础是多种生产关系的总和,除了占统治地位的生产关系之外,还有其他占居次要地位的各种生产关系存在,那种只把占居统治地位的一种生产关系各方面的"总和",看做经济构造或现实基础的说法是错误的。帝国主义国家例如俄国的无产阶级革命,最初只消灭地主资产阶级经济,而对于小商品经济、手工业和农业经济则采取实行社会主义改造的方法,使它们转变为社会主义经济。我国的情形也是一样,即是首先消灭在中国境内的帝国主义企业和官僚资本主义经济并消灭地主的土地所有制,至对于手工业、农业和资本主义工商业则采取逐步实行社会主义改造的政策。现在,这三大改造已经实现了。

(三)由于经济构造的复杂性,因而从经济构造产生的阶级关系也是复杂的。如同上面所说,资本主义社会中除了无产阶级和资产阶级两个主要阶级以外,还有其他几个阶级存在。如果说资本主义社会只有纯粹的资本主义生产关系,因而只有无产阶级和资产阶级的对抗,那么,无产阶级革命便没有农民和其他劳动人民做它的同盟军,纵使无产阶级革命取得胜利,也仅仅是消灭资本主义剥削制度为止,但事实上,一些国家的封建主义经济和其他小商品生产是存在的,个体农业经济还是存在的。显然,那种说法是错误的。

(四)一定生产关系的总和是一定社会的经济构造或现实基础,它决定那个社会的法律政治制度和意识形态。我们必须理解社会经济构造的复杂性，才能理解它的上层建筑的复杂性；必须理解经济上阶级斗争的复杂性，才能理解政治上和思想上阶级斗争的复杂性。那种把上层建筑当作一定社会的单一的统治阶级的上层建筑的说法，在那个社会的现实基础中是找不到根据的。

（五）人类的历史是各种生产方式顺次更迭的历史，即是顺次从低级生产方式转变到高级生产方式的历史。因为生产方式包含着生产力和生产关系两个方面，而生产力是不断向前发展的，当生产关系适合生产力的性质时，生产力可以向前发展。如果生产关系不适合于生产力的性质反而障碍它的发展时，就引起生产力和生产关系的冲突。到了这种时候，社会变革时代就到来了。先进的阶级（例如无产阶级）就要起来推翻旧生产关系，根据新生产方式（例如社会主义生产方式）建立新生产关系，使生产力得到充分发展的广阔场所。随着基础的变革，那庞大的上层建筑也就或缓或快地随着变革。生产力和生产关系的矛盾是一种生产方式转变到高级生产方式的动力，即是一定生产关系总和转变为高级的生产关系总和的动力。

第三节　上层建筑及其对于基础的关系

一、上层建筑依存于基础

上层建筑是在基础之上树立起来的法律政治制度和意识形态，是由人们根据在经济生活中所感知的需要和意志创造出来的，用来表现基础并反映基础的东西。它受基础所决定，却又给基础以积极的能动作用。

任何一种社会形态，都有树立在它的基础上的上层建筑，即原始社会、奴隶制社会、封建社会、资本主义社会和社会主义社会，都各自有其在基础上树立起来的上层建筑。过渡期社会也是一样。

当说明这些社会的上层建筑的性质和作用的时候，必须根据这些社会的基础是否带有对抗性把它们区别开来。前面说过，在生产资料公有制的社会中，经济基础不含有阶级的对抗，它的上层建筑也不含有对抗性；在生产资料私有制的社会中，经济基础就含有阶级的对抗，它的上层建筑也含有对抗性。基础是对抗性的，上层建筑也必定是对抗性的。上层建筑的对抗性是基础中的对抗性的反映。

在原始社会时代,生产资料属于氏族公有,人与人之间的生产关系不含有对抗性质。当时的人们为了处理生产上、分配上的共同事务和维持公共秩序,就创立了氏族公社制度,一切由氏族会议和公选的首长来执行。对外只有武装的自治组织,没有军队、警察、法庭和监狱等强力装置,即是说没有国家。氏族内部的纠纷由公社和长老处理,即是说没有法权。在意识形态方面有原始的思维体系万物有灵论,有原始宗教、原始艺术等,都是当时幼稚的生产斗争状况的反映。原始社会的上层建筑是单纯而幼稚的,这完全是当时生产力低下的结果,我们现在虽然觉得它是由朴素平等贯串着,但不能把它理想化而与社会主义社会混同起来。社会主义社会的生产关系是与高度的生产力状况相适应的,生产关系不含有对抗性,因而上层建筑不含有对抗性。但在社会主义下,对抗虽然消灭了,而矛盾(即非对抗的)仍是存在的(后面还会谈到)。

奴隶制的、封建的、资本主义的生产关系是对抗性的阶级关系,因而这些社会的上层建筑都是对抗性的。这些社会中在经济上占统治地位的阶级为了镇压那些在经济上占居被统治地位的阶级的反抗,首先建立起一套法律政治制度来巩固于自己有利的生产关系,同时还创造一套思想体系来从精神上镇压被统治阶级。但在被统治阶级方面,为了解除在经济方面所受到的压迫和剥削,首先对统治阶级进行经济上的阶级斗争。随着经济斗争的进行,被统治阶级就转向于政治斗争,用各种形式和手段造成自己的政治力量,准备直接冲击统治阶级所掌握的政权来消灭腐朽的旧生产关系,建立新的生产关系。同时,基于经济上政治上的阶级斗争,被统治阶级还创造新的思想体系作为反抗统治阶级的思想体系的精神武器。所以阶级社会中基础的对抗性产生出上层建筑的对抗性,政治上思想上的阶级斗争是经济上的阶级斗争的表现形式。

二、资本主义社会的上层建筑

近代各国资产阶级取得政权的方式各不相同。17 世纪英国和 18 世纪法国资产阶级是利用工农群众反对封建压迫的革命运动,乘机推翻封建的政权建立自己阶级的政权的。19 世纪后半期,德国和日本的资产阶级就是利用自己阶级的经济势力迫使封建王朝实行君主立宪因而取得政权的(封建贵族愿意资产阶级化,也是一个原因)。20世纪初年俄国的资产阶级,是利用社会民主工党领导的工农群众反对专制政治的革命运动,因而得以参加沙皇的政权而爬上统治阶级之列的。这些国家的资产阶级取得政权的方式虽然各不相同,而它们的阶级性却是相同的。它们在爬上统治阶级地位以后,就和封建势力深相勾结,利用现行的国家机器,共同压迫无产阶级和劳动人民。无论是民主立宪或君主立宪,总得制定一种宪法,搞出一套政治的组织,如军队、宪兵、警察、法院、监狱、国会、政党等。还制定了一套法律如民法、刑法、民事诉讼法和镇压革命的法律等,用来统治无产阶级和劳动人民。同时,资产阶级还有自己的知识分子创造出资产阶级意识形态如唯心主义的哲学、宗教、文学、艺术、各种社会科学,并利用新闻、广播和电影等来进行大规模的宣传,反对无产阶级的思想体系,欺骗无产阶级劳动大众,企图从思想上来巩固资本主义秩序。所以资产阶级所创造的政治组织和思想体系,都是为了对付无产阶级和劳动人民,拥护生产资料的私有制,巩固于自己阶级有利的经济基础。至于无产阶级方面,由于反封建革命胜利的果实被资产阶级所独占,仍旧处于被压迫的地位。资产阶级在宪法中宣告了虚伪的民主,制定了限制的选举法,使无产阶级不能选出代表送到国会去,因而被剥夺了参与政权的机会。所以无产阶级一面对资产阶级进行经济斗争,一面又进行政治斗争。19世纪初期和中期的英法两国的无产阶级为了利用资产阶级民主争取政权,曾进行了长期的流血的斗争。由于无产阶级势力的增长,阶级力量的对比发生了变化,迫使资产阶级不得不实行普选制,实行各种劳动立法。从此各国无产阶级能够选出自己的代表送到资产阶级国会去,向资产阶级进行公开的政治斗争,并且组织起自己的政党作为指导政治斗争的参谋部,还组织自己的工会作为社会主义的学校,同时还组织了各种战斗性的团体,如文化团体、青年团体、妇女团体和学校等,同资产阶级相对抗。无产阶级在各种政治组织之外,还有自己的思想体系即马克思主义所贯彻着的哲学、文学、艺术、科学各部门,也利用各种宣传机构,向人民群众作广泛的宣传,作为反对资产阶级思想体系的精神武器,动员并组织革命群众来进行无产阶级革命。

所以在资本主义社会的上层建筑中,有由资产阶级创造出来的一部分,也有由无产阶级创造出来的一部分。前者占据统治地位(因为资产阶级在经济上占居统治地位,牢牢地抓住着军队、宪兵、法院、监狱等强制机关,并且控制着国会中的多数),是完全为资本主义经济基础服务的;后者虽然占居被统治地位,却不但不为那个基础服务,反而是要破坏那个基础的。资本主义社会的上层建筑的对抗性是非常明显的。现在马克思主义哲学家中,有人主张资本主义社会上层建筑的单一性,认为那个上层建筑是资产阶级一个阶级创造出来而完全为基础服务,这种说法显然是错误的。事实上,资本主义社会的上层建筑是很复杂的,除了资产阶级和无产阶级所创造的两个对抗性的部分以外,还有中间阶级所创造的一部分,也还有于资产阶级相勾结的地主阶级所创造的一部分。在整个剥削阶级内部,地主阶级的政治势力和资产阶级的政治势力是有矛盾的,资产阶级内部各派的政治势力也是有矛盾的。中间阶级的政治势力是摇摆不定的。例如马克思在《拿破仑第三政变记》所分析的,法国在1848年2月革命到1851年为止的时间内,无产阶级派在二月革命中起了很大的作用,后来无产阶级派被资产阶级打败了,资产阶级的"《国民报》派"在国民议会中取得了优势。往后代表地主的"正统派"和代表金融贵族和大产业家的"奥尔良派"又代替"《国民报》派",在国民议会中取得优势。由此可见,剥削阶级内部的各派是互相对抗的。此外也有代表小资产阶级的"山岳党",和社会主义派反对"正统派"和"奥尔良派"。这些都是说明着当时资产阶级社会的政治派别是很复杂的而不是清一色的。列宁在《论俄国各政党》中,列举了"第三届国家杜马中的党派成分统计表",属于地主阶级的党派有5个,属于资产阶级的党派有5个,属于资产阶级民主派的有劳动派份子(即小资产阶级分子)。和地主资产阶级对抗的是社会民主党人。这些也是说明着当时俄国社会的上层建筑不是清一色的。事实上,现在的英国和美国,也有共产党和工人党同资产阶级各政党对抗着,法国、意国、日本和许多民族独立国家,都有共产党和资产阶级各党相对抗,此外也还有些中间党派。这样看来,那种把资本主义社会上层建筑只看做资产阶级单独创造出来的那种主张是没有根据的。

在资本主义国家中,无产阶级的组织和资产阶级的组织虽然是对抗的,而在斗争的策略上却又是互相渗透的。资产阶级常常是收买工贼或派遣特务打入无产阶级的各种组织中阴谋破坏无产阶级的团结,破坏无产阶级革命。无产阶级的党也设法派遣自己的人打入资产阶级和小资产阶级的一切有群众参加的组织中,做种种政治工作,使群众脱离资产阶级的政治影响,动员他们,争取他们团结在党的周围。所以无产阶级和资产阶级的政治组织虽然是互相对抗的,但却又是互相渗透的。

在意识形态的领域中,无产阶级的即马克思主义的思想体系同地主资产阶级的思想体系是互相对抗的。但此外也还有中间阶级的思想意识,特别是千百万农民群众的思想意识,他们的思想意识是反映他们自己的经济的利害的,无产阶级的党必须体会他们的思想意识(他们一方面是私有者,另一方面是劳动者)才能很好地和他们结成同盟。

三、过渡期社会和社会主义社会的上层建筑

现在我们进而说到过渡期社会的上层建筑和社会主义社会的上层建筑。先就苏联从过渡期到社会主义社会建成的过程举例说明。

苏联在十月革命以后,就进入了从资本主义到社会主义的过渡期。人们都知道,社会主义的生产关系是不可能在资本主义社会内部生长起来的。所以无产阶级革命首先要推翻资产阶级政权建立无产阶级政权,然后利用这个政权来实现经济变革和文化变革,即建设社会主义经济和社会主义文化。正如斯大林所说,苏维埃政权是在"空地上"创造新的社会主义经济的。

> 苏维埃政权根据生产关系一定要适合生产力性质这一经济规律,把生产资料公有化了,使它成为全体人民的财产,因而消灭了剥削制度,创造了社会主义经济形式。①

但在过渡期的初期和富农被清算以前,还有私人经营的资本主义经济和社会主义经济同时存在,即是说这时的经济基础有社会主义生产关系和资本主义生产关系的对抗存在,因而还有工人阶级和资产阶级的对抗存在。经济基础中这种对抗性在上层建筑中怎样表现呢?我们知道,在政治上,苏联共产

---

① 见斯大林:《苏联社会主义经济问题》。

党以外是没有别的政党存在的,但在新经济政策时期有"反对派"出现,在经济恢复时期的终结和建设社会主义时期有"新反对派"出现,在实现社会主义工业化时期有托洛茨基、季诺维也夫反党联盟形成,在清算富农时期有布哈林、李可夫反党集团出现。这就是说在过渡时期的政治组织上有工人阶级政治力量和资产阶级政治力量的对抗,在思想上有马克思主义思想和反马克思主义思想的对抗。这是过渡期基础的对抗性在上层建筑中的表现。由于社会主义的国家工业化和农业集体化逐步完成,社会主义最后战胜了资本主义,就奠定了社会主义社会的基础。基础的对抗性消灭了,托季联盟和布李集团也遭到清除,上层建筑的对抗性也消灭了。从此,苏联就走完过渡期的路程完全进到了社会主义社会,苏联人民就实现了政治上和思想上的一致,可以顺利地向着共产主义前进了。正如赫鲁晓夫同志在 1957 年 11 月 14 日答复美国记者夏皮罗所说:

> 在我国文学中,在我国艺术中,除了苏维埃派之外,没有也不可能有任何其他派别。我们认为,派别就是一定的社会阶级和阶层的利益的反映。苏联没有互相敌对的阶级和阶层,我国的社会是一个团结一致的社会主义社会,我们只有劳动人民。因此,苏联人、我们的文学艺术工作者没有建立各种敌对派别的要求,我们的文学和艺术同人民的生活是不可分割的,它们和人民的生活息息相关,和人民的利益密切相连。……健康的方针正在同消极的表现、同资产阶级的影响作斗争。而影响不仅是可能的,并且是不可避免的,因为世界上相当大的一部分地区仍然存在着资本主义国家[1]。

我国在过渡时期的总任务虽然是结合着我国固有的特点,而基本路线是和苏联相同的。我国人民在民主主义革命取得胜利以后,立即建立了工人阶级领导的、以工农联盟为基础的人民民主专政的政权。国家利用这个政权,一方面发动农民在农村中实行了民主主义的改革,一方面在城市接收了官僚资

---

[1]　见 1957 年 11 月 20 日《人民日报》。

本主义企业和帝国主义在中国的企业,建立了社会主义经济。对民族资产阶级的工商业则实行了利用、限制和改造的政策,实行了国家资本主义的措施。这显示着过渡期头几年的经济基础是具有社会主义和资本主义的对抗,即工人阶级和资产阶级的对抗。在政治组织方面,由于人民民主统一战线的存在,共产党是和各民主党派共存的,虽然民主党派表示接受共产党的领导,并赞成社会主义,但它们毕竟是代表资产阶级的党派,而资产阶级又是具有接受社会主义改造和固执剥削制度的两面性,所以在政治组织上也存有工人阶级和资产阶级的对抗,因而在意识形态上也存有工人阶级思想和资产阶级思想的对抗。在这些对抗性的矛盾之中,社会主义路线及其代表工人阶级占居矛盾的主导方面,随着三大改造的基本完成,基础中的对抗性矛盾即将归于消灭,可是在上层建筑方面,资产阶级及其党派中的右派分子却不甘心于自己阶级的消灭,猖狂地反对共产党的领导,反对社会主义,企图实行资产阶级民主,使资本主义复辟。在意识形态方面,他们公开地要用资产阶级思想来篡夺马克思主义的领导权。上层建筑中的对抗性的矛盾不但没有减弱,反而更加尖锐了,这是工人阶级和人民群众所绝对不能容忍的。因此,工人阶级和人民群众在党的领导下,向右派分子展开全面的进攻,进行政治上和思想上的社会主义革命。工人阶级和人民群众的力量是强大无敌的,随着这个革命的胜利完成,全国人民的政治上思想上的一致就可以逐步实现。到了社会主义社会的基础完全建成的时候,上层建筑中的对抗性的矛盾也就消失了。到了那个时候,我国就要进到没有剥削和贫困的繁荣幸福的社会主义社会。

第四节　上层建筑与基础的矛盾

一、上层建筑对于基础的能动作用

前面说过,基础对于上层建筑具有决定作用。上层建筑对于基础具有反作用(或能动作用)。基础的决定作用只是决定上层建筑的合于规律的发展方向,上层建筑如果符合于基础发展的规律时,它能帮助基础的形成、巩固和发展,即是说,它和基础是相适应的;反之,它如果不符合于基础发展的规律时,它就会阻碍或破坏基础的发展,即是说它和基础不相适应而与基础相矛盾了。例如在资本主义初期时代,资产阶级创造了法律政治制度,废除了封建制度和封建特权,统一了国内市场,开辟了国外市场,经营了海外殖民地,还有其他一系列的政治措施,用来剥削国内居民和国外人民,因而使资本主义经济大大地发展起来。随着资本主义的发展开始暴露了自己的矛盾时,无产阶级向资产阶级进行的经济斗争也发展起来。随着经济斗争的发展,无产阶级就转向于政治斗争。于是无产阶级的政治势力就渗入于资本主义社会的上层建筑,来动摇资本主义的基础了。所以到了资本主义生产关系障碍生产力的发展时,政治组织对于资本主义基础所起反作用,就含有对抗的性质。资本主义牢牢抓住国家机器,采取种种政治手段保障资本主义生产关系;无产阶级也利用自己的政治力量,要改变资本主义生产关系,建立社会主义生产关系。但在无产阶级的政治势力还没有发展到可以直接冲击资本主义以前,资产阶级仍然可以利用国家权力维持住腐朽的生产关系。现代几个帝国主义国家,特别是美国,运用国民经济军事化的方法,在许多落后国家建立军事基地,把军火和商品倾销于这些国家,掠取最大限度的资本主义利润,借以缓和经济危机。有人说,现代有些帝国主义国家的经济多少还能够上升,大概是指这种情况说的。假使帝国主义国家取消这种新殖民政策,把庞大的军事工业改为民用工业,就会立刻陷于崩溃。所以资产阶级的政治措施虽然可以使它的经济基础苟延残喘,却也只是暂时的,而基础发展的必然性,结局总是打开它的进路而前进的。这就是说,无产阶级革命终究要爆发出来,因而变革这个经济基础。由此可见,只要政权还掌握在资产阶级手里,资产阶级还是可以暂时保持那摇摇欲坠的腐朽的生产关系的。所以无产阶级革命的第一步是推翻资产阶级国家,夺取政权。无产阶级只要夺取了政权就可以消灭旧生产关系,建立新生产关系(这在前面已经说过)。

其次说到意识形态对于基础的反作用。意识形态是社会意识的形式,各种意识形态是按照社会现象的范畴把社会意识的一定内容采取出来而实行抽象化、普遍化、系统化的精神生产物。这些意识形态可以分别为哲学、宗教、社会科学、自然科学、文学、艺术、道德等。在阶级社会中,意识形态中的大部分是阶级生产关系的反映,都是具有两个对抗阶级的性质。其中只有纯自然科学、形式逻辑等是几个时代的产物,是为一切阶级服务的。

在阶级社会中,意识形态虽然具有阶级性,但在社会上占统治地位的意识形态是在经济上占统治地位的阶级的意识形态。因为独占物质财富的阶级同时独占着精神财富,至于缺乏物质财富的阶级不得不暂时忍受统治阶级意识形态的统治。经济上的阶级斗争必然表现为思想上的阶级斗争。近代无产阶级在资本主义初期是受过资产阶级思想的统治的。但无产阶级由"自在的阶级"转变为"自为的阶级"以后,就有了自己阶级的意识形态即马克思主义。于是无产阶级就用马克思主义把头脑武装起来,对资产阶级思想体系展开强有力的斗争。无产阶级的意识形态是向资本主义社会基础进攻的精神武器。

现代资产阶级对于无产阶级的统治,不但利用物质的武器,并且利用精神武器。它利用一切宣传机关如学校、报刊、电影、广播、电视、教会等等,向无产阶级和人民群众宣传反动的思想、学说、宗教和腐朽的、肮脏的东西,企图打击他们的革命的积极性,麻醉他们革命斗争的意志。同时,它还利用一些工人贵族的党如工党、社会民主党和右翼社会党之类,向无产阶级和人民群众宣传修正主义和社会改良主义,反对马克思主义,企图使无产阶级革命迟迟不能实现。这些都是资产阶级用反动的思想体系来阻碍资本主义生产关系变革的实例。

无产阶级政党在进行革命斗争时,首先总是对无产阶级和人民群众进行马克思主义的广泛的宣传,同时运用马克思主义这个锐利的武器去攻击资产阶级的剥削制度,对资产阶级的反动思想体系和一切修正主义、社会改良主义进行不调和的斗争,使马克思主义深入千百万人民群众的头脑中,然后才能动员他们,组织他们,向着资产阶级政权进攻,才能取得胜利。无产阶级政党在革命取得胜利建立自己的政权以后,仍要继续对全体人民群众进行马克思主义教育,使他们脱离资产阶级思想的影响,接受社会主义思想。只有在思想战线上使社会主义路线战胜资本主义路线,才能巩固无产阶级专政,才能建成社会主义社会。苏联共产党和它的领袖列宁、斯大林及其战友们,在十月革命前后,非常重视思想上的阶级斗争。他们对于一切反动党派的反动思想,对于"左"右倾机会主义,始终不懈地进行了严重的斗争,并用马克思主义教育了全体人民,使社会主义思想变成苏联全体人民的思想体系。苏联社会主义建设的伟大成就,是和苏联人民社会主义觉悟提高分不开的。

中国共产党从它成立之日起,就用马克思主义对工人阶级和人民群众进行普遍的宣传。在思想战线上反对封建的、买办的、法西斯主义的思想,反对无政府主义、国家主义、资产阶级改良主义和中间路线。它用由民主主义革命到社会主义革命的理论,用工人阶级和工农联盟的理论教育全国人民;用共产党领导各民主阶级、各民主党派、各民族人民的统一战线政策,根据民主主义革命各个时期的具体形势,制定对敌斗争的策略,向全国人民宣传。因为这样,党就能够动员和组织千百万人民群众参加各个时期的斗争,最后配合人民解放军作战,取得了人民民主革命的胜利,建立了中华人民共和国。这个伟大的胜利是马克思主义在中国的胜利。

新中国成立以后,就进到了社会主义革命的阶段。党从这个时期起,加强了对全国人民的社会主义思想教育。党认为要在六万万人口的中国建成社会主义社会,如果马克思主义在意识形态领域不能取得优胜地位,就会受到严重的阻碍。因此,党首先制定了关于知识分子政策,使他们第一步同封建的、买办的、法西斯主义思想划清界限,第二步同资产阶级思想划清界限,占到工人阶级立场上来,树立工人阶级思想。知识分子的思想改造取得了一定成绩的。"严重的问题是教育农民"。党对农民广大群众进行长期的细致的社会主义思想教育,引导农民在完成土地改革之后走上了互助合作的社会主义道路。同时,党又用社会主义思想教育资产阶级,诱导它走上了国家资本主义道路。到了1956年初期,由于三大改造的基本完成,我们人民又取得了社会主义革命的决定性的胜利。这个伟大的胜利仍是马克思主义在中国的胜利。但这个决定性的胜利还只是经济战线上的胜利,而在政治上和思想上的社会主义革命的胜利还远远没有完成,1957年,资产阶级右派猖狂地向党向社会主义进攻,就是一个证明。因此,党号召全国人民向右派分子进行全面反攻,同时对全国人民进行大规模的社会主义思想教育。我们相信,政治上和思想上的阶级斗争,在党的领导下,一定能够取得完全的胜利。

二、上层建筑和基础的矛盾

基础决定上层建筑的这种决定作用,我们不能作形而上学的解释。如上面所说,上层建筑一经建成以后,它可以作用于与基础发展相同的方向,也可以作用于与基础发展相反的方向,但穷其究竟还是要受基础的发展规律所决定,那些阻碍基础发展的上层建筑迟早要随着基础的变革一同变革。所以上层建筑的发展最后是决定于基础的发展的。

我们在历史上,一方面看到经济发展的历史,另一方面又看到政治法律制度和意识形态发展的历史。这两类发展史好像是各自有其独立的发展过程,政治法律制度和意识形态的发展好像并不适应于经济的发展。但是我们若果深入地考察两者的实质关系,就知道上层建筑那种独立的外观,仍然可以从基础中找到说明。因此,上层建筑对于基础的那种独立性只是相对的。

基础决定上层建筑。先有一定的基础,然后才有同它相适应的上层建筑。所以上层建筑的发展常常落后于基础的发展。往往基础发展了,而上层建筑仍然照旧发挥其作用。在这里,就产生了上层建筑对于基础的相对独立性,即产生了上层建筑与基础之间的矛盾。上层建筑对于基础的相对独立性,在对抗性社会中,表现得特别明显。这里特就政治组织和思想体系两方面分别说明。

对抗性社会中的思想体系和政治组织,原是剥削者阶级根据自己阶级的利益和意志创造出来,借以巩固于自己有利的基础的。而这种思想体系和政治组织是由剥削者阶级中一部分有专长的人所创造的。所以社会分裂为阶级以后,就产生了一些普遍职能,而执行这些职能的人,就形成了社会内部分工的一些新的部门。

那些新分工部门,首先是脑力劳动和体力劳动的分工,剥削阶级的知识分子脱离了生产劳动,专门从事精神劳动。他们依据自己阶级的意志,根据主观主义,分离概念与现实的关系,创造出一些主观的、抽象的原则或范畴来说明客观世界,说明社会生活,并应用那些原则或范畴造成思想体系,根据这种体系来拟订政治法律制度。这样的思想体系在外观上好像是离开基础而独立地发生作用,但穷其究竟,它还是和那个基础有关系。因为它是代表剥削阶级的经济利益的。

其次的新的分工是剥削阶级中的职业政治家和职业法律家。这类职业政治家是懂得统治术的,他们受本阶级的委托,站在国家机关中行使其统治权。他们表面上装出不偏不党的样子要为全体人民办事,他们在保障公共秩序的招牌下,决不忘记保障剥削阶级的生产资料的私有权。他们巧妙地弥缝阶级分裂,粉饰阶级斗争,歪曲地把阶级间利害的冲突当作政治原则上的斗争反映出来。至于职业的法律家,他们为所属的剥削阶级制定法律制度时,也是根据本阶级的几个立法原则(如近代资产阶级所宣称的自由、平等和私产神圣不可侵犯的原则),力求做到法权内容的和谐一致,排除一切矛盾。这样的法权当然不能确切反映经济基础的变化。但这类法律家自诩为用先验的原则制定法律制度来影响经济生活的。法权原则本是经济制度的反映,他们却颠倒过来,反而认为经济制度是受法权原则所支配。几千年以来,剥削阶级使国家与法权脱离经济基础而独立的那种假象,一直为剥削阶级的政治学家、法律学家和社会学家所称道,他们说国家和法权是超阶级的、全民的或者上帝所赋予的。这样的假象直到马克思主义出世才把它暴露出来。国家和法权原是经济的集中表现,它们是从基础产生并反映基础的。在对抗性社会中,国家是建筑在一定经济基础上的政治组织,是经济上占统治地位的阶级镇压人民大众的机关。法权规范是统治阶级意志的表现,它通过国家机关强制人民群众遵守。所以国家和法权不能脱离阶级的经济基础而独立。有怎样的阶级的经济基础,便有一定的国家和法权同它相适应。因而国家和法权对于经济基础的独立性,只是相对的。现代各资本主义国家的生产关系早已成为生产力发展的桎梏,资产阶级却反而加强它的国家机器,借以保持于自己有利的生产关系,阻碍生产力的发展,这种现象也只是暂时的,代表生产力的无产阶级终究是要破坏资产阶级的国家和法权,改变资本主义的生产关系,建立社会主义生产关系,促进生产力的发展的。

近代资产阶级最初所创造的思想体系,是同资本主义基础相适应的。它用唯物主义思想反对封建的神学的思想,在社会认识方面也曾经片断地反映过客观真理。这在当时总算是进步思想。但是资产阶级到了牢牢掌握住国家政权,而无产阶级抬头起来以后,它的思想体系却向后开倒车,恢复过去唯心的、宗教的世界观和社会观,来反对马克思主义的世界观和社会观了。到了现在,资产阶级思想家感到自己阶级行将没落,大声求救于上帝,情愿把自己的哲学充当中世纪神学的奴婢;在社会学方面,它害怕客观现真,害怕社会发展规律,也实行复古主义,要回到孔德的社会学去。它企图用这类腐朽思想来欺骗劳动人民,巩固资本主义秩序。但是现在全世界劳动人民都已经深信马克思主义了,资产阶级思想家企图用那类腐朽思想向劳动人民进行欺骗是徒劳无益的。马克思主义者仍要继续尽量揭发资产阶级思想体系的腐朽性和欺骗性。

上层建筑和基础的矛盾,在过渡期社会和社会主义社会中,也是存在的,但这种矛盾同剥削者阶级社会中那种矛盾,具有根本不同的性质。过渡期的上层建筑是由无产阶级创造的,它的任务在于消灭剥削制度和剥削阶级,帮助社会主义的基础的形成和发展。在过渡期社会中,例如在我国,社会主义生产关系是在同资本主义斗争中,即在阶级斗争中建立起来的。社会主义生产关系是和生产力的发展相适应的,近几年来生产力的迅速发展,生产规模的迅速扩大,人民不断增长的需要能够逐步得到满足,就是最好的证明。但是我国现时的社会主义生产关系还很不完善,如毛泽东同志所说,这些不完善的方面和生产力的发展又是相矛盾的。

> 除了生产关系和生产力发展的这种又相适应又相矛盾的情况以外,还有上层建筑和经济基础的又相适应又相矛盾的情况。人民民主专政的国家制度和法律,以马克思列宁主义为指导的社会主义意识形态,这些上层建筑对于我国社会主义改造的胜利和社会主义劳动组织的建立起了积极的推动作用,它是和社会主义经济基础即社会主义的生产关系相适应的;但是资产阶级意识形态的存在,国家机构中某些官僚主义作风的存在,国家制度中某些环节上缺陷的存在,又是和社会主义经济基础相矛盾的。我们今后必须按照具体的情况,继续解决上述的各种矛盾。当然在解决这些矛盾以后,又会出现新的问题,新的矛盾,又需要人们去解决。①

在我们工人阶级专政的国家中,无论是生产力和生产关系的矛盾,上层建筑和基础的矛盾,只要能够及时地发现它们,党和国家就可以依靠群众和集体的力量,及时地调整经济制度和政治制度的各个环节予以解决,任何腐朽的力

---

① 毛泽东:《关于正确处理人民内部矛盾的问题》。

量(例如资产阶级右派)都是不能阻碍的。

上层建筑和基础之间的矛盾,在已经建成了社会主义的社会中也是存在的。例如社会调查方面的某些疏漏,生产与分配、积累与消费等方面的某些矛盾,人民生活方面的某些问题,工作干部在工作方面的某些偏差等等,总是经常出现的。党的领导人员的主观认识要百分之百地符合于客观实际是不可能的。因此,政策和计划中的个别的、局部的、暂时的缺点是不可避免的。特别是千百万工农群众为了建设社会主义而进行的创造性的劳动,经常给社会生活带来新的事物,开辟新的过程,党的领导人员要立即抓住这些新的事物和新的过程,同时立即把它们反映到实际政策中,也是不可能的。因为先有新的事物和新的过程,然后他们才反映到党的领导人的意识中,在这里,总需要一个相当的时间才能作出结论,才能把它们反映到实际政策中。主观多少总是落后于客观的,但绝不是说党总是追随于客观事变之后,党是用辩证唯物主义和历史唯物主义武装着的,党的领导人能够掌握社会发展规律,及时研究实际生活,可以预见到客观过程的发展倾向。

只要彻底遵守党和国家的民主集中制,只要认真地依靠群众,全国性的、长期性的、严重的错误,是可以避免的。①

第五节　社会发展规律

一、社会发展的一般规律

历史唯物主义依据社会存在决定社会意识这一基本原理,把人类社会一切极其错综复杂的相互关系划分为生产关系、政治关系和精神关系,从其中抽象出生产关系作为社会的基础,把政治关系和精神关系作为树立在基础之上的上层建筑,研究这些关系在这个基础上的相互作用和相互制约,因而造出了社会经济形态(简称"社会形态")这个基本概念。有了这个基本概念,我们就可以用它作为根据来比较各个国家和民族不同的社会制度,并确定它们所处

---

① 见《再论无产阶级专政的历史经验》。

的历史发展阶段,因而可以从它们之中探求出共同的一般性,显示出它们所独有的特殊性,那种一般性表示出一般的规律,那种特殊性表示出特殊的规律。

人类社会的历史是一个自然史的发展过程,它首先表现为生产力以及和它相适应的生产关系发展的历史。马克思说:

> 人们不能自由选择构成其全部历史基础的自己的生产力,因为任何生产力都是既得的力量,即以往活动的产物。所以生产力是人们实践能力的结果,但这种能力本身决定于人们所处的条件,取决于先前已经获得的生产力,取决于在他们以前已经存在的社会形态,取决于不是由这些人创立,而是由先前各代人们创造出来的社会形态。单是由于有这样一件事实,即每一后代人们所找到的都是先前各代人们已经取得的生产力,而这种生产力则供他们作为原料继续进行生产的,由于有这一件事实,便形成人类历史的联系,便形成人类的历史,随着人们的生产力,从而人们的社会关系愈益发展,整个历史也就愈益成为人类的历史。①

从马克思这一段话看来,我们可以知道,物质生产力是全部社会历史的基础。一定时代的生产关系(即物质关系)是同当时代已经达到的生产力的水平相适应的。后一时代的人们只能继承前一时代的生产力和生产关系,结合当时的社会条件和物质条件开始自己的生产过程,没有自由选择生产力和生产关系的余地。即是说,这生产力和生产关系是离开人们意志而独立的客观实在。一个时代的人们继承前一时代的生产力把它发展起来,就能取得新的生产力把它遗留于下一个时代。同样,一个时代的人们承受前一时代的生产关系开始自己的生产过程,但是随着新生产力的形成,而人们意识到旧生产关系阻碍新生产力的发展时,就改变旧生产关系,形成新生产关系,因而出现了新的社会形态。照这样,生产力就从一个时代发展到下一个时代,历史上一个阶段的社会形态也发展到下一个阶段的社会形态。于是历史上各个发展阶段的社会形态便由不断发展着的物质生产力把它们联系起来。"由于有这一件

---

① 见《马克思恩格斯文选》,莫斯科中文版第2卷,第443页。

事实,便形成人类历史的联系,便形成人类的历史。"随着生产力的愈益发展,而社会关系发展到社会主义的社会关系的时候,"这个历史也就愈益发展成为人类的历史。"由此可见,"人类历史的关系"是有其内在的规律的,这就是生产关系一定要适应于生产力的性质和发展水平的规律。这一规律对于历史上各个发展阶段的社会形态(原始的、奴隶制的、封建的、资本主义的、社会主义的)都是适合的。它是社会发展的一般规律。

一个阶段上的生产关系是同当时的物质生产力相适应的。这些生产关系的总和就组成为社会的基础,在这个基础之上,有依靠它树立起来的法律政治制度,还有同它相适应的社会意识形态。这法律政治制度和社会意识形态总称为上层建筑。如前面所说,基础对于上层建筑具有决定作用。基础若有对抗性,上层建筑也必具有对抗性;基础若没有对抗性,上层建筑也就没有对抗性。另一方面,上层建筑对于基础也有反作用,它能促进基础的发展,也能障碍基础的发展。但上层建筑阻碍基础的发展,是不能长久的,基础的发展结局要突破上层建筑的障碍而前进。这是基础决定上层建筑的规律。

生产方式是人类使用生产力的方式,它的基础是生产资料所有制。历史上有五种生产资料所有制,因而有五种生产方式。其中以生产资料的奴隶主所有制、封建地主所有制和资本家所有制为基础的生产方式以及和它们相适应的奴隶制的、封建的、资本主义的生产关系都是阶级的生产关系。至于原始公社的生产方式以生产资料的公社所有制为基础,社会主义生产方式以生产资料的社会主义所有制为基础,这两者都不含有对抗性,因而适应于这两种生产方式的生产关系也不含有对抗性(当然这两种生产关系是大有区别的,前面已有说明)。各种生产方式各自通过与它相适应的生产关系,决定各个阶段的社会生活、政治生活和精神生活的过程。这是物质生活的生产方式决定社会全部性质的规律。

当社会的物质生产力发展到一定程度而与现存的生产关系发生矛盾,而生产关系成为生产力发展的桎梏时,社会的基础就发生变革,那个基础上的上层建筑也就会或快或慢地随着发生变革。这是一种社会形态转变为高一级社会形态的规律。原始公社后期社会分裂为阶级以后,人类的历史是阶级斗争的历史,因而阶级社会中产生了阶级斗争的规律。从原始公社到奴隶制社会、从奴隶制社会到封建社会、从封建社会到资本主义社会、从资本主义社会到社会主义社会的转变,都是通过阶级斗争来实现的。这阶级斗争规律就是社会形态转变的社会革命规律。这个规律是几个阶级社会所同有的一般规律(但这个规律随着阶级的消灭而消灭)。由于这个规律的发现,就揭示了人民群众在创造自己历史的过程中的伟大意义。

以上几个规律,都是社会发展的一般规律。这些一般规律,是就各个历史发展阶段上的各种社会形态中的一切内在联系作了分析研究然后抽象出来的,都是在一切社会形态中发生作用的一般规律。这些规律都是离开人们的意识和意志而独立的客观规律。社会是按照这些客观规律发展的。由于这些规律的发见,就揭示了历史上一切社会形态的联系与统一,揭示了社会由低级形态到高级形态的整个发展过程。由于这些规律的发见,人们可以根据它们来结合当时一切客观条件,创造自己的历史。

社会发展的一般规律既然是从一切个别的社会形态抽象出来的东西,它必然对于一切个别的社会形态都起作用,这是没有问题的。但一般规律在各种个别社会形态中发生作用的条件和它所表现的形式是各不相同的。因为每个社会形态都具有许多特殊的特性和具体的历史条件,一般规律在各个社会形态中所起的作用和表现的形式要随着具体的条件和特性而有所变更。这种变更并不意味着一般规律的作用的消失,这只是说一般规律在不同的历史条件中起着不同的作用。例如生产关系一定要适应生产力的性质和发展水平这一规律,在资本主义社会和社会主义社会中都同样发生作用,而它所发生的作用却是各不相同的。在资本主义社会中,这个规律所起的作用,使生产关系和生产力之间的矛盾变成对抗性的矛盾。无产阶级要改变资本主义生产关系来解放生产力,而资产阶级却硬要保障资本主义生产关系来阻碍生产力的发展。于是引起无产阶级革命。但在社会主义社会中,这个规律所起的作用却不同,人们一旦发现了生产力和生产关系的矛盾,就立即解决这种矛盾来促进生产力的发展,不会遭到衰朽力量的反抗。当然,矛盾是不断地发生的,也是不断地得到解决的,人们不断地克服矛盾而使生产力能够顺利地发展,不会使矛盾达到冲突的地步。又如社会革命规律在不同的社会形态所起的作用也不相同。就法国资产阶级革命和十月革命来说。法国资产阶级在革命以前已经创造了资本主义的生产方式,建成了资本主义经济,它创造了反封建主义的革命理论,利用所谓自由和平等的口号,号召当时受着封建压迫的劳动大众参加革命,因而推翻了封建政权,建立了资产阶级专政,用资本主义的剥削制度代替封建主义剥削制度,而无产阶级和劳动人民仍旧处于被压迫被剥削的地位。至于十月社会主义革命却是不同。无产阶级是历史上最进步的阶级,它是社会主义生产方式的代表者。它的革命目的是崇高的,革命的手段和革命的组织是很进步的。它有自己的党做参谋部,有马克思主义理论做指导,有广大农民群众做同盟军,革命队伍是壮大的,力量是雄厚的,声势是浩大的,一旦革命机运成熟,就能爆发革命,推翻资本主义,建立社会主义,消灭阶级和剥削。到了阶级消灭以后,社会革命规律,阶级斗争规律也随着消失了。

同一个一般规律,在处于同一社会形态的许多个别的国家和民族中所起的作用和表现形式,也是各色各样的,但它在这些国家和民族中的作用并不消失,否则就不成其为一般规律了。所以社会发展的一般规律在不同的社会形态的不同的历史条件下,它所发生的作用和所表现的形式并不是一样的,我们必须用历史主义的观点来理解这些一般的规律。

二、社会发展的一般规律和特殊规律的联系

历史唯物主义是研究一切社会形态的发展所共有一般规律的科学,它同其他各种社会科学的对象是不同的。

历史唯物主义虽然以社会发展的一般规律为对象,但是决不能说它抛开各个社会形态的各种特殊规律而不注意去考察。对于各种个别的社会形态发展的特殊规律的认识,能使我们对于社会发展的一般规律有更进一步的理解。我们若要知道社会发展的一般规律在某一社会形态中所发生的作用和所表现的形式究竟怎样,就必须用历史主义的观点去考察那个社会形态的存在及其发展的一切历史条件和特点,才能有正确的认识,才能够根据这种正确的认识作出实际的结论去指导革命的实践。领导革命的集团若果单凭一般规律而不去考察当时当地的具体的历史条件和特点,这一般规律就会变成抽象的公式,依靠这种抽象的公式去指导革命,就没有不遭到失败的。我党过去的"左"右倾机会主义领导集团对我国革命所招致的损失,就是单凭一般规律指导革命

斗争的结果。教条主义者所犯的错误,正是这样。

关于历史唯物主义的对象的问题,苏联哲学界曾经有过一场争论。1955年,苏联《哲学问题》杂志在一篇名为《历史唯物主义的迫切问题》的社论中指出,有一些哲学家错误地断言,社会发展的一般规律在客观上是不存在的。拥护这一观点的人,甚至提议建立两种历史唯物主义,一种用于对抗性的社会形态,一种用于共产主义社会。有人甚至建议根据各个社会形态写历史唯物主义教程。这一观点的基础是把社会发展的特殊规律绝对化,把特殊规律同现实地、客观地存在着的社会发展的一般规律割裂开来。于是断言历史唯物主义只研究不同的社会形态的特殊规律。这种"理论"实际上是取消了历史唯物主义这门科学。因为很明显,如果没有社会发展的一般规律,那也就没有关于这些规律的科学,没有说明社会形态的更替,由社会发展的一个阶段过渡到另一个阶段、由低级阶段过渡到高级阶段的科学。

但是在另一方面,有一些哲学家批判了上述错误观点之后,就走到另一个极端,他们开始否认社会发展的特殊规律的存在,把那些特殊规律宣传为只是一般规律的表现形式。这种见解,我认为也是不正确的。社会发展的一般规律和各个社会形态发展的特殊规律是有差别的,却又是统一的。这个统一是一般与特殊、一般与个别的统一,即是辩证的统一,我们不能因为历史唯物主义是研究社会发展的一般规律的科学便否定各个社会形态的特殊规律的存在。

社会发展的一般规律反映着历史上一切社会形态的联系与统一,个别社会形态发展的特殊规律反映出某一社会形态的存在及其发展的趋向。一般规律和特殊规律原是有密切的关系。如果只注重社会发展的一般规律而不联系各个社会形态的特殊规律去考察,这一般规律就会变成空虚的抽象;如果只注重个别社会形态的特殊规律而不联系社会发展的一般规律去考察,甚至否认一般规律的存在,整个人类历史就表现为各个社会形态互不联系、互相脱节的漫画。像这样把一般规律和特殊规律割裂开来,不但毁损历史唯物主义这门科学,并且对于革命的实践也是有害的。

马克思在《政治经济学批判》的"序言"中所发表的关于历史唯物主义的基本原理,恩格斯关于这一基本原理的阐明,是他们在分别研究了历史上各个社会形态之后所作的总结。马克思对于各个社会形态的研究是从资本主义社会的分析开始的。他说：

> 资本主义社会是历史上最发达、最复杂的生产组织。因此，表现它的各种关系的种种范畴，关于它的构造的理解，同时对于一切已经覆灭了的社会形态的构造和生产关系提供了透彻理解的可能性，……人体的解剖是对于猴体解剖的关键。在下等动物身上所透露的高等动物的征象，反而只有在已经认识了高等动物之后才能理解。资本主义经济为古代经济等等提供了关键。①

马克思和恩格斯对于历史的研究，是先研究资本主义社会，然后比较对照去研究封建社会、奴隶制社会和原始社会。马克思在关于历史唯物主义的基本原理中所提的社会发展的一般规律，是从一切社会形态中各种复杂的社会联系中抽象出来的，而这些一般规律原是各个社会形态所具有的。每一社会形态中都具有许多规律，其中除了那些同其他各种社会形态所共有的一般规律之外，其余是各个社会形态所独有的特殊规律。一般规律并不随同社会形态的变更而停止发生作用，而特殊规律在历史上则是暂时的，在产生它的那些历史条件消灭之后，即在那个社会形态消灭之后，就停止发生作用。新的社会形态就受新的阶段上的规律所支配，这新的规律就和那些一般规律一同发生作用了。例如在资本主义社会中，除了那些一般规律在发生作用以外，还有它所独有的一些特殊规律，如剩余价值规律、资本主义积累规律、竞争和生产无政府状态规律、资本主义基本经济规律等在发生作用，但随着资本主义社会的灭亡，这些特殊规律不再发生作用，而那些一般规律仍在社会主义社会中继续发生作用。在社会主义社会中，除了那些一般规律以外，还有它所独有的一些特殊规律如社会主义基本经济规律、国民经济有计划发展的规律等在发生作用。

某一社会形态中的特殊规律所发生的作用，对于一般规律在那个形态中

---

① 见马克思：《政治经济学批判》，三联书店 1955 年版，第 167 页。

所发生的作用和表现的形式,具有很大的影响。例如资本主义社会中剩余价值规律和生产无政府状态规律发生作用以后,就表现为社会的生产与资本家的占有之间的矛盾,表现为生产力与生产关系之间的矛盾,表现为无产阶级与资产阶级之间的对抗。随着资本主义积累规律等的作用的发挥,资本主义生产关系严重地障碍着生产力的发展,社会革命规律就发生作用了。单就这几点来看,资本主义的特殊规律和那些一般规律是有密切关系的。至于社会主义社会,那些一般规律也是起作用的,同时还产生了一些新的特殊规律。由于生产资料已归社会公有,剥削制度和剥削阶级已经归于消灭,一切的经济关系、政治关系和精神关系只有非对抗性的矛盾。而对抗性矛盾(即阶级矛盾)已经消失了。因此,一般规律在社会主义的条件下发生的作用有显著的不同。人们发现的新的社会规律,就能够自觉地运用它,不会让它盲目地发生作用。生产资料公有化以后,从前在资本主义下的竞争和生产无政府状态的规律已不存在,全部社会生产就必须按照计划来进行,于是就产生了国民经济有计划发展的规律。这个规律能使国家计划机关去正确地计划社会生产。国家计划机关只要能够掌握这个规律,能够制定出符合这个规律的要求的计划来进行全社会生产,就可以顺利地使计划得到实现。所以在社会主义下,客观的社会规律就失掉了自己的自发性,因而加强了人们的自觉的活动的作用。但是实际计划总不能完全符合于客观规律而常常发生漏洞和偏差,因而使生产关系不能适应于生产力的性质和发展水平。在这种时候,只要人们觉察到这种事实,就会很快地修正计划,改进生产关系,就可以使生产力向前发展。由此可见,客观规律在社会主义下所起的作用同在资本主义下所起的作用是不同的。在资本主义下,客观规律盲目地、自发地在发生作用,资产阶级纵使知道了那些客观规律,也是无能为力的。例如生产关系和生产力相冲突就引起社会革命的规律,竞争和生产无政府状态的规律等等,马克思早在一百年前就揭示出来了。资产阶级也必定懂得的,却是无能为力。资产阶级活动家也宣称要搞计划化来克服竞争和生产无政府状态,结果却是徒劳。资产阶级除了死亡决不停止剥削。所以生产力与资本主义生产关系的冲突,必然爆发为无产阶级革命。

由此可见,社会发展的一般规律在各种不同的社会制度下,它所发生的作用和表现的形式也是各不相同的。历史唯物主义这门科学虽然以社会发展的一般规律作为对象,但它仍要研究各个社会形态的发展的特殊规律,研究它们的经济基础、政治组织和思想体系的规律,了解这些形态的发展方向借以究明一般规律在各种具体的历史条件下采取何种具体表现形式并发生何种作用。特别是它还要研究现代各资本主义国家的无产阶级革命斗争问题、民族独立国家和殖民地人民反对殖民主义斗争的问题。全世界人民争取和平民主的问题,研究社会主义阵营各国、特别是本国社会主义革命和社会主义建设的问题。所以历史唯物主义虽然以社会发展的一般规律为对象,而它所研究的范围却是非常广泛的。

历史唯物主义这门科学有自己独有的对象,它和其他各种社会科学所研究的对象是不同的,它不可能把其他各种社会科学的对象都拿来放在自己的范围内来处理,但它必须联系其他各种社会科学所发见的各种社会现象的特殊规律来充实一般规律的内容。因此,历史唯物主义这门科学必须和其他各种社会科学如历史学、政治经济学、国家与法权理论等取得密切联系,互相配合,使历史唯物主义理论更趋于丰富和发展。我国现在处于社会主义革命和社会主义建设的伟大时代,亿万劳动人民发挥着积极的创造性,争取工业和农业生产的大跃进,新人新事新问题层出不穷,社会关系的各个方面一定有些新的规律产生出来,我们研究历史唯物主义的人,应当和各方面的社会科学工作者互相配合,共同探求各个方面的新的规律,解决一些新的问题,这是我们的任务。并且,研究历史唯物主义的人,也应当研究各种社会科学,总结各种社会科学的成果,来提高我们对于这一门科学的研究的水平。历史唯物主义原是一切阶级斗争知识的总结和概括。当作科学的体系看,历史唯物主义是关于社会发展的一般规律的科学,它是同其他各种社会科学有区别的;当作哲学看,当作科学的历史观看,它所包括的只是很广,涉及哲学和社会科学的一切部门,这不仅以究明社会发展的一般规律和特殊规律的辩证关系为限。

第三章　资产阶级社会学说的批判

第一节　西方资产阶级社会学说的批判

一、实证主义社会学

1957 年,我国反革命的章罗联盟中,有一批知识分子,为了进行他们的政治阴谋活动,首先叫嚣着要恢复资产阶级社会科学来反对马克思主义。特别突出的人物是费孝通、吴景超、李振汉、陈达等人,叫嚣着要恢复资产阶级社会学来反对历史唯物主义,企图在思想战线上占领阵地。同时,他们还计划着要约集他们的同路人组织资产阶级社会学会,以便形成一股政治力量,向共产党和人民政府展开政治攻势,企图用资产阶级民主代替社会主义民主。他们在思想战线和政治战线上的阴谋活动的目的,就是要使中国倒退到半殖民地状态,使资本主义在中国复辟。关于这些人的政治阴谋,在猛烈的反右派斗争中,已经完全被揭露出来,并遭到了彻底的粉碎,我们在这里,主要地是批判这些人的社会学的内容及其政治的目的。

但是,中国资产阶级的社会学是从西方资产阶级国家输入的,所以在批判中国资产阶级社会学的时候,首先要批判西方资产阶级社会学。

现在我们来检讨资产阶级的社会学。社会学这个名称是由实证主义者孔德创始的。他的社会学,被称为实证主义社会学。孔德的社会学,是开始在社会学这个学名之下拥护资产阶级的社会秩序的学说。

19 世纪初期,资产阶级社会的秩序,已经具有他自身的历史。当时胜利了的资产阶级,已经爬上统治阶级的地位,他们一方面要继续对封建的遗制及封建贵族作不断的斗争,另一方面又要对新兴的无产阶级的反抗作严重的镇压,以期巩固自己已得的胜利,稳定自己的政治权力。资产阶级的这种欲求与目的,在当时的法国特别显著地表现着。孔德的社会学,就是适应于当时资产阶级的这种欲求和目的而建立的理论。所以孔德把他的社会学叫做"人类社会的秩序与进步的科学"。所谓"秩序",是指资产阶级的秩序说的,所谓"进步"是暗示着资产阶级社会是历史上最进步的东西。他努力要论证没有秩序就不能进步,秩序实是社会之"调和的"存在的条件。

孔德是空想社会主义者圣西门的剽窃者,他的社会学中的许多重要之点,反刍了圣西门的学说。圣西门创立了所谓知识的发达是历史运动的根本动力的见解,建立了所谓"社会由个人而成立,因而社会的理性的发达是个人的理性之大规模的复制"的论纲,并设立了所谓"神学的、形而上学的、实证的三个发达阶段"的知识发达的法则。所以,圣西门把资产阶级对抗封建领主的斗争,解释为由形而上学到实证科学,由军国主义到产业主义的推移的过程。圣西门的这种见解,更经过孔德的加工和补充,就创立了所谓实证主义的社会学。

根据人性论的见解去研究社会时,就不能不在人性之中去探求社会发展的原因。但"社会的理性"即是"个人的理性之大规模的复制",那就个人的理性必须供给历史解释的关键了。但圣西门和孔德,不知道从特定的社会的生产关系之中去研究个人的本性,却要从生理学中去研究它。他们以为"研究个人的本性的东西,是广义的生理学",因而把所谓"社会物理学"作为社会学的基础。因为要在"社会物理学之中去研究个人的本性,就不能不研究世代变迁的影响"。一定的世代,影响于其次的世代,把前一世代传承下来的以及本身所得的知识遗留于其次的世代。因而社会物理学就弄得要用知识及一般教化的发达的见地去观察人类的进化了。这已是 18 世纪纯唯心论的见地,即"意志支配世界"的见地。

基于上述的研究,所以孔德师承圣西门学说,把知识的历史划分成神学的、形而上学的及实证的三个阶段,把现实的历史分为军事的、法治的及产业的三个阶段。而现实的历史是受知识的发达法则所支配的。因此,他认定知识之实证的阶段,是知识发达的最高阶段,即是资产阶级的知识的阶段;历史之产业的阶段,是历史发达的最高阶段,即是资产阶级的社会的阶段。所以资产阶级社会是合乎理性的东西,是必须拥护的东西。

孔德是实证主义者。实证主义是主观唯心主义,它否认人的经验是由意识以外的客观存在所引起的,因而否认自然和社会的客观规律性。所以孔德在所著的《实证社会学教程》中,认为现象的本质是不能探究的,科学的任务只是描述主观的感觉,把主观经验系统化。孔德应用这样的实证主义建立的社会学只是用主观的理想,用精神的宗教的原理去完成他自己的体系,并没有科学的根据。我们可以说,资产阶级社会学从孔德创立它的时候起,已不是什么科学的理论,而只是拥护资本主义并反对无产阶级的反动学说。

二、生物学主义社会学

资产阶级社会的发展,到了19世纪中叶,已经充分的暴露其自身的矛盾,无产阶级对于资产阶级的斗争,也是日趋于激烈——这对于资本主义,确是很大的威胁。因此,资产阶级社会学者,不能不为资本主义社会造出新的理论根据,并在精神上麻痹劳动大众。这样的社会学,首先是生物学主义的社会学,即是社会学上的有机体学说。

社会学上的有机体学派,孔德是一个首创者,但充分展开了有机体学说的人,要算是斯宾塞。斯宾塞吸收当时进化的学说(主要地是受了拉玛克的影响),创立了生物学主义的社会学。就他的社会学看来,社会是有机体,而有机体又是细胞的社会。最初的自然的有机体,是没有生理的分业的简单的细胞。与这种自然有机体相当的社会有机体,是没有社会的分业和集团的分化的原始群。但动物的有机体,只有在其细胞增加而分化为两群细胞时,才有进步。第一群细胞是外的细胞,对于环境的影响,实行摄取或排除;第二群细胞是内的细胞,摄取营养资料,并实行加工。所以在进步的社会群团中,有军事团体和劳动团体(由女子或俘虏构成)。但自然有机体进步以后,除内外两群细胞之外,更有中间细胞群,形成营养液分配的血管。所以在进步的社会有机体之中,除军事阶级与劳动阶级之外,还有商人阶级。军事阶级,发展为统治阶级,便成立国家(有如外的细胞群,不但形成皮肤,并且形成调整运动的全神经系统)。这种军事形态的社会,往后就转变为由自由意志结合的产业形态的社会(即资产阶级社会)。营养、分配及统治这三个机关,互生作用,维持生命的发展。有机体越是进步,三者的相互作用越是复杂。所以社会的生命,受进化的法则所支配。个体神经系统,是意识知识的机关,与这种机关相适应的社会的共通的知识的机关,即是僧侣阶级。社会进步以后,不能不有法律去调剂。这法律的制定,就是人类的精神作用即论理的知识在社会秩序上最初的应用,于是社会不单受自然法则所支配,并受精神法则所支配了。

概括地说来,这样的社会学,把社会看成生物学的有机体,把社会的阶级分化看做有机体内部的各种有机的机能之分化,借以证明统治的、剥削的阶级与被统治的、被剥削的阶级之存在是合乎自然法则的(即是天经地义)。因此,他们引出了阶级调协、阶级利害的共同与调和的思想,引出了阶级差别是一切社会所必然存在的思想。

生物学主义的社会学,流转很久,派别也很复杂,而其一般的倾向,大致如上所述。不过在这里要连带地加以检讨的东西,是社会达尔文主义。社会达尔文主义,是生物学社会主义的变种。这一学说,把达尔文学说做恶意的解释,把生存竞争、自然淘汰、及适者生存等进化论的范畴,搬到社会领域中来应用,借以证明资产阶级社会中的斗争及竞争的必然性。依据这种学说,社会群斗争的结果,必然是优胜劣败,弱肉强食。资产阶级对于无产阶级,帝国主义者对于弱小民族的压迫和剥削,正是自然法则。这种学说,在帝国主义时代是特别流行的东西。

生物学主义社会学的又一变种,是所谓种族主义社会学。这种社会学,把社会的过程看做是直接依存于有机的实体即人种的东西,对其实行机械的生理的解释,所以与社会有机体说相近似。这一学派,由科比诺亚的"人种不平等论"所建设,往后更经法国人拉布乌知、德国人阿孟、渥德曼等所支持、修正和发展。美国社会学者乌德也支持这种学说。这一学说,把人种或民族当作历史的根本要素,把人种或民族的斗争看做历史进化的原动力。这一学说,研究人种或民族的特质,把人类分成黑色、黄色、白色三人种(其他是混合的人种),这是科比诺亚的分类。三人种之中,白色人种是文化的创造者,尤其是日耳曼民族和伊兰民族①最为优秀,而斯拉夫人种是黄色人种的混血种,人种

_____

① 古代波斯人自称为"伊兰",伊朗就是"伊兰"的译音,在古波斯语中意为"光明"之意。波斯人主要居住在伊朗,属欧罗巴人种的南支。——编者注

的价值很少。至于劳动阶级,在人种看来,是变质者,是下等人。依据这一学说,世界只有纯粹白色人种是最高贵的人种,是天之骄子,世界的主宰,其他一切有色人种及变质的或混血的白种,都是他们的奴隶,必然受他们的统治和剥削。这显然是帝国主义政策的公开的宣传论。这种学说,现在已呈现最露骨的法西斯主义的党派性。希特勒所说的"世界史上的一切事变都是人类的自己保存的冲动的表现"这种主张,实是德国法西斯主义历史哲学的基础。

总括起来,生物学主义的社会学,用生物学的原理说明社会,在表面上好像是唯物论的,而其实际上纯粹是唯心论的虚构,与社会的发展法则的研究完全无关。

此外,与生物学主义社会学有连带关系的,是新马尔萨斯主义社会学。马尔萨斯人口论断言:生活资料是按照算术级数增加的,而人口则是按照几何级数增加的。人口的增加远远超过生活资料的增加,这是一个自然的规律。为要消灭人口过剩的现象,只有是劳动人民减少生殖,才能减轻这个自然规律的作用。因此,马尔萨斯主义认为,劳动人民生活的贫困和遭受苦难是由于劳动人口的繁殖过多,与资本主义剥削制度无关。这种人口论,完全是替资产阶级利益辩护的极端反动的学说。现代资产阶级社会学又在复活马尔萨斯的反动学说,公开宣传用人工方法减少过剩人口的主张。例如新马尔萨斯主义者美国社会学家福格特,公开主张用毁灭性的战争来减少世界的人口。其他的新马尔萨斯主义者,虽然不像福格特那样凶恶露骨,而福格特的路线仍然被用巧妙的形式继续着,如宣传节制生育,讲求优生学以减少人口之类。中国资产阶级社会学者中,有许多人都是新马尔萨斯主义者。

三、心理学派的社会学

心理学派的社会学是现代资产阶级社会学中的一个主要派别。这派社会学是由法国人塔尔德所创始的。塔尔德活动的期间,是在 19 世纪末叶到 20世纪初期。他创造了所谓"摹仿说",主张社会生活完全受人类的摹仿的本能所支配。杰出的人物具有高级的心理和智慧,他的一举一动都为那些只具有低级心理的人民群众所仿效,把它推广到社会生活中去。所以杰出人物对于社会生活有首创精神,广大的人民群众只是执行杰出人物的意志,在社会中不起任何作用。这种主张只不过是所谓英雄豪杰创造历史的唯心主义的旧调，并没有什么新的内容。

塔尔德的学说后来传到了美国，由吉丁斯、乌德等人所发展，把社会学变成了社会心理学。现在，这一派的代表人物，有罗斯、贝尔纳德、包加杜斯等人。他们完全利用唯心主义心理学的理论和术语来歪曲社会发展过程的本质。他们或者利用奥国精神病医生费洛伊德的心理学中所说的"下意识"，或者利用行为主义心理学所主张的"心理是有机体对所受刺激的纯生理反应"的谬论，来说明社会过程、阶级斗争、社会革命、政治生活和其他社会现象。这派社会学者的目的，是企图用人的意识说明社会存在，来反对历史唯物主义所主张的由社会存在说明社会意识的原理，因而造出一套反动学说，以便为垄断资产阶级服务。

心理学派社会学主张社会是人们的社会相互作用的产物，而社会相互作用就是心理的相互作用。这心理相互作用是以"群居"的本能为基础形成起来的。因此，这一学派就把人们的心理的相互作用当作社会学的对象，并把心理作用提高到第一性的地位，认为是人们的全部社会生活和活动的基础。例如，历史唯物主义认为生产关系是社会的物质关系，但心理学派却认为生产关系是意志关系，据说参加生产过程的人们都是有意志的，他们之间的关系是根据意志结成的，因而断言生产关系是由意志产生的。这种倒果为因地曲解现实的说法，显然是荒谬的。实际上，生产关系是离开人们的意识、意志而独立的客观存在。

说到阶级关系时，这派社会学家完全否认阶级是从经济基础发生的，他们力图证明阶级完全是心理现象，是纯粹主观的东西。至于阶级间的斗争，他们则认为是社会集团间的精神冲突的表现。他们对于劳动人民所进行的革命斗争，认为是劳动人民的病态的表现，是劳动人民的一种侵略性的本能的表现。这派社会学家所以把阶级划分、阶级斗争和社会革命的根源都归结为心理因素，其主要目的就是要引诱无产阶级不注意自己阶级的利益，并麻痹无产阶级革命斗争的意志，借以巩固资产阶级社会的秩序。

心理学派社会学家的许多著作，有这样一种共同意见，就是贬低广大劳动人民在社会中的作用，认为他们都是低能的人，是"群氓"，是"阿斗"，他们只能接受心理高尚的资产阶级的领导和统治。特别是这一学派中有一个名叫勃拉温的人,根据精神病学下了这样的论断:凡是拥护资本主义的人都是心理正常的人,凡属反对资本主义的人都是心理不正常的人,特别是用罢工手段要求增加工资的劳动者,都是心理上有毛病的人。因此,勃拉温这一派把社会学理解为社会精神病学的人,认为社会学的任务就是医治心理不正常的人,这就是说要反对无产阶级。但是,事实证明:心理学派社会学家这些论断,完全是胡说。在我们社会主义阵营各国的一切劳动人民在共产党的领导之下,发挥了无穷无尽的智慧和首创精神,用自己的创造性劳动建成了繁荣幸福的社会主义社会。只有他们才是世界上心理最高尚的人们。至于各国的资产阶级大亨们算得什么,他们是一群最无用的人,是吸血鬼,是寄生虫,他们既害怕本国无产阶级革命,又害怕殖民地人民革命,变成了战争狂人,他们才是世界上心理最低能的人,才是精神病患者。

四、地理政治学和世界主义的社会学

现代资本阶级社会学各派中,有两个专为帝国主义侵略政策捏造理论根据的学派,即地理政治论和世界主义。这两派是一脉相承的。这里先说地理政治论。

地理政治论是从资本主义初期的地理环境的社会观演变而来的。

地理环境的社会观的要点,是在地理环境之中探求社会发展的根源。这种社会观,是近代资产阶级学者布丹首先倡导的。布丹写了《历史易知法》一书,说明地理环境对于社会的影响。布丹认为:由于地球的经度和纬度的不同,由于海洋、河川、土壤、气候等的不同,就产生出种种民族的特性、风俗、习尚、宗教与社会制度,因而形成了各色各样的社会。这便是布丹的地理环境的社会观的大概。

布丹以后,把地理环境社会观展开出来而比较具有一般性的学说,要算是孟德斯鸠的《法意》一书。孟德斯鸠说一切事物都有法,社会有法,国家也有法。他说:"法,在最广的意义上,是由事物的性质发展出来的必然的关系"。孟德斯鸠一方面力说各国民的法各自有其固有的特殊性,同时又主张法的同一性。这同一性的前提是广义的自然环境、风俗和生活形式。因此,他展开了地理环境的社会观,从各地民族所处的地理环境的特性,说明这些民族的生活形式、国家形式、法律制度及其精神文化的特殊性,说明各民族的形成及其历史。

上述孟德斯鸠的地理环境的社会观,在当时用来反对封建意识形态,确是有力的武器,但是作为学说来看,则是反科学的。社会发展的原因必须在社会内部去探求,不能在社会外部的自然环境中去探求,这在前面已经说过了。

孟德斯鸠的地理环境的社会观不单是反科学的,并且还替当时殖民主义者对落后民族的侵略作辩护。因为孟德斯鸠曾经说过,气候炎热地方的各个民族的人民是懦弱的,差不多总使他们处于奴隶地位。这显然是说明当时欧洲资产阶级掠夺并奴役亚非被征服民族的人民是理所当然的,因为他们所处的地理环境使他们成为奴隶的呀。

19 世纪中叶以后,资产阶级社会学者中,有些人继承了孟德斯鸠的思想,用自然环境来说明各民族的社会生活情况,因而形成了社会学中的地理学派。英国人巴克尔便是这一派的代表。巴克尔在所写的《英国文明史》中,主张气候、食物、土壤和其他自然状况对于人类种族有极强大的影响。他认为炎热的气候是亚非各民族的经济和文化落后的原因。这也就是说,亚非各地的炎热气候正是亚非各民族所以要遭受欧洲资产阶级所奴役的原因了。巴克尔的这种主张,显然是为英国资产阶级殖民主义作辩护的。

在垄断前期资本主义时代,各个殖民主义国家对于殖民地的统治已经巩固,地理学派的任务,主要地是为殖民主义者的利益作辩护。到了帝国主义时代,世界形势发生显著的变化,各国垄断资本集团为了重新分割世界领土,积极扩张军备,准备进行世界大战。于是地理学派的社会学家为了鼓吹帝国主义侵略政策,就利用自然地理环境的社会观,建立了所谓地理政治论。地理政治论就是鼓吹帝国主义者侵略别国领土、建立庞大的殖民帝国的一种极端反动的学派。

地理政治学的首创者是第一次世界大战以后一个名叫豪斯霍菲尔的德国将军,他提出了德国缺少"生存空间"的反动谬论,为希特勒的侵略政策捏造理论依据。他在所著《地理政治学原理、实质的目的》一书中,公开宣称地理政治学是在人们间公正地分配地球空间的最强有力的工具之一。另一个地理政治学家鄂斯布特也认为:德国如果不能在最短期间内获得自己以前的殖民地和一般的"生存空间",它就会灭亡。像这样的地理政治学,不但鼓舞了德国帝国主义争取"生存空间"的侵略政策,并且也鼓舞了日帝国主义的"大东亚共存共荣圈"的侵略政策。但是第二次世界大战的结果,德日两帝国主义终于崩溃,德国的地理政治学也随之破产了。

可是历史也会重演的。美帝国主义者已成为了德日两帝国主义者的接班人,它的侵略野心比它的前辈更加凶恶,直欲吞没全世界。它把它的国境扩张到欧亚非三州,扩张到社会主义阵营各国的边境,甚至扩张到我国领土的台湾、澎湖和金门、马祖,并把阿拉伯地区称为它的"真空地带"。美帝国主义者在提出杜鲁门主义和马歇尔计划之后,又提出了艾森豪威尔主义,都赤裸裸地暴露了它要建立世界帝国的阴谋。随着美帝国主义的对外侵略政策的发展,地理政治学就在美国流行起来了。

美国地理政治学家宣称:地理政治学是由美国海军上将马罕所创始的,他比德国将军豪斯霍菲尔发表地理政治学的著作还早若干年。马罕生于 1840年,死于 1914 年,他写了《制海权对历史的影响》和《制海权对于法国革命的影响》两书,其主要论点是说沿海国家在世界史上起着领导作用,是文明的产生和发展的发源地,因而"制海权"这个政治因素就成为历史和文明发展的主要动力。美国地理政治学家和他们的德国同道争取这一反动学说的创始权,这证明他们的法西斯思想是一致的。

美国地理政治学家早年用关于西半球地理上统一的思想鼓吹门罗主义,后来又用地理环境的因素来鼓吹世界主义,为美帝国主义对全世界的侵略的政策辩护。

著名的地理政治学家斯巴克曼在其 1944 年出版的一本书中,掩盖美帝国主义对外侵略政策的实质,说一个国家的对外政策是受到该国领土上的自然条件所影响的。他主张不仅要用地理条件解释对外扩张政策,并且要用地理学上的专门术语去解释它。

美国另一著名的地理政治学家哈丁顿在所写的《文明的源泉》一书中把民族分为有天赋的和没有天赋的,有积极创造性的和消极平庸的,而天赋的程度则是由气候和遗传性决定的。他认为德国人、英国人和美国人"具有非凡的精力,这种精力能够消除走向统治世界道路上的一切障碍"。

最近三十多年来,德国和美国地理政治论这一派的反动学说大概是这样:一方面鼓吹帝国主义者征服世界的政策,另一方面又用地理条件来掩盖这个政策的帝国主义的实质,甚至使用地理学的专门术语去解释它。

地理政治学是和世界主义一脉相承的。地理政治学鼓吹美帝国主义者征服世界以便建立世界帝国,这就是世界主义。

世界主义是垄断阶级反对各国人民的民族独立并在经济上和政治上奴役全世界人民的思想体系,这特别是美国垄断阶级梦想求其实现的东西。美国有一个"世界主义者协会"专门宣传世界主义。依照世界主义者的宣传:各国人民应放弃民族独立,放弃民族的历史和文化的传统,而以世界为祖国。这所说的世界祖国实际上是以美帝国主义者为首的世界合众国。目前,各国垄断资本家都是世界主义者,他们为了垄断资本的利润,不惜牺牲祖国的主权,让美帝国主义者在自己国家中驻扎军队并设置导弹基地。正如斯大林所说,"现在,资产阶级出卖民族的权利和独立以换取美元,民族独立和民族主权这面旗帜已经被抛弃了"。

种族主义也是和世界主义相通的,因为种族主义是主张垄断阶级那种"优等"种族应当统治其余一切"劣等"种族的。

心理学派也是支持世界主义的。例如贝尔纳德说,战争是令人可怕的,但是不可避免的,为要消灭战争,就只有建立以华盛顿为首的世界合众国。

上述地理政治学和世界主义这两派的资产阶级社会学,纯粹是鼓吹帝国主义扩张政策的极反动的滥调,没有丝毫科学的气味。

五、其他各种流派的社会学

前面所说的各种社会学,是西方资产阶级社会学的几个主要派别,而现代最主要的派别,要算是心理学派,其次是生物学派。现代心理学派和生物学派的社会学,都不过是师承孔德和斯宾塞的社会学说,加以主观的、恣意的发挥,为帝国主义政策捏造一些理论依据,其中并没有新奇的东西。

所有资产阶级社会学都没有丝毫科学的气息,都不能够僭用科学的称号。因为任何科学都有它自己的研究对象,它的任务是在于究明那个对象的客观的发展规律。社会学的研究对象是现实的社会,它的任务是要究明社会发展的客观规律。资产阶级社会学不是这样,它们都没有自己的研究对象。例如孔德的社会学对于各种社会现象,甚至于对物理的、生物学的现象都无所不谈,因而孔德的后辈替他的社会学加上"百科辞书社会学"的称号。斯宾塞的生物学主义的社会学,把社会比拟为生物有机体,把社会的有机体作为研究对象,这种比拟,不伦不类,纯属主观的虚构。心理学派把心理相互作用作为社会学的对象,这样的社会学实际上只是心理学的别名。至于地理政治学派用地理环境说明帝国主义产生的原因,这和世界主义派一样,纯粹是帝国主义侵略政策的公开的、无耻的宣传。

资产阶级社会学者中,为了寻找社会学的研究对象,产生了许多支流支派。他们之中,有些人主张社会学应当研究别的社会科学所不研究的东西,因而出现了研究社会形式(如所谓上下关系、竞争、模仿、分业、徒党、代表、对内的结合和对外的团结等)的形式社会学,研究知识的知识社会学,研究文化的文化社会学等;有些人主张社会学应当是两种科学的边缘科学,例如把社会学和人类学的一些共通点结合起来,成立所谓社会人类学;有些人回避社会学上的大问题,主张研究一些小问题,因而出现了所谓微观社会学,如研究"妇女怎样出嫁"(美国心理社会学的权威罗斯曾写过《近代社会学》和《社会学原理》等书,但到晚年,他却认为早年所讲的那一套不能引起人们的兴趣,还不如研究妇女怎样出嫁这一小问题,反而能够风行一时,这便是承认自己的社会学的破产),研究"妇女性行为"(美国社会学者金西的著作)之类。此外还有所谓社会调查的社会学,如都市社会学、农村社会学等。

这里值得特别提起的,是功能学派的社会学,即实用主义社会学。功能学派对于中国资产阶级社会学有深远的影响。我且举出两个功能学派的头子来说。其中一个是英国人布朗,曾应燕京大学社会学系之聘来华讲学,对该系师生影响很大。布朗在英属殖民地活动了二十多年,写了《安达曼岛人》、《西澳的两个部落》、《南非的母舅》、《澳洲诸部落的组织》等著作①。布朗把他的社会学叫做比较社会学,实际上是殖民地社会调查研究,可说是殖民主义社学

①　参见胡绳:《西方资产阶级社会学输入中国的意义》,《哲学研究》1958 年第 6 期。

会。布朗对于殖民地社会调查研究的目的,据他自己所说"吾大英帝国有亚非澳各洲殖民地土著,若欲执行吾人对彼等之责任,则有两种急切需要呈现,其一为对各土著之系统的研究,故求殖民地行政之健全必须对于土著文化有系统之认识,其二为应用人类学之知识于土著之治理与教育"。这话说得很明白,布朗的社会人类学是专门调查研究殖民地人民的风俗、习惯、文物、制度等等,供给殖民地统治者参考,以期更有效地统治并剥削殖民地的人民。功能学派的另一个头子是英国人马凌诺斯基,他是费孝通的老师,给费孝通的影响很大。马凌诺斯基也是研究殖民地人民的社会学家,他写了《太平洋西部的远航者》、《西北美拉尼亚野人的性生活》等著作。马凌诺斯基宣称,他是从英国殖民地统治者的实际利益的角度研究了各种不同的社会的制度的。他说,他的调查研究工作的任务,"不在于研究这些或那些制度的起源和历史,而在于指出它们在某一社会中的作用和指出它是有一定目的的,不是为了更确切地描述,而是在于教会和这些民族有关系的殖民当局和企业主,为了更适当地达成自己的目的应该怎样来对待这些民族。"这样的调查研究方法,是殖民主义者对于殖民地的调查研究方法,其目的也是在于调查殖民地人民的风俗,习惯和社会制度,以便殖民主义者据以制订出有效的统治殖民地人民的政策。功能学派的社会学,和其他反动的社会学一样,都是帝国主义政策的拥护者。

总起来说,西方资产阶级社会学的派别不论如何复杂,它们都有如下的几个基本的共通点。

1. 它们的哲学观点都是主观唯心主义,它们的方法都是诡辩术;

2. 害怕社会发展的客观规律,因而否认它,企图证明资本主义社会是万古长存的;

3. 反对马克思主义,特别是反对历史唯物主义;

4. 反对无产阶级革命,宣传改良主义,企图麻痹无产阶级革命斗争的意志;

5. 为资产阶级对于无产阶级的统治和剥削作辩护;

6. 为帝国主义的世界政策和侵略政策捏造理论根据,甚至公开宣传法西斯恐怖主义,为战争贩子作帮凶。

由此可见,资产阶级各派社会学,都是为帝国主义、为资产阶级服务的反动学说,它们是没有丝毫科学气味的。

第二节　中国资产阶级社会学说的批判

一、西方资产阶级社会学在中国的传播及其政治影响

中国资产阶级社会学说是从西方资产阶级国家输入的,其中有留学生翻译过来的,有由西方社会学家来到中国直接传播的,有由中国人依照西方社会学的理论来研究中国社会的。资产阶级社会学在中国的传播,大概可以分为两个时期,即十月革命以前的时期和十月革命以后到 1949 年全国解放的时期。

在中国输入西方资产阶级社会学最早的一人是严复。严复在 1898 年到 1903 年译出了斯宾塞所著的《社会学导言》一书,题名为《群学肄言》。其次,章炳麟在 1902 年译出了日本人岸本能武太所著的《社会学》。同时,还有人译出吉丁思所著的《社会进化论》,改名为《社会学提纲》。此外也还有人译出了日本人所写的社会学著作。以上这些译本的出版,标志着西方资产阶级社会学已经开始输入到中国来了。

至于在高等学校设置社会学课程和设立社会学系,正式传播资产阶级社会学,是在 1908 年开始,并且是由美国人担任讲授的。1908 年,上海圣约翰大学设置社会学课程,由美国人孟氏主讲。其次,沪江大学于 1910 年也开设社会学课程,由美国人葛学溥、白克令、狄来等主讲。其次,清华大学于 1917年开设社会学,由美国人狄德曼主讲;燕京大学同时也开设社会学,由美国人步济时主讲。由此可知,大学中所设置的社会学课程,最初都是美国人主讲的。在这时以后的各大学所设置的社会学课程和社会学系,多数是由留美学生主持的。

关于在中国进行的社会调查工作,也是在美国人的推动之下实行的。1925 年出版的《社会学杂志》揭载了两条消息。其一,北京一部分社会学家,鉴于中国社会材料的缺乏,组织了北京社会调查社,专门实地调查北京社会情形。该社研究员有美国人包立德、步济时、甘博尔和德裴女士,有中国人朱积权、许士廉、李景汉等。其二,"纽约社会及宗教研究所"因鉴于中国缺乏社会

经济方面的有系统的研究,特派美克尔博士来华与各方面接洽,已在上海设立社会研究所筹备委员会,并请陈达、邝富灼、甘博尔等人为委员。这些委员已亲赴上海、汉口、北京、天津、长沙、广州等处实地接洽,并将于五月间将调查结果报告纽约社会及宗教研究所。[①]

美国人那样积极地在中国传播资产阶级社会学并在中国进行社会调查,其用意是非常明显的。这就是在中国宣传帝国主义纲领,培养一批文化侵略的先锋,依靠他们在精神文化方面先征服中国的人心;就是要运用殖民地的调查方法,调查中国的风俗、习惯、文物、制度,并捏造中国人"贫、弱、愚、私"的事实,作为帝国主义者制定侵华政策的依据。历史证明,美国社会学家和他们在中国的后辈,正是遵循着这样的政治路线在中国传播社会学和进行社会调查的。

"十月革命一声炮响,给我们送来了马克思列宁主义。十月革命帮助了全世界的也帮助了中国的先进分子,用无产阶级宇宙观作为观察国家命运的工具,重新考察自己的问题。走俄国人的路——这就是结论。1919 年,中国发生了'五四'运动。1921 年,中国共产党成立。"从这个时候起,先进的知识分子,译出了许多马克思列宁主义的著作,也写出了许多主张中国革命的论文。特别是共产党的理论刊物,吸引着工人和多数知识分子,马克思列宁主义的红旗在大地飘扬起来了。面对着革命的客观形势,资产阶级的哲学家和社会学家忍耐不住了,他们公开地向马克思主义阵营开火了,他们之中的急先锋是世界主义者胡适。其次是一些社会学家们,或者自己写一些社会学或社会调查的著作,或者翻译一些西方社会学著作,来反对马克思主义,特别是反对历史唯物主义。马克思主义阵营和反马克思主义阵营的壁垒是很森严的。特别是在 1940 年伪社会部成立以后,这班资产阶级社会学者大行其时,写了许多有关社会事业、社会救济和社会行政的著作,贯彻反马克思主义理论,宣传改良主义,为帝国主义和国民党反动派政权服务。但是革命的洪流终于冲倒了反动派的政权,而资产阶级社会学也随着一同埋葬了。中华人民共和国成立之初,1949 年成立的高等教育委员会颁布了文法学院改革方案,废除了反

---

① 以上消息均见《社会学杂志》1925 年第 2 卷,第 4 号。

动的资产阶级社会学系的课程,完全是正确的。在无产阶级专政的政权下,当然不能容许反马克思主义的资产阶级社会学系的存在。可是以费孝通为首的一批社会学者却力图保存社会学系来和教育部的政策相对抗,暂时继续维持了社会学系的存在,因而毒害了新时代的一部分青年。这可以说是费孝通一流人反革命的罪行。1952 年院系调整以后,各个大学的社会学系终于取消了。可是费孝通之流,仍然心不甘服,仍然要约集他们的同路人,叫嚣着要恢复资产阶级社会学系,并计划成立社会学会,以便执行章罗联盟的反党反社会主义的阴谋。经过整风运动和反右派斗争,这批资产阶级右派的反革命阴谋已经被揭露了。我在这里不打算重复这批社会学家的政治阴谋活动的经过,而只是批判中国资产阶级的社会学说。因此,我挑选了几个有代表性的人物的社会学著作,分别加以批判。

二、孙本文的综合社会学

中国人传播西方资产阶级社会学的人很多,其中比较突出的人要推孙本文。如孙本文在《五十年来的社会学》和《七年来的社会学》两文中所述,他本人所写的社会学著作有二十多种,这表明他对于西方社会学的著作是读得很多的,可说是博学多文,著作等身。其次,他在"中国社会学学社"中也是头面人物,对于西方资产阶级社会学在中国的推广是卖了力气的。他确是对于西方社会学颇有研究的人,与那班"在社会学的牌子下搞私货"的"旁出社会学"家大不相同,他是"正统社会学"家。因此,我们特就正统社会学的代表、孙本文的社会学著作作一番评介。孙本文自称他所写的《社会学原理》"代表"了"社会学知识系统化的趋向",并且是伪教育部规定的"部定大学用书"。由此可知,《社会学原理》这本书是孙本文的代表作,因此,我就选择《社会学原理》这本书作为批判的对象(孙本文的自我批判也是以这本书为对象的,下面还要提到)。为了要批判孙本文的社会学,非得写出几万字的小册子不行,这里为篇幅所限,我只就他那本书中的几个关节性问题写一些批评的意见。

在前节中,我们简要地批判了西方资产阶级各派的社会学,最后做了一个总结,那些总结的大部分也适用于中国资产阶级所写的社会学。

资产阶级社会学是资产阶级社会的上层建筑,它是为资本主义的经济基础服务的。因此,它主要地反对马克思主义,特别是反对历史唯物主义;否认社会发展的客观规律、社会主义代替资本主义的规律;反对无产阶级革命;它宣传唯心主义社会观,宣传社会改良主义,企图麻痹无产阶级革命斗争的意志,借以巩固资产阶级社会的秩序。这些是资产阶级社会学各派的共同原则。中国资产阶级社会学有所谓纯理社会学和应用社会学的区别。应用社会学应用西方资产阶级社会学的理论研究中国社会,写论文,搞社会调查,公然贯彻上面所说的共同原则,反共,反人民,反革命,拥护帝国主义和国民党反动政府,直言无隐。至于纯理社会学,例如孙本文的《社会学原理》是重视所谓"纯理论"的,他采纳了西方各派社会学的内容编写成书,间或掺以自己的见解,出入不大,对于中国现代社会的实况,很少触及。这种纯理社会学是用理论的外套包裹那些共同原则的。它把历史上各个阶段的社会描写为抽象的一般的社会,把资产阶级的意识形态说成是全社会(包括其他阶级)的意识形态,把资产阶级的利益说成是全社会的利益,把资产阶级所赞成或反对的事情说成是全社会所赞成或反对的事情。它尽可能地掩藏阶级关系,到了被迫要谈阶级关系时,就用主观的抽象的词句作划分阶级的标准,绝对不触及生产关系和剥削关系,不触及生产资料的资本主义所有制问题。对于社会现象的研究完全带有主观性、片面性和表面性;漂浮于现象的外部,不探求现象的本质;只重视形式,不顾及内容;只是主观地谈及社会的上层建筑,不谈及社会的经济基础;只注重社会改良,却反对社会革命。它对于当时中国社会的半殖民性和半封建性,对于帝国主义和封建主义的压迫和剥削是绝对不谈的,但对于当年蒋介石的反动政府则在纯理论的说法上予以推崇并提出了建议。这是对于孙本文那本纯理社会学即《社会学原理》的初步的检查。

孙本文自称,他所写的《社会学原理》是一种综合社会学。他这种综合社会学是综合了地理派社会学、生物学派社会学、心理学派社会学、文化学派社会学和形式学派社会学等的议论和主张写成的,但它的侧重点则是心理学派社会学和文化学派社会学。要改造社会在于改造人心,而改造忍心在于改造文化——这是全书主旨。全书分为五编,先是总论,其次社会因素的分析、社会过程论、社会组织与社会控制论、社会变迁与社会进步论。

总编部分主要是社会学的基本概念那一章。在这一掌中,孙本文主要地说明了社会是什么？社会学研究什么？这两个问题。在说明社会是什么之前，先说明了"社会行为"。他说："社会行为是二人以上联合而互通声气时所表现的行为"。社会就是"表现社会行为的一群人。"但社会行为必须有"个人与个人间的心理上的相互作用"做基础，归根结底，社会行为还是"心理上的相互作用"的表现，这是很明白的。其次，著者对于社会所下定义是："凡表现社会行为的一群人就可称为社会。"接着他把社会分为广义的和狭义的两种。广义的社会是："人类就是社会，社会就是人类"。狭义的社会有"团体社会"和"区域社会"两种。所谓团体社会就是："朋友团体、同乐会、工会、学会、政党、种族、全人类"；区域社会就是："家庭、邻里、乡村、都市、行省、国家、世界"。这些区域社会和团体社会都是广义社会的另一种说法，即它们都是一群人，都是人类。他这样把社会说成人类，把历史上各阶段上的社会如原始社会、奴隶制社会、封建社会、资本主义社会和社会主义社会都消解于社会即人类的概念之中了。

至于社会学研究什么呢？首先，著者把社会心理学所研究的社会行为作为研究对象，说"社会学是研究社会行为的科学"。但所谓"社会行为"实际上是人们间"心理上的相互作用"所表现的"交互与共同行为"，所以"研究社会行为的科学"实际上是研究"心理上的相互作用"的科学。历史唯物论者说：各个发展阶段上的社会都是特定生产关系的总体；资产阶级社会学者说：社会就是"表现社会行为的一群人"，即有"心理上的相互作用"的一群人。前者主张社会存在规定社会意识，后者主张社会意识规定社会存在。历史唯物论者主张：研究社会的科学应当阐明社会发展的一般的客观规律；资产阶级社会学者主张：社会学只是研究社会行为即心理作用，不研究什么客观规律。

其次，著者在说明社会因素的一编中，用了很多篇幅列举了影响于社会的成立和发展的许多因素即地理因素、生物因素、心理因素和文化因素四大类，凡是与社会有关系的因素，他几乎都提到了，只是对于经济即生产关系的因素却绝对不谈，而这正是历史唯物论所注重的最根本的因素。著者所说及的地理的因素完全是地理环境的社会观，我们在前节中已经批判过了。在说及生物因素时，著者重视了人口问题，并且宣传了马尔萨斯主义。在谈到心理因素时，著者说，个人的心理特质，个人与个人间的心理的相互作用是社会成立的基础,这完全是心理社会学的主张。著者还着重谈到了态度问题,说社会问题是由于人们"对某种状况或制度"的态度才发生的,这便是说,社会问题的发生是心理的原因,不是经济的原因。在谈到文化因素时,著者强调文化改造是社会改造的唯一先决条件,文化改造了,人心也改造了,经济也因而就改造了。他不赞成"马克思社会主义",不赞成"经济改造说",说它"误认经济要素为社会上唯一的支配力量,……故欲从经济要素方面下手,改造社会,亦不圆满。"这种文化决定论是反马克思主义的。

再次,在社会过程那一编中,著者把"二人以上的交互与共同行为"即"社会行为"的种种形式说成是社会过程。他把心理学上、生物学上和社会科学上一些概念,如接触、互动、暗示、模仿、竞争、冲突、顺应、同化、合作等说成是社会行为的各种形式。其中论合作一部分有这样一些主张:"合作为国家成立的原素","政府和人民之间尤必须有彻底合作的精神","厂主与劳工必须合作"。我们知道,资产阶级国家是资本家们合作组成的,与无产阶级无关;人民被迫服从资产阶级政府的统治,劳工被迫遭受厂主的剥削,绝谈不上什么合作。

其次,在"社会组织和社会控制"一编中,著者把社会组织说成是行为规则和制度的特殊系统,因而把社会的阶级的组织给解消了;把社会控制说成是"社会所加个人行为的任何约束",因而把剥削阶级对于被剥削阶级的统治给解消了。

在"社会变迁与社会进步"一编中,著者把社会变迁归结为文化变迁,并把社会变迁的原因归结于"发明"。他把社会变迁分为寻常的与非常的两种:寻常的社会变迁与社会进化的意义相似,包括有计划的社会改良在内;非常的社会变迁,就是革命,革命的发生则由于文物制度不能适应环境的需要,由于"社会上不知顺应潮流,力谋改革,以应环境的需要"。在这里,著者并没有说起什么阶级革什么阶级的命,也没有分析革命的性质(资产阶级的或无产阶级的),只是含糊地说起革命,并且认为革命是"社会不幸的现象",感到害怕。著者还谈到社会问题的发生是由于文化失调,这与他所说的革命的发生的原因是相同的。著者不知道从社会的经济制度和阶级关系中探求革命或社会问题发生的原因,而只是用文化的概念来做游戏。同样,著者把"中国近代社会变迁的原动力"归结为西洋文化的输入,对于百年来帝国主义对于中国的侵略,绝口不谈。最后一章,著者就全书做了"总结",标明为"社会学原理的应用"。他着重地说:"我人并不反对唯物史观,我个人反对用唯物史观解释社会学,使社会学误为一种史观,一种主观的见解。"又说:"社会学既不是社会主义,又不是唯物史观,而是一种研究人类社会行为的科学。"孙本文很坦白,他们的资产阶级社会学是反对唯物史观的。他在这一章中提出改良主义五个原则作为他自己对人类各方面的"重要贡献"。最后说起"人力控制社会的困难及其可能范围",表现了他对于社会现象的不可知论。但他认为社会现象的变迁虽不可知,却可以决定社会建设计划予以指导,可以通过"领袖、组织、教育、宣传与立法"五种推进要素的作用,求其实现。这些话显然是为当时的蒋介石集团献策的。

我对于孙本文的《社会学原理》一书的评介,到此结束,总的评语是:这本书是西方各派资产阶级社会学的合订本,全书贯穿着主观唯心主义的观点和形而上学的方法;在理论上,反对马克思主义,反对历史唯物论,宣传改良主义;在政治上,粉饰阶级斗争,反对革命,隐瞒帝国主义、官僚资本主义和封建主义在中国的统治,引诱他所教的青年们离开当年中国共产党所领导的反帝反封建的人民革命,为蒋介石集团的政府服务。

《哲学研究》1958年第6期上发表了孙本文写的《批判我旧著〈社会学原理〉的资产阶级思想》和庄福龄写的《不能忽视〈社会学原理〉在政治上的反动影响》。在前一文中,孙本文选择他的代表作进行自我批评,联系他在科学院座谈会上关于《坚决反对资产阶级社会学》的发言,这种转变是值得欢迎的。但如庄文所指出的,孙本文的自我批判是不够深刻,不够诚挚的,特别是他没有触及他这本书在政治上的反动影响。又如他把立场、观点和方法分为三截,说某几点与资产阶级立场有关,某几点与唯心主义观点有关,某几点与形而上学的方法有关,像这样的分割方法,表明了他的转变还没有彻底,还须勇敢地再进行自我批判。

三、费孝通的买办社会学

费孝通在《关于社会学,说几句话》①中说:"我得交代一下,我个人和社

---

① 见1957年2月20日《文汇报》。

会学的关系。我读书和教书的时候,的确一直和社会学有点关系的,但实在说来,我和一批朋友却也一直是在这个牌子底下搞私货,叫它什么学也说不清楚。这私货就是少数民族、农村、市镇、工厂的社会调查。这套东西在英美正牌的社会学家看来是行外的;……要找个说法,我们就说,我们是用人类学的方法来调查研究中国现代社会的社会学。……我觉得一直有些搞私货的味儿,说得好听一些,是一个旁出的学派。"

费孝通大言不惭地说起"我们",即"我和一批朋友",原来是在社会学"这个牌子下搞私货"的人,"是一个旁出的学派"。他们叫嚷着要恢复的资产阶级社会学,原来是在社会学这个牌子下搞出来的"私货"。这里单只就他们所搞出来的"私货"加以批判,并指出他们政治目的;而被批判的人,也暂以费孝通、吴景超、李景汉、陈达、潘光旦等五人为限。

费孝通的买办社会学可分为中国的社会结构、经济结构和社会调查三个部分。① 他的中国社会结构论表达在他所写的《中国社会变迁中的文化症结》和其他几篇小论文中。依据他的说法,中国的社会结构是孔子给"规划出来的"。这个社会结构,以人伦为本位,以亲属关系为基础。他说:"儒家注重伦常,有它的社会背景。中国传统社会结构的基础是亲属关系。亲属关系供给了显明的社会身份的基图,夫妇、父子间的分工合作是人类生存和绵续的基本功能所必需的,……而且以婚姻和生育所结成的关系,一表三千里,从家庭这个起点,可以扩张成为一个很大的范围。"他又在《差序格局》的论文中说:"从生育和结婚所结成的网络可以一直推出去包括无穷的人,过去的、现在的和未来的人物。……这个网络像个蜘蛛的网,有一个中心,就是自己。……从己到家,由家到国,由国到天下,是一条通路。中庸把五伦作为天下之大道。因为在这种社会结构里,从己到天下,是一圈一圈推出去的。"综合费孝通的见解,中国社会结构的基础是以人伦为本位的亲属关系的总和。因此,他认为中国社会秩序的维持,不是依靠人治或法治,而是依靠礼治,所以他把这种社会叫做"礼治社会"。费孝通所描写的中国社会的轮廓,大致如此。

费孝通说到中国社会的经济结构时说,中国经济是一种"匮乏经济",这

---

① 参见李达:《费孝通买办社会学的批判》,上海人民出版社出版。

是与"礼治社会"相配合的,因为"礼治社会"中的人习惯于"知足、安分、克己",所以甘愿过"匮乏的生活"。他说:"中国是个农业国家。中国人民的生活多少是直接用人力取给于土地的。土地经济中报酬递减原则限制中国资源的供给。其次,我们可耕地的面积受着地理的限制。这个旧世界是一个匮乏的世界,多的是人,少的是资源。马尔萨斯的人口论似乎最适合于中国的情势了。"这就是说,中国经济匮乏的原因是由于人多资源少,又因为受了儒家"知足"教条所限制,不能发展科学和技术,向外开辟资源,以致人愈多资源愈少。这种"恶性循环"只有用马尔萨斯所提供的方法(使劳动人民饿死和绝育)来减少过剩人口了。

费孝通的中国社会结构论和经济匮乏论,表白了下述四点反动性:

(一)捏造中国社会是以人伦为本位、以亲属关系为基础的"礼治社会",没有阶级分裂和阶级斗争,因而共产党所领导的人民革命是不能成功的。

(二)中国的经济匮乏是由于人民的"安分、克己、知足"和人多资源少,与帝国主义和封建主义的剥削和压迫无关,因而宣传马尔萨斯主义。

(三)他告诉帝国主义者:中国人民重礼节,安分,克己是容易征服的(中国社会结构和匮乏经济的谬论,是他在伦敦经济学院讲演的)。

(四)费孝通的中国社会结构论和匮乏经济论完全从梁漱溟那里剽窃得来并拿到英国去贩卖的,标明了他自己是一个文化买办。

其次,费孝通所做的中国社会调查工作,更是反动透顶。第一,他所应用的方法是他的老师马凌诺斯基所应用的调查殖民地社会的方法,并且是遵照他的老师的意志搞社会调查的。第二,他受了帝国主义文化侵略机关的雇佣和资助才搞社会调查的。1936 年,费孝通所写的《江村经济》即英文书名《中国农民生活》,是马凌诺斯基嘱咐他写的。他因为写了这本书就取得了博士学位,并因此书在英国出版获得大宗稿费,真是名利双收。而这书的内容,则是反共反革命,为地主、高利贷者和买办资产阶级服务,为帝国主义供给情报。1939 年,费孝通取得了中英文化基金的津贴,到云南禄丰县一个村庄作了调查,写成《禄村农田》一书,译成英文,拿到美国出版。又,1947 年,美帝所把持的文化侵略机关——太平洋学会要他写一本《中国士绅》的书,并且预付了稿费,他就凑了几篇文章交给美国世界主义者雷得斐尔德,于 1953 年在美国出版。雷得斐尔德给《中国士绅》这本书作了序言,序言中透露了费孝通预定要成为"中国共产党政府的一个'忠实的反对党'的组成部分"[①]。《中国士绅》这本书,据杨志成教授的揭露,其内容是拥护帝国主义、封建主义和官僚资本主义在中国的统治,主张实行英美改良主义,反对解放战争和抵抗土地革命,专为美帝国主义侵华政策服务的言行录。

1949 年,全国解放以后,费孝通就实行他要做"共产党政府的一个'忠实的反对党'的组成部分",继续进行反对共产党的阴谋活动,继续做帝国主义者的情报员。首先,在 1949 年高等教育委员会计划取消社会学系的时候,他就纠合他的朋友表示反抗,以致推迟课程改革。当 1952 年院系调整取消了社会学系以后,他更为不满,就串联旧日那些搞资产阶级社会学的人,挑拨他们反党的情绪,企图为章罗联盟罗致一批知识分子,作为反党反社会主义的政治资本。他一面利用党对知识分子改造问题的关心,一面放肆地叫嚣要恢复资产阶级社会学。到了 1957 年,他公然向党摊牌,拟出恢复资产阶级社会学系和集合大批资产阶级社会学者组织社会学会的计划,公开向党进攻。他为了要污蔑党的政策并向帝国主义者供给情报,写了《重访江村》的书,一面在《新观察》上发表,一面要译成英文送到英国出版。《重访江村》的反动内容,已由许多社会科学工作者充分揭露了出来,我在《费孝通的买办社会学批判》中也加以驳斥。这本书的反动内容是:反对土地改革与合作化运动,反对党的统购统销政策,挑拨农民对党的关系,给帝国主义者送情报,给章罗联盟提供反党的资料。

费孝通在社会学的牌子下搞出的"私货"原来如此。

四、吴景超的社会学著作与社会调查

吴景超是首先叫嚣要恢复资产阶级社会学的人。他在《新建设》杂志1957 年 1 月号发表了《社会学在新中国还有地位吗?》的文章。他说:"在百家争鸣的时代,我认为在我国哲学系中,还有设立社会学这门课程的必要。在这一门课程中,可以利用历史唯物论的原理,对于资产阶级社会学进行系统的批

[①] 参见黄勤:《费孝通所谓社会学研究的真正面目》。

判,同时也尽量吸收其中合理的部分,来丰富历史唯物论。"这是吴景超主张恢复资产阶级社会学的理由。如前面所说,西方资产阶级社会学完全是反革命的,并没有可以为历史唯物论所吸收的"合理部分",现在我们只能检查吴景超本人的资产阶级社会学有没有什么"合理部分"可以为历史唯物论所吸收。

吴景超应用西方资产阶级社会学的理论写过几本书和一些论文,对于国家问题、劳工问题、农民问题、外国人在华投资问题、人口问题等,都发表了自己的主张,此外还做过社会调查,下面分别加以评介。

第一,在国家问题上,他认为国家的起源是战争,国家的方法是武力,国家的目的是侵略和掠夺。因此他主张国民党反动政府的首要职务是消平内乱,肃清土匪,给人民以法律制裁,而行使这个职务的手段,就是武力(《社会组织》)。当蒋介石集团于1933年兵出百万革命根据地进行第五次"围剿"时,他就大喊"武力统一"。他说:"除却武力统一的方式以外,我们看不出有别的方式可以完成统一的使命。"(《革命与建国》)他反对别人主张蒋介石裁兵。他说:"我们如替中央政府打算,看见他们一方面要打共产党,一方面要维持中央的地位,不为野心分子所推翻,就可知要他们裁兵,是一句很不中听的话。"(《裁兵问题》)这些便是吴景超拥护蒋介石用武力打共产党的主张。

第二,在劳工问题上,他公开宣称马克思主义消灭阶级和消灭剥削的理论是"永远不能达到的。"他认为劳资两阶级的矛盾完全可以在资本主义制度的基础上获得解决,"所谓公平的社会是不消灭阶级也可以达到的。"他认为阶级是永远存在的。他说:"社会上有组织的生活以及人类在生物方面的不平等,乃是阶级社会的最后堡垒,就是共产主义的……大炮也是毁灭不了的。"(《阶级论》)他又主张反动的国民政府组织黄色工会。他根据资本主义国家镇压工人运动的经验着重推荐加拿大的"强迫调查"和意大利的"强迫调解"的方法,企图用"软硬兼施"的手段,来扼杀工人运动(《剿匪区中的劳工政策》)。

第三,在农民问题上,他首先搬出了马尔萨斯的人口论,来作为破坏土地革命的理论武器。他说:"中国农民何以老在贫穷线以下过日子,……原因……并非时人所说的'帝国主义'及'封建残余',而是中国农民人口太多"

（《土地分配与人口安排》）。从这个谬论出发，他提出解决农民问题的两个最重要的方法，第一是节制生育，认为中国人口不能够超过两亿。他说："假如……不设法使生者更快地下降……恐怕马尔萨斯所说的积极的节制，如瘟疫、饥馑、战争等不幸，都会——光顾中国了。"（《中国的人口问题》）第二是迫使农民出卖土地成为无产者然后到工厂做工（《社会组织》）。

第四，在外国人在华投资问题上，他对于帝国主义在华投资是极表欢迎的。他说："一般人的心目中，每有一种误解，以为外人在华设厂，把中国人的钱赚去了，从中国的立场看去，是一种吃亏的事。这种误解，有加以清算的必要"。接着，他就说："我们不但欢迎过去已经在华开设的工厂，继续在华开工，而且欢迎将来还有新的外厂，在中国设立。"

以上就是吴景超所发表的反动主张。此外，1946年，他以"钦差大人"的身份，"周游"了黔、桂、粤、湘、赣五省，进行了所谓"社会调查"。调查的对象是伪乡长、保长、县长、社会局长、警察局长、三青团书记长等人，他根据这些国民党反动派的爪牙所提供的材料，写了一本十万言的题为《劫后灾黎》的反动小册子。在这本小册子中，他对美帝国主义和国民党反动派所给予中国人民的苦难，极力加以粉饰，说什么政府对于人民的"这样优待，在中国的历史上，找不到第二个例子"，是"史无前例"。

吴景超由于运用资产阶级社会学，忠心耿耿地为蒋介石集团服务，因此很快地得到了主子的赏识。从1936年到1946年的十年间，他先后担任了伪行政院秘书、伪国防最高委员会参事、战时生产局秘书长、善后救济总署顾问、三青团经济处副处长等反动要职。1947年，当蒋家天下快要完蛋的时候，他以"民主个人主义者"的身份与钱昌照等人组织"中国社会经济研究会"，主编《新路》，企图团结一切"民主个人主义者"，实行美帝国主义的所谓"革新"政策，挽救垂死的反动统治。但是，好梦不常，全国很快就解放了。

综上所述，我们可以看出，吴景超的资产阶级社会学是为帝国主义和蒋介石集团的反动统治服务的，是历史唯物论的对立物，根本谈不上有什么可以为历史唯物论所吸收的"合理部分"。

全国解放后，他抱着反共反人民的宿愿，混入民盟，作了罗隆基的谋士。他对于取消社会学系极端不满，与罗隆基、张东荪等一起反对院系调整，抗拒思想改造。在 1957 年党号召进行整风运动的时候,他更积极地参与了章罗反党联盟的各项阴谋活动。6 月 2 日他参加了章伯钧召集的北京五大学的汇报会议,4 日他又参与主持民盟中央的取消党委制的会议,六日他参加了章伯钧召集的六教授会议,9 日他参加了图谋资产阶级社会学复辟的会议。在这些会议中,他们阴谋策划,企图推翻共产党的领导,取消无产阶级专政,实现资本主义复辟。他们之所以极力图谋恢复资产阶级社会学,除了为资本主义复辟建立"理论基础"外,并妄想以此招兵买马,通过在各地组织社会学会,广泛地收罗他们的同路人,企图造成他们反党反人民的政治力量。

五、李景汉的社会调查

一切图谋资产阶级社会学复辟的右派分子,都经常吹嘘陈达式的国情普查和李景汉式的农村社会调查。现在我们来检查一下李景汉式的社会调查。

首先,我们看这位"专家"几十年来干了些什么?

李景汉式美帝国主义直接培养出来的资产阶级社会学者。1924 年回国以后,他和美帝文化特务甘博尔在北京城内做社会调查,1926 年他又参与美帝文化侵略机关——中华教育文化基金董事会在北京郊区进行调查。他们调查的目的是专门收集中国人的"弱点",为帝国主义及国内反动阶级统治中国人民寻找根据。李景汉回国后的第一篇文章就是《中国人的普通毛病》。他要中国人民忍受帝国主义及封建势力的统治,说什么"吃粗粮尤胜于饿死","住破房尤胜于冻死"。他反对反帝反封建的革命运动,认为反帝反封建会使老百姓大受其罪,把国家弄到亡国灭种。这是他回国后在大革命时期所干的事。

第二次国内革命战争时期,他在美帝走狗晏阳初所主持的中华平民教育促进会定县试验区担任社会调查部主任。他在平教会定县实验区,曾与定县政府和公安局共同搞了一个人口调查。这个调查时奉国民党清乡局的命令来作的,调查的任务是为了肃清"匪患"(即搜捕我地下工作人员)。在调查中,他们使用了敲诈勒索、威胁利诱、恐吓欺骗等手段。

抗日战争时期,他在国民党中央训练团高级党政训练班讲授社会调查,讲授的内容是特务性的政治调查。在他所讲授的调查提纲里,包括有共产党领导下的军队、群众团体、地下组织近十年来的发展变化等项目,而且特别注明,要注意保密。

其次,我们来检查这位"专家"在解放前所发表的社会调查著作,看他对中国社会问题发表了那些"高见"。

第一,他把中国社会的基本问题归结为贫、病、愚、私四大问题,认为解决这些根本问题的办法,是加强对农民进行教育,即以生计教育来救贫,以卫生教育来救病,以文艺教育来救愚,以公民教育来救私。

第二,他认为解放前的中国社会不是一个封建半封建制度占优势的社会,并极力掩盖封建势力和广大人民大众的矛盾。他分析旧中国的土地制度和阶级关系说,农村中耕者有其田的农民占91%—92%,纯佃农只占5%。耕者有其田的土地占87.8%,而出租土地只占12.2%。从来没有听见过地主无理压迫农民的事情,也没有听说过农民反抗地主的事情发生。地主、富农对待雇农的衣食住行是照顾得十分周到的,每逢年节地主都要给长工加酒加肉,还有水果点心,临走时还给他们四十个馒头带回家去。高利贷者和债户之间的关系也很和谐,债户到期不能偿还债款的时候,债主的态度大半颇为和平,所以为欠债而起纠纷者甚少。他依照这样的胡说,就认定在中国农村里根本没有什么封建的压迫和剥削,共产党领导的革命是不会成功的。

第三,他反对共产党所领导的土地革命,主张由国民党反动派来解决中国的农村问题。首先,他把旧政权加以美化,把军阀政客豪绅统治下的定县描写成模范县,把定县的翟城村描写成模范村,而且还把阎锡山统治下的山西省描写成模范省。接着,他就说,"解决农村问题之先决问题的先决问题,是政府有无决心与诚意的问题","吾人在此民族危急存亡之秋,不得不切望今日负责之当局"成为解决与推动农村问题之"中枢"。他把共产党领导下的人民革命污蔑魏土匪军队之扰乱,他说:"土匪军队之扰乱,必须要用政府的力量来解决"。

李景汉在解放前的农村社会调查的实质就是如此。

解放后,李景汉仍然坚持反共反人民的立场,积极参与章罗联盟的反党反社会主义的阴谋活动。他们图谋组织"社会学工作筹备委员会",规定要由他们这些"社会学界同人"负起在北京及其他地方进行调查研究的各项任务。

如果他们的阴谋得逞,他们将会调查些什么? 作出些什么结论呢? 李景汉在解放后所作的社会调查报告为我们提供了答案。

李景汉在解放后主要发表了两篇关于社会调查和社会学的文章。一篇是《北京郊区农民生活的过去和现在》,另一篇是《论中国农村的人口问题》。在后一篇文章中,他搬出马尔萨斯的人口论。他说,中国又发生新的就业和谋生的问题;中国历史上的农民起义和现代的人民革命战争,其原因都是因为中国农村人口过剩的缘故。在前一篇文章中,他把 1956 年高级农业合作化后的农村面貌描写得一团漆黑,说农民这也不自由,那也不自由,对于党和政府感到很大的失望。过去把人当牛马使用,这是不对的,今天又把人来当拖拉机使用。他还说,在合作化以后,特别是实行"五保"以后,老人被赶出了门,很多老年人对自己的前途感到凄凉,从而起了轻生的念头。妇女参加劳动,损害了妇女健康,而使家庭变成了旅馆,小孩子对父母很生疏。实行统购统销政策后,白面不能吃,香油又不够,麻买不到,做不出鞋子穿。他还挑拨城乡关系说,"农业不大起色,还是干工厂",因为在工厂做活,少着一个月也拿五六十元。现在农村妇女都愿意到城市里去找爱人,农村中剩下的都是一些丑媳妇。在李景汉的笔下,我国解放后农民的生活就是这样的悲惨。

综上所述,我们可以看出,李景汉的社会调查在解放前是为蒋介石的反动统治服务,在解放后是为反党反社会主义的章罗联盟服务。一切企图恢复资产阶级社会学的右派分子所以要竭力吹嘘和美化他们的社会调查,正是由于他们怀着不可告人的目的,企图利用社会调查作幌子为他们的阴谋活动制造和寻找所谓"事实根据",从而向党向人民发动猖狂进攻。

六、陈达的"劳工问题"与"人口问题"和"社会调查"

陈达是国民党反动派统治时期有名的"社会学家",特别是"劳工问题"、"人口问题"和"社会调查"的"专家"。他在"劳工问题"和"人口问题"上的根本主张,主要是见之于他的代表作《中国劳工问题》、《人口问题》及《南洋华侨与闽粤社会》三书。这里我们分别加以评介。

在劳工问题上,他站在资产阶级的立场,极力拥护资本主义制度,反对社会主义革命。他认为"社会里有一部分人要终身受雇于资本家"乃是天经地义的事情,资本主义社会"实为自由劳工时代",社会财富的产生,"资本、土地、管理、劳工四种要素都有功劳",因此,"都须有相当的报酬"。他污蔑罢工是"损害社会利益","社会不安大概是由于工人的骚动"。他主张反动政权应该对罢工运动实行血腥镇压,他说:"军警和捕房弹压是他们职分内之事","政府用武力完全是为维护治安或执行法律,遇必要时可以剥夺人民的生命"。他把共产党所领导的工会运动称做"过激派"。他歪曲"五卅"运动说:"有些人要利用时机宣传共产主义"。当1927年大革命失败后,他兴高采烈地说:"劳工会左倾的势力,将更受打击无疑"。对于所谓解决"劳工问题",他提出了两个办法。第一,他要工人们"加强成绩竞争",即为资本家创造更多的利润;同时,要"减轻存生竞争",不要向资本家进行斗争,即使经济斗争也应该放弃。第二,他认为不应该提高工人的工资,与其提高工人的待遇,还不如要工人节制生育。他说:"工人的进款增加,奢侈的恶习跟着发现,劳力供给因受刺激而增加,生殖率因此提高,社会痛苦因此产生。"

在人口问题上,他是新马尔萨斯主义者,认为中国社会贫穷国家衰弱的原因主要是人口太多,中国人口最好是两亿。他说:"马尔萨斯著《人口论》时,已觉当时我国人口太密,他以别人的观察为根据,以为我国的国土若增加4倍,全国的人民才能得着安舒的生活。我国今日的人口比那时增加许多,但国土反而减少(当时日本占领了我国东北四省),人民的生活竞争当然愈形剧烈。"他提出收复我国东北四省的办法,首先是减少中国的人口。他说:"为求四省的恢复……比较根本的问题恐怕还不是军备,而是人口的减缩。"

关于陈达的社会调查,尽管图谋资产阶级社会学复辟的右派分子大言不惭地吹嘘,说什么只有"陈达式的国情普查和李景汉式的农村社会调查,才能避免荀子所说的乱于差,而达到详而治"。但是如同上面对李景汉所批判的,陈达的社会调查丝毫也不因为右派分子的吹嘘而增加光彩。他所作的每次调查,差不多都有一定的政治目的,调查的对象在农村主要是伪保、甲长,在工厂主要是资方人员。例如,南洋华侨调查,是受太平洋国际学会之托。云南四县的户籍调查,是由伪内政部、伪省政府同陈达的国情普查研究所合作办理的,目的是强化户政,编制保甲,便利派款、抽丁和"查究奸小"。云南三县社会行政调查,是受伪社会部长谷正纲的委托进行的。1945年和1946年在昆明、重庆、上海所作的工厂调查,先是受美国国务院之托,后又同谷正纲、吴开先(伪上海市社会局局长)合作完成的。

陈达所谓"中国劳工问题"、"人口问题"和"社会调查"的实质就是如此。但是,由于他一贯站在反动立场,"创造性"地运用资产阶级社会学的理论,为国民党的反动统治和帝国主义的侵略服务,因此深得国民党反动派和帝国主义的信任与重用,是当时红极一时的"学者"。蒋介石曾单独请他吃饭。他先后担任过伪内政部户政司司长、伪国民主计处顾问、伪中央训练团党政高级班教官等反动要职,多次参加反动政府召集的会议。他在《浪迹十年》一书中自供说:"中央政府为讨论和决定国策时(如社会政策),余曾屡次被约赴会,参加愚见。云南省政府为推行户政,亦曾同余合作。"他和美帝国主义的关系也很密切。抗日战争期间他在长沙时,家中书电来往,均由美国领事馆转交。他向美国寄交稿,也由美国领事馆以外交文袋发送。

全国解放后,人民政府取消了社会学系,不让陈达这类"社会学家"再向青年学生散布毒素。这一措施,无疑是十分正确的。但是,陈达数年如一日地仍然坚持反动立场,同章罗联盟骨干费孝通等在一起,进行一系列的图谋复辟资产阶级社会学的活动,妄图为复辟资本主义开辟道路,这是我们绝对不能容许的。

七、潘光旦的优生学

潘光旦在解放前担任了近十年的社会学系主任,运用法西斯种族主义理论和马尔萨斯人口论写了很多关于社会学的著作,并培养了像费孝通这样的"高足",是"社会学之家的家长"。但是,在这次交代中,他说什么自己根本与社会学无关,对社会学不感兴趣,他是生物学家。现在我们来看看他贩卖的到底是些什么货色。

我们知道,在资产阶级社会学中有各种各样的流派,如什么"生物学派"、"地理学派"、"心理学派"、"文化学派"等等,其他的支流支派还有很多,花样翻新,不一而足。但是,资产阶级社会学的流派不论如何复杂,其根本态度是一致的,都是为帝国主义、资产阶级服务的说教。潘光旦就是属于这类资产阶级社会学中的"生物学派"。他把社会上的人分为两种人,说什么"龙生龙,凤生凤"。一种是"上层社会"的人,即资产阶级、大学教授等,这种人在遗传上是好种,应该多生子女。一种是"下层社会"的人,即广大的工农劳动群众,这种人在遗传上是坏种,应该少生、最好不生子女。现在人口发展的趋势像一座金字塔,"上层社会"生的子女少,越"上层"越少,"下层社会"生的子女多,越"下层"越多,这样受了先天和后天的影响必然地造成了世界文化和世界人种的危机。为了挽救这种危机,广大工农劳动群众必须采取厉行绝育的办法。潘光旦又把人类分为白色、黄色、黑色及混合色四人种。在这四种人中,白色人种特别是白种雅利安人最优秀,黄种人次之,黑种人又次之,混合人种最为低劣。世界上只有纯粹的白种人是世界的主宰,帝国主义白种人侵略其他人种起着开发这些"落后地区"的作用。

潘光旦对于帝国主义侵略中国是举双手赞成的。像费孝通等一切文化买办一样,他也是一员帝国主义文化侵略的急先锋,没有任何国家观念和民族观念,经常是卖国通敌。在他所著的《民族特性与民族卫生》一书中,整段地抄录了帝国主义特务 Smith 侮辱中国人的言论,采用了如没有神经的中国人、有私无公的中国人、无恻隐之心的中国人、尔虞我诈的中国人等标题。在书的序言中他还说,这个特务对中国有"彻底的研究",他并不是走马看花,捕风捉影,而是对中国人的"逼真的写照"。为了证明中国人是"没有神经",他进而引申说,中国人睡在什么地方都可以,枕头无论是用什么材料做成的也没有关系,可以使用木头做的,可以是用草做的,也可以使用石头做的,因为他们根本"没有神经"。

潘光旦一方面贩卖反动透顶的资产阶级社会学,为帝国主义的侵略和国民党反动派的统治作辩护;另一方面数十年如一日地反苏反共反马克思列宁主义。在他替费孝通的《生育制度》一书所写的序中,把马克思主义说成是新宗教,说第二次世界大战是共产主义宗教和法西斯宗教的战争。全国解放初期,他担任清华大学图书馆主任时,利用职权不许开辟马列主义阅读室,反对把《新民主主义论》等进步书籍放进图书馆,认为这是宣传品,没有学术价值。与此同时,他却让《中国之命运》和《我选择了自由》之类极端反动的书籍长期在图书馆流通。他还对青年学生说:"马列主义只是一家之言,你们不要一往情深,入了迷!""共产党好像中世纪的天主教,共产党员是牧师,马列主义是圣经,人民是上帝,坦白和忏悔差不多!"他把反动透顶的白俄贵族苏洛金(So-rokin)的著作《当代社会学说》当做教材,向青年学生介绍。

潘光旦还利用社会调查作幌子,置七十多万人的湘西苗族和土家族的利益于不顾,和右派分子向达以及湘西土家族中的少数右派分子勾结在一起,进行了一系列反共反社会主义的活动。他们挑拨苗族和土家的关系、土家内部的关系、土家与党的关系、省与苗族自治州的关系、中央与地方的关系,阴谋进行分裂活动,企图扩大他们的势力,建立跨有几省的自治区。

剖视潘光旦的"理论研究"工作和社会调查就是如此。

总括上面对费孝通、吴景超、李景汉、陈达和潘光旦的评介,我们可以得出这样的结论:资产阶级社会学是为帝国主义、官僚资产阶级服务的说教,它的体系是彻头彻尾反科学的。费孝通等人的社会学更是买办社会学,没有丝毫学术的气味,他们几十年来所干的活动,一方面是贩卖资产阶级的"学说"或"理论",借以毒害中国的知识分子和青年学生;另一方面是用"社会调查"作幌子搜集中国政治和经济方面的资料,用两面派的手法写成报告送给帝国主义者作为拟订侵略政策的根据。他们叫嚣恢复资产阶级社会学的目的,是企图用腐朽的反动的资产阶级社会学来反对马克思列宁主义,特别是反对历史唯物主义,第一步夺取学术思想界的领导权,第二步夺取全国的领导权,来实现章罗联盟的反动的政治纲领,使资本主义在中国复辟。

附注:关于费孝通等人的学说的批判,参考了中国科学院哲学社会科学部所召开的"反对资产阶级社会科学复辟"座谈会上的发言。

第四章　生产力与生产关系

第一节　劳动过程

一、劳动过程的三要素

人类社会为要继续存在,第一件根本事情,是取得物质生活资料。为要取得物质生活资料,人类首先要到外部自然界去采取并变造自然的存在物。这种到自然界去采取并变造自然的存在物的活动就是劳动。这劳动是人类求生存的第一个前提。"不要说一年,就是几个星期,如果停止了劳动,任何国民也都要死灭,这是小孩们也都知道的事情。"①因此,我们的研究,从劳动的分析开始。

"劳动首先是人类与自然间的一个过程,是人类以自己的行为来媒介、调节、并统制他与自然间的物质交换的一个过程。"②人类是当作一个自然力,和自然物相对立的。人为了取得生活资料,就运动自己的五官四肢去占有自然物,加以变造,使它适合于自己的目的。人类这样不断地向自然界作斗争,就逐渐地认识自然力的作用,认识自然的规律,同时又变化他自己的性质。所以人类与自然之间的这种"物质交换"的过程,就成为人类社会与自然环境之间的根本关系。在这里,劳动过程实现着社会现象和自然现象的统一。

人类是从类人猿进化而来的。在从类人猿到人类的进化的过程中,劳动起过很积极的作用。从类人猿到人类的过程,不是人类对于自然的纯生物学的适应的过程。这种进化过程,完全受了劳动的直接的影响,这简直就是人类

---

① 《马克思恩格斯文选》第2卷,第462页。
② 马克思:《资本论》第1卷,人民出版社1953年版,第101页。

劳动的发达过程。例如人类利用两足直立步行,只有在人类的两手做他种专门的机能时,才能发生,才有力量。所以人的两手不单是劳动的器具,并且是劳动的产物。只有依靠劳动的作用,只有利用两个前肢去适应于复杂的劳动作业,并使它继续发展,人类的两手才采取现在的形态。劳动助成了人类的结合,发展了发音的器官,发达了人类的头脑。脑髓、手、发音器官等的共同动作,促进人类有机体的发展,使他脱离了动物的境界。这是劳动在由猿到人的进化过程中所起到的作用。

劳动划分了原始人群和类人猿的鸿沟。随着劳动的进行,人类的脑髓便发达起来,能够创造出工具。于是人类的劳动便代替了动物状态的劳动。人类劳动的质的特殊性,表现于人类的有意识的劳动和劳动工具之中。因此,我们进而分析劳动过程的各种要素。

劳动过程的第一个要素是有意识的劳动。

劳动是劳动力的使用,即是劳动力作用于自然的状态。劳动力即是劳动能力,是存在于人类肉体中的种种物理的精神的能力的总括,是人类变造自然物为有用物时所运用的属于他肉体中的种种自然力和潜伏力。

人类的劳动,是和别种动物的劳动完全不同的。别种动物的劳动是本能的,无意识的,无目的的;人类的劳动是有意识的,有目的的。例如蜜蜂所造的蜂窝,任何建筑师也感到它的精巧。但是任何一个拙劣的建筑师却胜过最巧妙的蜜蜂,因为他在建筑蜂窝以前,总是先在头脑中设计蜂窝的图案,按照这个图案去做,他所做出的蜂窝,同他头脑中的图案是相同的,即是说,他所做的东西是已经存在于他的观念之中的东西。他不仅使自然物的形态变化,同时还在自然物之中实现自己的目的。所以人类的劳动总是有意识合目的的劳动。①

劳动过程的第二个要素是劳动工具。"劳动工具是劳动者用来放在他自己和劳动对象之间而替他传达他的活动于其对象的一物或诸物的复合体。劳动者利用物的机械的、物理的、化学的属性,把它当作工具,加力于他物之上,使它适合于他自己的目的。"②

---

① 参见《资本论》第 1 卷,人民出版社 1953 年版,第 102 页。
② 马克思:《资本论》第 1 卷,人民出版社 1953 年版,第 103 页。

人是制造工具的动物。人是使用工具去劳动的。在劳动过程中,劳动者不断地获得了劳动的经验和技术,不断地创造出新的劳动工具,因而不断地产生出使用新劳动工具的新劳动者。正是由于不断地出现新的劳动者和新的劳动工具,人类的物质生活就不断提高,达到现在的水平。劳动工具的历史,是从旧石器(主要地是投掷石器)到新石器(主要地是磨削石器、石斧、石刀、石枪、弓箭、渔具等)、铜器、青铜器、陶器、铁器的历史,是从手工器具到机器的历史。适应于劳动工具的使用和创造的状态,顺次地出现了狩猎业、畜牧业、农业、手工业;适应于金属的制造工具的继续改良,直到机器的制造,就出现了独立手工业、工场手工业、直到现在的机器大工业。由此可见,劳动工具发展的历史,也表现了经济生活发展的历史。所以马克思说:"劳动工具不单是人类劳动力发展的尺度,并且是劳动所由实行的社会关系的指标。"①

劳动过程的第三个要素是劳动对象。劳动者有了劳动工具,还必须有劳动对象,才能够变造自然物为有用物。劳动对象是劳动过程中所能加工的一切对象。自然界对于人类,是劳动对象的总和。劳动对象可以分为两大类,一是天然存在的劳动对象,二是经过劳动滤过的劳动对象。在天然存在的劳动对象中,有不待人的劳动加工而由土地和水供给的现成的生活资料,如野生的草木果实,退潮后的海滩上的鱼虾等,不过这类在土地上自然生长物的分量是很少的。自然供给这少数生产物给人,像给青年人以少数钱一样。其次,只要人们能支出劳动就可以从陆地和水中采取出来的东西,例如可以从原始森林中采伐出来的木材,可以从矿山采取出来的矿石,可以从水中捕获出来的鱼类,这些都是天然存在的劳动对象。至于经过以前的劳动所滤过的劳动对象,叫做原料,例如已经从矿脉分割出来而要加以洗涤的矿石,已经从森林中采伐出来的木材就是。"一切原料都是劳动对象。但一切劳动对象,却不一定都是原料。劳动对象必须已经由劳动引起了变化,才是原料。"②

劳动者、劳动工具和劳动对象,是劳动过程中的三个要素。在劳动过

---

① 马克思:《资本论》第 1 卷,人民出版社 1953 年版,第 105 页。

② 马克思:《资本论》第 1 卷,人民出版社 1953 年版,第 103 页。

程中,劳动者运用劳动工具加工于劳动对象,改变它的状态,使适用于自己的生活。在劳动过程终结时所出现的东西,是适合于人类目的的劳动生产物。

二、劳动过程的社会性

劳动过程是创造使用价值的过程。这使用价值的创造,虽由现实的生活的社会形态所决定,而对于一切社会形态都是共通的东西。在研究的程序上,我们是可以从一定的社会形态先把劳动过程抽出来观察的。所以我们在上面分析了的劳动过程,是从现实的社会生活的形态抽象出来的过程,是纯抽象的过程,并不是现实的存在着的过程。这劳动过程,只有在我们把它和社会关系一起来理解的时候,它才是现实的东西。

人类的活动之合目的的性质,以及作用于劳动对象的劳动工具之使用与创造,是从动物的劳动区划人类劳动的最一般的特征。由于劳动工具的使用与创造,劳动就同时获得了自然的方面和社会的方面。人类为了取得生活资料,就不断地运动自己的肉体器官,消费物理学以及力学等的能力,去作用于自然界,这是劳动过程之自然的方面。随着劳动的这种自然过程的发生,同时发生了对于人工劳动工具的相互间的关系,造出了劳动过程在其中进行的人工环境,造出了人类之社会的结合。这是劳动过程之社会的方面。劳动过程之自然的方面,是人类与自然间的物质交换的过程;劳动过程之社会的方面,是人与人之间的劳动交换过程。所以具体的、现实的劳动过程,是上述自然的方面与社会的方面之统一。

人不是孤独地从事于生产的,而是在社会之中生产的。人的劳动,是在社会之中进行的。人是社会的动物。人的生产,常是社会的生产,即是社会中被规定了的生产。所谓在社会外部的孤立的个人的生产,是抽象的,是无意义的。从人类的历史上来看,所谓个人,所谓生产的个人,总是隶属于更大的集体。在原始社会中,个人在最初完全隶属于家族,隶属于氏族,隶属于各种形态的公社,其后隶属于奴隶制社会,于封建社会。到了资本主义时代,社会关系空前发展,个人和社会的联系非常密切,离开社会的个人是不能存在的。这一事实是十分明显的。正如马克思所说:"人是严格字义上的社会的动物,不只是合群的动物,并且是只有在社会中才能独立的动物。"①即令是那些在海上遇到风浪,船只破坏了,漂流在孤岛上生活的人,或者是像刘连仁,他在1944年被日本军队从山东省掳到日本强迫劳役,他为了逃避日军的迫害,就在北海道穴居荒山13年。但他们在独居孤岛或荒山期间,所运用的生活技能也是原来从社会中学习得来的,而且他们最后也只有回到社会中来才能继续生活下去。

所以人类的劳动,总是社会的劳动。社会的劳动,只有在人与人的一定的社会联络及关系之中才能进行。一切人类劳动的一般特征,在社会的各个历史发展阶段上,在各个历史上特定形态中,采取种种不同的表现。因而人类的社会生活,具有特殊的社会的质,具有其历史的规定性。

如上所述,劳动过程的社会方面和自然方面,是互相结合的,但在两者的统一上,这社会的方面具有决定的作用,因为它是在劳动的历史的过程中发生发展的。社会的人依据有意识的劳动,运用自己所创造的劳动工具去变化外界的自然,并且认识它,同时,人类社会又接触于劳动工具制造的新源泉和新的劳动对象。随着劳动工具的发达,人类就变化劳动活动的性质、形式和方法,同时改造了他自己的本性。随着生产性质的变化,人类就发生了新的需要,而这种新的需要又使人们继续去改进劳动工具。人们一面变革自然,一面变革自己的本性,因而变革社会的环境。所以劳动过程的社会的方面,对于那自然的方面是起着主导作用的。

三、社会发展的规律必须在社会内部去探求

这里,我们提出社会发展的规律必须在社会内部去探求这一问题来加以说明。

如前所说,劳动过程是它的自然方面和社会方面的对立的统一。在这个对立的统一中,社会的方面起着主导作用。我们知道,社会是自然的一部分,是从有机体的发展过程中分化出来的。所以社会绝不能离开自然。但在另一方面,社会是与自然有区别的,两者是本质不同的东西。因而社会与自然是不

---

① 马克思:《政治经济学批判》,人民出版社1955年版,第147页。

同的,同时又是异质的。在我们分析的始点上,社会与自然,出现为对立的统一体。

社会是在有机界的一定发展阶段上发生的。在这一点,社会是与自然相结合。在有机界之中,有达尔文所发见的规律,这种规律的特征,大体上就是自然淘汰与生存竞争。一切生物,都不能不从周围的环境采取食物。因此,一切生物不能不适应于环境。人类这种生物,也是要从自然环境采取生活资料来维持生存。在这一点,人类和其他一切生物相同。但是除了和动物界相似的这种特征之外,人类还具有其固有的根本特征。人类具有和其他一切动物截然不同的适应环境的方法,这是我们在前面已经详细说明过的。

当人类依据合目的的活动,利用人工的劳动工具,作用于劳动对象,而生产自己的生活资料时,就脱离动物的领域而进到社会的领域。从这一瞬间始,一部分的自然的历史,就转变为社会的历史,支配那自然的历史的规律就转变为新质的社会的规律,因而在历史的发展中,外界自然就转变为隶属于社会的对象。这一切,都是人类创造了劳动工具的结果。所以从这一瞬间起,消极的适应于自然的过程,就转变为生产过程。

从有机体的发展过程中发生出来的人类社会,由于劳动工具的使用与创造,就从已经存在的自然,创造出新的自然。人类社会,开始了对自然的进攻,使自然从创造的地位变为被创造的地位。因为这样,所以社会规律和自然规律是不同的。

人类社会对于自然环境,虽起着主导作用,但在另一方面,自然环境对于人类的意义,却是不容轻视。关于这点,不能不有正确的估价。因为当作人类和自然间的物质交换看的人类劳动,对于社会具有重要的意义。自然的地理环境是社会生活的外部条件,气候、土壤、水流、矿藏、森林等,对于生产力的发展,具有一定的影响。良好的地理环境能促进社会的发展,贫瘠的地理环境能妨害社会的发展。但不论怎样,地理环境对于社会的发展却不起决定作用。社会的发展决定于生产技术发展的水平,决定于社会制度的性质,不决定于地理环境。

我们知道,在生产技术极其幼稚的时代,自然环境对于原始社会的影响是很大的。当时原始人只是利用粗笨的石器猎取动物为生的,当他们所能猎取的动物绝迹之时,他们就不能不从一个地方漂泊到别的地方。但是人们在与自然斗争的过程中,一旦获得了新的生产技术,他们就取得了新的生产力,形成了新的生产关系,而从渔猎生活进到农业或畜牧的生活了。于是从前自然环境对于原始社会的支配,就被打破了。从此,自然环境对于人类社会的影响,又显现于别的方面。而人类社会又不断地取得新的生产技术去打破它。所以自然环境对于人类社会的影响,因人类的生产技术的发达水准而异。从前障碍人群交通的河海,由于船舶的创造,这障碍就被克服了;从前窖藏地下的矿物,由于采矿技术的进步,这矿物就供人们利用了。由于生产技术的发展,不毛之地能变为工商业繁荣的区域,深山大泽能变为农产物出产的产地;远隔的朋友可利用电气交谈,偏僻的乡村可看到汽车驰骋。国与国之间,原料的输出与输入,有无相通。埃及的棉花可运到英国纺纱,中国的矿砂可运到别国冶炼。所以自然环境的条件不能限制生产技术和社会关系的发展,反而生产技术和社会关系的发展,能够利用自然环境的条件。即是说,自然环境的利用,由生产技术的可能性所决定,由社会的条件所决定。而生产技术的可能性与社会条件,只有在一定生产关系之下才是可能的。所以人类社会在各个历史的发展阶段上,能够适应于生产技术的状态,各色各样地去利用自然的环境。

由上面所说的看来,我们可以知道,社会发展的"终极原因",必须在社会关系之中去探求,在社会发展的规律性之中去探求,社会发展的原动力,存在于社会的劳动过程的内部关联之中,存在于的特定发展阶段的特定生产关系的特殊性之中,但是我们绝不能说,自然环境的外部条件对于社会的发展绝无作用。无论何时,我们决不能忽视:人类社会,在其历史的发展过程中,是从自然的内部分化出来的;人类的社会生活以及成为它的基础的劳动过程,就是人类与自然间的"物质交换",这种物质交换过程,包含着物理的、力学的等自然的方面;人类的劳动工具和劳动对象,都是人类所变造所利用的自然的物质和能力。在这种意义上说来,社会的生产过程所显现的自然环境的作用是很大的。但是如前面所述,劳动过程中的这些自然条件,在社会生活的种种制度的发展上,不能起主导作用。

我们着手分析社会时,是从社会的发展的内部条件与外部条件——劳动过程之社会方面与自然方面——之对立的统一出发的,但在两者之中,起着主导作用的东西,是内部条件。为要正确地估计自然条件的意义,我们必须从内部条件出发。在社会的初期的历史发展阶段上,原始人的生活是完全依存于自然环境的。即是说,自然环境对于原始社会,起过决定的作用。可是,社会发展的阶段愈是增高,经济制度愈是复杂,人类用作劳动工具和劳动对象的自然条件的性质,早已不依存于自然环境,而依存于特定经济制度的特殊性了。所以在社会与自然之对立的统一中,起着主导作用的方面,是社会而不是自然。

因此,我们对于社会的发展过程的分析及其发展规律的探求,必须从生产过程开始。

资产阶级社会学的地理学派,认为地理环境在社会适应于自然的过程中,起着主导的作用;人类社会在这个适应过程中只起着纯粹的受动作用,即是社会对于自然环境的受动的渐次的适应过程。因此,这一地理学派所引出的结论就是:社会发展的规律,完全受外界自然的规律所规定;各个民族的社会制度的差别根源于各个民族生存的自然条件的差别。这就是说,人类社会发展的原因,是在地理环境之中,不在社会制度之中。这即是所谓社会发展的外因论。这种主张,显然是错误的,非科学的。社会发展的根本原因,是在社会本身之中,不在外围的自然环境之中。例如欧洲许多国家,地理和气候条件是相同的,但它们发展的差异性和不平衡性却非常之大。东南欧各人民民主国家,十多年以前曾经是受着帝国主义侵略的国家,现在已经变为社会主义国家了。其他许多资本主义国家,从前称霸欧洲,现在则变为美帝国主义的仆从了。四十多年以前的俄国还是沙皇制度统治着,现在快要进到共产主义社会了。从前封建的闭关锁国的日本,后来变成帝国主义者,现在却被美帝国主义控制着。朝鲜和越南的北部的人民,不过几年,都脱离了殖民地的状态,变为社会主义国家。这些国家的地理和气候条件并没有变化。中国在一百多年以前还是独立的封建国家,1840 年以后,变成了半封建半殖民地的国家,现在已经是社会主义国家了,中国的地理和气候条件也没有变化。固然,地球和地球各部分的地理和气候也是变化着的,但其变化的显现,动辄以若千万年为单位,而人类社会的变化则是几千年、几百年、甚至几年或几个月(在革命时期)。所以社会发展的根本原因,不在地理环境之中,而在社会本身之中。按照历史唯物主义的见解,社会的发展,主要地是由于社会内部矛盾的发展,即生产力和生产关系的矛盾,阶级之间的矛盾,由于这些矛盾的发展,社会便由一个阶段跃进到高级的阶段。所以地理环境虽然是社会的物质生活必要条件,却不是决定社会发展的原因。

第二节　生　产　力

一、生产力是生产发展过程中决定的要素

我们把劳动过程和社会关系统一起来,就到达于生产过程。在生产过程中,有意识的劳动出现为生产的劳动,劳动工具(生产工具)和劳动对象出现为生产资料(包括土地、机器、器具、原料、辅助原料、森林、水流、矿源、生产建筑物、交通联络工具等等)。劳动力和生产资料都是生产的要素,都是生产力。

生产是人类社会运用劳动工具制造物质资料的过程。生产过程包括两个方面。一方面是社会和自然的关系,表现为生产力;另一方面是人们相互间的关系,表现为生产关系。生产力和生产关系形成辩证的统一。离开了生产力,生产关系不能成立;离开了生产关系,生产力不能发挥。所以我们说起生产力的时候,必须联系到生产关系;说起生产关系的时候,必须联系到生产力。

恩格斯说过:"依据唯物主义的见解,历史上的决定要素,归根到底是直接的生活的生产和再生产。"①因此,当我们说明生产力的作用的时候,首先要分析生产过程。

生产首先是社会对于自然的关系。这个关系是由劳动工具作媒介的。就生产上观察劳动工具时,劳动工具是在以前已经存在的东西。实际上,在生产过程开始以前,劳动工具必须当作已成的东西而存在,所以劳动工具起初出现为劳动的产物。人们运用已成的劳动工具开始新生产过程以后,不断地接触到新的资源,就能够依靠自己的经验和技能,再生产出新的劳动工具,因而再

---

① 《马克思恩格斯文选》两卷集,第2卷,第170页。

生产出运用新劳动工具的人（新劳动者）。照这样，生产又把新的社会和自然的关系再生产出来了。

生产过程是社会和自然的关系和人们相互间的关系的统一。生产只有当作社会的生产才是可能的。人们为要生产，必须结成一定的关系。只有在这种关系之内，人们才能作用于自然，才能生产。由此可知，生产过程是人们在一定社会形式中共同作用于自然并互相交换其活动以从事制造物质资料的过程。生产过程，一方面再生产出社会和自然关系，另一方面再生产出人们相互间的关系，这就是再生产过程。从这里，我们可以看到，社会发展的决定因素，必须在再生产过程中去探求。

生产过程，不论社会形态怎样，总是不间断的，总是不断地在一定的周期之内重新通过同一阶段。任何社会，正如不能停止消费一样，也不能停止生产。所以社会的生产过程，如果从其不断的流动和不断地更新一方面去观察，它同时是再生产过程。

再生产过程有单纯再生产过程和扩大再生产过程的区别。一个社会，在一定周期例如在一年的期间内，把生产物的一部分补充已经消费的生产资料（劳动工具、原料、辅助原料等），就可以用同一的规模去进行再生产或保存财富。这样的生产过程，就是单纯再生产过程。但是再生产过程，并不是每次采取同一规模而不断反复的停滞的过程。如果是那样，就会没有发展，没有历史，而只有永久的反复和停滞了。但是历史只在其一般的轮廓上是反复的，实际上生产的规模是不断扩大的，在没有特殊事变的范围内，生产资料的部类总是不断扩大的。这样不断用扩大的规模去进行生产的过程，是扩大的再生产过程。

再生产过程是人类（劳动者）与生产资料相结合的过程。在再生产过程中，人类起着积极的作用。人类由于变化了自然，生产出新的生产资料，同时又变化了自己的本性。这样，人类和生产资料及其关系的再生产，就是人类和生产资料及其关系的变化。所以再生产的一切循环，是新的再生产，结果出现了新的人类，出现了新的生产资料，出现了新的人们相互间的关系。人类和生产资料之间的这种新的相互关系和人们相互间的新关系，是由生产的先行的性质所决定，它们自身又成为生产的往后发展的基础。所以历史过程不是同一的反复的过程,而是不断前进的发展过程。

由于再生产过程的分析,我们可以看出社会发展的决定的要素。因为在再生产过程中,劳动者不断地创造了新的劳动工具,随着新的劳动工具的创造,就出现了运用新劳动工具的新劳动者。新劳动者运用新劳动工具,就可以开辟新的资源,变造新的劳动对象,因而生产出更多的物质资料。照这样,劳动者运用劳动工具改造劳动对象为物质生活资料的能力,即社会生产力的发展水平就提高了。由于生产力的变更和发展,作为生产力要素的劳动者们相互间的关系,即生产关系也随着变更和发展起来,同时整个社会形态也随着变更和发展起来。由此可见,社会生产力是生产发展过程中决定的要素,也是人类社会发展的决定的要素。

在这里,我们只说起生产力的变更和发展引起生产关系的变更和发展的一般的过程,还没有涉及历史上各种社会形态的性质。为要结合历史上各种社会形态的性质来说明生产力发展引起生产关系的变革的具体过程,还必须说明各种生产力的社会的内容、阶级的内容,必须说明每种社会形态使用生产力的方式即生产方式,说明适应于各个历史阶段的生产而形成的生产关系,然后说明生产力和生产关系的辩证法。

二、生产力的性质

再生产过程包含着技术的方面和社会的方面。这两个方面,互相作用,互相渗透,形成辩证的统一。在这个统一中,其技术的方面具有社会的内容,其社会的方面具有技术的内容。但两者之中,社会的方面起着主导作用。再生产过程中的社会方面和技术方面的统一,在生产力和生产关系的性质中表现着。这里先说明生产力的性质。

社会的生产力,是社会生活的生产及再生产过程中一切生产要素的总体,即是劳动者运用劳动工具改造劳动对象时发生出来的生产物质资料的能力。

所谓生产要素,即是劳动者、劳动工具和劳动对象,这三者都是生产力。这些生产力如果个别地分散起来,只是可能的生产力。不参加生产过程的机器,不但无用,还要损坏。铁会生锈,木会腐朽;不织也不编的纱,会变为废棉。为要进行生产。这些个别的生产力必须结合起来,必须用劳动力把劳动工具和劳动对象结合起来，才能转化为现实的生产力。因此，我们把包括劳动者、劳动工具和劳动对象的统一体，特用社会生产力或生产诸力这个术语来表现它，把这个统一体中的劳动者、劳动工具或劳动对象的各个要素，用生产力或生产要素的术语来表现它们。所以说起社会社会生产力或物质生产诸力时，是指各种生产力的统一体说的；说起生产力的时候，有时是指各种个别的生产力说的。还有劳动生产率和劳动生产性两个术语，是和社会的生产力有区别的。这个区别就是：劳动生产率和劳动生产性是社会的生产力的分量指标，社会的生产力是前两者的物质表现。还有劳动生产力这个术语，是和社会的生产力相同的。

社会的生产力是生产过程中人的要素和物的要素的统一，即是劳动力和生产资料的统一。这个统一，就它的内容说，是技术过程，就它的形式说，是社会过程。从技术方面看，社会的生产力是劳动力和生产资料的物质内容，是物质事物的量的表现；从社会的方面看，社会的生产力是社会的人和他所创造的生产资料的社会内容，是社会生活的质的表现。在特定历史发展阶段上，单从技术方面观察社会的生产力，只是抽象的，不是现实的，我们必须把社会生产力的技术方面和社会方面统一起来，它才是具体的，才是现实的。这个统一，是生产诸力的质和量的统一，是物质的一定分量及其社会形式的统一。

所以社会生产力不能还原于技术。因为劳动者和生产资料都是归属于社会的，劳动力和生产资料的结合是在社会之内实行的。在这个结合中，人的劳动力具有积极的作用。生产资料只是可能的生产力，也是死的劳动。这死的劳动要依靠活的劳动力才能发出作用。生产资料只有和生产过程中的劳动力结合起来，才是现实的生产力。而生产力的发挥，必须在社会的生产过程中才有可能。所以生产力是一个社会的范畴。

以下我们就各种个别的生产力，即劳动力、劳动工具、劳动对象，分别考察它们的性质。

劳动力具有其技术方面和社会方面。从技术方面看，劳动力同生产资料一样，是物质的事物，并因熟练、技巧和专门化程度而显出其特征。这些，都是劳动力的技术内容，是劳动力的量的表现。但是劳动力寄存于社会的生产过程中的劳动者的活的人格之中，具有其社会的方面即质的方面。劳动者们是结成了一定的相互关系即生产关系才投入生产过程的,他们的劳动的熟练、技巧和专门化,是在社会之中锻炼出来的。所以劳动者的劳动力的社会方面对于它的技术方面,具有主导的作用。劳动力的社会方面和技术方面的统一,即是劳动力的质和量的统一,而量是受质所规定的。

劳动力的质表现于一定的生产关系之中,是由一定的生产关系所构成的。一定的生产关系不单是技术过程中的劳动组织,而主要地是以生产资料所有制为基础的人们的相互关系,劳动力的质就表现在这样的相互关系之中。因此,我们有必要按照各个历史阶段上的社会形态来说明劳动力的社会性、阶级性。

在原始公社制度下,生产资料公有,生产关系不含有对抗性,人人都是劳动者,所以他们向自然界作出生产斗争,都能够发挥出劳动的积极性和创造性,经过若干万年的斗争,终于创造出近代人所说的文明社会。

在奴隶制度下,生产关系是奴隶主和奴隶两个阶级对抗的关系,奴隶主占有生产资料和奴隶,奴隶变成了只是能够说话的工具。奴隶在奴隶主的鞭笞之下做生产劳动,完全说不上什么劳动的积极性和创造性。但奴隶也是有骨肉血气的人们,他们不堪奴隶主的虐待和压迫,常常爆发叛乱,终于使奴隶制社会陷于崩溃。

在封建制度下,农奴是半解放的奴隶,他们有自己的农业经营,除了以一部分剩余时间为地主劳动,或提出剩余农产物缴给地主作为地租以外,可以自由经营副业,这样,农民们和奴隶比较起来,对于劳动就比较感兴趣,因而促进了农业的发展。但是随着地主阶级逐步加重了对于农民的经济剥削和政治压迫,就迫使农民多次地举行起义,以反抗地主阶级的统治。农民起义,在欧洲各国是常见的,而在中国的封建时代特别突出,中国农民起义总计大小数百次。"中国历史上的农民起义和农民战争的规模之大,是世界历史上所仅见的。在中国封建社会里,只有这种农民的阶级斗争、农民的起义和农民的战争,才是历史发展的真正动力。因为每一次较大的农民起义和农民战争的结果,都打击了封建统治,因而也就多少推动了社会生产力的发展"①。

在资本主义制度下,劳动力变成了商品,无产者们虽是自由劳动者,却被

---

① 《毛泽东选集》第二卷,第595页。

剥夺了生产资料，只有出卖劳动力的自由。他们是机器的附属品，每日只做着最简易、最单调却又最紧张的劳动，不但丝毫不感兴趣，而且认为是苦事，至于劳苦所得的工资，仅能糊口。在发生经济危机的时候，或者在不能为资本家增加剩余价值的时候，他们就遭到解雇，或者被减少工资。随着工业的发达，无产阶级在数量上就增加起来，集合为广大的群众，就认识了资本主义制度的罪恶，日益觉察到自己阶级的力量，而由自在的阶级变成自为的阶级了。从此，无产阶级不但对资产阶级实行经济斗争，并且实行政治革命，变成了资本主义掘墓人了。

在社会主义下，生产资料的社会主义所有制是社会主义生产关系的基础。劳动已成为光荣豪迈的事情。劳动的人民已不是为资本家和地主而劳动，而是我为人人、人人为我而劳动，大家都为了建成繁荣幸福的社会主义社会而劳动。这在苏联的人民，早已做出了光辉的榜样。我们中华人民共和国成立和民主改革完成以后，全国劳动人民们为了社会主义事业，都发挥了高度的劳动的积极性和创造性，挖潜力，找窍门，提出了数以百万计的合理化建议，出现了成千上万的工业劳动模范和农业劳动模范。特别是由于1956年的三大改造的完成和1957年以来政治上思想上社会主义革命的胜利，全国人民社会主义觉悟空前提高，掀起了生产"大跃进"的高潮。亿万的劳动人民，为了提早完成农业发展纲要（草案）四十条，为了在15年期间在钢铁和其他主要工业产品的产量方面赶上和超过英国，也为了明天的繁荣幸福的生活，在共产党的领导下，夜以继日地劳动在工厂、矿山、平原、旷野、穷乡、僻壤，以至于崇山峻岭，用惊天动地和排山倒海的气势，展开了社会主义大竞赛，指标一个接一个地被突破，计划一个接一个地被改订，多快好省的方法一个接一个地被创造出来，这真是从古以来所未有的大奇迹。这样的大奇迹将是层出不穷的，这样的生产"大跃进"的高潮也将一个超过一个继续涌现。所有我国劳动人民这一切革命的劳动的干劲，这种主动性和首创精神，完全是社会主义生产关系促成的。所有这些事实，完全证实了马克思所说的"在一切生产诸要素中间，最大的生产力就是革命的阶级"[1]这一句话的真理性。

---

[1]　马克思:《哲学的贫困》，解放出版社1919年版，第250页。

我们的党和人们政府,为了实现脑力劳动和体力劳动的结合、科学和生产的结合,提出了勤俭生产、勤俭办学、勤工俭学的方针,号召全国各高等学校、中等学校和小学,各自按照自己学校的条件,或者开办附属工厂和农场,或者同工厂和农业合作社订立合同,由教师和学生以一定时间参加生产劳动,使他们把自己锻炼成为有社会主义觉悟、有文化知识的劳动者。现在各级学校已经这样做了。同时,还有数以百万计的知识分子和机关干部都响应了党的号召,下到农村参加农业生产劳动,在劳动中锻炼自己,这不但可以培养共产主义的劳动态度,并且可以克服官气、暮气、阔气、骄气和娇气,树立朝气和正气,为建设社会主义而贡献出自己全部力量。由此可见,在社会主义社会中,劳动已不再带有个人的性质,而是直接具有社会性,变成了生活的第一的需要。

其次,我们说到生产工具的社会性。生产工具一方面是物体,是生产的要素,它显现其技术的方面;另一方面,它是历史上被加工的物体,是属于一定社会所有的,它显现其社会的方面。所以生产工具不单是物材,而是具有一定社会形式的物材。生产工具是社会的再生产的要素,是它的质和量的统一。从技术方面看,铁器和石器表示生产要素的优劣;从历史方面看,它们是具体生产过程的指标。马克思说:"划分各个经济时代的事情,不是生产什么,而是怎样生产,用什么生产工具去生产。生产工具不单是人类劳动力发展程度的尺度,而且是劳动所在的社会关系的指标"①。这就是说,生产工具,不单表现生产力,而且表现生产关系,即表现着它的社会性、阶级性。

但是生产工具是归属于一定阶级上的社会所有的财产,这就涉及生产资料所有制的问题。在一定社会中,单独的生产工具还是一个可能的生产力,它只有在人们利用它来从事生产的时候,才能转化为现实的生产力。在这一点,显示着生产工具的社会方面对于它的技术方面占居主导地位。所以生产工具的社会性,必须在它和一定社会中的劳动者的联系上去考察,在它所归属的社会的生产关系上去考察。如果只考察它的技术方面而不考察它的社会方面,生产工具不能成为人类劳动力发展的尺度,也不能成为社会关系的指标。例如就机器来说,当然没有资产阶级机器和无产阶级机器的区别。但是机器归

---

① 马克思:《资本论》第 1 卷,第 105 页。

属于资产阶级所有并利用的时候,它具有成为资本的属性,发挥其资本的作用,"机器就变成供资本家用来反对工人阶级的最有力的武器,生产工具经常从劳动者手中夺取生存资料,而工人们自身的产品竟转化为奴役他们的工具。"①反之,机器归属于无产阶级所有并利用的时候,它就具有社会主义的属性,成为提高人民物质生活的工具。又如手工器具,在封建社会中,他是封建的社会关系的指标;在资本主义社会中,它也具有资本的属性,如工场手工业和个体手工业的商品生产都可以利用手工器具来发展资本主义,甚至利用手工农具的农业也可以产生资本主义。但同一手工器具,在社会主义国家初期,也可以利用它实行社会主义生产,如我国的农业合作社和手工业合作社即是实例(当然这类手工器具将由机器代替)。由此可见,生产工具的性质是由一定的社会制度所赋予的。

再次,我们说到劳动对象的社会性。劳动对象有天然存在的劳动对象和加工的劳动对象两部分。天然的劳动对象不是再生产的决定要素,它充当生产力的作用是很小的,只有经过社会的劳动产出的对象(即原料)才是再生产的决定要素,才能影响于社会生活和生产关系。生产的增加,即是转变为生产物的劳动对象的增加。所以只有经过加工的劳动对象才具有积极的作用,才决定生产的前途,才能成为一个生产力,才能和其他各种生产力共同指引生产的方向。

劳动对象的变化和增加,首先是依存于技术的发展程度和技术应用的性质来决定的。例如有许多地下矿藏必须有现代高度的技术才能开采出来。其次,劳动对象是归属于社会所有的,在阶级社会中是归属于特定阶级所有的,这就显出了劳动对象的阶级性。劳动对象归剥削阶级所有的时候,它便被利用为剥削劳动人民的工具。反之,劳动对象归属全社会所有的时候,它便供为全社会成员所利用,这是无须多谈的。

我国地下矿藏和地上资源非常丰富,工业原料种类也很多,但过去的反动统治者不能也不愿意利用现代技术把这些劳动对象用来发展工业,却把它出卖给帝国主义者来开发、来垄断,他们自己只是从中渔利。这种历史现象,完

① 《马克思恩格斯文选》第 2 卷,第 144 页。

全是半殖民地版封建的社会制度的产物。中华人民共和国成立以来,一切劳动对象都属于全国人民所有,全国人民在党和政府的领导之下,走遍天涯海角,到处勘探和开发地下和地上的资源,到处增产工业原料。仅仅经过几年的努力,成绩已经大有可观。在地下资源方面,证明了煤、铁、石油及其他金属矿产应有尽有,而且非常丰富,其中有的已经开采着,成为再生产的要素,有的矿藏还在勘探之中。在地上资源的利用方面,如黄河、长江及其许多河流的水力的利用,农田的灌溉和土壤的改良等,都正在大规模地进行着。许多科学家正在发挥着大跃进的精神,探究着新的劳动对象供作社会主义再生产的要素。劳动对象这样迅速的变化、增加和大规模的利用这一事实,只有从社会主义的社会制度的优越性中,才能找到说明。

关于劳动对象,还有一个问题要在这里说明。这就是劳动对象是不是生产力的问题。斯大林在所著《辩证唯物主义和历史唯物主义》中,对生产力写下的如下的定义:

> 生产物质资料时所使用的生产工具,以及因有相当生产经验和劳动技能而发动着生产工具并实现着物质资料生产的人,——这些要素总和起来,便构成为社会的生产力。

这个定义有一个重大的缺点。因为它只说起生产工具(即劳动工具)和人(即劳动者)这两个生产力的要素,却不提起劳动对象,即不承认劳动对象是生产力。这种主张,显然是同资本论第五章第一节关于劳动过程的说明相矛盾的。在这一节里,马克思这样写着:"劳动过程的简单要素,是有目的的劳动或劳动自身,它的对象和它的工具。"又说:"要是我们从结果的观点,从生产物的观点,考察全部过程,劳动工具和劳动对象,就表现为生产资料,劳动自身则表现为生产的劳动。"在这里,马克思说明了劳动对象是生产的要素,是不能把它排除于生产过程之外的。劳动对象,同劳动者和生产工具比较起来,固然不是生产中最活动最革命的要素,但它是促进社会生产力发展的不可缺少的要素之一。如果缺少了它,人们便不能开始生产。事实上,劳动者只有劳动工具而没有劳动对象是不能生产出物质资料来的。马克思说:

不论生产采取何种社会形态，劳动者和生产资料总是它的要素。但他们在彼此分离的状态中，就只在可能性上是它的要素。为了要有所生产，它们必须互相结合。社会结构的各种不同的时代，就是由这种结合依以实行的特殊方法或方式来区别①。

由此可见，劳动对象同劳动者和生产工具三者都是生产力，那种不承认劳动对象是生产力的说法是不正确的。在这三种生产力之中，劳动者应当是第一个生产力。列宁说过："全人类的第一个生产力，就是工人，劳动者。"②斯大林那个定义把生产工具列在第一位，把人列在第二位，似乎欠妥。社会的生产固然要有预先做成的生产工具存在，但生产工具首先还是由人所创造所改进的。

社会的生产力是劳动者、生产工具和劳动对象三者的结合。这种结合有一定的方式，即生产方式。这种结合的方式，有它的技术方面，还有它的社会内容，在阶级社会中即是阶级的内容。例如在资本主义社会中，资本家买进劳动者和生产资料，并按照资本主义生产方式把它们结合起来，因而替资本家发挥出制造商品的生产力。这样的生产力具有技术的方面，同时又具有"作为资本的一切属性"，即具有其阶级的内容。恩格斯在说到资本主义生产方式障碍生产力的发展时，这样写道：

> 因此，一方面是资本主义生产方式暴露自己无能继续驾驭生产力，另一方面是生产力本身日益加紧要求消灭这个矛盾，要求摆脱其作为资本的一切属性，要求在事实上承认其为社会性质的生产力。③

由此可见，资本主义社会中的生产力的阶级性（资本的属性）包含着无产阶级和资产阶级的对抗，而无产阶级是代表生产力的，它要求把生产力从资本主义的生产方式中解放出来，使生产力成为社会性质的生产力，即使生产资料

---

① 马克思：《资本论》第 2 卷，第 20 页。
② 《列宁全集》第 29 卷，人民出版社 1956 年版，第 327 页。
③ 《马克思恩格斯文选》第 2 卷，第 146 页。

从资本主义所有制转变为社会主义所有制。

所以当我们考察生产力的性质时,固然要考察生产力的技术性(即劳动力与生产资料在技术上的结合),同时要考察生产力的阶级性、社会性。只有这样去考察生产力的性质,才能理解历史上各个阶段上的社会形态的特殊性。

三、生产力发展的因素

社会的生产过程,从历史上说来,除了因为天灾人祸等偶然事件引起停滞或倒退的情形以外,总是不断扩大的再生产过程,同时也是生产力发展的过程。

再生产过程,生产出新的人,新的生产工具,新的劳动对象,即是生产出新的生产力。人们一经获得了新的生产力,就变更他们使用新生产力的方式,即生产方式。随着生产方式的变更,就变更他们的生产关系。随着新生产关系的形成,就产生了与它相适应新的上层建筑,因而出现了新的社会形态。所以生产力是生产发展的动力,是社会发展的动力。

但在这里,发生了一个问题。既然生产力是社会发展的动力,那么,生产力本身究竟是怎样发展起来的? 生产力本身发展的根源何在? 这是历史唯物主义这门科学的最重要问题之一。这个问题,直到现在还没有取得一致的结论。这是需要加以钻研和讨论的问题。

关于这个问题,斯大林在所著《苏联社会主义经济问题》中,做出了如下的说明:

> 新的生产关系是这样一种主要的和有决定性的力量,它真正决定生产力进一步的而且是强大的发展,没有这新的生产关系,生产力就注定要萎靡下去,如像现在资本主义国家中的情形一样。[①]

斯大林这一段话,说明了:决定生产力发展的力量是新的生产关系。

康士坦丁诺夫在他所主编的《历史唯物主义》中,也表述了同样的主张:

---

① 斯大林:《苏联社会主义经济问题》,人民出版社,第 23 页。

生产力发展的主要推动者是什么呢？

生产力发展的主要的和决定性的推动者是跟生产力的性质相适合的新的生产关系。而生产力发展的主要阻碍是不再跟生产力相适合的旧的衰朽的生产关系。①

新生产关系能推动生产力的发展,旧的衰朽的生产关系则阻碍生产力的发展,——这完全是正确的。但是生产力本身如何发展起来？它在什么条件之下发展？作为生产关系的内容的生产力怎样发展起来以至于突破生产关系那个形式？——这些问题,还须要进一步加以说明。

苏联《哲学杂志》1957 年第 4 期,发表了阿·克雷洛夫所写的《论生产力发展中的矛盾》②作者在这篇文章中提出了"生产力中包含有发展的根源问题",发表了一些引起哲学界注意的意见。克雷洛夫认为:"无论是起了生产主要经济催速剂作用的新生产关系,无论是已经成为生产的主要障碍物的比较陈旧的生产关系,本身都不会创造出新的的生产力、新的技术和新的生产经验。新生产力、新技术和新生产经验的出现,不仅依靠这个,而且首先还要依靠人类对自然界的能动关系,不然就不能有生产力的发展。"因此,他主张人类对自然界的能动关系就是生产力的实质,而生产力就是"指人类对于用来生产的自然物和自然力的能动关系,就是指人类在制作和使用生产工具及积累生产经验方面所体现的关系。在仔细观察之下,生产力的实质就是人类和自然界之间的矛盾,这种矛盾是由于人类对自然物和自然力的能动关系的结果而不断发生和不断克服的"。简约起来,克雷洛夫认为新生产关系对于生产力只有经济催速剂的机能,却不能创造出新的生产力,而生产力本身所包含的生产发展的根源,则是人类和自然的矛盾,即人类对自然的能动的关系。最后他认为人类对自然斗争的过程,"虽然远不是生产力本身所蕴藏的生产发展的唯一根源,但却是基本的根源"。

克雷洛夫主张人类对自然的能动的斗争过程是生产力发展的基本根源之

---

① 康士坦丁诺夫:《历史唯物主义》,人民出版社 1955 年版,第 116 页。

② 见《学习译丛》1957 年第 11 期。

一。这种主张,在纯抽象的意义上是正确的(关于这一点,我在前面已经谈到)。

但是,我们为要说明生产力本身发展的因素,还须进一步作全面的考察。

马克思在《资本论》中说到商品生产上必要的劳动时间的时候,认为商品生产上必要的劳动时间是随着劳动生产力的变化而变化的。劳动生产力是怎样变化的呢? 他说:

> 劳动的生产力,取决于多种事情,就中,有劳动者熟练的平均程度,科学及其技术应用的发展程度,生产过程的社会结合,生产资料的范围及作用能力,和各种自然条件①。

以上五项都是劳动生产力发展的因素,这无论对于资本主义社会来说,或对于社会主义社会来说,都是适合的。问题是在于:资本主义社会中劳动生产力的发展是为资本家增殖利润,社会主义社会中劳动生产力的发展是为要提高人民的物质和文化生活水平。

马克思所说的"劳动者熟练的平均程度"是指劳动者们运用生产工具制造物质资料的熟练的平均程度说的,这就是劳动者对自然的能动作用的表现。但在资本主义条件下,劳动熟练的平均程度提高,只能为资本家多多生产剩余价值,劳动者本人则认为这种劳动是苦役。在社会主义条件下,一切工人、农民和其他劳动群众都为社会并为自己而工作,劳动越是熟练,越是能够为国家和自己多多创造财富,劳动者越是感到光荣。

其次,科学及其技术应用的发展,确是生产力发展的一个因素。科学是基于生产上的要求而产生的。科学的发展虽然依存于技术,而技术的大部分则依存于科学的状态。科学技术化,技术科学化,两者的发展有互相依存的关系。科学的本身是一般生产力,它和其他生产力是有区别的。为要使科学成为社会生产力发展的强有力的要素,就必须使科学参加于生产过程而在技术上去应用它,它才变成为新生产力。康士坦丁诺夫认为"科学本身的存在和

---

① 马克思:《资本论》第 1 卷,第 12 页。

发展首先决定于生产的发展,即归根到底决定于生产力的发展",因而他认为不能在科学中"去寻找社会生产力发展的主要的决定性的原因"①。但就马克思的话看来,科学虽然不是社会生产力发展的决定性的原因,却是一个主要的原因。当然,科学及其技术应用,因社会形态的性质不同而大有差别。在资本主义条件下,资本家们为了对付工人减少时间增加工资的斗争,为了制胜于他们相互间的自由竞争,就雇佣一些科学家为他们改良技术,或收买科学家的发明在生产中应用起来,借以发展劳动生产力,以期在最短的时间内榨取更多的剩余价值,即扩大相对剩余价值的生产。但是到了垄断资本主义时代,垄断资本家们对于科学技术的新发明却不愿用来发展生产(因为采用新式技术,势必要废弃庞大的原有装备,这对于他们是不利的),同时为了防备别的资本家去利用,宁肯把那些新发明收买起来,束之高阁。这时垄断阶级最感兴趣的却是关于杀人利器的新发明,利用它制造新的杀人利器,实行国民经济军事化,并采取所谓"实力地位政策",搞些军事同盟,来威胁或利诱那些弱小民族,掠夺它们,借以取得超越利润。所以资本主义社会中科学和技术的发展,就是意指着资产阶级榨取劳动人民血汗的手段的发展。反之,在社会主义下,科学技术的发展及其在生产上所发生的作用,完全是另一种情况,科学和技术是完全为社会主义建设服务的。社会主义社会和共产主义社会的建成,是以高度发展的科学技术为基础的。所以苏联共产党从执掌政权之日起,就采取一切重要措施,大力发展科学和技术,在短短40年之间已经跃居世界的顶峰。同时,工业和农业生产发展也已取得非常惊人的成就,估计在几年之内就可以赶上和超过美国。科学在社会主义社会中所处的地位是崇高的,它所起的作用是巨大的。

我们的新中国成立以后,党对于我国科学的发展给以特别的重视和支援,支出了巨额资金购置了足够的书籍仪器和其他设备,为科学研究工作配备了一切必要的条件。几年以内,全国科学工作者做出了很大的贡献,许多研究的结果都已在生产技术上应用起来,加速了生产力的发展。1956年,全国科学工作者在党和人民政府领导下,制定了发展科学的十二年远景规划,有领导、

---

① 康士坦丁诺夫:《历史唯物主义》,人民出版社1955年版,第112页。

有计划、有组织地按照国民经济计划进行科学研究工作,使科学与生产密切结合起来。我们相信,在党的领导下,我国科学和技术的发展,在十二年期间内,有一些重要科学门类一定能够接近或赶上世界先进水平。

1957 年下半年以来,我国工业生产的新高涨和农业生产的大跃进,已经掀起技术革新的新高潮。在工业方面,工人都迫切地要求提高技术,管理干部也要求学习技术;在农业合作社方面,农民们普遍地找窍门改进技术,还有新的农耕技术,农村工作干部也有同样要求。在这样的新形势之下,进行技术革命,培养和扩大技术干部,就成为我国社会主义生产中的十分重要的中心的任务。只有把工人的技术水平提高到工程技术人员的水平,把农民的技术水平提高到农业技术人员的水平,才能提高劳动生产力,日益生产出丰富的物质资料。

第三,"生产过程的社会组织",主要地是指劳动的分工和社会的分工说的。社会的分工是社会内部各行各业的分工和各个行业内部的分工,劳动的分工就是制造一种生产物的劳动,按照一定的顺序和种类,分为许多种的劳动,使许多劳动者各担任一种劳动。马克思在资本论第一卷第四篇中,对于分工作了详尽的说明,分工确是促进劳动生产力发展的一个因素。但在资本主义下,资本家企业内部的分工虽然促进了劳动生产力的发展,而分工的结果却夺去了工人生活的安定,并在夺去工人的劳动工具时,不断夺去了他们的生活资料。反之,在社会主义下,也有劳动的分工和劳动的专门化,而这种分工和专门化,却有一切可能使工人可以全面地发展自己的才能。

第四,"生产资料的范围及作用能力"能促进生产力发展,其义自明。在资本主义下,资本家只要能榨取剩余价值,就尽量扩大生产资料的范围,并尽量发挥其作用,而在危机到来之时,却把它搁置起来。反之,在社会主义下,劳动人民尽量创造新的生产工具并开辟新的劳动对象,尽可能多地制造物质资料,决不会出现危机。

第五,"自然条件"虽不是劳动生产力发展的决定因素,却是一个必要不可缺的因素。恩格斯在写给斯他尔根堡的信中,也曾把地理环境包含在经济之中。由此可见,这两位马克思主义创始人是不曾忽视地理环境对于生产的作用的。马克思就自然条件说过这几句话:"比方说,同量劳动在丰年表现为

8 蒲式耳小麦,在凶年只表现为 4 蒲式耳。同量劳动,从丰矿比从贫矿,可以供给更多的金属等等"。这类自然条件确是能够影响生产力的发展的。但其他自然条件对于生产力的影响则因社会制度的优劣而有所不同。在资本主义下,资产阶级唯利是图,不惜滥耗自然资源,常常因榨取地力而变沃土为贫壤,因滥伐森林使水土流失,变青山为秃山等。在社会主义下,人们却善于利用自然,改造自然,移山填海,引水上山,变旱地为水田,变沙漠为绿洲。1957 年,我国农民所改水田的面积 2 亿 7 千万亩,超过了我们先人几千年来所开辟的水田面积。像这样改造自然来促进生产力的大发展,是和社会主义社会制度的优越性分不开的。当然,人们不能绝对地控制住自然力,但随着科学技术的进步和人民的创造性的劳动,是可以不断地改造自然来发展生产力的。

由此可见,以上五项是社会生产力发展的必要因素,任何社会形态中生产力的发展都在不同程度上取决于这些因素。近代的社会生产力突飞猛进的大发展,是从资本主义社会形成以后开始的。正如《共产党宣言》所指出的,"资产阶级占得阶级统治地位还不到 100 年,而它所造成的生产力却比先前一切世代总共造成的生产力还要宏伟众多。自然力的被征服,机器的采用,工农业上化学的应用,轮船的行驶,铁路的交通,电报的传达,一洲一洲大陆的垦殖,河川的通航,好似从地底下呼唤出来的大量人口,——试问从前那一个世纪能够料想到有这样大的生产力沉眠在社会劳动里面呢!"[①]但是资产阶级为了追求资本主义利润发展生产力的后果,却与资本主义生产关系发生冲突,每当危机发生的时候,很大一部分已经造成的生产力随之毁灭下去。这时候,只有无产阶级革命才能把生产力挽救出来,放在社会主义生产关系之下,使它得到充分发展的广阔场所。

社会主义社会制度,对于资本主义社会制度,具有无可比拟的优越性。我们要大力发展社会主义生产,必须不断提高工人农民的技术水平,提高劳动熟练的平均程度;必须大力发展科学,并把科学研究的成果在技术上应用起来,加强科学与生产的结合;必须严密生产过程的社会结合,密切联系劳动分工和社会的分工,使工业和农业互相配合,齐头并进;必须不断创造新的生产工具,

---

① 马克思:《资本论》第 1 卷,第 596 页。

多方面地增加新的劳动对象,充分发挥它们的作用能力;必须向自然进军,向自然界争取日益增多的财富。我们的党已经采取了一切措施,领导全国工人、农民和知识分子向着上述五个方面齐头并进。我们相信,我国生产"大跃进"的高潮必将一个接着一个出现,必将一个比一个跃进到高一级的阶段。

第三节　生产诸关系

一、生产关系的构成

生产过程的另一方面是生产诸关系。在分析了生产力之后,接着要分析生产诸关系。生产诸关系,是人们在其物质生活资料生产过程中结成的社会诸关系的总称。

生产过程是一个综合的过程,它包括生产过程、分配过程、交换过程和消费过程四个方面。这四个过程包括于综合的生产过程之中,形成不可分离的统一。因之,生产诸关系可以分为生产关系、分配关系、交换关系和消费关系。这四种关系包括于生产诸关系中,形成不可分离的统一。下面就这四种关系分别说明。

生产关系是上述生产过程中人们相互间的关系。这生产过程是社会的劳动结合过程,是分工和协作的过程。任何社会,当生产物质生活资料的时候,都必须依据于一定的生产方式,把社会成员的劳动组织起来,实行分工和协作。这里所说的分工,主要是社会的分工和劳动的分工两种。社会的分工是农工商业各部门间的分工以及各部门内部的分工。劳动的分工,就是制造一个种类的产品的劳动分为许多种的劳动,使许多劳动者各担任一种劳动。社会的分工是无计划地,自发地发展起来的。至于劳动的分工是有意识有计划的分工,是近代资本主义企业出世以后才发达起来的。其次,所谓协作,是和单独劳动相对立的共同劳动,分为单纯协作和复杂协作两种。单纯协作是许多劳动者协力做一件为一个人所不能胜任的工作。复杂协作是多数劳动者分任共同劳动的一部分而完成一件工作,这就是基于分工的动作。马克思在《资本论》中说:"多数劳动者,在同一生产过程内,或在不同的但互相联系的诸生产过程内,依计划,并存地,协同地进行劳动的劳动形态,称为协作"①。这就是基于分工的协作。分工和协作,在社会发展过程中,各有其不同的性质和意义,但任何阶段上的社会,都必得依从于特定的生产方式,在劳动过程中实行分工和协作,把社会成员的劳动结合起来,才能进行生产。所以,不论在任何社会中,人们必须依从于特定的生产方式,形成一定的劳动组织,结成一定的劳动关系。这些劳动关系,就是上述意义的生产关系。

分配关系是社会的成员在分配过程中结成的相互关系。分配过程,可以分为三个方面去考查。

其一是生产资料的分配。当人们依据于一定分工和协作的方法而劳动的时候,首先必须有生产资料的分配,才能开始劳动。但是生产资料属于社会公有或特定阶级所有,其性质是截然不同的。生产资料如归属于社会公有,一切劳动的人们都享受公有的生产资料,都为社会即为自己而劳动。生产资料如归属于特定的阶级所有,劳动的人们就为特定的阶级而劳动,这就产生了阶级关系即剥削者和被剥削者的关系。但是,不论生产资料归属社会公有或特定阶级所有,总是先把生产资料分配好了,人们才能在社会的劳动组织中去实行劳动。

其二是生产成员在各种生产间的分配。生产成员的分配,是和劳动组织相联系的。

其三是生产品的分配。生产资料和生产成员分配完毕以后,才能制造出生产品,才有生产品的分配。生产品分配的方式,依从于特定的生产方式。因为生产方式和分配方式的关系是表里关系。在阶级社会中,生产品的分配,依从于奴隶制的、封建的、资产阶级的生产方式而有不同的形式。劳动的人们分配所得的部分,同他们的劳动力再生产所必需的价值相当;独占生产资料的阶级所得的部分,同直接生产者所提供的剩余生产物或剩余价值相当。

因此,社会的成员在上述三种分配过程中结成的相互关系,都是分配关系。

交换关系是社会的成员在交换过程中结成的相互关系。交换过程,可分为两个方面去考查。其一是在生产本身中发生的活动和能力的交换。这种性

---

① 《资本论》第 1 卷,第 389 页。

质的交换,直接地隶属于生产,并且在本质上构成生产。

其二是生产品的交换。这种交换,是商品交换,是一定社会分配生产品的形式。商品交换的范围和形式,由生产的发达和编制所决定。因为生产品的交换以社会的分工和财产的发生为前提。人类社会自从进到氏族公社时代,生产力比较发展,开始有了剩余生产品,氏族团体才开始有了共同财产。从此,由于生产经济的专门化(即社会的分工,如农牧业的分工),就开始发生交换(如农产品和畜产品的交换)。但这种交换,最初是公社和公社间的交换,带有偶然的性质。往后由于私有财产的形成、分工的发展和阶级的发生,社会进到对抗性的社会各阶段,变换的形态就由偶然的变为扩大的,更变为一般的,最后采取货币的形态了。一般说来,在阶级社会中,生产品的分配,经常采取货币的形态。特别是在资本主义社会中,生产品采取商品形态,已不是例外的、单独的、偶然的,而是一般的、大量的、最日常的形态。国内一切大小的市场都是交换关系的最复杂的网,无论是城市或乡村的一切居民,都通过市场而结成交换关系。并且,世界各国的一切居民,也都通过国际市场结成了交换关系。所以交换关系就是社会的成员在劳动交换过程中和在生产品交换过程中结成社会关系。

消费关系,是社会成员在消费过程中结成的相互关系。消费过程,也可以分为三个方面去考察。其一是生产资料的消费过程。人们从事于生产,必须消费生产工具和劳动对象(如原料),使它们转化为生产品。在生产资料公有的社会中,劳动者消费公有的生产资料为社会并为自己制造生产品;在生产资料私有的社会中,劳动者依从于各种对抗性的生产方式,为独占生产资料的阶级制造生产品。其二是劳动力的消费过程。生产资料的消费,伴随着劳动力的消费。因为如果没有劳动力的消费,生产资料不能转化为生产品。其三是生产品的消费。这种消费也是生产的消费。就生产资料方面来说,这种消费再生产出生产品;就劳动力方面来说,这种消费再生产出劳动力。

适应于上述消费过程而结成的人们相互间的社会关系,都是消费关系。即是说,社会的人员在生产资料消费的过程中,在劳动力消费过程中,在生产品的消费过程中结成的种种社会关系,总称为消费关系。

概括前面所分别说明的生产关系、分配关系、交换关系和消费关系,总称为生产诸关系。有时单说生产关系，实际上是具有上述四种关系的内容的。

为什么把分配关系，交换关系和消费关系也叫做生产关系呢？这是因为生产是一个综合过程，而生产、分配、交换和消费，是这个综合过程的各个成分，是一个统一体中的各个差别。生产之与分配、交换和消费，都有密切的相互作用，但在这四者之中，演着主导作用而能统治其他各要素的活动的东西，只有生产。所以把其他三类关系都叫做生产关系。下面再就生产和其他要素的关系加以说明。

就生产和分配的关系来说，生产资料的分配和生产成员的分配，明明是属于生产的。至于生产品的分配，虽然不就是生产，却是生产的一部分机能。在另一方面，分配也影响于生产，随着分配的变化，生产也起变化。例如，随着资本的积累，随着城市和乡村人口分布差异，生产的规模也因而改变。但在生产和分配两者之间，生产仍起着主导作用。

就生产和交换的关系来说，交换也是包含于生产之中的要素。社会成员劳动的交换，直接地属于生产，特别是资本主义社会中劳动力的买卖，完全是属于生产的。其次，商品的交换，它本身是包含于生产之中的行为。至于商业人员相互间的交换，在其组织上，完全由生产所规定。这种交换本身也是一种生产活动。所以交换是直接包含于生产之中，或由生产所规定。

就生产和消费的关系来说，生产，"它生产出消费的对象、消费的方式和消费的动力。同样，消费生产着生产者的意图，因为它把生产者当作决定目的的需要来唤起"①。生产和消费互相作用，但是消费以生产为前提。没有生产，就没有消费；生产必须继续扩大，人们的消费才能随着扩大。过程总是重新由生产开始，由生产占主导地位，消费本身是生产活动的内在的要素。

依据以上的说明，我们可以知道，生产对分配、交换和消费具有决定的作用。所以分配、交换和消费之与生产，都称为生产的诸要素，统一于生产的综合过程。因此，分配关系、交换关系和消费关系之与生产关系，总称为生产诸关系。

---

① 马克思：《政治经济学批判》，人民出版社1956年版，第155页。

二、生产关系的物质性、阶级性、技术性

人们的生产关系是物质关系,这说明着人们的生产关系是具有物质性的。社会学中的心理学派把经济关系即生产关系说成是心理关系或心的相互作用。机械论者把生产关系看作是人们的劳动在时间中的机械排列。这类见解都是荒谬的,反动的。

我们知道,物质的唯一属性,是客观的实在的性质,是离开人们的意识而存在的性质。生产关系的物质性,就是它离开人们意识或意志而形成的那种性质。

生产关系的物质性可以分为几点来说明。

其一,人们是不能自由选择其生产力和生产关系的。一个时代的人们最初只能继承前一时代的人们所创造的生产力和生产关系,继续生产物质生活资料。这就表明生产关系是离开人们的意识和意志而存在的。但这并不是说,这一时代的人们为了继续发展生产力可以不抛弃旧生产关系而创造新生产关系。

其二,在资本主义社会中,各个资本家都有意识有计划地努力生产商品,以便多多取得利润,但他们把商品拿到市场出卖的时候,却往往出乎他们意料之外,商品卖不出去,或者减价出卖。这就是说,各个商品生产者有意识的行为的总结果,却形成一个必然。各个个人生产商品的行为虽然是有意识的,而他们之间的生产关系却是离开他们的意识而独立的。

其三,资本家们为了制胜于自由竞争,为了多多地榨取劳动者的剩余劳动以增殖自己的资本,都各自努力改进生产技术来发展生产力,却没有料到因此壮大了和锻炼了无产阶级的队伍来挖掘他们自己的坟墓。

其四,国际帝国主义者侵入中国以后,只知道向中国倾销商品,采集原料和输出资本,并利用不平等条约在中国开办工矿交通等企业,榨取中国廉价的劳动力,掠夺最大限度的资本主义利润。他们满以为一帆风顺,可以使中国成为它们的永久的殖民地,却绝没有预料到:在殖民地过程中涌现出来的中国无产阶级能够领导全国人民群众,组成强大的反帝国主义革命队伍,终于把他们逐出了中国大陆。

其五,社会诸关系,错综复杂,不可名状,人们要想毫无遗漏地去抓住它们,那是不可能的。在世界经济之中,各个生产者虽然意识到他在生产技术上曾经引起了种种变化,各个商品所有者虽然意识到怎样和他人交换生产物,但他们却没有意识到这些行为变化了生产诸关系。现代世界经济中所发生的这些变化的总体是非常分歧错综的,人们要想完全知道,是绝对不可能的。人们所能做到的事情,只是关系这些变化的规律,抓着这些变化的主流,究明它们的客观的伦理和历史的发展。

概括起来说,离开人类的意识或意志而形成的生产诸关系,是物质的社会现象。生产诸关系的物质性就存在于这种地方。

生产诸关系的物质性,在另一方面说来,又是生产诸关系的必然性。生产关系的规律性是从这里产生的。生产诸关系的物质性、必然性和规律性,在任何社会之中,都各自在其特殊形式上表现出来的。在无计划生产的社会(例如资本主义社会)中,生产诸关系的规律,盲目地作用于人们;在有计划生产的社会即社会主义社会中,这种规律就为人们所意识,而服从于人们自身的统治。

生产关系的阶级性,是指对抗性社会中的生产关系说的。在非对抗性社会中,生产关系不具有阶级性。

前面说过,特定历史阶段上的生产关系,是适应于一定的生产方式而形成的,而这一定的生产方式又是适应于当时生产力的状态而形成的。生产方式是人们取得生活资料的方式,是人们使用生产力的方式,即是人们结合劳动力和生产资料进行生产的方式。

生产方式的基础,是生产资料所有制。如前段所述,生产以生产资料和劳动力的分配为前提。在生产资料公有的社会中,人人都从事于劳动,人人都是劳动者,人人都是生产资料所有者。这时,劳动力和生产资料结合的方式,绝不含有对抗的性质,因而人们适应于这样的生产方式而结成的生产关系,也绝不含有对抗的性质。这就是说,这种社会的生产关系,不是阶级关系,即不是剥削者同被剥削者的关系。

在生产资料私有的社会中,即在奴隶制、封建制和资本主义社会中,劳动力同生产资料相分离,一方面是生产资料所有者,另一方面是被剥夺了生产资料而只成为劳动力所有者。在这些社会中,劳动力同生产资料相结合的方式,都是对抗性的生产方式,适应于这些生产方式而形成的生产关系都是对抗性的生产关系。例如奴隶制的生产方式,是奴隶的劳动力同奴隶主的生产资料相结合的方式,奴隶本身是奴隶主的所有物。奴隶终身为主人劳动,过着牛马一样的生活,主人靠剥削奴隶劳动过着极其奢侈的生活。适应于这样生产方式而形成的奴隶制生产关系,是奴隶主剥削奴隶的阶级关系,是历史上第一种对抗的生产关系形态。

其次,封建的生产方式是农民的劳动力同地主的土地结合的方式,是地租制的生产方式。农民耕种地主的土地而向地主缴纳劳役地租、实物地租或货币地租。适应于这种生产方式而形成的封建的生产关系,是地主剥削农民的阶级关系,是历史上第二种对抗性的生产关系形态。

再次,资本主义生产方式,同其他生产方式比较起来,有两个显著的特点。第一,在这种社会中,一切生产物都化成了商品。首先,劳动力出现为商品,劳动力所有者出现为劳动力贩卖者,出现为自由劳动者,因而这种生产方式,以劳动一般出现为工资劳动一事为前提。第二,资本主义生产方式的特征就是:剩余价值的生产成为生产的直接目的和决定因素。资本主义生产过程中生产资料同劳动力结合的方式,表现着生产资料同劳动力的分配方式,劳动者所以出卖劳动力与资本家而替资本家劳动,是由于生产资料被资本家所独占并化为剥削手段。综合以上两点,资本主义生产方式的本质是完全的雇佣劳动制。基于这种生产方式结成的资本家同劳动者的关系,是基本的资本主义生产关系。资本主义生产方式是历史上最后的对抗的生产方式,因而资本主义生产关系是历史上最后的阶级关系。

由此可见,阶级是对抗性社会的经济构造,政治上和思想上的阶级对抗是经济上阶级对抗的表现。所以在对抗性的社会中,阶级关系是基本的生产关系,如奴隶制社会中主人同奴隶的关系,封建社会中地主同农民的关系,资本主义社会中资本家同劳动者的关系,都是各阶段社会中基本的生产关系。其他一切经济关系都依存于这类基本生产的关系。为要理解这些对抗性社会中生产关系的性质,首先要抓住这种基本的生产关系。

无产阶级革命的目的,是在于推翻一切对抗性的生产方式和生产关系。

建立基本生产资料公有制,依照社会主义生产方式,组成社会主义生产关系,消灭一切剥削制度和剥削阶级,促进生产力的大发展,建成繁荣幸福的社会主义社会,并向共产主义社会前进。社会主义的生产关系,是不受剥削的劳动者们之间的同志式的互助合作的关系。正因为有这样的生产关系,所以人人都发挥劳动的积极性,努力发展生产,增加国家财富,并提高自己的物质生活和文化生活的水平。

此外,生产关系还有一种技术性,也是应当注意的。生产关系的技术性,主要的是指劳动组织的合理化说的。例如资本主义大工厂,有成千上万的工人,各人都依从于一定的秩序,被配置于一定场所,严格地实行一定种类的劳动,布置非常精密,不会浪费劳动力。这是劳动的科学组织,是劳动组织的合理化。

在社会主义制度下,生产过程的劳动组织也必须实行合理化,使社会主义生产关系更趋于完善,促进生产力的发展。这同资本主义制度下的劳动组织合理化是大不相同的。因为资本主义制度下劳动组织的合理化是便于资本家多多剥削劳动者的剩余劳动的。

第四节　生产力同生产关系的统一

一、生产力和生产关系的统一,形成社会的经济基础

生产力的状态和生产关系的形式,是社会的经济基础构成的要素。社会的经济基础,即是生产力和生产关系的对立的统一。

生产力和生产关系的统一,是内容和形式的统一。生产力只有在一定的社会形式之中。在一定的生产关系体系之中才能存在。所谓生产力一般那种东西是不存在的,而存在的东西,常常是由一定生产关系给以形式的生产力。同样,生产关系如果离开了生产力,只是一个没有内容的空洞的抽象。生产关系是同生产力不可分离地结合着的。所以生产力和生产关系形成一个统一。生产关系是生产力发展的形式,生产力构成生产关系的内容。生产力和生产关系的统一,形成社会的生产过程,形成社会的经济构造即经济基础。

有的同志认为生产关系的总和是社会的经济基础,其中并不包括生产力,

因而把生产力摒除于基础之外。这种见解是值得商讨的。马克思在《政治经济学批判序言》中所说的生产关系是"与他们当时物质生产力的一定发展程度相适应的生产关系"。这就意味着：人们在生产过程中，如不适应于"当时物质生产力的一定发展程度"就不能发生生产关系。即是说，离开了生产力就没有生产关系。还有，马克思在写给安年科夫的书信中有这样一句话：

> 这里不必再补充说，人们不能自由选择构成其全部历史基础的自己的生产力。因为任何生产力都是既得的力量。即以往活动的产物。①

由此可见，生产力是包含在社会的基础之中的。劳动者们在生产过程中结成的相互关系，是生产关系。这种相互关系，是劳动者们在共同运用生产工具改造劳动对象为生产品的时候所结成的关系。劳动者本身是首要生产力，他们共同运用生产工具改造劳动对象为生产品的能力是现实生产力。显而易见，劳动者们的相互关系及生产关系是具有生产力的内容的。因此，那种认为生产关系不包含生产力，即认为经济基础不包含生产的那种见解，是不正确的。

上面说过，生产力和生产关系的统一是内容和形式的统一。在内容和形式的辩证关系上，生产力对于生产关系具有优越性。因为生产力是生产过程中最活动最革命的要素。每逢人们根据劳动的经验和技术创造了新的生产工具或者获得了新的生产技术的时候，生产力就发生变化并且发展起来。随着生产力的变化和发展，人们的生产关系就必然随着变化和发展。历史上各个阶段的生产关系体系的变革，都是由于生产力发展的结果。

生产关系必须适应于生产力的性质和发展水平而变革和发展，这是一个历史的必然。在这里，表现着生产力对于生产关系的优越性。

但是生产力的优越性，并不是意指着生产关系的受动性。生产关系适应于特定阶段的生产力状态而形成以后，就取得相对的独立性，它对于生产力具有积极的能动的作用。生产关系这种积极性、能动性，存在于生产关系对生产

---

① 《马克思恩格斯文选》第2卷，莫斯科外国文书籍出版局1995年版，第442页。

力的矛盾之中。生产关系在一定时期能促进生产力的发展,给生产力以发展的余地;在另一时期却成为保守的东西,阻碍生产力的发展。生产关系的能动性,就表现在这种地方。

例如,资本主义生产方式的绝对规律是剩余价值的生产,资本主义下的生产力的发展就依从于这个规律。这个规律强制地支配着一切资本家,迫使他们努力改良生产技术,扩大商品生产,更多地榨取剩余价值,增殖自己的资本。商品廉价是自由竞争的重要的武器。在这个条件之下,生产事业的改良和扩大,出现为各种企业存在的条件。资本家在生产事业的改良和扩大这一方面如果落在他人之后,就会遭到严重的失败。并且,由于自由竞争。一部分的企业如果扩大起来,另一部分的企业,为了自身的存在也不得不跟着扩大起来。因此,资本主义下的生产力,就通过资本主义生产关系的运动而大大地发展起来。

但是,资本主义的商品生产规模的扩大,是在社会的生产无政府状态之下进行的。商品生产的扩大,远远地超过商品市场的扩大。这就是说,资本家所生产的商品堆积如山,以致于充斥市场,卖不出去。资本主义的生产方式和它的交换方式发生了冲突。这个冲突就爆发为经济危机。商业陷于停顿,市场上满是找不到销路的货物,现金匿迹,信用停止,工厂关门,工人失业,社会陷于萧条和混乱的状态。这就是证明资本主义生产关系不能合理地利用人类的主要的生产力——勤劳大众的劳动力。对于生产资料,也是一样。资本主义的生产关系,已是由生产力发展的形式转变为束缚生产力的桎梏。这是资本主义生产关系对于生产力的能动作用。

这里还需补充几句。资本主义生产关系促进或阻碍生产力的发展,都是在阶级斗争中进行的。初期资本主义的工厂是榨取绝对剩余价值的生产关系。往后,由于劳动者的长期的经济斗争,这榨取绝对剩余价值的生产关系就转变为榨取相对剩余价值的生产关系了。所谓相对剩余价值,是资本家用缩短必要劳动时间和延长剩余劳动时间的方法得来的剩余价值。这样的方法就是改良技术,提高劳动的生产性,使劳动者多多提供剩余劳动。资本家所实行的所谓科学管理法,所谓产业合理化,以及所采用的许多新技术,都是在对付劳动者的斗争的过程中所获得的新榨取手段。这些都是资本主义生产关系促进生产力发展的阶级内容。至于资本主义生产关系阻碍生产力的发展，则完全是由于衰朽的资产阶级利用政治权力维护这种剥削关系的结果。所以，只有考察资本主义生产关系的阶级内容，才能理解这种生产关系对于生产力的积极性，才能理解社会主义生产关系发展生产力的新内容及其发展的新条件。

二、生产力和生产关系的矛盾同经济基础的变革

生产力和生产关系的矛盾是社会的经济构造变革的最一般的规律。不过这最一般的规律在各个历史阶段上的社会中显现出来，就具有各个阶段上固有的特殊性。生产力和生产关系的矛盾，是一切历史上的生产方式的推进的动力。这种矛盾，在一切社会的构造中，不论是在对抗性社会或非对抗性社会中，都是存在的。但是，在对抗性社会中，这种矛盾带有对抗的性质；而在非对抗性社会中，矛盾不会发展为对抗。因为在非对抗性社会中，如同在社会主义社会中，生产资料公有，人们间的生产关系是同志间的互助合作关系，绝不含有对抗的性质，而生产力和生产关系的矛盾却是存在的。在这个社会中，人们一旦创造了新的生产工具。或者发明了使用生产工具的新方法的时候，工场中的劳动组织，人们相互间的劳动关系，就非跟着改组不可。当然，生产关系是极端复杂的，并且常常落在生产力的后面，但只要人们意识到生产关系落后于生产力的时候，就可以改进生产关系，使它适合于生产力，不会遇到衰朽力量的反抗。不会发生一部分人赞成而另一部分人反对的事情。所以生产力和生产关系的矛盾，正是社会发展的动力。如果没有矛盾，那就没有发展了。

在对抗性社会中，生产力和生产关系的矛盾，就发展为不可调和的冲突，引起特定对抗性的经济构造的变革。因为在这种社会中，生产力和生产关系的矛盾表现为阶级间的矛盾。就资本主义社会来说，资本主义的生产方式，包含着社会的生产和资本家的占有之间的矛盾。社会的生产显现出资本主义下的生产力，资本家的占有显现出资本主义的生产关系。生产力和生产关系的矛盾，即是社会的生产和资本家的占有之间的矛盾。这种矛盾，发展起来，就变为冲突。这种冲突，首先表现为劳动和资本的冲突，其次表现为工场的有组织性和社会生产的无政府状态的冲突，再次表现为剩余价值的占有条件和实现条件的冲突——经济危机。

　　经济危机暴露了资本主义生产关系成为生产力发展的障碍物,而生产力本身却是强有力地向着解放的方向迈进,它"要求摆脱其作为资本的一切属性,要求在事实上承认其为社会性质的生产力。"①一系列的一次比一次严重而普遍的经济危机,使得争取生产力解放的无产阶级和拥护衰朽的生产关系的资产阶级的冲突趋于尖锐化。于是无产阶级革命的时代到来了,随着资本主义经济基础的变革,那庞大的资产阶级上层建筑,也或缓或急地发生变革,代之而起的是社会主义社会。

---

① 《马克思恩格斯文选》第 2 卷,莫斯科外国文书籍出版局 1955 年版,第 146 页。

第五章　世界无产阶级社会主义革命论

第一节　马克思和恩格斯的无产阶级革命论

19世纪中叶,世界无产阶级革命运动在欧洲揭开了序幕。马克思、恩格斯和他们的战友们所组织的共产主义者同盟是这个革命运动的策划者和领导者;马克思和恩格斯所起草的《共产党宣言》是这个革命的周详的理论和实践的党纲。

在这里,我不能述说创始者们关于无产阶级革命理论的全部内容,只想就《共产党宣言》和他们的其他文献,把这个革命理论的几个基本部分,扼要地作如下的说明。

一、革命理论、革命政党对于无产阶级革命的重要作用

根据恩格斯写的《关于共产主义者同盟的历史》,共产主义者同盟的前身是德国侨居法国的工人在1836年所组织的正义者同盟。正义者同盟的指导思想,起初是接近于法国空想主义的巴贝夫主义,提出财产公有作为"平等"的要求。这个同盟因为在巴黎参加过法国人在1839年5月发动的起义,遭到了失败,同盟的重心就从巴黎移到了伦敦。从此就出现了新的情况,同盟就逐渐从德国的变成国际的了。当时参加这个同盟所组织的工人协会的人,除了德国人以外,还有许多别的国家的人。协会不久就命名为共产主义工人教育协会,并在会员证上用二十种文字印上"人人皆兄弟"的格言。这个秘密同盟就具有了更大的国际性。

当时同盟的成员,虽然一般说来是工人,但实际上都是手工业者。他们固然还不是真正的无产者,却已经意识到自己将来发展的前途,构成为一个无产

阶级政党,要实现共产主义,要实现"平等"、"博爱"和"正义"。

马克思和恩格斯都曾经和这个同盟的成员接触过,并且对于他们所主张的平均共产主义和空想社会主义展开过争论。他们一方面锻炼了他们自己的科学的社会主义这种新理论,一方面深深参入政治运动。他们在知识分子中间,尤其在西德意志知识分子中间拥有信徒,并且跟有组织的无产阶级建立有相当大的联系。他们要科学地论证自己的见解,并使欧洲无产阶级,首先使德国无产阶级确信自己见解的正确。他们在布鲁塞尔组织了德国工人协会,取得了德意志布鲁塞尔报作为自己的机关报;又通过哈尼尔报同英国宪章派中的革命部分取得联系。同时,他们又同布鲁塞尔那里的民主党人和法国改良报方面的社会民主党人处于联盟地位。他们的理论工作和政治活动是做得太好不过了。

当时在伦敦的正义者同盟的领导人物,受了马克思和恩格斯的新理论的影响,有了很大的转变,觉得过去流行的理论观念是毫无根据的,因而根据那种理论观念而产生的实践活动是错误的,所以多数盟员都相信马克思和恩格斯的新理论是正确的。

1847年春天,正义者同盟派了莫里去邀请马克思和恩格斯加入同盟,向他们两人声明,同盟成员确信他们两人新理论的正确,而同盟本身决定摆脱陈旧的密谋主义的传统和方式;如果他们两人愿意加入同盟,他们便可能在同盟的代表大会上,用宣言形式阐述他们的批判的共产主义,并作为同盟的宣言公开发表,同时改组旧的同盟来建立新的同盟。这样,马克思和恩格斯便接受同盟的邀请加入同盟了。

1847年夏季,同盟第一次代表大会在伦敦举行,大会首先进行了同盟的改组,取消了密谋时代旧有的秘密名称。同盟由各支部、各区部、各总区部、中央委员会以及代表大会组成,并命名为共产主义者同盟。同盟制订了新的规章,其第一条原文是:"同盟的目的是:推翻资产阶级,建立无产阶级统治,消灭建筑在阶级对立上的资产阶级旧社会而建立无产阶级无私有财产的新社会。"至于组织本身是彻底民主的,其各个委员会是由选举产生并且可以随时罢免的。这个新规章先交付各支部讨论,然后提交第二次代表大会加以审查和最后通过。这些事实表明了,世界上第一个共产党的建党原则是民主集中制。

共产主义者同盟第二次代表大会,是在同年 11 月下旬至 12 月初举行的。这次大会开了十天,马克思为了捍卫新理论,作了长时间的辩论,所有的分歧和疑难终于消除了。马克思和恩格斯接受大会的委托,起草了那个成为全世界无产阶级革命运动的指南的《共产党宣言》。

《共产党宣言》的基本思想,如恩格斯在 1883 年所写的《〈共产党宣言〉德文版序》中所说,是唯物史观,是科学的社会主义。又如列宁所说的,《共产党宣言》是"新的世界观,即包括社会生活的彻底唯物主义,作为最完备最精深的发展学说的辩证法,关于阶级斗争和共产主义新社会创造者即无产阶级所负全世界历史革命使命的理论"。

由于以上的叙述,我们可以知道:无产阶级革命,第一,必须有科学的理论做指导,没有革命的理论就不能有革命的行动;第二,必须有自己阶级的先锋队作为领导革命斗争的司令部,无产阶级如果没有自己的政党,就等于军队没有司令部。简单地说,无产阶级革命,必须有马克思主义作为理论斗争的武器,必须有马克思主义政党作为领导革命的核心。

二、无产阶级专政

无产阶级专政学说是马克思主义革命理论的基石。这个学说,马克思和恩格斯在《共产党宣言》中作了初步的说明,例如说:

> 前面我们已经看见,工人革命中的第一步是无产阶级变为统治阶级,争得民主。
>
> 无产阶级运用自己的政治统治,一步一步地夺取资产阶级所有的全部资本,把一切生产工具集中于国家手中,即集中于已组织成为统治阶级的无产阶级手中,并尽量迅速地增殖生产力总量。

这两段话就是说明:无产阶级在推翻资产阶级的政权以后,必须立即建立自己阶级的政权,并利用这个政权,没收资产阶级一切资本,把生产资料集中于无产阶级国家,尽量迅速地发展生产力,建设共产主义。

其后，马克思在《法兰西阶级斗争》、《路易·拿破仑政变记》和《法兰西内战》这三部著作中，总结了法国工人阶级革命斗争的经验，逐步地展开了无产阶级专政的学说。马克思在1850年所写的《1848年至1850年的法兰西阶级斗争》中，说到无产阶级专政对于社会主义革命的重要作用。

> 这个社会主义就是宣布不停顿革命，就是实现无产阶级专政，作为必经的过渡阶段，以求达到根本消灭阶级差别，消灭这些差别所自出的一切生产关系，消灭一切适应于这些生产关系的社会关系，变革一切由这些社会关系产生出来的观念。①

1852年3月5日，马克思在写给卫登麦尔的信中，阐明了关于无产阶级专政的思想。

> 至于讲到我呢，那么无论是发现近代社会中有阶级存在或发现各阶级彼此斗争，都不是我的功劳。在我以前很久，资产阶级的历史学家就已叙述了这阶级斗争的历史发展，而资产阶级的经济学家则早已作过对于各阶级的经济解剖了。我所作出的新东西就在证明下列几点：(一)阶级的存在仅仅是跟生产发展的一定历史阶段相联系的；(二)阶级斗争必然要引导到无产阶级专政；(三)这个专政本身不过是进到消灭任何阶级和进到无产阶级社会的过渡。②

这一段话说明了无产阶级专政是无产阶级革命斗争的必然趋势，而这个专政的目的在于建立共产主义，消灭一切阶级。至于阶级的分裂和阶级斗争的客观存在，是资产阶级学者在马克思以前早就揭露过和分析过的，所以阶级斗争学说是连资产阶级也都能接受的。列宁说得好，"谁仅仅承认阶级斗争，那他还不是马克思主义者。……只有把承认阶级斗争扩展到承认无产阶级专

---

① 《马克思恩格斯文选》两卷集，第1卷，第199页。
② 《马克思恩格斯文选》两卷集，第2卷，第452页。

政的人,才是马克思主义者。"

至于无产阶级专政应当采取怎样的形式,即无产阶级在推翻资产阶级以后,应当组织怎样的国家机器来对被推翻的资产阶级实行专政并进行社会主义改造,这在《共产党宣言》中没有作出说明。如列宁所说,这是要由群众运动的经验来作出答案的。这个答案,终于由1871年巴黎工人革命的经验作出来了:巴黎公社正是无产阶级专政的最适当的形式。因此,马克思和恩格斯在1872年所写的《〈共产党宣言〉德文版序》中,写过下面一段话:

> ……由于首先既有过二月革命的实际经验而后来尤其又有过无产阶级第一次掌握政权达两月之久的巴黎公社的实际经验,所以这个纲领现在有某些地方已经陈旧了。特别是公社已证明出:"工人阶级不能简单地握取现行的国家机器,并运用它来达到自己的目的。"

无产阶级在推翻资产阶级以后,必须打碎资产阶级的国家机器,按照巴黎工人的经验,建立起像巴黎公社那样的国家机器,才能实现工人阶级的经济解放,达到社会主义的胜利。列宁所提倡的并在十月革命后组织起来的苏维埃政权,就是吸取了巴黎公社的经验而采取的组织形式。

最后,马克思在1875年所写的《哥达纲领批判》中,特别强调无产阶级专政的作用,认为从资本主义社会到共产主义社会之间,有一个政治的过渡时期,这政治过渡时期的国家只能是无产阶级革命的专政。由此可知,无产阶级专政不单是无产阶级革命的工具,并且是共产主义建设的工具。

三、工人阶级领导的工农联盟　民主联合战线

关于同盟军的问题,关于工人阶级领导下的工农联合的思想,马克思和恩格斯也在《告共产主义者同盟书》中发表过。书中说到关于消灭封建制度即处分封建地产的问题时,主张工人阶级要反对资产阶级把封建地产交给农民自由支配的办法,像第一次法国革命时那样,"继续保存一个农村无产阶级并造成一个农民小资产阶级。"因此作出如下的主张:

工人为了农村无产阶级的利益和为了本身自己的利益,一定要反对这种意图。他们必须要求把没收下来的封建所有财产变为国家的财产,变成由农村无产阶级联合利用大规模农业所有一切优点来耕种的工人农场。这样,在资产阶级所有制关系陷于动摇的情况下,公有制的原则立刻就会获得巩固的基础。正如民主党人在与农民联合那样,工人也应与农村无产阶级联合。①

上面这一段话表现了工农联盟的思想,即无产阶级革命要依靠农村无产阶级、贫农作为自己的同盟军。

工农联盟的思想,马克思在 1856 年致恩格斯的信中,主张必须把农民革命运动和无产阶级革命配合起来。他说:"德国全部事情,都将以是否有可能由某种再版农民战争来协助无产阶级革命为转移。"②

当时德国的资本主义才开始发展,德国无产阶级虽然比较十八世纪的无产阶级有更多的发展,但在全国人口中究竟属于少数,只有同农民群众联合起来,领导他们进行反封建主义的民主革命,才容易取得胜利。过去德国农民革命战争的目的是在于消灭封建制度和封建土地所有制,使农民取得土地。若果无产阶级能够领导农民进行反封建主义革命斗争,就可以彻底完成民主主义革命并进而反对资产阶级。

马克思在 1871 年 4 月写给库格曼的信中认为巴黎工人破坏官僚军事国家机器,"这正是大陆上任何一个真正人民革命的预备条件,我们英勇的巴黎同志的尝试,恰巧就是如此。"列宁在《国家与革命》这一著作中,就马克思所说的"真正人民革命"中的"人民"二字作了正确的解释。他说:

在 1871 年的欧洲大陆上,无论哪一个国内,无产阶级都还没有成为人民大多数。把真正大多数人民吸引到运动中来的"人民"革命,当时只有将无产阶级和农民两者都包括在内,才能成为这样的革命。在当时正

---

① 《马克思恩格斯文选》两卷集,第 2 卷,第 92 页。
② 转引自《联共(布)党史简明教程》第三章第三节。

是这两个阶级组成为"人民"。这两个阶级因为同受"官僚军事国家机器"所压迫、摧残和剥削而联合起来。打碎这个机器,毁坏这个机器,——这就是"人民",大多数人民,即工人和大多数农民的真正利益,这就是贫苦农民和无产者自由联盟的"预备条件",而没有这个联盟,则民主制度就不稳固,社会主义改造就不可能实现。①

1874 年,恩格斯在所写的《德国农民战争》一书序言中,明确地说到德国无产阶级的同盟军问题。他说当时"完全和经常靠工资过活的阶级,还远未占德国人民的多数。因此,它也必须有同盟者,而这种同盟者却只能在小资产者、城市流氓无产阶级、小农和农业工人中间找到"②。接着,他分析小资产者是"极不可靠的,只有在获得胜利时才是例外",但其中"也有一些自动联合工人的很好的分子"。至于"流氓无产阶级是各阶级堕落分子的糟粕",他认为是绝对不能利用的。至于小农,其成分并不一致。其中有些封建的农民(还必须为他们的主人服劳役的),"不难令他们信服,他们只有依靠工人阶级才能求得解放。其中有些是佃农,他们除了依靠工人来拯救以外,别无希望。其次,在自己的小块土地上经营的一些农民,他们大多数受着高利贷资本家的剥削。工人阶级可以说服他们,使他们相信,只有依靠工人阶级才能从重利盘剥的环境中解放出来。最后,说到农业工人、农业无产阶级即农村雇农,在当时德国是农村中人数最多的阶级,恩格斯着重地说起‘城市工业工人就在这里能找到自己的人数最多的天然同盟者。正像资本家与工业工人相对立一样,土地所有者或大佃户是与农业工人相对立的。那些帮助工业工人的方策,一定也会帮助农业工人。工业工人只有当他们把资产阶级的资本,即为生产所必需的原料、机器、工具和生活资料变成社会财产,即变成自己的,由他们集体享用的财产时,他们才能解放自己。同样,农业工人,也只有当那首先作为他们主要劳动对象的土地从富农和——更富的——封建主私有范围中夺出来,而变作农业工人合作社集体耕作的社会财产时,他们才能摆脱自己可怕的

---

① 《列宁文选》两卷集,第 2 卷,莫斯科国际版,第 192—194 页。
② 《马克思恩格斯文选》两卷集,第 1 卷,第 621 页。

贫困。'"①

在《德法农民问题》中,恩格斯说:"为要夺取政权,党就应当首先从城市里跑到乡村里去,成为乡村里有势力的党。"②

以上是马克思和恩格斯关于工人阶级领导的工农联盟的学说。他们两人虽然没有在别的著作里把这一学说充分展开出来,但我们仍然可以从上面所引用的几段话,知道这一学说的梗概:无产阶级必须依靠工农联盟才能取得革命的胜利,才能建成社会主义社会。特别是恩格斯在《德国农民战争》一书序言中提出了两个最重要的主张:(一)无产阶级要以占农村人口大多数的农业工人即雇农作为自己的天然的同盟军,并团结中贫农,反对富农,还联络一部分城市小资产者;(二)农业的社会主义改造方式是建立集体所有制的农业合作社。

关于与进步党派合作的问题,即民主统一战线问题,共产党宣言第四章中也作了一些指示。例如说:"共产党人为着工人阶级的最近目的和利益而奋斗,但他们在现今运动中同时还坚持着运动的未来。"所谓"最近目的和利益",主要是指打击目前的共同敌人,所谓"运动的未来",是无产阶级推翻资本主义和建设社会主义。为了"最近的目的"共产党可以和一些进步党派合作,但一刻也不忘记自己的独立的主张。所以说,"在法国,共产党人联合社会民主党去反对保守党和急进派的资产阶级",但不忘记批判该党的空谈和幻想。"在瑞士,共产党赞助急进党人",但不要忘记这个政党有法国式的社会民主主义者和急进派的资产者两部分人,应当分别对待。"在波兰人民中间,共产党人赞助把土地革命当作民族解放条件的政党。""在德国,当资产阶级还采取革命行动时,共产党就同它一起去反对君主专制,反对封建土地所有制和反动市侩。……以期在推翻德国反动阶级之后立刻就开始斗争去反对资产阶级本身。"

"共产党人到处都赞助一切反对社会政治制度的运动"。"共产党人到处都在努力争取各国民主政党间的团结和协议"。但是共产党人"在所有一切

---

① 《马克思恩格斯文选》两卷集,第 1 卷,第 621—622 页。
② 《马克思恩格斯文选》两卷集,第 2 卷,第 422 页。

运动中最为注重的是所有制问题,把它作为运动中的基本问题,而不管它当时发展程度怎样"。这就是说,无产阶级革命的目的是废除一切私有制度,建成共产主义社会,但为了最近的目的和利益,为了打倒当前的敌人,是有联合比较进步的各种政党的必要的。这可以说是民主统一战线的思想。

四、不断革命论　无产阶级在民主革命中的领导权

在资本主义比较发达而资产阶级已经掌握政权的国家中,无产阶级在取得革命胜利以后,就可以立即实行无产阶级专政。但在资本主义比较不发达而封建君主专制的统治必须加以推翻的时候,无产阶级就必须领导这个资产阶级性的民主革命,以期在这个革命胜利以后,立即转变为社会主义革命。1847年,当时的德国正处在资产阶级革命的前夜,《宣言》主张:"当资产阶级还采取革命行动时,共产党就同它一起去反对君主专制,反对封建土地所有制和反市侩。但共产党一分钟也不停止在工人中间努力养成尽量明了资产阶级和无产阶级间敌对情形的意识,以期使德国工人能立刻利用资产阶级统治所必然带来的那种政治和社会条件作为反对资产阶级本身的武器,以期在推翻德国反动阶级之后立刻就开始斗争去反对资产阶级本身。"因为当时德国的无产阶级比17世纪英国和18世纪法国的无产阶级更为发展,更容易实现这个革命。所以说,"德国资产阶级革命一定要成为无产阶级革命的直接序幕。"①

在1848年德国的二月革命和三月革命以后,马克思在同年12月发表了《资产阶级与反革命》的文章,指斥了当时德国资产阶级的反革命的性格,它比17世纪英国和18世纪法国的资产阶级更为落后。17世纪的英国"资产阶级和新贵族结成同盟反对了君主政体,反对了封建贵族和反对了统治教会的"。18世纪的法国的"资产阶级是和人民结成同盟反对了君主政体、贵族和统治教会的"。这两次革命,实际上都是由资产阶级领导的。至于19世纪中叶德国的资产阶级却是软弱、畏缩、迟钝、没有主动性,活像一个早晚遭到唾骂的老头儿,没有眼睛,没有耳朵,没有牙齿,完全衰颓不堪,却要健壮的人们服

---

① 《共产党宣言》。

从他自己晚年的利益。它一面敌视封建制度和专制制度,一面又敌视无产阶级和一般人民,"它堕落成了一个既睽离君主又远离人民的孤独等级。"它没有领导人民运动的能力,也没有人民做它的后盾。它一开始就存心背叛人民而与腐朽的封建君主相妥协。它是被当时的人民运动抛上了国家政权的高峰的,并不是凭借自己的力量取得政权的。所以它一经取得了政权就同封建君主相妥协,共同压迫无产阶级和人民群众。马克思分析了德国资产阶级的反动和堕落的性格,认为只有无产阶级才能把革命进行到底,主张不断革命。在《中央委员会告共产主义者同盟书》中,指出当时德国小资产阶级民主党只要是能够达到于自己有利的要求,就要结束革命,但无产阶级却要把革命进行到底,绝不停顿。所以说:

> 民主主义小资产者是希望至多也只实行上述要求,便赶快结束革命的,而我们的利益和我们的任务,却是要革命成为不停顿的,直到大大小小的有产阶级从统治地位上被撤销,无产阶级争得国家政权,无产者的联合不仅在一个国家内,并且在世界上一切占统治地位的国家内都发展到使这些国家的无产者间的竞争归于停止,以及至少是那些有决定意义的生产力集中到了无产者手里的时候为止。①

> 但是,为了要达到自己的最后胜利,首先还是要他们自己努力;他们应当认识自己的阶级利益,尽可能迅速地采取自己的独立的党的立场,一瞬间也不要让民主主义的小资产者用花言巧语诱惑他们离开无产阶级党独立组织的道路。他们的战斗口号应该是:"不停顿的革命"。②

以上是马克思和恩格斯的不断革命论的基本要点。这不断革命论教导无产阶级,特别是资本主义不发达而封建势力占居统治地位的国家的无产阶级,必须在自己的独立政党领导之下坚决地担负起领导民主革命的使命,以期在推翻封建统治以后,立即转过来反对资产阶级,即进行社会主义革命。因为在

---

① 《马克思恩格斯文选》两卷集,第1卷,第88页。
② 《马克思恩格斯文选》两卷集,第1卷,第94页。

这样的国家中的资产阶级,一方面反对封建势力,另一方面又反对无产阶级,它是不能领导民主革命的。因而民主革命的领导权就落在富于革命彻底性的无产阶级的肩上,而无产阶级必然要把民主革命引导到无产阶级革命去的。因为这个民主革命只是"无产阶级革命的直接序幕"。

五、武装斗争的重要性

在《共产党宣言》中,马克思和恩格斯是主张无产阶级实行强力革命的。共产党宣言中这样写着:

> 当我们叙述无产阶级发展中那些最一般的阶段时,我们也就循序考察了现存社会里多少隐蔽着的国内战争,一直到这个战争转变为公开的革命,那时无产阶级就用强力推翻资产阶级而建立起自己的统治。
>
> 共产党人认为隐蔽自己的观点和意图是件可耻的事情。他们公开声言:他们的目的只有用强力推翻全部现存社会制度才可以达到。让那些统治阶级在共产主义革命面前发抖吧。

其次,马克思在《资本论》第一卷中说:

> 强力是一切孕育着新社会的旧社会的接生婆[1]。

还有,恩格斯在《反杜林论》中引用马克思的那句话,认为"强力是社会运动所借以开辟自己道路和破坏僵死硬化了的政治形式的手段"。由此可见,马克思和恩格斯是非常重视无产阶级实行强力革命的。他们在《告共产主义者同盟书》中,坚决主张德国工人阶级要用武力声讨那个背叛工人的资产阶级政党。他们主张整个无产阶级都必须武装起来,建立起独立和武装的工人组织,即建立起由工人们自己选出的长官和总参谋部指挥的无产阶级卫军,实行武装起义。其次,马克思和恩格斯对于 1871 年巴黎工人起义,是深致赞扬

---

[1]　《资本论》第 1 卷,人民出版社 1953 年版。

的。由此可知,他们是很重视无产阶级实行强力革命的。革命的根本问题是夺取政权的问题。反动统治阶级无论处在什么危机状态,绝不会自动放弃政权,无产阶级只有用强力革命的手段去夺取它。

19世纪初叶和中叶,法国巴黎工人是拥有武装的。他们为了反对统治阶级,常常拿起武器进行街垒战争,并提出威胁现存资本主义制度的要求。这是使得反动统治阶级感到困惑和丧失威信的事情。所以反动统治的"资产阶级认为第一条金科玉律,就是解除工人武装。所以,每次由工人们争得的革命之后,就要发生新的斗争,其结果总是工人遭受失败"①。所以,自从1848年到1851年法国工人革命斗争失败以后,直到1871年普法战争时期,巴黎工人才能利用法国统治阶级失败的机会,取得武装来进行武装起义,但结果还是被法普两国军队打败了。从此以后,欧洲工人阶级转向于争取民主的公开政治斗争,武装斗争停止了。

由此可见,马克思和恩格斯是主张强力革命的。在资产阶级国家的统治者还高唱虚伪民主的时候,无产阶级及其政党应当进行争取民主的政治斗争,扩大工人运动,组织自己的群众,用自己的政策争取广大的人民团结在自己的周围,以期在一定的时机,直接冲击资本主义,用强力夺取政权。至于封建势力占居统治地位的国家,人民全无民主自由,无产阶级党不能进行公开活动,那就只能举行武装,起义并坚持长期的武装斗争,直到革命取得胜利。

六、无产阶级国际主义

共产主义者同盟原是国际工人组织的革命政党。"全世界无产者联合起来!"这个庄严的号召,是无产阶级国际主义的基本精神的表现。共产党宣言指出:"无产阶级获得解放的一个首要条件"是各国工人"共同的努力,至少是各文明国度工人共同的努力"。因为任何一国的资产阶级都是各国工人共同的敌人,团结起来反对共同的敌人是各国工人共同的根本利益。任何一国的无产阶级不能把别国的无产阶级的革命看做与自己全无关系的事情,而必须尽可能给以物质上精神上的支援。天下工人是一家!

---

① 《马克思恩格斯文选》两卷集,第1卷,第454页。

共产党宣言还说明了阶级对抗和民族对抗的相互关系。一个阶级对于别的阶级的剥削是一个民族对于别的民族的剥削的根源。所以"人对人的剥削被消灭下去,民族对民族的剥削也就会被消灭下去"。又,一个民族内部的阶级对抗是民族与民族间互相对抗的根源,所以只要是"民族内部的阶级对抗一消失,民族间的敌视关系也就会跟着消失"。所以只要是无产阶级消灭了一切剥削制度和剥削阶级,民族平等就可以完全实现。

马克思和恩格斯在领导无产阶级革命运动的经验中,深切地感到各国工人阶级有进一步加强兄弟般的团结的必要。当1860年年初,英国、德国、法国和意大利的工人阶级运动有了新的高涨,各国工人代表于1864年9月在伦敦创立了国际工人协会(即第一国际),由马克思起草了《国际工人协会宣言》和《国际工人协会共同规章》。《宣言》表明了,各国工人所以要组织这个国际协会,是基于以下两个信念:其一,各国工人阶级要获得自己阶级的解放,必须加强兄弟般的团结,加强在解放斗争中坚定地并肩作战的兄弟般的团结,否则就使他们分散的努力遭到共同的失败。其二,工人阶级的解放既然要求工人们兄弟般的团结,所以当本国反动统治阶级利用民族偏见进行掠夺战争时,工人们必须精通国际政治秘密,"监督本国政府的外交活动,在必要时就用能用的一切办法反抗它,在不可能防止这种活动时就团结起来同时地揭露它,努力达到使私人关系间应该遵照的那种简单的道德和正义的法则,成为国际关系上至高无上的法则。"各国工人代表根据上述两个信念,组成了这个协会,所以协会规章第一条这样规定着:"本协会设立的目的,是要成为各国追求共同目的的工人团结进行联络和合作的中心;这个共同目的是在于保护、发展和完全解放工人阶级。"①于是,1848年共产主义者同盟所发出的"全世界无产者,联合起来!"这个庄严的号召,到了1864年,已经产生出流芳百世的国际工人协会了。全世界无产者这时真正已经联合起来了。

以上所述说的六项,是马克思和恩格斯的无产阶级革命论的主要构成部分,是世界各国无产阶级革命运动的指导。各国无产阶级党只要能够根据马克思和恩格斯这些指导,结合本国所处的时代和具体情况,就可以锻炼出锐利

---

① 《马克思恩格斯文选》两卷集,第1卷,第354—366页。

的理论武器,领导无产阶级和人民群众去推翻旧社会制度,建立新社会制度。

可是,马克思和恩格斯所创造出来的无产阶级革命论,后来却被第二国际的机会主义的领袖们,即以伯恩斯坦为首的修正主义者们,加以歪曲和"修改",把马克思主义的基本原理毁损无余。他们是马克思主义的叛徒,是资产阶级的走狗(现代修正主义者、铁托集团便是他们的后代)。

帝国主义时代,已是无产阶级革命的前夜,马克思主义政党为要领导无产阶级和人民群众同资产阶级进行决战,就必须从马克思主义武器库中,取出锐利的武器,刮垢磨光,指导这个革命战争。为此,必须粉碎一切机会主义和修正主义来捍卫马克思主义的革命精神,把"第二国际的肮脏马厩做一番总检查和清洗"的工作。这一伟大的历史任务就落在列宁和列宁主义政党的肩上。

七、无产阶级革命由准备时期到成熟时期

马克思和恩格斯所处的时代是垄断前期的资本主义时代,是无产阶级革命刚刚开始的时代,当时生产力和资本主义生产关系的冲突虽然暴露了出来,但还没有达到尖锐化的程度,因而无产阶级革命还没有成熟到直接冲突资本主义的时代。1850 年,马克思和恩格斯总结 1848 年以来法国和德国的工人革命运动的经验,认为当时的资本主义已经开始出现了一个新的、空前未有的工业繁荣的时期,而 1848 年的革命风暴已在渐渐化为乌有。接着说:

> 在这样普遍繁荣的情况下,资产阶级社会的生产力既是在资产阶级生产关系一般可能的范围内充分繁茂地发展着,当然谈不到什么真正革命的。这样的革命,只有当现代的生产力与资产阶级的生产方式这两个要素陷于互相抵触的时期,才是可能的。[①]

这就是说,在 1850 年时期,资本主义还在走上坡路,无产阶级革命的客观条件还没有成熟,单凭一切义愤和一切激昂宣言来发动革命,是无济于事的。

---

① 《马克思恩格斯文选》两卷集,第 1 卷,第 351 页。

1858 年 10 月 8 日,马克思在写给恩格斯的信中,就当时欧洲大陆的革命形势,作了这样的估计,他说:"我们感到困难的问题是:在大陆上,革命是不可避免的,而且会立刻具有社会主义的性质。既然资产阶级社会在极大的范围内还是按上升运动进展的,那么它会不会在这个狭小范围的角落内不可避免地被镇压下去呢?"1871 年巴黎公社的革命的胜利和失败,证实了马克思的预言。在另一方面,假使当时巴黎工人的革命能够得到德国工人阶级的声援,法国资产阶级就不能利用普鲁士的军队击败巴黎公社。所以就欧洲当时的客观形势来说,无产阶级革命在单独一个国家内的胜利是不可能的。为要战胜资产阶级,就必须要有一切先进国家内,或至少也要有大多数先进国家内无产者共同发动,才是可能的。

1895 年,恩格斯为《一八四八年至一八五〇年法兰西阶级斗争》一书所写的导言中,说起了欧洲工人运动由武装起义转向于"争取民主"斗争的经过。自从 1871 年巴黎革命的失败和普法战争结束以后,欧洲工人运动的重心从法国移到了德国。德国社会民主党利用普选权,同资产阶级展开公开政治斗争,取得了很大的成就,曾经获得总选票四分之一以上的票数,威胁着德国政府和统治阶级。德国工人这样的成就,影响了其他各国工人也来利用普选权这个武器作为政治斗争的工具。由于利用了普选制,就造成了全世界的工人运动,造成了世界上包括有千百万工人的政党。工人阶级的党在这样的政治斗争中,宣传自己阶级的政见,教育、启发和组织工人和农民群众,是具有极重大的作用的。但是,和平的公开的政治活动,也产生了消极的不良的后果,这就是助长了工人政党的领导集团的机会主义的偏向。马克思在 1875 年所批判的德国统一社会主义工人党的那个哥达纲领,就是公开机会主义的表现。从那时以后,每况愈下,第二国际各国的党的领导集团都变成了社会改良主义者,同时,帝国主义者在各国所收买的工人上层分子,形成了工人贵族即资产阶级化的工人。这类工人贵族,就是各国工人政党的台柱。于是第二国际各国的党变成了资产阶级的仆从,它们的指导思想是社会改良主义(后来变成了社会法西斯主义),它们的领导者由马克思主义的批评者、修正者而变成马克思主义反对者了。它们并不是什么革命政党,而只是资产阶级国会的一个党团和一个选举事务所。在社会主义革命前夜的帝国主义时代,生产力同资本主义生产关系的冲突趋于尖锐化，资产阶级对于无产阶级的压迫和剥削日益加剧，国际帝国主义者重新分割殖民地战争迫在眉睫，这正是无产阶级直接冲突资本主义的时期，可是那些工人贵族所盘踞的政党却变成了拥护资本主义、麻痹工人阶级革命意志的工具，以致西欧帝国主义各国的无产阶级革命不能发动起来。于是世界无产阶级革命的领导重心从西欧移到俄国了，列宁和他的战友们所组织的革命政党，就是这一革命事业的领导者。

第二节　列宁对于马克思主义革命学说的新贡献

一、列宁为建立革命的马克思主义政党而进行的斗争[①]

列宁进行革命活动的时代是帝国主义时代。帝国主义使资本主义矛盾达到极点，因而引起世界革命潮流的高涨。在这些矛盾中，最主要的有下列三个矛盾。

第一个矛盾是无产阶级和资产阶级的矛盾。在帝国主义国家中，垄断资本的压迫和剥削更加百倍令人难受，因而使得无产阶级革命达到成熟的阶段，直接冲击资本主义。这个矛盾的表现，是 19 世纪末因欧洲经济危机而引起的各国工人运动，特别是俄国工人的运动和 1905 年的革命。

第二个矛盾是被压迫民族和帝国主义国家的矛盾。由于帝国主义国家用垄断资本和殖民政策加紧对殖民地、半殖民地和附属国的人民进行经济的剥削和政治的侵略，因而使整个世界划分为两大营垒；一个是压迫着并剥削着广大的殖民地、半殖民地和附属国的少数资本主义"先进"国，另一个是多数被压迫民族（即一切殖民地、半殖民地和附属国）。由于那些"先进"国在一切被压迫民族中进行倾销商品、采集原料、输出资本和开办银行、工矿、交通等事业的结果，由于它们在这些民族中进行政治侵略和经济剥削的结果，就使这些民族产生出无产阶级和先进知识分子，成为要求民族解放的急先锋，因而激起了被压迫民族反对帝国主义的民族解放的斗争。这个矛盾的表现，是中国人民反帝国主义的革命运动和亚洲其他几个国家要求民族解放的斗争。

---

① 本段参考了《联共（布）党史简明教程》第一章和第二章。

第三个矛盾是帝国主义国家相互间的矛盾。这就是老牌和新牌的帝国主义各国为重新瓜分殖民地和势力范围而引起的矛盾。它们为了解决这个矛盾，只有诉诸战争。1904 年的俄国和日本两帝国主义者为争夺中国领土而进行的战争，就是这种类型的战争的开端。

帝国主义进行战争的结果，必然要削弱帝国主义，而欧洲的无产阶级革命和亚洲民族解放战争必然联成一个世界革命战线，以反对世界帝国主义战线。所以列宁说："帝国主义是垂死的资本主义，是社会主义革命的前夜。"

列宁进行革命活动的时代正是这样一个时代。这个时代的俄国是军事封建帝国主义的沙皇俄国。在这个国家中，工人阶级因为受着资产阶级非常残酷的剥削和沙皇政府非常凶暴的压迫，从 19 世纪 80 年代起就已经觉悟起来，组织工会，实行罢工，向资本家进行斗争，虽然常常遭到沙皇政府的武力镇压而归于失败，但是工人阶级反抗沙皇政府和资产阶级的斗争，却日益高涨，并且由经济斗争转向于政治斗争。1878 年成立的"北方工人协会"就已经提出了实现社会主义作为终极目的。这种趋向，表现了俄国工人最富于革命的彻底性，能够成为世界革命的领导者。所以列宁早年针对当时的客观革命形势，认为俄国工人阶级革命的终极目的固然在于推翻资本主义和建立社会主义，而最近目的则是要推翻沙皇制度和建立民主制度。因为沙皇制度不仅是欧洲反动势力最强大的堡垒，并且是亚洲反动势力最强大的堡垒，只要把这个堡垒打破，"结果就会使俄国无产阶级成为国际无产阶级革命的先锋队。"

列宁坚决主张，为要进行革命，必先组织一个革命的马克思主义政党。他在相当长的时间内环绕着这一建党问题而斗争。他认为要建立这样一个党，首先要捍卫马克思主义，粉碎一切机会主义、改良主义和修正主义，并用马克思主义的原理结合革命斗争的新形势和新条件，创造出适合于俄国社会经济发展规律的理论，来指导俄国的革命。所以列宁是非常重视革命理论的。他说：

没有革命的理论，就不会有革命的运动。

只有受先进理论指导的党，才能实现先进战士的作用。

　　列宁钻研马克思学说,把马克思主义应用于当时俄国经济政治环境,一面深入工人群众之中,把彼得堡一切马克思主义工人小组统一起来,建成"工人阶级解放斗争协会",作为建党的组织准备,因而就把马克思主义和工人运动结合起来了。在理论工作方面,列宁一面宣传马克思主义,一面同反马克思主义的各种思想作不调和的斗争。19世纪末和20世纪初,俄国反对马克思主义的最主要的派别有"民粹主义"和"经济主义",它们都是马克思主义的敌人。民粹主义是小资产阶级主观唯心主义思想体系,民粹派是代表农民利益而攻击马克思主义的一个流派。列宁认为首先要从思想上彻底粉碎民粹主义,才能保证马克思主义思想进一步的传播,保证有建立社会民主党的可能,所以写了一本《什么是人民之友以及他们如何攻击社会民主党人?》的书,彻底揭破了民粹派这些冒充的"人民之友",其实是人民之敌的真面目。其次,"经济主义者"是第二国际机会主义者在俄国的一个流派。他们主张:第一,工人阶级只应进行反对厂主的经济斗争,以谋增加工资,改良劳动条件等,却不应该进行反沙皇制度的政治斗争,因为这是资产阶级的事情;第二,崇拜工人运动的自发性,认为建立统一集中的工人政党是不必要的,并且党不应当领导工人运动,不应当向工人灌输社会主义思想,干预工人阶级的自发运动,而是应该跟着它走,研究它,并从它中间吸取教训。"经济主义者"这种机会主义的立场,显然是资产阶级在工人阶级中的代理人,是当时妨碍着组织马克思主义政党的绊脚石。列宁认为要建立统一的无产阶级政党,必先打破"经济派"。因此,列宁在《火星报》上,特别是在《做什么》这一名著作中驳斥了"经济派"的立场和论点,宣告它是"叛卖无产阶级利益的改良主义者"。经过《做什么》一书的广泛传播,"经济派"就烟消云散了。

　　列宁凭借《火星报》宣传了马克思主义,粉碎了机会主义,联络了全俄各地的秘密的马克思主义组织,并提出了党纲草案,为建立革命的马克思主义政党做好了思想准备、组织准备和干部准备。

　　到了1903年7月,俄国社会民主工党第二次代表大会在伦敦举行,列宁主办的《火星报》所提出的党纲草案,经过了一番大辩论,终于按照列宁的主张通过了。

　　这个党纲分为两部分,即分为最高限度纲领和最低限度纲领。最高限度纲领上所说的是工人阶级党底主要任务:实现社会主义革命,推翻资本家政权,建立无产阶级专政。最低限度纲领上所说的是党在推翻资本主义制度以前,在建立无产阶级专政以前所应实现的最近任务:推翻沙皇专制制度,建立民主共和制度,为工人施行 8 小时工作制,在农村中消灭一切农奴制残余,把地主夺去的一部分农民土地("割地")归还给农民。

　　后来,布尔什维克已用没收全部地主土地的要求来代替了归还"割地"的要求。

　　这个党纲完全是马克思主义的基本原理与俄国革命的具体实践的结合,它是布尔什维克党的政治总路线。其中所说的"最低限度纲领"是指民主主义革命的纲领,"最高限度纲领"是指社会主义革命的纲领。这两个纲领是具有有机的联系的。特别是党纲中列入了无产阶级专政和农民问题上的要求两项,更加显出了革命的马克思主义政党的基本精神,因为这两项是第二国际各个机会主义党所不注意的,并且也是它们所反对的。在代表大会上有人对于这两项表示反对,经过一番辩论之后,列宁的主张终于贯彻了。

　　但是到了讨论党章的时候,大会开始出现了两个不同的派别,这就是以列宁为首的布尔什维克派和以马尔托夫为首的孟什维克派。两派对于党章的意见完全相反,因而引起了激烈的争论。这一场争论是从讨论党员资格的第一项开始的。

　　按照列宁的主张,党是有组织的部队,其中各个成员并不是自行列名入党,而是由党内某一组织接收入党,因此他们必须服从党的纪律。像这样的党,是一元性、战斗性和组织严密的党,是马克思主义的革命政党。按照马尔托夫的主张,党是一种组织上没有定型的东西,其中各个成员都是自行列名入党,他们既不参加党内任何一个组织,因此也就不必服从党的纪律。像这样的党将是成分复杂、组织涣散和没有定型的党,这是没有战斗性的党,是第二国际机会主义的党。

　　列宁为了反击孟什维克组织机会主义的政党的罪恶行为,写了《进一步,退两步》一书,展开了革命的马克思主义政党的建党的原则(即列宁主义的建党原则)。书中指出:马克思主义政党是工人阶级的一部分,是工人阶级有觉悟的、先进的、用社会发展规律和阶级斗争规律的知识武装起来的队伍,是工人阶级的政治领袖和司令部,是一个由统一意志、统一行动、统一纪律所团结起来的有组织的部队,是工人阶级组织的最高形式。贯穿于这个党组织的两大原则是民主集中制和集体领导。只有这样一个党才是革命的马克思主义政党,只有这样一个党才能领导无产阶级和人民群众推翻一切剥削阶级的政权,建立无产阶级专政,建设社会主义和共产主义。

列宁在《进一步,退两步》这一名著中所阐明的关于新型的马克思主义政党的组织原则,是苏联共产党及其前身布尔什维克的组织基础,中国共产党和其他各兄弟党都是按照列宁主义的原则组织起来的。

从以上所述,可以知道,列宁从19世纪90年代开始革命活动之时起,直到俄国社会民主工党正式成立以至于1904年写成《进一步,退两步》出版之时为止,他的主要工作就是捍卫、宣传并发展马克思主义的革命理论和组织革命的马克思主义政党。由此可见,无产阶级的革命理论和革命政党是何等的重要。"没有革命的理论就不会有革命的行动。"没有革命的政党就不能领导无产阶级和人民群众的革命取得胜利。

二、列宁关于由资产阶级民主革命转变为社会主义革命的学说①

俄国社会民主工党的党纲分为最低纲领和最高纲领两部分,最低纲领是实现资产阶级民主革命,最高纲领是实现社会主义革命,这是前面已经谈到的。

但是,资产阶级民主革命和社会主义革命两者的相互联系怎样,这是马克思主义政党必须明确地说明的问题。特别是当着1905年工人和农民的革命运动高潮已经到来的时候,摆在无产阶级政党面前的,有许多急待解决的问题:怎样组织武装起义,推翻沙皇政府,建立临时革命政府;党对于农民态度怎样;对于资产阶级态度怎样。对于这些问题,党必须制定一个统一而周密的马克思主义策略,确定自己的行动路线。为要制定自己的策略和自己的行动路

---

① 本段参考了《联共(布)党史简明教程》第三章。

线,党必须说明资产阶级民主革命和社会主义革命的相互联系。

当时俄国社会民主工党已分裂为布尔什维克和孟什维克两派。这两派在事实上是两个政党,因而有两个对抗的策略和路线。

孟什维克主张资产阶级的民主革命只有由资产阶级来领导,无产阶级应与自由资产阶级接近,不应与农民接近。因此,无产阶级只应管工人阶级的纯粹的特殊利益,不应妄想充当资产阶级民主革命的领袖,也不应用自己的革命行动去吓退资产阶级,削弱革命。孟什维克这种策略和路线,就是承认资产阶级民主革命和社会主义革命之间隔着一座万里长城,就是主张工人阶级在即将取得政权的资产阶级统治之下,长期地忍受资本家的剥削。这完全是第二国际机会主义者叛卖工人阶级利益的策略。

和孟什维克的策略相反,列宁为布尔什维克制定的策略,完全是马克思主义的。列宁在《社会民主党在民主革命中的两个策略》这部名著中,对孟什维克的策略给了一个典型的批判,揭破它是第二国际机会主义的策略;同时,他论证了马克思主义政党在资产阶级民主革命时期所应当采取的策略,并阐明资产阶级民主革命和社会主义革命的有机联系。

列宁结合当时的客观的革命形势,发展了马克思主义的不断革命论,引出了关于由资产阶级民主革命转变为社会主义革命的学说。马克思和恩格斯在19世纪中叶,就已经教导德国工人阶级政党尽量有组织地、尽量一致地和尽量独立地行动起来,进行不停顿的革命(即不断革命),"直到大大小小的有产阶级都从统治地位上被撤销,……以及至少是那些有决定意义的生产力集中到了无产者手里的时候为止。"这就是说,工人阶级不要在资产阶级革命的阶段停顿下来,还必须继续进行无产阶级革命。到了帝国主义时代,俄国工人阶级比当年的德国工人阶级有更大的发展,它从19世纪70年代起就已经开始对资产阶级进行经济斗争。随着阶级队伍的壮大,俄国工人阶级就逐步地由经济斗争转到政治斗争,先进的工人们在19世纪80年代早已提出了实现社会主义革命作为阶级斗争的终极目的。进到20世纪以后,即从1901年起,工人罢工次数逐年增加,规模逐年扩大,工人斗争更加带有革命性质。他们从经济罢工转到政治罢工,又转到游行示威,以至于提出了关于民主自由的政治要求,喊出了"打倒沙皇专制"的口号。正因为俄国工人的斗志昂扬,勇敢而坚决,所以到了 1905 年,俄国就爆发了由工人阶级领导的工农群众的大革命。1905 年的俄国革命,按其性质来说,虽然是资产阶级民主革命,而这个革命确是在无产阶级和它的政党、社会民主党领导下干起来的。所以列宁认为俄国无产阶级"是最先进和唯一彻底革命的阶级,所以它负有在俄国全面民主革命运动中起领导作用的使命"。同时,俄国无产阶级又有自己的独立的政党、社会民主党,能够使它团结成为"统一和独立的政治力量"。这就是说,俄国无产阶级和它的政党能够领导资产阶级民主革命,并使这个革命成为不停顿的,即从这个革命转变为无产阶级革命。

有领导阶级,必须有被领导阶级。无产阶级所领导的阶级必须是农民。这是关于革命的同盟军的问题。列宁认为农民就是无产阶级的同盟军。1901年以后,俄国工人运动的高涨,引起了农民的革命运动。1902 年春夏两季,乌克兰和伏尔加河一带发生了农民暴动,农民放火焚烧地主房屋,夺取地主土地,杀死地政官和地主。1905 年,农民在工人革命运动的影响下,一群一群的农民起来反对地主,毁坏地主的田庄、房屋、森林、糖厂和酒厂,要求把地主的土地交给农民,许多地方的农民夺取过地主的土地。革命的农民斗争普及到八十五县。事实证明,俄国广大农民群众已经和工人阶级一道进行着反对沙皇专制的斗争。马克思当年希望德国无产阶级革命能够取得某种"再版农民战争"的援助,而俄国当时农民的革命运动正是那样的农民战争。农民已经成为无产阶级的天然的同盟者了。

无产阶级领导资产阶级民主革命,又和广大农民群众结成联盟,就能够彻底完成这个革命,争取无产阶级民主制的实现,以便准备把这个革命转变为社会主义革命。

对于自由资产阶级的态度是怎样? 列宁主张无产阶级要把它排斥于领导之外,不和它瓜分革命的领导权。因为资产阶级一方面不满于沙皇政府;另一方面又害怕人民革命,它只能拿革命恐吓沙皇,以便实行君主立宪,达到取得政权的目的。它只是想把沙皇政府的权力稍微限制一下,设法在立宪君主制的基础上用同沙皇妥协的办法来结束革命。它这样做,就可以利用君主制度和常备军等来反对无产阶级。事实证明,俄国资产阶级是反革命的。

无产阶级用什么手段实现资产阶级民主革命呢? 列宁是主张用暴力革命

手段的,他主张工人武装起义,全民武装起义,并采用群众政治罢工,采用总政治罢工,来推倒沙皇政府,建立工农民主专政。这个专政的任务,有两个方面。第一个方面是:镇压地主、大资产者以及沙皇制度方面的拼命地反抗;在城市中实行八小时工作制;在农村由农民重分土地;根本消灭城市和农村中一切亚洲式的、盘剥式的特征;改善工人生活状况,并提高其生活水平。第二个方面是:延长革命状态,使无产阶级在政治上提高自己的地位,取得政治上领导劳动群众的经验和技能,把自己阶级组织成为一支伟大的军队,以便开始径直进到社会主义革命。

关于由民主革命过渡到社会主义革命的新方针,列宁在《社会民主党对农民运动的态度》中,作了明确的说明:

> 我们将立刻由民主革命开始过渡到社会主义革命,恰巧是依照我们的力量为标准,依照有觉悟有组织的无产阶级的力量为标准,开始过渡到社会主义革命。我们主张不停顿的革命。我们决不半途而废。

关于工农联盟的条件的问题,列宁认为在无产阶级领导资产阶级民主革命阶段、在进行社会主义革命阶段和建立了无产阶级专政的阶段,是各不相同的。在进行资产阶级民主革命的第一阶段,无产阶级要"领导全体人民,特别是领导农民来为完全自由,为彻底民主革命,为共和制度而奋斗。"这里所说的农民是指全体农民说的,连富农包括在内,因为这是资产阶级革命,还不能直接越出民主主义革命的范围。所以党在这个阶段的农民问题上提出的口号是:"联合全体农民,反对沙皇和地主,中立资产阶级,为资产阶级民主革命胜利而奋斗。"

到了1917年二月革命以后至十月革命以前时期,革命进到了社会主义革命的阶段,工农联盟的条件起了变化,无产阶级要"领导一切被剥削劳动群众来为社会主义而奋斗"。这就是联合贫农,联合半无产阶级和一切被剥削者,反对资本主义,就中也反对农村中的富人、富农和投机者。所以党在这个阶段的农民问题上提出的口号是:"联合贫农,反对城乡资本主义,中立中农,为无产阶级政权而奋斗。"

十月革命以后,无产阶级专政已经巩固,富农正在被击破,中农已经转向于苏维埃政权方面来。所以党在这个阶段的农民问题上提出的口号是:"依靠贫农并与中农建立坚固同盟,向前去为社会主义建设而奋斗。"①

列宁所发展起来的关于从资产阶级革命转变为社会主义革命的新方针、无产阶级争取革命领导权和工农联盟的学说以及武装起义的主张,不仅适用于俄国革命,也适用其他各国无产阶级所领导的人民革命。至于各国运用列宁这一新方针所应采取的具体的策略和步骤究竟如何,这完全要依照各国革命的具体实践为转移,"依照有觉悟有组织的无产阶级的力量为标准"。

三、社会主义首先在一个国家内胜利的可能变成了现实、十月革命开辟了世界革命的新纪元

在列宁的时代,世界无产阶级革命的重心已经从西欧移到了俄国。19世纪末叶以来,俄国工人阶级不断地对资产阶级进行斗争,它由经济罢工转到政治罢工,由反对资产阶级进而反对沙皇制度。同时,广大农民群众在工人政治斗争的影响之下也开始了反对地主的大暴动。1905年的革命可说是工人阶级领导农民群众发动起来的。由此可见,俄国无产阶级是最革命的,它还拥有革命的农民群众做自己的同盟者,所以它所领导的反沙皇制度的民主革命一定能够取得胜利,并且在取得民主革命的胜利之后,一定要立即进行社会主义革命,取得最后胜利。因为沙皇制度是军事封建的帝国主义,它和俄国资产阶级勾结在一起共同压迫无产阶级和人民群众,所以反沙皇制度的革命便带有反帝国主义革命、反资产阶级革命的性质,它必然转变为社会主义革命。反沙皇制度的革命如果能够取得胜利,社会主义革命也必能取得胜利。

列宁根据他对于帝国主义的分析,指出经济上政治上发展的不平衡性是资本主义的绝对规律。正是由于这种资本主义发展不平衡,所以就有帝国主义战争发生,这种战争必然弄到各交战国精疲力竭,因而削弱帝国主义的力量,并使得无产阶级革命有可能突破帝国主义战线最薄弱的地方而爆发出来。列宁于是引出这样的结论:"社会主义不能在一切国家内同时获得胜利。它

---

① 参照斯大林:《论党在农民问题上的三个基本口号》。

将首先在一个或几个国家中获得胜利,而其余国家在某些时间内将仍然是资产阶级的或资产阶级前期的国家。"①这是新的、完备的社会主义革命论。

这里所说的社会主义胜利的可能,包括着两个方面:第一,无产阶级推翻了资产阶级,建立无产阶级专政,剥夺资本家一切资本;第二,组织社会主义生产,建成社会主义社会。为要使第一个可能变成现实,就必须具备一些主观的和客观的必要条件;为要使第二个可能变成现实,首先获得了胜利的无产阶级要能够抵抗外来的资本主义国家的包围或进攻,不让它们扑灭革命,才能建成社会主义。

所谓帝国主义战线最薄弱的一环,是指参加帝国主义战争的某一比较落后的国家的情况说的。例如沙皇俄国,它参加战争并没有什么充分准备,工业落后,工厂设备多半陈旧,农业因有农奴制残余,农民陷于贫困破产。这些情况表明了沙俄缺乏长期作战的经济基础。在军事方面,沙俄远远落后于德国。至于支持这个战争的人,除了一小撮黑帮大地主和大资产家以外,全体人民都是厌恶战争的。沙皇所能做到的事,就是征集千万多工人和农民送到战场上去做炮灰。沙俄在这场战争中,肯定是失败的。这就是帝国主义战线最薄弱的一环。果然,随着战争的进行,沙俄节节失败,前方的士兵和后方的居民死伤数百万。工厂倒闭,农业萧条,国民经济陷于破产,前线士兵和后方居民受饥挨饿,赤脚露体,人民的贫困和灾难达于极点。在这种时候,沙皇一派的统治阶级已不能照旧统治下去,人民已不愿照旧生活下去。特别是在这种战争危机的时候,人民只有革命一条道路可走了。这是 1917 年二月革命以前的革命形势。至于革命的主观条件也已经成熟了。俄国无产阶级有长期革命的经验,特别是 1905 年革命的经验,有布尔什维克和列宁的正确的方针政策的领导,有渴望和平、土地和面包的广大的农民和其他人民群众的支援,加以党的转侵略战争为国内战争的策反工作的顺利,这一切都表现着无产阶级和革命群众有足够的力量推翻那在危机中摇摇欲坠的沙皇政府,并进而推翻反动资产阶级临时政府。十月革命所以能够取得伟大的胜利,乃是历史的必然。

综合以上所述,我们可以知道,列宁关于无产阶级革命的学说,完全是以

①　《列宁文选》两卷集,第 1 卷,第 1035 页。

马克思和恩格斯的学说为根据,针对着帝国主义时代阶级斗争的新条件,在革命的具体实践中发展起来的。正如斯大林所说:"列宁在阶级斗争新条件下面向前发展了马克思学说,就对马克思主义总宝库添进了一些比马克思和恩格斯所给出的,比在帝国主义以前资本主义时期内所能给出的更新的东西,但列宁所添进于马克思主义宝库的这些新贡献完完全全是以马克思和恩格斯所规定的原则为基础的。正是在这个含义上,我们说列宁主义是帝国主义和无产阶级革命时代的马克思主义。"①

十月革命的胜利是马克思列宁主义的胜利,它证明了马克思列宁主义是客观真理,是全世界无产阶级、劳动人民和被压迫民族自求解放的斗争的指南。

十月革命是真正人类历史的新开篇,是世界革命的新纪元。十月革命把马克思列宁主义的种子撒遍了全世界,使全世界人民开阔了眼界,破除了迷信,解放了思想。因此,各国无产阶级识破了工人贵族政党假冒的马克思主义、即资产阶级改良主义的面貌,和所谓和平长入社会主义的谬论,而坚决相信并执行马克思列宁主义的学说。无产阶级为要求得自身的解放,就必须依照十月革命的榜样,应用强力革命的手段,推翻资产阶级的统治,建立无产阶级专政,收夺一切资本来建设社会主义。各国被压迫民族的人民都知道帝国主义者不是不可以打败的,他们为要从被帝国主义者奴役状态中解放出来,就只有进行反帝国主义的民族解放战争,推翻帝国主义在本国的统治,才能建立民族独立、民主自由的国家。特别是俄国无产阶级不但推翻了国内地主和资产阶级,并且还领导了国内的民族殖民地革命,按照国际主义原则,把从前被压迫民族的工人团结起来,建成了各民族人民互相信任和平等友爱的社会主义的苏联,因而一些还停顿在资本主义前期各个阶段的民族,也一同进到了社会主义时代。这一伟大的创举,更进一步鼓舞了各个被压迫民族无产阶级,使它们认识到:在领导本民族人民的反帝国主义革命取得胜利以后,就可以转变到无产阶级革命,更进而消灭城乡资本主义,建立无产阶级专政,建成社会主义,同时根据国际主义原则,帮助国内更落后的民族进到社会主义。

---

① 《列宁文选》两卷集,第1卷,第46页。

　　由此可见,在世界无产阶级社会主义革命的时代,不但资本主义国家通过无产阶级革命到达于社会主义,并且半殖民地和殖民地民族,也必然能够通过无产阶级领导的反帝国主义革命转变为无产阶级革命而到达于社会主义。列宁所说的"一切民族都将走向于社会主义",这是历史发展的绝对规律。至于处在不同的历史发展阶段的各个民族究应采取怎样的策略和路线走向于社会主义呢?列宁接着说:"但是走法却不完全一样,在民主的形式方面,在无产阶级专政的形式方面,在社会生活各方面的社会主义改造的速度方面,每个民族都会有自己的特点。"①这里所说的各个民族的特点,大致是说,各个民族革命的阶级和旧统治阶级的阶级力量的对比各不相同;旧统治阶级对于革命的顽抗力量的强弱程度不同;工业发展的水平不同;各国所处的地理条件、人口多少、居民成分各不相同;民族的历史传统和心理素质各不相同,诸如此类。因此,各国的党和工人阶级在进行革命时所采取的斗争的形式、策略和路线各不相同,在革命胜利后所创造的民主形式、专政形式以及社会生活的社会主义改造速度等等也就各不相同了。但是各个民族走向社会主义的策略和行动路线虽因各自的特点而不相同,而基本上却都会符合于社会主义革命的一般规律的。

　　1928 年,第三国际展望世界无产阶级社会主义革命的前途,把一切国家分成下列四类,并就这四类国家走向社会主义的策略和路线作了纲领性的指示。

　　(1)资本主义高度发展的国家,它们直接面临着社会主义革命;

　　(2)资本主义发展达到中等水平的国家,它们之中有的面临着带有一些资产阶级民主性质的附带任务的无产阶级革命,有的面临着迟早转变为社会主义革命的资产阶级民主革命;

　　(3)殖民地、半殖民地和附属国,它们只有经过资产阶级革命转变为社会主义革命的整个时期之后,才有可能过渡到无产阶级专政;

　　(4)更加落后的国家,在这些国家里,在社会主义国家援助的条件

---

① 《列宁全集》,俄文第四版,第23卷,第58页。

下,胜利的民族起义可以越过资本主义而开辟走向社会主义的道路。①

一切国家都要走向社会主义。各国无产阶级的党只要是能够正确地应用马克思列宁主义的普遍真理,结合本国的特点,并吸取十月革命的先进经验,制定自己的走向社会主义的策略和路线,就一定能够取得辉煌的胜利。十月革命以后,社会主义在我们各兄弟国家的胜利,完全证明了列宁和国际的指示的正确。

---

① 康士坦丁诺夫:《历史唯物主义》,人民出版社 1955 年版,第 282 页。

第六章　中国共产党的中国革命论

第一节　中国革命的两个阶段

一、中国革命是十月革命的继续

"第一次帝国主义世界大战和第一次胜利的社会主义十月革命,改变了整个世界历史的方向,划分了整个世界历史的时代。"①

第一,资本主义各国的无产阶级和资产阶级间的矛盾尖锐化了。大战连年,破坏很大。各交战国家的政府都使经济生活军事化,为了军需的供应,对工人实行强迫劳役。一切物质资料尽量输送前线,不能满足后方。在戒严状态中,公民的权利自由被剥夺了,劳动法不生效力,劳动时间延长了。通货膨胀,物价高涨,工资的购买力不断降低。工人被征往前线作战的,成千上万地充当了帝国主义者的炮灰。这些是工人们所不能长期忍受的。所以德奥匈英法意等交战国的工人阶级,从大战发生后的次年即 1915 年起,不顾第二国际各党"保卫祖国"的号召,先后举行罢工,参加罢工的人数由数万到数百万,罢工的次数由数十次到数百次,迫使各国政府作经济上、政治上的让步。特别是各国工人受了十月革命的影响,掀起了反战运动的大示威游行。站在反战运动最前列的是德奥匈的工人和士兵,他们在 1918 年举行武装起义,占领各国首都,组织了苏维埃政府,这些革命运动虽然被资产阶级所挫败,而德奥匈帝国主义终于遭到了惨败。所有工人阶级这些革命斗争,大大地动摇了欧洲资本主义的基础。

第二,十月革命推动了亚非两洲各被压迫民族的反帝国主义的革命运动。

① 《毛泽东选集》第二卷,第 638 页。

1919 年,中国人民反对帝国主义和封建军阀的"五四"运动和"六三"运动,参加的人数达数百万人,这次运动受了十月革命的影响,这是不待说明的。其次,朝鲜人民于 1919 年 3 月 1 日发生了宣布朝鲜独立的"三一"革命运动。这次运动由汉城波及全国,参加者二百多万人,除了亲日派以外,工人、农民和知识分子都参加了。这次运动虽然遭到失败,却开始了朝鲜民族解放运动的新阶段。其三,印度人民在十月革命和世界革命高潮影响之下,加强了民族解放斗争,从 1918 年到 1920 年之间,工人阶级掀起了强烈的大罢工运动,全国工人都参加了,同时农民也展开了反对地主和英国殖民者的剥削的斗争。工农的斗争的形式,除罢工外,还举行了大规模的示范游行,同时还发生暴动,甚至甘冒重大死伤去抵抗殖民者的血腥镇压而进行英勇斗争,这种斗争从加尔各答、孟买、旁遮普蔓延于全印各地。这种大规模的群众革命运动,不但吓倒了英帝国主义者,也吓倒了印度的地主资产阶级。1920 年,伊朗的工人、农民和知识分子爆发了反对英帝国主义者和伊朗国王政权的武装起义。同年,阿富汗国王阿曼努拉领导了全国人民进行反英帝国主义的独立战争,经过几次战役,终于战胜了英国侵略军而取得了独立。阿富汗国王虽然抱有君主制的思想,而他所领导的独立战争确是一个反帝国主义的革命战争,因而削弱了帝国主义。在同一期间,埃及人民举行了反对英帝国主义而要求独立的武装起义,还有非洲大陆其他各民族也掀起了反帝国主义民族解放斗争的风暴,如叙利亚和摩洛哥反对法帝国主义的战争之类。所有这些事实,表明了十月革命大大推动了殖民地和半殖民地各民族革命运动的发展,开辟了世界被压迫民族解放革命的新纪元和这些民族中的无产阶级觉醒的新纪元。帝国主义者安然剥削和安然压迫殖民地和半殖民地民族的日子,已经一去不复返了。

第三,帝国主义者相互间的矛盾也扩大为两类矛盾:其一,是帝国主义战胜国和战败国之间的矛盾;这就是英法美日等国和德奥匈保等国之间的矛盾。英法美日等国在 1919 年所举行的强盗分赃式的巴黎和会,宰割了德奥匈保等国的领土和殖民地,索取了巨额的赔款和大量物资,并承认日本占领我国的山东,其残酷野蛮比较凶暴的德奥匈帝国并无逊色。这就为德奥匈等国种下复仇的种子。其二,在战胜国的英法美日等国之间,也是矛盾重重,英美为争夺世界石油产地而进行斗争，非常露骨。英法为争夺欧洲大陆统治权的利益而进行的斗争，日趋严重。在东方，美国为要进一步掠夺中国，同日英两国发生利害冲突。中国在大战以后，变成了美日英角逐之场，因此日美、日英和英美的相互之间都有严重的矛盾，因而引起了扩军备战的竞争，准备第二次世界大战。这说明了各战胜国相互间的矛盾日益增长，也说明了战胜国和战败国间的矛盾是不能缓和的。

第四，十月革命以后出现的最突出的新矛盾是苏俄和资本主义世界间的矛盾。苏维埃国家从它成立的那一天起就成为世界无产阶级和被压迫民族人民向往的中心。列宁和苏共所发起的共产国际于1919年3月在莫斯科宣告成立，参加的有三十个国家的共产党和左派社会党组织的代表，不仅有各资本主义国家的无产阶级的代表，并且有各殖民地和半殖民地国家的无产阶级的代表。由于共产国际的成立，就形成了世界无产阶级和被压迫民族的反帝国主义阵营。于是资本主义世界和苏俄的矛盾就扩大为帝国主义阵营和反帝国主义阵营的矛盾。在帝国主义阵营中，存在着利害冲突、分崩离析的状态，有无产阶级的革命斗争来削弱各帝国主义者在本国的势力，有被压迫民族的解放战争来动摇它们对殖民地和半殖民地的统治，有它们相互间的冲突来加强它们的内耗作用。因此，世界帝国主义的基础就处在崩溃状态中。反之，在反帝国主义阵营中，存在着无产阶级和被压迫民族的联盟，利害是一致的。无产阶级必须同时解放被压迫民族，才能解放自己。被压迫民族也必须与无产阶级结成联盟，才能获得真正的解放。所以反帝国主义的阵营是巩固的，是一定要取得胜利的。

毛泽东同志早就说过，世界上革命和反革命"两大势力竖起了两面大旗：一面是红色的革命的大旗，第三国际高举着，号召全世界一切被压迫阶级集合于其旗帜之下；一面是白色的反革命的大旗，国际联盟高举着，号召全世界一切反革命分子集合于其旗帜之下"[1]。中国共产党正是在第三国际这面红色革命大旗之下宣告成立的。

以上是中国共产党成立当时的国际形势，下面再简述当时的国内形势。

---

[1]　《毛泽东选集》第一卷，第4页。

中国自从 1840 年鸦片战争以后,以英国为首的各个帝国主义国家,接二连三地侵入了中国。它们在一方面促使中国封建社会解体,促使中国发生了资本主义因素,把一个封建社会变成了半封建社会;另一方面,它们又野蛮而残酷地对中国进行经济的、政治的和文化的侵略,把一个独立的中国变成了半殖民地的中国。中国变成了半殖民地半封建的国家以后,帝国主义和封建主义就结合起来,统治着中国人民,使中国人民横受着双重的压迫和剥削,陷于水深火热的境地。

一百多年来,中国人民反对帝国主义和封建主义的斗争一直没有停止过,从鸦片战争、太平天国革命、中法战争、中日战争、戊戌政变、义和团运动到辛亥革命,都是中国人民英勇斗争的历史。

辛亥革命虽然推翻了清朝的专制政府,建立了中华民国,但由于领导这个革命的资产阶级软弱无力,革命的果实终于被代表封建势力的北洋军阀所篡夺,从此中国就进入了各派北洋军阀统治的时期,中国仍然停留在半殖民地半封建的状态,而且情况愈来愈坏。1914 年第一次世界战争发生以后,西方帝国主义国家暂时放松了对中国的侵略,中国民族资本的工商业因而有了显著的发展,工人阶级的队伍也相应地发展起来了。但在另一方面,日本帝国主义者却大举侵入了中国,它驱逐了德国在山东的势力因而占领了山东,并迫使北洋军阀政府承认它所提出的"二十一条"的亡国条约,中国变成了日本帝国主义者独吞的局面了。在这段时间内,孙中山所领导的资产阶级革命派虽然进行过反对北洋军阀政府的斗争,但是没有得到成功。

在辛亥革命以前和以后的若干年间,中国一切有志救国的人们还只能按照资本主义的方法寻找中国的出路。他们总是想把西方资本主义国家的经济制度、政治制度和精神文化当作效法的模范,企图按照资本主义国家的模型来改造中国,但是他们的愿望,在帝国主义侵略的形势下,终于成为不能实现的幻想。一切都试验过了,都失败了。于是,怎样才能救中国,就成为当年千千万万的中国人为之彷徨苦闷而没有得到解决的问题。

"十月革命一声炮响,给我们送来了马克思列宁主义。十月革命帮助了全世界的也帮助了中国的先进分子,用无产阶级的宇宙观作为观察国家命运的工具,重新考虑自己的问题,走俄国人的路——这就是结论。"①基于这个结论,一批马克思列宁主义者所领导的"五四"运动和"六三"运动在 1919 年爆发了,工人阶级登上了政治舞台进行革命运动了,经过了两年多的思想准备和组织准备,中国共产党就在马克思列宁主义与工人运动相结合的基础上,于 1921 年 7 月 1 日宣告成立了。

怎样领导中国人民"走俄国人的路",这是中国共产党成立当时所必须首先解决的根本问题,即是关于中国革命总路线的问题。"走俄国人的路",即是走十月革命的道路,即是走向社会主义和共产主义的道路。这条道路如何走法,按照列宁的指示,各民族的走法并不完全一样,每个民族都会有自己的特点。俄国人走这条道路是从俄国出发的,并且这条道路是俄国人在苏联共产党领导之下,第一次开辟出来的。中国人要走这条道路,就必须从中国出发,吸取俄国人的先进的基本经验,开辟了一条新的途径走上十月革命的道路。这里所说的俄国人的先进的基本经验是什么? 这就是马克思列宁主义的普遍真理与俄国革命的具体实践相结合的原则。因此,中国共产党也只有始终一贯地坚持马克思列宁主义的普遍真理与中国革命的具体实践相结合这一原则,才能找出中国革命的前途,走上十月革命的道路。

二、共产国际指示的正确与陈独秀领导集团的路线错误

在 1919 年到 1926 年的期间,列宁、共产国际和斯大林对于被压迫民族的革命,特别是对于中国革命,做了一些纲领性的指示。

1919 年,列宁在《东部各民族共产党组织第二次大会上的报告》中说:

> 你们面临着一个全世界共产主义者所没有遇到过的任务,就是必须根据欧洲各国所没有的特殊情况来运用一般的共产主义理论和共产主义措施,必须看到农民是主要的群众,要反对的不是资本而是中世纪残余,要根据这种情况来运用一般的共产主义理论和共产主义措施。②

① 毛泽东:《论人民民主专政》。
② 《列宁全集》第 30 卷,第 138 页。

1920年,列宁在《民族和殖民地问题委员会的报告》中说:

> 毫无疑问,任何民族运动都只能是资产阶级民主性质的,因为落后国家的主要居民群众是农民,而农民是资产阶级资本主义关系的代表。无产阶级政党(一般地说如果它在这种国家里能够产生的话)如果不同农民运动发生一定的关系,不在实际上支持农民运动,而要在这些落后国家里实行共产主义策略和共产主义政策,那就是空想。①

从列宁这两则指示来看,被压迫民族的革命是民族独立的革命,又是反对封建残余的革命,这两种革命同是资产阶级性的民主革命,因为被压迫民族的主要居民群众是农民,"而农民是资产阶级资本主义关系的代表"。共产党只有在实际上支持农民运动,才能实行共产主义策略和共产主义政策。至于被压迫民族的民主革命实现以后是否可以避免国民经济的资本主义发展阶段,列宁认为"在先进国家无产阶级的帮助下,落后国家可以不经过资本主义发展阶段而过渡到苏维埃制度,然后经过一定的发展阶段过渡到共产主义"②。在《共产国际第二次代表大会关于民族与殖民地问题的补充提纲》中也说:

> 殖民地革命的第一步应当是推翻外国资本主义。但最主要和必要的任务则是建立农民和工人的共产主义组织,以便能够领导他们走向革命和建立苏维埃共和国。这样,在落后国家内,人民群众之加入共产主义,将不是经过资本主义的发展,而是由于先进国家觉悟的无产阶级领导下阶级的自我意识之发展。③

由此可知,按照列宁和第三国际的指示,被压迫民族的无产阶级政党,如果能够领导广大的农民群众进行反对帝国主义和封建残余的民主主义革命,一旦取得胜利,就可以建立工农民主国家,并在先进国家的无产阶级的帮助之

---

① 《列宁全集》第31卷,第211页。
② 《列宁全集》第31卷,第214—215页。
③ 《列宁斯大林论中国》,第84页。

下,可以跳过资本主义发展阶段,过渡到共产主义。

上述列宁和第三国际纲领性的指示,完全适用于中国革命。至于中国革命的性质究竟怎样,列宁曾经说过这样一句概括性的话:"中国人在最近的时间将有自己的1905年"。这就是说,中国革命的性质也是中国资产阶级性的民主革命。斯大林在《论中国革命的前途》的演说中,就列宁说过的那句话,作过一些解释,他说:"列宁根本不是说中国革命将是俄国1905年革命的翻版。列宁只是说中国人将有自己的1905年。"①斯大林接着说,中国人自己的1905年,除了1905年革命的一般特点外,还有它自己独有的三个特点:

> 第一个特点是中国革命既是资产阶级民主革命,又是把自己的锋芒指向外国帝国主义在中国的统治的民族解放革命。
>
> 中国革命的第二个特点是中国民族资产阶级极端软弱,它比1905年时期的俄国资产阶级软弱得多。
>
> 中国革命的第三个特点,就是在中国旁边有苏联存在着并且发展着,它的革命经验和它的帮助必然使中国无产阶级易于进行反对帝国主义和反对中国中世纪封建残余的斗争。②

斯大林根据1926年前后中国革命的实况,着重指出中国武装革命的重要性,认为武装的革命反对武装的反革命是中国革命的特点之一和优点之一。他主张中国共产党人要尽力加强军队中的政治工作,应当着手深入研究军事,学好军事,以便在革命军队中担任领导职务,保证中国革命军循着正确道路向目的前进。其次,斯大林认为农民土地革命是资产阶级民主革命的基础,只有迅速把农民卷入革命,反帝国主义战线的力量才能强大,因此中国共产党人应当提出立刻满足农民最切身的要求的问题。斯大林还非常重视无产阶级掌握革命领导权,认为无产阶级如能巩固自己的领导权,就可以率领千百万劳动群众实现资产阶级性的民主革命,然后才能把它转移到社会主义革命的轨道。

---

① 《斯大林全集》第7卷,第322页。
② 《斯大林全集》第7卷,第322页。

总起来说,共产国际、列宁和斯大林对于中国革命的路线已经作出了纲领性的指示:中国革命是反帝国主义和反封建主义的资产阶级民主革命,这个革命的领导者是无产阶级,无产阶级必须巩固自己的领导权,领导广大农民群众和其他劳动人民用武装的革命反对武装的反革命,完成民主革命,建立工农民主专政的国家,以便转移到社会主义革命。

中国共产党当年只要能够体会第三国际的指示,针对当时的革命的具体情况,制定出正确的路线和策略,就可以领导全国人民群众走上十月革命的道路。

1922 年,中国共产党第二次代表大会发表宣言,正式宣告:"中国共产党是中国无产阶级政党。它的目的是要组织无产阶级,用阶级斗争手段,建立劳农专政的政治,铲除私有财产制度,渐次达到一个共产主义社会。"但是党为"工人和农民的目前利益计,引导工人们帮助民主主义的革命运动,使工人和贫农与小资产阶级建立民主主义的联合战线。"因此,党在这个联合战线的奋斗目标是:"消除内战,打倒军阀,建设国内和平;推翻国际帝国主义的压迫,达到中华民族完全独立;统一中国为真正民主共和国。"宣言说党要使工人和贫农与小资产阶级建立民主主义联合战线进行反帝国主义和封建主义的民主革命,这是符合于国际的指示,也符合于当时的革命形势的。但是这个宣言有许多缺点:其一,宣言没有表明无产阶级对于这个革命的领导权;其二,宣言声明无产阶级只是"帮助"或"援助"民主主义革命运动,说"我们无产阶级有我们自己的阶级利益,民主主义革命成功了,无产阶级不过得着一些自由与权利,还是不能完全解放。而且民主主义成功,幼稚的资产阶级便会迅速发展,与无产阶级处于对抗地位,因此无产阶级便须对付资产阶级,实行与贫苦农民联合的无产阶级专政的第二个步骤。"这便是说,民主主义革命成功以后,将经历资产阶级专政和发展资本主义的时期,随着幼稚的资产阶级的发展,无产阶级也发展起来,就可以利用在资产阶级专政下所得的自由与权利去对付资产阶级。这便是说,在民主主义革命同社会主义革命之间好像隔着一座万里长城。其三,宣言虽说要联合贫农,但在所列举奋斗目标中,只说起与贫农没有多大关系的所谓"废除丁漕等重视"①和"规定全国土地税则",而没有提出

---

① 此处疑有排印错误。——编者注

贫农的土地要求。所有这三个特点,就种下了后来陈独秀领导集团右倾机会主义的种子。

陈独秀领导集团始终认为:当年共产党与国民党合作进行的反帝反封建的国民革命是由资产阶级国民党所领导的,共产党和无产阶级只是处于助手的地位,一切都要服从于国民党。所以到了1924—1927年工农革命高潮的时期,陈独秀派不知所措,国民党反动派要求撤回军队中的共产党员军官,他们同意了(这等于缴械);国民党反动派要求共产党制止后方工人阶级为改良劳动条件而进行罢工,陈独秀派也同意了(共产党不代表工人的利益了);国民党反动派说当时湘鄂赣"农民运动过火,不该搞土地革命",陈独秀派也跟着说:"农民运动过火",并制止了农民关于土地革命的要求(拒绝土地革命就是掘翻了民主革命的基础);甚至当国民党反动派公开屠杀工人和共产党员而工农群众要求武装起来打击反革命的时候,陈独秀派却严格制止,还说"共产党只要群众,不要武装"。像这样的领导集团完全变成投降主义者了。正因为陈独秀领导集团严重的右倾机会主义、投降主义的错误路线,终于使这一次革命遭到了惨重的失败。

但是当1928年7月第六次代表大会批判陈独秀集团的错误时,陈独秀并不承认自己的错误。陈独秀分子反而宣称:中国的资产阶级民主革命已由资产阶级的胜利而终结,中国社会已经是资本主义占优势并将得到和平发展的社会,中国无产阶级应当放弃革命斗争,转入合法运动,等待将来举行社会主义革命。陈独秀分子也变成托洛茨基主义者,成为革命的叛徒了,他们终于被驱逐出党了。

斯大林当年对于中国革命的变化曾经指出了两条道路:

　　或者是民族资产阶级击败无产阶级,与帝国主义勾结起来,共同进攻革命,以便建立资本主义的统治而结束革命;

　　或者是无产阶级把民族资产阶级挤到一边,巩固自己的领导权,率领城乡千百万劳动群众克服民族资产阶级的反抗,取得资产阶级民主革命的完全胜利,然后把它逐渐转移到社会主义革命轨道上,并取得由此而产生的结果。

二者必居其一。①

斯大林当时估计中国革命可能走上第二条路(十月革命的道路)的,可是陈独秀领导集团却违反国际的指示和革命的工农群众的要求,走上了错误的道路。

三、关于新民主主义革命及其向社会主义革命转变的问题

在第一次国内革命战争时期,当党的领导集团和大多数党员对于中国革命的前途还很模糊的时候,毛泽东同志就显露了他卓越的革命天才。他在1926年3月发表了《中国社会各阶级的分析》的论文,这篇论文的目的是在于解决中国革命性质的问题,指出革命的对象和革命的动力,并寻求革命的友军以建立革命的统一战线。他应用了马克思主义的阶级分析的方法,分析了中国社会各阶级的状况,得出了下述的结论。

综上所述,可知一切勾结帝国主义的军阀、官僚、买办阶级、大地主阶级以及附属于他们的一部分反动知识界,是我们的敌人。工业无产阶级是我们革命的领导力量。一切半无产阶级、小资产阶级,是我们最接近的朋友。那动摇不定的中产阶级,其右翼可能是我们的敌人,其左翼可能是我们的朋友——但我们要时常提防他们,不要让他们扰乱了我们的阵线。

由此可见,毛泽东同志在这一著作中,表明了中国革命是无产阶级领导半无产阶级(主要是农民)小资产阶级和一部分左翼民族资产阶级反帝反封建的民主革命。1927年3月,毛泽东同志考察了当时湖南农村大革命的实况,写了一篇《湖南农民运动考察报告》,着重指出:农民革命运动"乃是广大的农民群众起来完成他们的历史使命,乃是乡村的民主势力起来打翻乡村的封建势力。宗法封建性的土豪劣绅、不法地主阶级,是几千年专制政治的基础,帝国主义、军阀、贪官污吏的墙脚。打翻这个封建势力,乃是国民革命的真正目

---

① 《斯大林全集》第9卷,第199—200页。

标."这就是说,中国人民反帝反封建的民主革命,即是农民革命。报告充分强调了农民在民主革命中的作用,并指出农村建立农民政权和农民武装的重要性,认为革命的党派(实则是共产党)必须站在农民前面去领导他们。

读了《中国社会各阶级的分析》和《湖南农民运动考察报告》,我们可以体会到毛泽东同志当时所主张的革命路线是:中国人民反帝反封建的民主革命实则是农民革命,无产阶级及其政党必须掌握这个革命的领导权,领导农民,武装他们,并在农村建立革命政权来推进这个革命。毛泽东同志这一布尔什维克路线同陈独秀派的孟什维克路线正相反对。但在这时,毛泽东同志的这种主张虽然得到党内一部分同志的支持,却受到了陈独秀领导集团的压制,因而没有挽救当时革命的失败。

在第二次国内革命战争期间,毛泽东同志实际上领导着全党为实行民主革命作了极其艰苦的武装斗争。在斗争中,他总结了 1924 年到 1927 年大革命的经验,说明了中国革命的性质,说明了中国革命必须经过民主革命阶段然后才能转到社会主义革命阶段的问题,批判了右倾机会主义和"左"倾机会主义的路线错误。

毛泽东同志在 1928 年所写的《中国的红色政权为什么能够存在?》的著作中,首先驳斥了陈独秀派所谓中国资产阶级民主革命已经取得胜利的反动的谬论。他说:

> 现在国民党新军阀的统治,依然是城市买办阶级和乡村豪绅阶级的统治,对外投降帝国主义,对内以新军阀代替旧军阀,对工农阶级的经济的剥削和政治的压迫比从前更加厉害。从广东出发的资产阶级民主革命,到半路被买办豪绅阶级篡夺了领导权,立即转向反革命路上,全国工农平民以至资产阶级(指民族资产阶级——引者),依然在反革命统治下,没有得到丝毫政治上经济上的解放。①

毛泽东同志认为 1924—1927 年的资产阶级民主革命是完全失败了,因此

---

① 《毛泽东选集》第一卷,第 51 页。

主张由无产阶级来领导这个革命。他接着说：

> 中国迫切需要一个资产阶级民主革命，这个革命必须由无产阶级来领导。①
>
> 我们完全同意共产国际关于中国问题的决议。中国现时确实还是处在资产阶级民权革命的阶段。中国彻底的民权革命的纲领，包括对外推翻帝国主义，求得彻底的民族解放；对内肃清买办阶级的在城市的势力，完成土地革命，消灭乡村的封建关系，推翻军阀政府。必定要经过这样的民权主义革命，才能造成过渡到社会主义的真正基础。②

毛泽东同志在这时着重地说明了中国革命必须经过民主主义革命的阶段，然后才能过渡到社会主义革命。这是关于由民主主义革命转变为社会主义革命的理论。

但是，反帝反封建的民主主义革命实质上是农民革命，以土地革命为其基本内容，所以这个阶段的革命是无产阶级领导的、以工人农民为主体而又有其他广大社会阶层参加的、反帝反封建的革命。由于当时中国是一个半殖民地半封建的大国，一方面受着强大的而又互相矛盾的几个帝国主义国家统治着，另一方面又受着封建势力压制着，而国内的经济和政治的发展又具有极大的不平衡性和不统一性，——在这样的形势之下，中国民主革命的发展就不能不带有极大的不平衡性，就不能不经历艰巨的曲折的长期的斗争过程。中国革命必先完成民主主义革命，然后才有可能转变为社会主义革命。毛泽东同志这一政治路线是完全符合于马克思列宁主义和中国革命的具体实践的。可是正在这同一时期、即土地革命时期，党的领导集团又犯了三次"左"倾路线错误。这三次"左"倾路线错误的共同点就是：混淆了民主主义革命和社会主义革命这两个阶段，而主观地急于要求超过民主革命阶段；低估了农民反封建斗争在中国革命中的决定作用；主张整个地反对资产阶级（特别是民族资产阶

---

① 《毛泽东选集》第一卷，第52页。
② 《毛泽东选集》第一卷，第82页。

级）以至小资产阶级的上层。其中第三次"左"倾路线甚至把反资产阶级同反封建斗争并列起来作为当前的任务。这种任意混淆两个阶段的革命的错误路线是直接反对毛泽东同志的正确路线的，是完全违反马克思列宁主义的。由于当时党内多数同志在政治上还没有完全成熟，还不能识破这种披着马克思列宁主义外衣的错误路线，致使这几次"左"倾路线，特别是第三次"左"倾路线在党的工作中得到贯彻，因而使革命事业遭到了极为痛心的大损失。

在"左"倾路线推行的时候，毛泽东同志是坚决反对过的，但他以极大的忍耐心和遵守纪律的精神，纠正了在实际工作中一切可能纠正的过"左"的措施，只是由于第三次"左"倾路线的长时间的统治，终于使这次革命蒙受了严重的挫折。

1935 年的遵义会议确立了毛泽东同志在全党的领导地位以后，正确路线在全党得到了贯彻。毛泽东同志在同年 12 月所作的《论反对日本帝国主义的策略》的报告中总结道：

> 中国革命的现时阶段依然是资产阶级民主主义性质的革命，不是无产阶级社会主义性质的革命，这是十分明显的。只有反革命的托洛茨基分子，才瞎说中国已经完成了资产阶级民主革命，再要革命就只是社会主义的革命了。1924 年至 1927 年的革命是资产阶级民主主义性质的革命，这次革命没有完成，而是失败了。1927 年至现在，我们领导的土地革命，也是资产阶级民主主义性质的革命，因为革命的任务是反帝反封建，并不是反资本主义。今后一个相当长时期中的革命还是如此。

> 革命的动力，基本上依然是工人、农民和城市小资产阶级，现在则可能增加一个民族资产阶级。

> 革命的转变，那是将来的事。在将来，民主主义的革命必然要转变为社会主义的革命。何时转变，应以是否具备了转变的条件为标准，时间会要相当地长。不到具备了政治上经济上一切应有的条件之时，不到转变对于全国最大多数人民有利而不是不利之时，不应当轻易谈转变。怀疑这一点而希望在很短的时间内去转变，如像过去某些同志所谓民主革命在重要省份开始胜利之日，就是革命开始转变之时，是不对的。这是因为

他们看不见中国是一个何等样的政治经济情况的国家,他们不知道中国在政治上经济上完成民主革命,较之俄国要困难得多,需要更多的时间和努力。①

在 1939 年写的《中国革命和中国共产党》一文中,毛泽东同志把他的中国革命发展论,加以公式化,作了如下的表述:

> 中国共产党领导的整个中国革命运动,是包括民主主义革命和社会主义革命两个阶段在内的全部革命运动;这是两个性质不同的革命过程,只有完成了前一个革命过程才有可能去完成后一个革命过程。民主主义革命是社会主义革命的必要准备。社会主义革命是民主主义革命的必然趋势。而一切共产主义者的最后目的,则是在于力争社会主义社会和共产主义社会的最后的完成。只有认清民主主义革命和社会主义革命的区别,同时又认清二者的联系,才能正确地领导中国革命。②

这是对于 18 年来党所领导的中国革命的简短明确的总结。毛泽东同志的中国革命论,在 1940 年 1 月他所写的《新民主主义论》一书中大为发展了。《新民主主义论》是毛泽东同志为了粉碎国民党顽固派及其走狗的反共叫嚣,彻底剥夺他们的精神武装,并给予中国工人阶级和一切革命人民以充分的精神武装而写的一部战斗性的伟大著作。毛泽东同志在这部著作里根据列宁、斯大林关于殖民地革命的学说,根据中国社会的具体情况和中国革命的经验教训,深刻地阐明了中国革命的基本规律,并且为当时正在进行的新民主主义革命制定了一套完整的政治纲领、经济纲领和文化纲领,把反动派的各种胡言乱语驳斥得体无完肤。

这部著作的主要思想是什么呢?

毛泽东同志在这部著作中,首先分析了中国社会的历史特点,透彻地论证

---

① 《毛泽东选集》第一卷,第 157—158 页。
② 《毛泽东选集》第二卷,第 622 页。

了中国革命的两个阶段及其有机联系,痛驳了顽固派的反共叫嚣。

毛泽东同志指出,中国自周秦以来是一个封建社会,自从外国资本主义侵入中国以后就变成了一个半殖民地半封建的社会。中国社会的这种性质,规定了中国革命必须分为两个步骤:第一步是民主主义革命,第二步是社会主义革命。中国的资产阶级民主主义革命,从中国沦为半殖民地半封建社会的时候起就已经开始,还没有完成。这个革命有新旧之别:在十月革命以前,它是旧民主主义革命,是世界资产阶级民主革命的一部分;在十月革命以后,它就变成了新民主主义革命,变成了世界无产阶级社会主义革命的一部分。这是因为:十月革命开辟了世界无产阶级社会主义革命的新纪元,宣告了世界资产阶级民主革命时代的终结。在这种时代,在世界上任何角落里发生的反对帝国主义的革命运动,都必然要成为世界无产阶级社会主义革命的一部分。中国的革命并且是世界无产阶级社会主义革命的伟大的一部分。因此,中国现时的民主革命,不能由资产阶级领导,以建立资本主义社会为目的,而只能由无产阶级领导,以建立新民主主义社会并准备过渡到社会主义社会为目的。这是历史的必然。

毛泽东同志痛驳了顽固派妄想建立资产阶级专政的谬论。在20世纪40年代,在资本主义死亡和社会主义兴盛的时代,要在中国建立资产阶级专政的共和国,是行不通的。就国际环境说,帝国主义和社会主义两方面都不允许;就国内环境说,占全国人口百分之九十以上的工农大众不允许。蒋介石想做中国的基马尔,结果中国还是一个半殖民地半封建社会。顽固派坚持这条行不通的道路,只能有一个自寻死路的前途。

毛泽东同志也批驳了"一次革命论"的叫喊。"一次革命论"故意混淆革命的不同阶段,硬说三民主义包括了一切革命,共产主义失掉了存在的理由。这种谬论的目的在于为投降日寇准备舆论。它是在日寇的政治进攻和经济引诱面前,由蒋介石雇了一批无耻"学者"制造出来的。

毛泽东同志给予反革命的谬论以毁灭性的打击,同时也就光辉地发展了马克思列宁主义的革命转变论。

毛泽东同志在这部著作里具体地制定了新民主主义的政治、经济和文化的纲领,系统地说明了我党对于建设新中国的全部见解,对全国人民的革命斗争起了重大的指导作用和鼓舞作用。

政治纲领的主要内容，就是要建立一个无产阶级领导的、以工农联盟为基础的、各革命阶级联合专政的民主共和国。这个国家既不同于欧美式的资产阶级专政的共和国，也不同于苏联式的无产阶级专政的共和国，它是过渡到社会主义社会去的国家制度。这个国家的构成形式是民主集中制。

经济纲领的主要内容，就是没收大银行、大工业、大商业为国家所有，建立社会主义的国营经济，使之成为整个国民经济中起决定作用的因素。对于"不能操纵国民生计"的资本主义企业，则不予没收，并允许发展。在农村中，没收地主的土地归农民所有，实现"耕者有其田"，并在此基础上发展具有社会主义因素的合作经济。对于富农经济，是容许其存在的。

文化纲领的主要内容，就是要创造民族的、科学的、大众的文化。这个文化应当具有民族的形式。对于外国的东西，应当去其糟粕，取其精华，大量吸收外国的进步文化，但是必须与中国的民族特点相结合，决不可生吞活剥。这个文化应当具有科学的内容。它是反对一切封建思想和迷信思想，主张实事求是的。对于中国古代的文化遗产，应当剔除其封建性的糟粕，吸收其民主性的精华，决不可无批判地兼收并蓄。这个文化应当具有大众的方向。它应当为全民族中百分之九十以上的工农劳苦民众服务，并逐渐成为他们的文化。在民主革命阶段，整个国民文化还不是社会主义的，但是必须努力宣传共产主义思想体系，使之成为国民文化的领导思想。

毛泽东同志所制定的这个纲领是彻底的民主主义革命的纲领，是符合于一切反帝反封建的民主阶级（包括民族资产阶级）的共同利益的，因而它能够动员最广大的人民群众起来共同奋斗；另一方面，由于保证了无产阶级在政治上、经济上、文化上的领导地位，这个纲领又为社会主义的前途提供了最可靠的保证。

第二节　关于党的建设问题

一、党的思想建设

中国共产党是"一个有纪律的，有马克思、恩格斯、列宁、斯大林的理论武装的,采取自我批评方法的,联系人民群众的党"①。我们的党能够成为这样一个马克思列宁主义的党,是经过了长期的、艰苦的奋斗过程的,这可以分为思想建设、组织路线和工作作风三方面来说明。先说明党的思想建设过程。

党的思想建设过程是马克思列宁主义的普遍真理和中国革命的具体实践日益结合的过程,同时又是无产阶级思想不断地克服非无产阶级思想的过程。

第一次国内革命战争时期是我党的幼年期,这个幼年时期的党,"是对于中国的历史状况和社会状况、中国革命的特点、中国革命的规律都懂得不多的党,是对于马克思列宁主义的理论和中国革命的实践还没有完整的、统一的了解的党"。② 所以在这个时期的初期和中期,党的路线虽然是正确的,但在这个时期的后期,在这一时期的紧要关头中,党的领导集团却陷入右倾机会主义的泥坑,受了资产阶级的欺骗,使革命遭到失败。现在来分析当时的革命所以失败的原因,不外两个方面。其一是:由于我党在成立之前缺乏足够的理论准备,成立以后又立即投入轰轰烈烈的革命斗争,还没有来得及在党内进行必要的马克思列宁主义的教育,所以当时的党还没有学会把马克思列宁主义的理论和中国革命的实践结合起来。其二是:我党的党员由于当时的社会历史条件,除了一小部分是工人成分以外,大多数党员都是从农民及其他小资产阶级出身的,他们带了原有的非无产阶级思想入党;同时,我们党又是在小资产阶级和其他剥削阶级的汪洋大海中间进行工作的,各种非无产阶级思想不可避免地要通过一部分党员反映到党内来。这类的党员绝大多数为党和人民作了勇敢的奋斗和牺牲,他们的思想已经进步,很多人并且已经成为马克思列宁主义者。但是,那些带着小资产阶级革命性的党员,虽然在组织上入了党,而在思想上却还没有入党,或者没有完全入党。他们的思想方法常常带有主观性和片面性,一般地容易表现为"左"右摇摆。每当革命高潮开始到来时,或者革命取得局部胜利时,他们就希望革命马上取得胜利,因而表现为"左"倾机会主义者;每当革命低潮开始到来时,或者革命遭到挫折时,就不免悲观失望,因而表现为想追随于资产阶级之后的右倾机会主义者。这类"左"右倾机会

① 毛泽东:《论人民民主专政》。
② 《毛泽东选集》第二卷,第578页。

主义都是非无产阶级思想。这类非无产阶级思想如果不及时予以克服,就会在党内泛滥起来,使党的事业遭到危害。党为要克服非无产阶级思想,必须加强马克思列宁主义的教育,同时展开两条路线的斗争。所以党的思想建设过程就是无产阶级思想不断地和非无产阶级思想斗争的过程。

毛泽东同志从他进入中国革命事业的第一天起,就着重于应用马克思列宁主义的普遍真理以从事于对中国社会实际情况的调查研究。他所写的《中国社会各阶级的分析》和《湖南农民运动考察报告》,第一次给我们作出了马克思列宁主义理论与中国革命实际相结合的范例。在第二次国内革命战争及其以后的时期,他为我们党所规定的政治路线、军事路线和组织路线,都是根据马克思列宁主义的普遍真理,根据辩证唯物论和历史唯物论,具体地分析了当时国内外党内外的现实情况及其特点,并具体地总结了中国革命的历史经验、特别是1924年至1927年革命的历史经验的光辉的成果。

毛泽东同志屡次强调,"掌握思想教育,是团结全党进行伟大政治斗争的中心环节。"[1]他认为必须首先着重在思想上、政治上建党,必须把思想教育和思想领导放在党的领导的第一位。早在土地革命时期他就致力于党的思想建设工作。他在1929年为红四军第九次党代表大会写的决议中,强调了克服非无产阶级思想的必要性,详细地分析了红四军党内各种非无产阶级思想的表现,如单纯军事观点、主观主义、个人主义、平均主义、流寇思想、盲动主义等,指出了这些倾向的根源和危害性,并提出了克服的办法。这个决议的精神,对于全党都是适用的。1937年,毛泽东同志为了在党内进行马克思列宁主义的教育,写了《实践论》和《矛盾论》这两部哲学著作,全面地、深刻地而又通俗地解说了马克思列宁主义的认识论和辩证法,并且总结了党成立以来的革命斗争的经验,是理论联系实际的马克思列宁主义哲学的教本。这两部著作分析了土地革命战争时期党内理论斗争的哲学性质,生动地、灵活地运用唯物辩证法的原理,揭露了"左"倾分子和右倾分子在观点和方法上的教条主义和经验主义的错误。这两部著作不但奠定了中国共产党的马克思列宁主义教育的基础,而且对马克思列宁主义的哲学宝库作出了光辉的贡献。

---

① 《毛泽东选集》第三卷,第118页。

1938 年,毛泽东同志鼓励一般有相当研究能力的党员,特别是党的干部,包括中央委员和高级干部在内,要结合中国的历史实际和革命实际研究马克思列宁主义的理论,不但要了解马克思、恩格斯、列宁、斯大林他们研究广泛的真实生活和革命经验所得出的关于一般规律的结论,而且这要学习他们观察问题和解决问题的立场和方法,来解决中国革命实际问题。1938 年,毛泽东同志在《中国共产党在民族战争中的地位》一文中说:"在担负主要领导责任的观点上说,如果我们党有一百个至二百个系统地而不是零碎地、实际地而不是空洞地学会了马克思列宁主义的同志,就会大大地提高我们党的战斗力量,并加速我们战胜日本帝国主义的工作。"[1]

1942 年,党进行了全党范围的整风运动,这是一次大规模的马克思列宁主义教育运动。党领导全党的干部和党员来认识和克服广泛存在于党内的伪装马克思列宁主义的小资产阶级思想作风,特别是主观主义的倾向,宗派主义的倾向,和这两种倾向表现的形式——党八股。主观主义是历次错误路线的认识上的共同根源。毛泽东同志在《改造我们的学习》、《整顿党的作风》、《反对党八股》、《在延安文艺座谈会上的讲话》等报告中着重分析了主观主义的错误及其危害性。他指出,主观主义有两种形式,即教条主义和经验主义。教条主义者把马克思列宁主义书本上的词句当作包医百病的灵丹妙药,当作万古不变的教条,不问时间、地点、条件,到处乱套;经验主义者则把自己的局部经验当作普遍真理,不适当地搬用到其他场合,不善于把自己的经验用马克思主义的立场、观点、方法有系统地总结起来。就当时情况看,教条主义为害最大。教条主义者披着马克思列宁主义的外衣,可以吓唬工农干部,可以俘虏一些经验主义者充当他们的附庸。因此在反对主观主义的斗争中又要着重地反对教条主义。毛泽东同志的著作在这个学习运动中起了巨大的作用。这个学习运动扫除了 1931 年以来教条主义在党内的恶劣影响,帮助大批小资产阶级出身的党员转到了无产阶级立场,大大地提高了全党的马克思列宁主义水平,并且使整个党空前地团结起来了。到了 1945 年党的第七次代表大会的时候,我们的党就成了一个思想上政治上成熟的、组织上巩固的布尔什维克化的党,

---

[1]　《毛泽东选集》第二卷,第 996 页。

这就使中国革命的胜利得到了最大的保证。

二、党的组织路线

1929 年，毛泽东同志在为红四军党的第九次代表大会写的决议中，一方面把党的建设提到了思想原则和政治原则的高度，坚持无产阶级思想的领导；另一方面又坚持把民主集中制作为我们党的组织原则。

民主集中制包括在民主基础上的集中和在集中指导下的民主两个方面，它是党的领导者与被领导者、上级与下级、组织与个人、中央与全党的正确关系的表现。所谓在民主基础上的集中，就是说党内的集中不能是个人专制主义的独裁，而只能是在全体党员充分发扬民主的基础上的集中领导：党的各级领导机关是由党员群众选举出来并授以权力的；党的方针政策和决议是集中了党员群众的意见、并经过党员群众或者党员代表讨论决定的；党内的秩序是按照个人服从组织、少数服从多数、下级服从上级、全党服从中央的原则建立起来的。所谓集中指导下的民主，就是说党内的民主不能是极端民主化和无政府状态，而只能是党的统一领导下有秩序的民主：一切会议是由领导机关召集并领导进行的；一切方针、政策和决议在讨论通过之前是经过充分准备和仔细考虑的；一切选举是有认真研究过的候选人名单的；全党的统一纪律和统一的领导机关是任何党员都必须无例外地遵守和服从的。把民主和集中正确地结合起来，就在组织上保证了我们的党成为一个统一的战斗的党。

毛泽东同志极其注意发挥党内民主，并屡次指出只有高度地发扬民主，才能调动党员的积极性和主动性。他说：

> 处在伟大斗争面前的中国共产党，要求整个党的领导机关，全党的党员和干部，高度地发挥其积极性，才能取得胜利。所谓发挥积极性，必须具体地表现在领导机关、干部和党员的创造能力，负责精神，工作的活跃，敢于和善于提出问题、发表意见、批评缺点，以及对于领导机关和领导干部从爱护观点出发的监督作用。没有这些，所谓积极性就是空的。而这些积极性的发挥，有赖于党内生活的民主化。党内缺乏民主生活，发挥积极性的目的就不能达到。大批能干人才的创造，也只有在民主生活中才

有可能。①

　　所以毛泽东同志一贯主张放手实行党内民主,反对脱离党员群众的专制主义倾向,反对"钦差大臣"作风,反对盲从,反对在党内提倡"奴隶主义"。而实行党内民主的中心一环,则在于启发党员群众的批评与自我批评。党的领导机关还必须定期向下级组织和党员群众报告工作,听取批评,启发党员对党的工作提出问题,发表意见,决不容许有独断专行,压制批评,打击报复的现象。只有这样,才能使全体党员成为敢想、敢说、敢做的共产主义战士,使党的工作充满活力和生气勃勃,使党的战斗力大大增强。

　　但是另一方面,在实行高度民主的同时必须实行高度的集中。民主与集中是统一的。认为实行民主就要削弱集中,是错误的。只有实行高度的民主,才能达到领导上的高度的集中,只有在高度集中的领导之下,才能真正朝着有利于党的事业的方向实行高度的民主。有民主而无集中,党就会变或一个从事空谈的俱乐部,或者一群自由散漫的乌合之众,而不能成为一个有统一意志和统一行动的党。

　　党的组织路线不但在对内关系上要巩固党的领导和党员群众之间的团结,并且在对外关系上,也要巩固党与党外群众之间的团结,因为党员人数在全国居民中只占极少数,单只团结全党同志还不能战胜敌人,所以我党在团结全国人民事业中,作了很艰苦的伟大的工作,才取得了伟大的成绩。党对于破坏党内团结和党群团结的宗派主义进行了严肃的斗争。在我党的历史上,曾经有过严重的宗派主义,使党的事业遭受到重大的损害。例如土地革命战争时期的第三次"左"倾领导集团,不但形成了脱离党外群众的宗派主义,也形成了脱离党内群众的宗派主义。又如叛党分子张国焘,他向党中央闹独立性,结果闹到做特务去了(解放后的高岗饶漱石反党集团,也是严重破坏党的组织原则的一种严重的宗派主义表现)。事实说明,宗派主义者总是把个人利益放在党的利益之上,把局部利益放在全体利益之上。现在我们党内并没有占统治地位的宗派主义了,但是不可讳言,宗派主义的残余还是存在的。因

---

①　《毛泽东选集》第二卷,第491页。

此,党经常要和组织上的宗派主义倾向进行斗争。

为了巩固民主集中制,克服宗派主义的残余,加强党和全党同志以及党和全国人民的团结,必须对党员进行有关党的纪律的教育。党的一切方针、政策和决议,都必须无条件地贯彻执行;党的纪律必须无条件地遵守,党员的一切言论行动决不能违背党的原则。任何个人主义、本位主义以及在党内进行非组织的活动等,都是不能容许的。这是保证我们党成为坚强的战斗组织的必要条件。

民主集中制的原则是列宁的建党原则在中国条件下的发展,它是与一切机会主义的组织原则相对立的。我们党的党章就是这个原则在各方面的具体化。

三、党的工作作风

有了正确的思想领导和组织领导,还必须有正确的工作作风,才能完成政治任务。根据毛泽东同志的总结,我们党的主要作风是:理论与实际相结合,密切联系人民群众,批评与自我批评。这三大作风,是我们党区别于其他任何政党的显著标志。

党的第一个作风是理论与实际相结合。马克思列宁主义是"放之四海而皆准"的普遍真理。但是在中国这个具体的环境中从事革命斗争的共产党人,只有把这个普遍真理与中国的实际情况结合起来,才能把中国革命引向胜利。教条主义脱离了中国的实际情况而搬用普遍原则,经验主义把局部经验误认作普遍真理,这两种主观主义的作风都违反了理论与实际相结合的原则,都只能给革命事业带来损失。党在长期奋斗的过程中,特别是在整风运动的过程中,克服了而且还在继续克服着这种理论脱离实际的坏作风,就使党在思想上大大地巩固了。党永远坚持理论与实际相结合的作风,并以此作为进行一切工作的指针。

党的第二个作风是密切联系群众。群众路线是党的根本的政治路线和组织路线,是做好一切工作的钥匙。毛泽东同志对群众路线的工作方法作了精辟的表述,他说:

　　在我党的一切实际工作中,凡属正确的领导,必须是从群众中来,到群众中去。这就是说,将群众的意见(分散的无系统的意见)集中起来(经过研究,化为集中的系统的意见),又到群众中去做宣传解释,化为群众的意见。使群众坚持下去,见之于行动,并在群众行动中考验这些意见是否正确。然后再从群众中集中起来,再到群众中坚持下去。如此无限循环,一次比一次地更正确、更生动、更丰富。这就是马克思主义的认识论。①

　　"从群众中来,到群众中去",这就是使党的政策能够适合于不断发展着的客观实际、从而正确地领导群众前进的唯一方法。毛泽东同志再三再四地教育党员,要"全心全意地为人民服务,一刻也不脱离群众;一切从人民的利益出发,而不是从个人或小集团的利益出发"。要"热爱人民群众,细心地倾听群众的呼声;每到一地,就和那里的群众打成一片,不是高踞于群众之上,而是深入于群众之中;根据群众的觉悟程度,去启发和提高群众的觉悟,在群众出于内心自愿的原则之下,帮助群众逐步地组织起来,逐步地开展为当时当地内外环境所许可的一切必要的斗争"。"命令主义是错误的,因为它超过群众的觉悟,违反了群众自愿的原则,害了急性病"。"尾巴主义也是错误的,因为它落后于群众的觉悟程度,害了慢性病"。"只要我们依靠人民,坚决地相信人民群众的创造力是无穷无尽的,因而信任人民,和人民打成一片,那就任何困难也能克服,任何敌人也不能压倒我们,而只会被我们所压倒"。② 一切为了人民群众,一切对人民群众负责,一切依靠人民群众,虚心地向人民群众学习,这就是我们党的密切联系群众的工作作风,这就是马克思列宁主义的群众观点的生动的实践。

　　党的第三个作风是批评与自我批评。批评与自我批评是帮助全党同志"坚持真理,修正错误"的动力,是"坚强党的组织、增加党的战斗力的武器"③。毛泽东同志用"流水不腐,户枢不蠹"这句成语形象地说明了批评与

---

① 《毛泽东选集》第三卷,第921页。

② 《毛泽东选集》第三卷,第1119—1220页。

③ 《毛泽东选集》第一卷,第94页。

自我批评的重要性。他说："对于我们，经常地检讨工作，在检讨中推广民主作风，不惧怕批评和自我批评，实行'知无不言，言无不尽'，'言者无罪，闻者足戒'，'有则改之，无则加勉'这些中国人民的有益的格言，正是抵抗各种政治灰尘和政治微生物侵蚀我们同志的思想和我们党的肌体的唯一有效的方法。以'惩前毖后，治病救人'为宗旨的整风运动之所以发生了很大的效力，就是因为我们在这个运动中展开了正确的而不是歪曲的、认真的而不是敷衍的批评和自我批评。"①为了正确地严肃地展开批评与自我批评，必须反对两种错误倾向。一种是自由主义的倾向，这种倾向"取消思想斗争，主张无原则的和平，结果是腐朽庸俗的作风发生，使党和革命团体的某些组织和某些个人在政治上腐化起来"②。另一种是机械过火的党内斗争的倾向，这种倾向主张对犯错误的同志采取"残酷斗争，无情打击"的办法，结果是既不能弄清思想，又不能团结同志，徒然削弱了党的战斗力。只有坚定地按照团结——批评——团结的公式，才能保证批评与自我批评进行得既严肃认真，又和风细雨，真正成为推动党的事业前进的有力武器。

以上所述，就是毛泽东同志建党理论的基本要点。毛泽东同志的建党理论，是列宁的建党理论在中国的发展，是我党长期建党工作经验的科学总结。我党第七次和第八次代表大会所通过的党纲党章，以及刘少奇同志和邓小平同志代表中央分别在这两次大会上所作的修改党章的报告，就是毛泽东同志的建党理论的具体发挥。这种中国化的马克思列宁主义的建党理论，对我党的彻底布尔什维克化起了决定性的作用。

第三节　关于武装斗争问题

一、武装斗争是中国革命的主要斗争形式

斯大林在 1926 年曾经指出过："在中国，是武装的革命反对武装的反革命。这是中国革命的特点之一和优点之一。"他要求"中国共产党人应当特别

① 《毛泽东选集》第三卷，第 1120 页。
② 《毛泽东选集》第二卷，第 317 页。

注意军队工作"，"应当着手深入研究军事"，"因为军事现在是中国革命极重要的因素"①。毛泽东同志认为斯大林的这些论断和指示都是完全正确的,他在长期的革命战争中极端丰富地发展了这些思想。

我党在创立的初期,不懂得直接准备战争和组织军队的重要性。1924年参加黄埔军校以后,开始懂得军事的重要,但对于武装斗争是中国革命的主要斗争形式这一点却是认识不足的,而陈独秀右倾机会主义集团对于斯大林的上述指示也置之不顾,因此在北伐过程中片面地着重于群众运动,而忽视了争取军队,结果国民党一旦叛变,一切群众运动都无法支持。经过这次惨痛的教训,于是有了南昌起义、秋收起义和广州起义,进入了创造红军的新时期,这是我党彻底认识军队重要性的极端紧要的时期。但是即使在这个时期,也还有许多同志不懂得武装斗争是中国革命的主要斗争形式,仍然把党的中心工作放在准备城市起义和白区工作方面,以致使革命继续受到损失。由于毛泽东同志和他周围的一些同志长期的艰苦努力,才终于使武装斗争是中国革命的主要斗争形式这一思想为全党所彻底认识。

为什么武装斗争是中国革命的主要斗争形式呢? 如毛泽东同志所说,革命的中心任务和最高形式是武装夺取政权,这是马克思主义的一般原则。如何执行这个原则,则基于各国的具体条件的不同而不一致。在资本主义国家里,无产阶级的政党可以利用资产阶级的民主制度,经过长期的合法斗争,教育工人,积蓄力量,准备在条件成熟时举行武装起义,最后推翻资本主义。并且到了起义和战争的时候,总是首先占领城市,然后夺取乡村。

中国则不同。中国的特点是:不是一个独立的民主国家,而是一个半殖民地的半封建的国家;在内部没有民主制度,而受封建制度压迫;在外部没有民族独立,而受帝国主义压迫。因此,无议会可以利用,无组织工人举行罢工的合法的权利。在这里,共产党的任务,基本地不是经过长期合法斗争以进入起义和战争,也不是先占城市后取乡村,而是走相反的

---

① 《斯大林全集》第八卷,第326页。

道路。①

在中国,主要的斗争形式是战争,而主要的组织形式是军队。其他一切,例如民众的组织和民众的斗争等等,都是一定不可少,一定不可忽视的,但都是为着战争的。②

因此,毛泽东同志一贯地反复强调:中国革命问题离开了武装斗争就不能解决。"我们懂得,在中国,离开了武装斗争,就没有无产阶级的地位,就没有人民的地位,就没有共产党的地位,就没有革命的胜利。"③毛泽东同志总结了辛亥革命以来和1927年革命失败的经验,针对中国的特点,坚决地主张共产党必须争党的兵权、争人民的兵权,因而引出了"枪杆子里面出政权"这一真理性的结论。有了枪杆子就可以发展党的组织,可以造干部,造学校,造文化,造民众运动,造其他一切东西。"枪杆子里面出一切东西,从马克思主义关于国家学说的观点看来,军队是国家政权的主要成分。谁想夺取国家政权,并想保持它,谁就应有强大的军队。……帝国主义时代的阶级斗争的经验告诉我们,工人阶级和劳动群众,只有用枪杆子的力量才能战胜武装的资产阶级和地主;在这个意义上,我们可以说,整个世界只有用枪杆子才能改造。我们是战争消灭论者,我们是不要战争的;但是只能经过战争去消灭战争,不要枪杆子必须拿起枪杆子。"④

二、服从于政治路线的军事路线

毛泽东同志运用了马克思列宁主义规定了中国革命的正确的政治路线以后,随着论证了武装斗争是中国革命的主要斗争形式,因而又运用了马克思列宁主义规定了正确的军事路线。这军事路线是完全服从于政治路线的。这一军事路线的主要内容,就是建军思想和战略战术思想。

毛泽东同志的建军思想,体现在《关于纠正党内错误思想》及其他有关文

---

① 《毛泽东选集》第二卷,第505、506页。
② 《毛泽东选集》第二卷,第507页。
③ 《毛泽东选集》第二卷,第577页。
④ 《毛泽东选集》第二卷,第510页。

件之中,其内容可分为以下七项来说明。

第一,红军是无产阶级领导下的军队,必须保证党对红军的绝对领导权,反对军事领导政治,反对任何削弱或脱离党的领导的错误倾向;第二,红军是"执行革命的政治任务的武装集团",是为人民群众的革命斗争和根据地的建设服务的工具,必须担负打仗、生产、做群众工作三项任务,反对单纯的军事观点,反对不相信人民群众的力量和脱离人民群众的错误倾向;第三,对红军必须加强马克思列宁主义的思想教育,提高指战员的无产阶级觉悟,反对个人主义、主观主义、绝对平均主义、本位主义等一切非无产阶级思想;第四,红军必须实行政治民主、经济民主、军事民主的制度,贯彻群众路线,保证上下级之间的密切关系,反对专制主义和军阀主义倾向;第五,红军必须做群众工作,要成为党和人民政权的宣传者和组织者,要帮助地方人民群众分配土地(抗日战争时期是减租减息),建立政权和建立党的组织;第六,红军必须严格地尊重人民的政权机关和群众团体,巩固他们的威信,严格地执行"三大纪律"(即:一、一切行动听指挥;二、不拿群众一针一线;三、一切缴获要归公)和"八大注意"(即:一、说话和气;二、买卖公平;三、借东西要还;四、损坏东西要赔;五、不打人骂人;六、不损坏庄稼;七、不调戏妇女;八、不虐待俘虏);第七,在对敌军的工作上,实行瓦解敌军和争取俘虏的正确政策。以上这些思想形成了红军的建军的基本原则,其后的八路军、新四军和人民解放军都一直保存着这一优良的传统。正因为我党所领导的军队是按照上述那些原则建立起来的,所以永远能够保证它不同于任何反革命的军队,而且也不同于历史上任何农民起义军队的完全新型的革命军队。历史证明,这样的军队具有崇高的品质和无比的威力,它是不可战胜的。

毛泽东同志的战略思想,可以分作三个时期来阐述。第一个时期是土地革命战争时期。从北伐战争到土地革命战争,必须实行一个大的战略转变,毛泽东同志领导全党完成了这个转变,并且给予了理论的总结。1936年写的《中国革命战争的战略问题》一书,就是毛泽东同志在这一时期战略思想的系统的阐发。他指出,中国的革命战争有四个特点:(一)中国是经过了一次大革命的政治经济发展不平衡的大国;(二)革命的敌人是强大的;(三)红军是弱小的;(四)革命战争是由中国共产党领导,并与土地革命结合起来的。这些特点就规定了这样的规律:第一,红军可能发展并可能战胜敌人,但又不可能很快地发展和很快地战胜敌人,如果主观指导错误则可能失败;第二,红军必须实行依靠人民群众的人民战争;第三,必须以游击战和带游击性的运动战为主要的战争形式;第四,必须实行战略上的持久战和战役的速决战,必须实行战略上以少胜多和战役上以多胜少的原则。这一套战略思想是早在井冈山时期就初步形成了的,那就是"分兵以发动群众,集中以应付敌人","敌进我退、敌驻我扰、敌疲我打、敌退我追"的著名原则;到了江西根据地又提出了诱敌深入、集中兵力、运动战、快速战、歼灭战等原则;这些都是上述战略思想的朴素的形态。可是,这个时期的"各次'左'倾路线在军事上都是同毛泽东同志站在恰恰相反对的方面:第一次'左'倾路线的盲动主义,使红军脱离人民群众;第二次'左'倾路线,使红军实行冒险的进攻"。特别是第三次"左"倾路线,"否定了游击战和带游击性的运动战、不了解正确的人民战争。在第五次反'围剿'作战中,他们始则实行进攻中的冒险主义,主张'御敌于国门之外';继则实行防御中的保守主义,主张分兵防御,'短促突击',同敌人拼消耗;最后不得不退出江西根据地时,又变为实行真正的逃跑主义。这些都是企图用阵地战代替游击战和运动战,用所谓'正规'战代替正确的人民战争的结果。"①

第二个时期是抗日战争时期。从第二次国内革命战争时期到抗日战争时期,条件变化了,又必须来一个大的战略转变,并在《论持久战》和《抗日游击战争的战略问题》两书中给予了理论的说明。他指出,抗日战争是"半封建半殖民地的中国和帝国主义的日本之间在 20 世纪 30 年代进行的一个决死的战争"。从这个根据出发就产生了战争双方互相矛盾的四个因素:敌强我弱,敌小我大,敌退步我进步,敌寡助我多助。第一个因素是有利于敌而不利于我的,其他三个因素则不利于敌而有利于我。这种情形决定了抗日战争是持久战,最后胜利是中国的。速胜论和亡国论都是错误的。他以惊人的准确性预言了抗日战争的三个阶段:第一阶段是敌方的战略进攻,我方的战略防御。我方的作战形式,在全国应以运动战为主,辅以游击战和阵地战;在敌后则以游

---

① 《毛泽东选集》第三卷,第 1005 页。

击战为主,但不放松有利条件下的运动战。第二阶段为战略相持阶段。我方的作战形式主要是游击战,辅以运动战和阵地战。第三阶段是我方的反攻阶段。我方的作战形式主要是运动战,但阵地战亦将提到主要的地位。他强调了主观能动性在战争中的作用,强调了发动人民战争的极端重要性。他号召全党通过游击战争积蓄力量,逐步地转变为正规战争。在毛泽东战略思想指导下,八路军和新四军发展了强大的游击战争,建立了许多根据地,严重地打击了敌人,终于赢得了抗日战争的胜利。

第三个时期是解放战争时期。战争初期,毛泽东同志就领导全党实行了新的战略转变。他指出,蒋介石的反革命军事进攻不但必须打败,而且能够打败,因为蒋介石的一切优势都是暂时的因素,而战争的正义性或非正义性,人民群众的向背,才是起经常作用的因素。而在这方面,人民解放军则占着优势。人民解放军的战争所具有的爱国的正义的革命的性质,必然获得全国人民的拥护。这就是战胜蒋介石的政治基础。为了粉碎蒋介石的进攻,毛泽东同志为人民解放军规定了新的战略战术的方针,这就是著名的十项军事原则①。这十项军事原则的基本要点就是:以歼灭敌人有生力量为主要目标,不以保守或夺取城市及地方为主要目标;先打分散孤立之敌,后打集中强大之敌;先取小城市,中等城市及广大乡村,后取大城市;每战集中绝对优势兵力,包围敌人,力求全歼,不使漏网;每战都应力求有准备,力求在敌我条件对比下有胜利的把握;以俘获敌人的全部武器和大部人员,补充自己。这样的战略战术,是建立在人民战争这个基础上的。"在人民战争的基础上,在军队与人民团结一致,指挥员与战斗员团结一致,及瓦解敌军等项目标的基础上,建立起人民解放军的强有力的革命的政治工作,这是战胜敌人的重大因素。"由于战略战术的正确,人民解放军很快地粉碎了蒋介石反革命军的进攻,迫使它由进攻转入防御,由防御而陷入总崩溃,我们因而取得了解放战争的完全胜利。

三、土地革命是武装斗争的基本内容

武装斗争对于中国革命的极端重要性,上面说过了,这里要说的是武装斗

---

① 参见毛泽东:《目前的形势与我们的任务》。

争与土地革命的不可分离的关系。毛泽东同志坚决主张:中国共产党的武装斗争,就是在无产阶级领导下的农民土地革命斗争。土地革命若不采取武装斗争的形式,就会像大革命后期那样,被反革命的武装所摧毁;而武装斗争若不以土地革命为内容,就会由于得不到农民的援助而归于失败。

关于土地革命必须采取武装斗争的形式的理由,在前面论述武装斗争的重要性的时候已经讲到了。那么,为什么武装斗争必须以土地革命为内容呢?

因为第一,土地革命是中国资产阶级民主革命的基础。

在半殖民地半封建的中国,地主阶级拥有绝大部分的土地,而占全国人口80%以上的农民则只有极少的土地,或者完全没有土地。约占农村人口70%以上的无地或少地的农民不得不用自己的劳力去耕种地主的土地,终年从事苛重不堪的牛马般的劳动,并将收获的四成、五成、六成、七成甚至八成以上作为地租交给地主,自己过着饥寒交迫的极端贫困的生活。这种完全不合理的土地制度,正是我国在长时期中国弱民穷的根源,也是帝国主义所以侵入我国的内部原因。帝国主义侵入我国以后,又把地主阶级作为它们统治中国的支柱,尽量地予以扶植和保护。可见,如果不实行彻底的土地革命,肃清封建主义的土地制度,消灭地主阶级,就不能摧毁帝国主义在中国的政治基础,就不可能实现资产阶级民主革命。中国共产党领导的武装斗争既然是以实现资产阶级民主革命为目的,就必须以土地革命为基本内容。

第二,土地革命是发动千百万农民支援革命战争的方法。

要在武装斗争中战胜比自己强大好多倍的敌人,就必须取得农民群众的援助。毛泽东同志说:"士兵就是穿起军服的农民。"[1]没有农民的支援和参加,革命军队将不仅不能消灭敌人,而且不能保存自己。南昌起义和广州起义的失败,就是教训。取得农民援助的唯一方法,就是满足农民最切身的要求,即土地要求。毛泽东同志写道:

> 根据地虽小却有很大的政治上的威力,屹然和庞大的国民党政权相对立,军事上给国民党的进攻以很大的困难,因为我们有农民的援助。红

---

① 《毛泽东选集》第三卷,第1101页。

军虽小却有强大的战斗力,因为在共产党领导下的红军人员是从土地革命中产生,为着自己的利益而战斗的,而且指挥员和战斗员之间在政治上是一致的。①

第一次大革命失败后,毛泽东同志立即领导全党举起了土地革命的大旗。红军所到之处,立即展开轰轰烈烈的土地革命,农民从封建制度的枷锁下解放出来,获得了大翻身。为了保卫革命果实,他们热烈地支援红军,参加红军,组织地方人民武装(赤卫队、少年先锋队等),他们把革命当作他们无上光荣的旗帜。这就是红军能够以劣势的装备和兵力粉碎敌人的多次围攻的根本原因。

1927 年至 1936 年,中国共产党在苏区实行彻底改革土地制度的办法,实现了"耕者有其田",把土地从封建剥削者手里转移到农民手里,把封建地主的私有财产变为农民的私有财产,使农民从封建的土地关系中获得了解放。但是到了抗日战争时期,由于中华民族与日本帝国主义矛盾成为主要矛盾,而人民群众与封建制度的矛盾降居次要地位,中国共产党让了一大步,把土地改革的政策改为减租减息的政策。这个让步是正确的,推动了国民党参加抗日,又使解放区的地主减少其对于我们发动农民抗日的阻力。日本投降以后,蒋介石反动派的军队大举向人民进攻,在这个时期,人民大众与封建制度的矛盾变成了主要矛盾,农民群众迫切要求土地,我党就及时作出决定,改变土地政策,由减租减息改变为没收地主阶级的土地分配给农民,并于 1947 年 9 月制定了中国土地法大纲,立即在各地普遍实行。我党的方针是依靠贫农,巩固地联合中农,消灭地主阶级及旧式富农的封建的及半封建的剥削制度。这些政策和方针在老解放区的实施,对于满足农民群众的要求和巩固工农联盟,对于消灭反动统治阶级在农村的支柱,起了很大的作用。到 1949 年以后全国解放之时,新解放区也贯彻了上述的政策方针,因而基本上完成了资产阶级性的民主革命。

---

① 《毛泽东选集》第一卷,第 189 页。

四、建立红色政权是发展红军战争和土地革命的保障

既然武装斗争是中国革命的主要斗争形式,而革命一开始就是进行武装起义和战争;既然中国革命战争是无产阶级领导下的农民战争,而农民战争就是土地革命战争;既然中国革命战争不是先占城市后取乡村,而是先占乡村后取城市,即以武装革命的乡村包围并夺取反革命派所占据的城市;——这样,就决定了中国共产党所领导的民主主义革命必须以广大农民所在的广大农村作为必要的重要阵地,并且必须在乡村建立武装的革命根据地作为取得民主主义革命胜利的出发点。毛泽东同志根据他自己的上述的论断,首先约集同志组织红军,在井冈山建立起红色政权根据地,高高地树立起革命的红旗,作为全国人民向往的灯塔;作为动员并组织农民群众,建立人民武装,进行土地改革的策源地,同时可以促进革命高潮迅速地到来。这是伟大的革命的创举。

可是,当时有些同志"虽然相信革命高潮不可避免地要到来,却不相信革命高潮有迅速到来的可能。因此他们不赞成争取江西的计划,而只赞成在福建、广东、江西之间三个边界区域的流动游击,同时也没有在游击区域建立红色政权的深刻观念,因此也就没有用这种红色政权的巩固和扩大去促进全国革命高潮的深刻的观念。"①这些同志只是主张"全国范围的、包括一切地方的、先争取群众后建立政权的理论"的。毛泽东同志认为这样的理论是和中国革命的实情不相适合的。"他们的这种理论的来源,主要是没有把中国是许多帝国主义国家互相争夺的半殖民地这件事认清楚"。如果把这件事认清楚了,就会明白建立红色政权根据地的极端重要。因为:第一,中国是许多帝国主义国家间接统治的半殖民地,各帝国主义国家所支持的各派军阀互相进行着连年不断的战争,而乡村又是反革命统治薄弱的地方,革命势力尽可以乘机发展起来。第二,广大地区(湘粤鄂赣等省)曾经有过很广大的工会和农民协会的组织,有过工农阶级对地主豪绅阶级和资产阶级的许多经济斗争和政治斗争,因而在这些地区有大革命斗争的经验,有很好的群众基础。第三,全国的革命形势是向前发展的,反动统治阶级内部的矛盾有增无减,所以"不但

---

① 《毛泽东选集》第一卷,第 103 页。

小块红色区域的长期存在没有疑义,而且这些红色区域将继续发展,日渐接近于全国政权的取得"。第四,有共产党领导的红军的存在,是红色政权存在的条件。第五,共产党组织有力量和它的政策的正确。① 至于在何种具体条件下可以建立红色政权,毛泽东同志认为要具备下面五个条件:"(一)有很好的群众;(二)有很好的党;(三)有相当力量的红军;(四)有便利于作战的形势;(五)有足够给养的经济力。"②毛泽东同志坚决主张武装斗争和革命根据地的建立和发展是"半殖民地农民斗争的最高形式",是"促进全国革命高潮的重要因素"。毛泽东同志认定:必须发展红军、进行土地革命和建立红色政权,"才能树立全国革命群众的信仰,如苏联之于全世界然。必须这样,才能给反动统治阶级以甚大的困难,动摇其基础而促进其内部的分解。也必须这样,才能真正地创造红军,成为将来大革命的主要工具。总而言之,必须这样,才能促进革命的高潮。"③毛泽东同志这一论断的正确性,已由此后 20 年革命史完全证明了。

各次"左"倾路线代表者在革命战争和革命根据地问题上,也犯过错误。他们不了解半殖民地半封建的中国社会的特点,不了解中国资产阶级民主革命是农民革命,因而低估了军事斗争特别是农民游击战争和乡村根据地的重要性,而反对所谓"枪杆子主义"和所谓"农民意识的地方观念与保守观念",总是梦想发动中心城市的武装起义,以形成全国革命高潮和全国胜利。可是这种梦想的结果就是造成了城市工作本身的失败。第一次"左"倾路线是这样失败了的。第二次"左"倾路线继续同样的错误,所不同的,是要求红军的配合。第三次"左"倾路线仍然要求在大城市"真正"准备武装起义,所不同的是主要要求红军去占领城市。这样,使当时乡村工作服从城市工作的结果,就是使城市工作失败以后,乡村工作的绝大部分也遭到了失败。

毛泽东同志说过,全世界只有中国有统治阶级内部长期混战的一件怪事,和这一怪事相适应,又出现了另一件怪事,即是红军和游击队的存在和发展,以及随之而来的,成长于四围白色政权中的红色区域的存在与发展。这两件

---

① 《毛泽东选集》第一卷,第53—54页。
② 《毛泽东选集》第一卷,第61页。
③ 《毛泽东选集》第一卷,第104页。

怪事正是中国的特点。红色区域与红色政权之存在与发展,是符合于先占乡村后取城市,即以武装革命的乡村包围并夺取反革命派占据的城市这一革命规律的。由于有了这两件怪事,又出现了世界无产阶级社会主义革命史中所不曾有过的怪事,即红色区域与白色区域、红色政权与白色政权长期对抗的怪事。从第二次国内革命战争时期起,经过抗日战争时期到第三次国内战争时期,对立面的斗争经过了二十多年的复杂的曲折的过程,那原是星星之火的红色区域和红色政权就逐步蔓延起来,变成燎原的大火,烧毁了白色区域和白色政权。毛泽东同志当年曾经预言"这些红色区域将继续发展,日渐接近于全国政权的取得",到解放战争后期,终于取得了全国的政权了。

毛泽东同志关于武装斗争、土地革命和建立红色政权的互相联系的理论,概括地说来就是,在无产阶级政党的领导下,以人民军队为骨干,在农村中开展土地革命,建立红色政权,发展武装斗争,扩大红色区域,争取白色区域广大人民群众的支援,动摇反动统治的基础,促进大革命高潮的到来,以期由农村包围并夺取反革命派所盘踞的城市,从而取得全国革命的胜利。这个理论规定了整个中国资产阶级民主革命的道路,把中国革命引到了胜利。这个理论是毛泽东同志对于马克思列宁主义总宝库的伟大贡献,它对于殖民地半殖民地的革命斗争具有不可估量的实践意义。

第四节 关于统一战线问题

一、工农联盟是统一战线的基础

同盟军问题是中国无产阶级在领导民主主义革命斗争中必须正确解决的基本问题之一。因为站在中国人民群众面前的,是特别强大和特别凶恶的敌人——帝国主义和封建势力的反动联盟,它们不但掌握了全国经济生活的命脉,而且拥有整套庞大的国家机器,不给无产阶级以丝毫的民主权利。无产阶级如果没有强有力的同盟军,而只是孤军奋斗,是不可能在毫无民主权利的条件下战胜全副武装的反动派的。因此,中国无产阶级要取得民主革命的胜利,就必须善于寻找自己的同盟军,建立反帝反封建的统一战线。我党历史上历次错误路线,都是与不正确地对待统一战线问题分不开的。因此,无产阶级政党在同其他阶级建立统一战线的问题上,必须进行坚决的、严肃的两条战线的斗争。一方面,要反对"左"倾关门主义倾向。第一次国内革命战争时期张国焘的主张,第二次国内革命战争时期的三次"左"倾路线,都是"左"的错误,他们忽视或者根本不要同盟军,忽视或者根本不要统一战线,把千千万万的同盟者都赶到敌人那边去,把自己造成孤家寡人。另一方面,要反对右倾机会主义倾向。第一次国内革命战争时期的陈独秀路线,抗日战争时期的新投降主义路线,就是右的错误,他们放弃了无产阶级的领导权和独立自主,把自己变成了资产阶级的附庸,把"统一"变成了"混一",实际上等于取消了统一战线。这两种错误倾向,都受到了历史的惩罚。毛泽东同志代表着党的正确路线,同"左"的和右的错误倾向进行了长期的斗争,在斗争中形成了关于统一战线问题的完整的策略理论。这个理论的基本要点是:

第一,中国民主革命没有一个统一战线是不可能取得胜利的,统一战线不由无产阶级来领导而由资产阶级来领导也是不能取得胜利的;

第二,在民主革命中,中国无产阶级领导的中心问题是农民问题,农民是无产阶级最广大最可靠的同盟军,工农联盟是统一战线的基础;

第三,与不同的资产阶级集团实行联合或斗争的问题是决定革命胜败的关键之一;

第四,无产阶级在斗争中必须善于利用敌人营垒中的每一个矛盾,与敌人营垒中一切可能同我们合作的成分建立暂时的联盟,打击主要的敌人,以便逐步地削弱敌人,壮大自己。

我们党在毛泽东同志的这些策略思想的指导下,极其成功地组成了并且坚持了一个无产阶级领导的、以工农联盟为基础的人民民主战线,使中国的一切革命力量在无产阶级的领导下汇成了一支浩浩荡荡的革命军,终于压倒了帝国主义和封建主义,取得了伟大的胜利。

在人民民主统一战线中,无产阶级有很多同盟者,但是这些同盟者的可靠程度和重要程度是不同的。无产阶级的最可靠最重要的同盟者,就是农民。这是因为:

第一,中国农民,特别是占农村人口总数70%以上的贫雇农,在帝国主义和封建主义的联合统治下遭受着最野蛮的最无人道的经济剥削和政治压迫,他们"日益贫困化和破产,他们过着饥寒交迫的和毫无政治权利的生活",其"贫困和不自由的程度,是世界所少见的"①。因此他们在反帝反封建的斗争中有特别坚决的革命性,极易接受无产阶级的革命宣传。他们一旦在无产阶级的领导之下发动起来,就将"如暴风骤雨,迅猛异常,无论什么大的力量都将压抑不住。他们将冲决一切束缚他们的罗网,朝着解放的道路上迅跑。一切帝国主义、军阀、贪官污吏、土豪劣绅,都将被他们葬入坟墓"②。中国农民的这种冲天的革命性,也是"世界所少见的"。

第二,中国农民与中国无产阶级有一种天然联系。农民就是"中国工人的前身",而工人的绝大部分又是昨天的破产农民,他们是互相了解,懂得彼此的共同命运的。因此农民极容易与无产阶级结成亲密的联盟。

第三,中国农民具有向反动统治阶级进行武装斗争的悠久的革命传统。从秦朝的陈胜、吴广"揭竿而起",到清朝的太平天国革命,总计大小数百次起义,都是农民的革命战争。所以受苦受难的中国农民,在中国共产党的领导下最容易参加于武装斗争。中国革命军队的主要成分,就是农民。在以武装斗争为革命的主要斗争形式的中国环境中,农民成为革命的主力军是很自然的。

第四,中国农民在中国全部居民中是人数最多的阶级,占了全国总人口的80%以上。所以,中国农民是中国民族民主革命中一支最庞大的队伍,是统一战线的主要力量。

因此,毛泽东同志一贯极端重视农民问题,重视工农联盟的伟大作用。早在第一次国内革命战争期间,他就在《中国社会各阶级的分析》这篇著作里指出了中国无产阶级最广大和最忠实的同盟军是农民。在《湖南农民运动考察报告》中,他以极大的革命热情歌颂了农民运动,痛斥了所谓"农民运动过火"、"农民运动糟得很"之类的反革命议论。③

毛泽东同志这些观点,在后来有很大的发展。他在《中国革命与中国共产党》中写道:

---

① 《毛泽东选集》第二卷,第601页。
② 《毛泽东选集》第一卷,第13页。
③ 《毛泽东选集》第一卷,第17页。

中农在中国农村人口中约占 20% 左右。……中农不但能够参加反帝国主义革命和土地革命，并且能够接受社会主义。因此，全部中农都可以成为无产阶级的可靠的同盟者，是重要的革命动力的一部分。

中国的贫农，连同雇农在内，约占农村人口 70%。贫农是没有土地或土地不足的广大农民群众，是农村中的半无产阶级，是中国革命的最广大的动力，是无产阶级的天然的和最可靠的同盟者，是中国革命队伍的主力军。贫农和中农都只有在无产阶级的领导之下，才能得到解放；而无产阶级也只有和贫农、中农结成坚固的联盟，才能领导革命到达胜利，否则是不可能的。①

在《论联合政府》中，毛泽东同志指出：农民是中国工人的前身，是中国工业市场的主体，是中国军队的来源，是中国民主政治的主要力量，是中国文化运动的主要对象。他断言：中国的民主主义者如果不依靠广大的农民群众的援助，他们就将一事无成。②

毛泽东同志的这些理论，在他的实践活动中是始终贯彻着的。在第一次国内革命战争时期，毛泽东同志就努力从事农民运动，亲自主持"农民运动讲习所"，他的活动使湖南在大革命期间成为农民运动最发达的省份之一。第二次国内革命战争时期，毛泽东同志把武装斗争、土地革命和建立红色政权三者结合起来，使党和农民结成了血肉不可分离的关系，在反动势力的摧残下农民坚决跟着共产党走、以生命保卫苏维埃政权的无数事例，是可歌可泣的。在抗日战争时期，为了团结地主阶级中的一部分人共同抗日，停止了土地革命，但仍然坚决实行减租减息，改善农民的生活。第三次国内革命战争时期，在毛泽东同志领导下公布了《土地法大纲》，恢复了土地革命，消灭了解放区内的地主阶级，使几亿农民获得了大翻身，农民参军支前的热潮，保证了解放战争的迅速胜利。

历史证明：农民只有在工人阶级领导之下，才能得到解放；工人阶级也只

---

① 《毛泽东选集》第二卷，第 614 页。
② 《毛泽东选集》第三卷，第 1101 页。

有和农民结成坚固的联盟,才能领导革命到达胜利。我国新民主主义革命的胜利,完全是依靠工人阶级领导下的工农联盟的力量才取得的。工人阶级领导下的工农联盟,不单是新民主主义革命胜利的保证,并且是社会主义革命胜利的保证。

我党历史上几次错误路线,都与错误地对待工农联盟问题有关。第一次大革命期间,陈独秀只注意同国民党合作,把资产阶级当成革命的主力军,根本不把农民算在革命动力之内;当农民运动起来之后,他又不听毛泽东同志的正确意见,竟然跟在反动派后面指责农民运动过火,压制农民运动,这是右倾机会主义。同一时期的张国焘则主张只有工人才能革命,同样忘记了农民,这是"左"倾机会主义。党史上三次"左"倾路线,也都低估了农民的反封建斗争在资产阶级民主革命中的决定性的作用。凡是忽视或低估了工农联盟的作用的,就一定要碰壁,这是历史早已证明了的。

此外,在我国劳动人民中,除工人和农民以外,还有许多的城市和乡村的个体手工业者和其他非农业的个体劳动者,他们是依靠劳动过活的,或者是主要地依靠劳动过活的。团结这些劳动人民,是属于工农联盟的范围之内的。

城市小资产阶级,也受帝国主义、封建主义和大资产阶级的压迫,日益走向破产和没落的境地。他们也是革命的动力之一。他们也只有在工人阶级领导之下,才能得到解放。他们一般地能够参加和拥护革命,工人阶级必须争取和保护他们。但他们的缺点是有些人容易受资产阶级的影响,所以必须在他们中间进行革命的宣传工作和组织工作。①

我国知识分子不是一个独立的社会阶级,他们分别依附于工农、资产阶级、地主阶级和买办阶级。除了少数坚持反动立场的知识分子以外,其他一切知识分子,工人阶级必须注意团结他们。在这一类知识分子当中,一部分知识分子,"尤其是广大的比较贫苦的知识分子,能够和工农一道,参加和拥护革命,马克思列宁主义思想在中国的广泛的传播和接受,首先也是在知识分子和青年学生中。革命力量的组织和革命事业的建设,离开革命的知识分子的参加,是不能成功的。但是,知识分子在其未和民众的革命斗争打成一片,在其

① 《毛泽东选集》第二卷,第611—613页。

未下决心为民众利益服务并与群众相结合的时候,往往带有主观主义和个人主义的倾向,他们的思想往往是空虚的,他们的行动往往是动摇的。"①像这样一部分人,临到革命的紧急关头,就会脱离革命队伍,甚至变成革命的敌人。"知识分子这种缺点,只有在长期的群众斗争中才能克服。"②

二、关于同资产阶级建立统一战线的策略

中国资产阶级民主革命的整个过程,都是在与资产阶级的复杂关联中走过的。同资产阶级的关系处理得正确与否,乃是决定革命进退的关键问题。正像毛泽东同志所说的:

> 当我们党的政治路线是正确地处理同资产阶级建立统一战线或被迫着分裂统一战线的问题时,我们的党的发展、巩固和布尔什维克化就前进一步;而如果是不正确地处理同资产阶级的关系时,我们党的发展、巩固和布尔什维克化就会要后退一步。③

为了正确地处理同资产阶级的关系,毛泽东同志在他的一系列的著作中对中国资产阶级的特点作了科学的分析,并且据此规定了正确的策略。

毛泽东同志告诉我们,中国的资产阶级有民族资产阶级和买办资产阶级的区别。他们有不同的特点,因而对待它们也就应该有不同的策略。

民族资产阶级是一个带两面性的阶级。一方面,由于中国是一个半封建半殖民地的国家,民族资产阶级受帝国主义的压迫,又受封建主义的束缚,所以他们同帝国主义、封建主义有矛盾,从这一方面说,他们是革命的动力之一,可以在一定时期中和一定程度上参加反帝反封建的民主革命。辛亥革命时期、北伐战争时期、抗日战争时期、解放战争时期,他们都曾经同无产阶级和小资产阶级结成联盟,反对过共同的敌人。但是另一方面,也是由于中国是一个半殖民地半封建的国家,民族资产阶级又与帝国主义有一定的经济来往,与农

---

① 《毛泽东选集》第二卷,第612页。
② 《毛泽东选集》第二卷,第612页。
③ 《毛泽东选集》第二卷,第572页。

村中的地租剥削有密切的利害关系,这就决定了他们不能和不愿彻底地推翻帝国主义和封建主义,决定了他们的动摇性和妥协性。因此,民族资产阶级绝对不能充当中国民主革命的领导者,而且在一定的条件下他们还有跟在买办资产阶级之后充当反革命助手的危险。从1927年蒋介石叛变到1931年"九一八"事变这段时期中,民族资产阶级就曾经扮演过这种不光彩的角色。

根据民族资产阶级的两面性的特点,毛泽东同志制定了对待民族资产阶级的政策。一方面,无产阶级应当估计到民族资产阶级在一定时期和一定程度上的革命性,同他们建立统一战线的关系,并尽可能地保持这种关系。另一方面,无产阶级必须坚持自己在统一战线中的领导权,必须对他们的动摇性、妥协性展开批评和斗争,把他们推到左边来;而在他们追随买办资产阶级反对革命的时候,就必须坚决地同他们断绝统一战线的关系,展开斗争。这就是又团结又斗争的革命的两面政策。中国无产阶级在北伐战争时期曾经同民族资产阶级建立过统一战线;当他们跟着蒋介石反对革命的时候,无产阶级就被迫同他们分裂了;"九一八"事变以后他们觉悟到反革命对自己并无好处,又表现出一定的反帝反封建的积极性的时候,无产阶级又同他们建立了统一战线。由于党的统战政策的正确,民族资产阶级从抗日战争时期起,在工人阶级领导下,参加了民族民主革命。全国解放以后,这个阶级又在国家领导下,参加了爱国运动和经济恢复工作。许多资本家提高了觉悟,表示愿意接受社会主义改造。

陈独秀派右倾机会主义者和第三次"左"倾机会主义者,在对待民族资产阶级的问题上都是犯了错误的。陈独秀过高地估计了民族资产阶级的革命性,把他们当成革命的主力军和领导者,不敢对他们的反动倾向进行任何的斗争,生怕从统一战线中吓跑了他们,结果是放弃了无产阶级的领导权,纵容了他们的反革命,使革命的人民吃了大亏。毛泽东同志把这种错误政策叫做"一切联合,否认斗争",这是投降主义。第三次"左"倾机会主义者则完全否认民族资产阶级的革命性,不仅不肯同他们结成统一战线,而且还把他们看作"最危险的敌人",主张同他们进行"决死斗争",结果是壮大了敌人,削弱了自己,使红军运动受到挫折。毛泽东同志把这种错误政策叫做"一切斗争,否认联合",这是关门主义。这两种错误政策的结果值得引为深刻的教训。

其次说到买办资产阶级。

买办资产阶级与民族资产阶级不同,他们是直接为帝国主义国家的资本家服务并为他们所豢养的阶级,是帝国主义在中国的走狗;他们与中国的封建势力有密切的联系。因此他们历来不是中国革命的动力,而是中国革命的对象。他们是一个彻头彻尾的反革命阶级,是中国人民的死敌。

但是,由于中国是一个被许多帝国主义国家共同剥削和互相争夺的半殖民地国家,中国的买办资产阶级是分属于不同的帝国主义国家的。当各个帝国主义国家之间的矛盾尖锐化,而革命的锋芒主要地是对着某一帝国主义国家的时候,属于别的系统的买办资产阶级也可能为了自己及其主子的利益在一定程度上和一定时期内参加反帝国主义战线。但是即使是在这种时候,买办资产阶级也仍然是很反动的,他们坚决反对并极力限制无产阶级及其政党在思想上、政治上、组织上的发展,采取欺骗、诱惑、"溶解"、打击等政策,破坏团结,准备投降敌人;而等到他们的主子起来反对中国革命的时候,他们也就立即公开反对革命了。

根据买办资产阶级的反革命的两面性,毛泽东同志规定了对待他们的革命的两面政策:一方面,当革命的锋芒主要地是反对某一个帝国主义的时候,无产阶级为了削弱敌人和加强自己的后备力量,可以与属于其他帝国主义国家的买办资产阶级建立暂时的统一战线,并在有利于革命的条件下尽可能地保持这种联系;另一方面,无产阶级在与他们建立统一战线的时候必须坚持独立自主的方针;必须根据"利用矛盾,争取多数,反对少数,各个击破"和"有理、有利、有节"的原则同他们的反共反人民的一面进行针锋相对的斗争,揭破他们的阴谋诡计,打退他们的猖狂进攻,以斗争的手段达到团结的目的。我党在抗日战争中对待蒋介石国民党的政策,就是这种革命的两面政策。

我党在抗日战争中同以蒋介石国民党为代表的英美派买办资产阶级建立过统一战线的关系,这是一种非常复杂的关系。这个买办资产阶级集团多年来坚决反共反人民,同我们进行了长期的血战。但是当日本帝国主义深入国土并坚决执行其灭亡中国的方针时,他们也被迫起来抗日,这是因为:第一,不如此就会遭到全国人民的唾弃,不能维持其统治地位;第二,日本灭亡全中国的方针危及他们的政权和财产,他们与日本的利害冲突已无法调和;第三,他们的主子英美帝国主义者希望中国同日本打,拖住日本。由于这些原因,这个集团就表现出反革命的两面性:一方面,他们要抗日,也要其他势力替他们抗日;另一方面,他们又害怕广大人民起来抗日,特别是害怕共产党动员人民起来抗日,他们希望包办抗日的领导,实行片面抗战,并阴谋在抗战中假日本之手来消灭共产党。我们党对付这种反革命的两面性的办法就是实行革命的两面政策:一方面同他们建立抗日的民族统一战线,因为他们还在抗日,还应该利用他们与日本帝国主义的矛盾;另一方面,又必须对他们破坏团结、分裂统一战线、反共反人民和准备投降的罪恶政策实行思想上、政治上、军事上的斗争。事实证明,这个集团即使在同我们建立统一战线的时候也是很反动的,他们是抗日民族统一战线中的顽固派,他们不仅拒绝对中国政治作任何实质上的改革,而且在日寇的诱降方针下发动了三次反共高潮,对共产党和抗日军民实行思想的、政治的和军事的进攻,企图削弱和孤立共产党,分裂统一战线,为投降日寇准备舆论。这种情形,决定了同他们进行斗争的艰巨性和复杂性。

如何与顽固派进行针锋相对的斗争呢?毛泽东同志为全党制定了"一整套的战术"。

首先,要坚决地实行统一战线中的独立自主的原则,反对顽固派企图使共产党听命于他们的反动企图。只有坚持统一战线中的独立自主原则,才能变片面抗战为全面抗战,才能"动员千百万群众进入抗日民族统一战线"。如果像右倾机会主义者那样,放弃了这个原则,一切听命于国民党,那就是阶级对阶级的投降主义,其结果必然会变成民族对民族的投降主义,也无所谓统一战线了。所谓实行统一战线中的独立自主原则,就是要不顾顽固派的限制和反对,独立自主地扩大军队;建立抗日民主根据地,建立共产党领导的抗日民主政权;设立财政机关,征收抗日捐税;设立经济机关,发展农工商业;开办各种学校,大批培养干部;争取知识分子;发展全国各界的争民主争宪政的群众运动;在全国各地发展共产党的组织等。只有这样做,才能壮大进步势力,迫使顽固派不敢轻易分裂统一战线,也才能使抗日战争的胜利成为人民力量的胜利。

其次,要实行"发展进步势力,争取中间势力,孤立顽固势力"的策略总方针。发展进步势力,就是发展无产阶级、农民阶级和城市小资产阶级的力量。

争取中间势力,就是争取民族资产阶级、开明士绅和地方实力派。这两方面的工作对于孤立顽固派是有不可分离的关系的:进步势力大为发展了,中间势力被我们争取过来了,顽固派就必然陷于孤立。同时,对顽固派本身的各种倾向,也要细致地分别对待:对他们尚能抗日的一面采取联合的政策,对他们消极抗日的一面则采取斗争的政策;对他们反共的一面采取斗争的政策,对他们尚不敢完全分裂统一战线的一面则采取联合的政策。用这种办法使他们陷于孤立,限制他们实施反共政策的范围。对于国民党内的当权的顽固派与不当权的非顽固派,也要加以区别,要用极大的力量去团结国民党内部的中间派和进步派,孤立当权的顽固派。

再次,在与顽固派进行斗争时,要根据"有理、有利、有节"的原则。所谓"有理",就是自卫原则:人不犯我,我不犯人,人若犯我,我必犯人。决不无故地进攻人家,也决不在受到别人攻击时不予还击。这叫做斗争的防御性。所谓"有利",就是胜利原则:不作无把握的斗争,不斗则已,斗则必胜。不是同时打击许多顽固派,而是"利用矛盾,争取多数,反对少数,各个攻破"。这叫做斗争的局部性。所谓"有节",就是休战原则:在一个时期内把顽固派的进攻打退之后,在他们没有举行新的进攻之前,我们要适可而止,实行休战,并主动地同顽固派讲团结,等到他们发动新的进攻时,再同他们斗争。这叫做斗争的暂时性。坚持这种有理、有利、有节的原则,就能使我们立于不败之地,使顽固派不敢轻易向我们进攻。

毛泽东同志所制订的对付顽固派的策略,在抗日战争中发挥了巨大的威力。凭着这些策略,我们在抗战中不仅没有被顽固派和日寇所消灭或削弱,而且大大地发展和壮大了自己,赢得了抗日战争的伟大胜利,并为民主革命在全国的胜利奠定了牢固的基础。

在同英美派买办资产阶级建立抗日统一战线的问题上,党内也出现过一种错误倾向。这就是以王明同志为代表的新投降主义路线。他们为国民党的强大和共产党的弱小这种表面现象所迷惑,竟认为国民党是"为中国人民的民族生存而奋斗的最大政党",蒋介石是"中华民族抗战建国的领袖",把抗战胜利的希望寄托于国民党,因此他们反对毛泽东同志关于"统一战线中的独立自主"的原则和"发展进步势力,争取中间势力,孤立顽固势力"的方针,主张"一切经过统一战线","在统一战线中不分左、中、右",完全迁就了国民党。这条投降主义路线,在当时王明同志和项英同志所负责的工作中发生了影响,使革命事业受到很大的损失。毛泽东同志在1947年所作的《目前形势和我们的任务》的报告中对这条路线作了总结,深刻地说明了抗日民族统一战线问题上两条路线斗争的实质和结果,对于我们具有特别重要的意义:

> 抗日战争时期,我党反对了和这种投降主义思想(按:指大革命后期陈独秀的投降主义思想)相类似的思想,即是对于国民党的反人民政策让步,信任国民党超过信任群众,不敢放手发动群众斗争,不敢在日本占领地区扩大解放区和扩大人民的军队,将抗日战争的领导权送给国民党。我党对于这样一种软弱无能的腐朽的违背马克思列宁主义原则的思想,进行了坚决的斗争,坚决地执行了"发展进步势力,争取中间势力,孤立顽固势力"的政治路线,坚决地扩大了解放区和人民解放军。这样,就不但保证了我党在日本投降以后蒋介石举行反革命战争时期,能够顺利地不受损失地转变到用人民革命战争反对蒋介石的反革命战争的轨道上,并在短时期内取得了伟大的胜利。这些历史教训,全党同志都要牢记。①

对待不同的资产阶级集团的团结或斗争的策略思想,简单地说来就是如此。

我党所组织所领导的统一战线,经历了几个不同的阶段。在第一次国内革命战争时期,由于代表资产阶级的国民党实行了孙中山的联俄、联共、扶助工农的三大政策,它是革命的、有朝气的,所以我党同它建立反帝反封建的统一战线。因此,我党英勇地领导了1924年至1927年的革命。但由于当时的党对于革命的性质、任务和方法的认识方面,却表现了它的幼年性,而陈独秀右倾机会主义领导集团也不能认识资产阶级特别是买办资产阶级的两面性,听凭买办资产阶级夺取了革命领导权,变成了投降主义者,以致使这次革命遭到了失败。资产阶级叛变了,第一次统一战线破裂了,但是党能够紧紧依靠农

---

① 毛泽东:《目前形势和我们的任务》。

民,发展了并巩固了党的组织,创造了坚强的武装部队和红色政权,进行了胜利的十年土地革命战争。抗日战争时期,我党为了争取千百万群众进入抗日民族统一战线而斗争,又与资产阶级建立统一战线。我党根据以前两次革命战争的经验,针对民族资产阶级的二重性和买办资产阶级反革命的两面性,分别地制订了和应用了不同的统战政策,因此壮大了革命的力量,能够战胜日本帝国主义,并为民主革命的全盘胜利奠定了基础。

抗日战争结束以后,蒋介石反动集团为了实现其多年来消灭共产党的宿愿,把整个中国出卖给美帝国主义者,要使中国成为美帝国主义者的殖民地,利用美帝国主义者大量的军事的经济的援助,于1946年发动全国规模的反人民的战争,大举向解放区进攻。于是我党同国民党的统一战线又破裂了,从此进入了解放战争的时期即第三次国内革命战争时期。我党对于蒋介石的反动阴谋早就作了准备,所以我人民解放军在毛泽东同志的战略战术指导之下,不过一年多的时间,就完全粉碎了蒋介石的进攻。1947年10月,我人民解放军发表宣言,其中说:“联合工农兵学商各被压迫阶级,各人民团体,各民主党派,各少数民族,各地华侨及其他爱国分子,组成民族统一战线,打倒蒋介石独裁政府,成立民主联合政府。”这就是人民解放军的、也是中国共产党的最基本的政治纲领。这个新的统一战线不但没有缩小,反而是空前扩大了。因为美帝国主义及蒋介石反动统治集团的罪恶已经在中国人民面前暴露无遗,蒋介石及国民党在中国人民中已经完全没有威信,已经完全孤立了。但是“中国共产党不但在解放区得到最广大人民群众的信任,并且在国民党控制的区域也得到了最广大人民群众的信任”。“我们的新民主主义的革命统一战线,现在比过去任何时期都要广大,也比过去任何时期都要巩固。”①正因为我党坚强地领导了这一个包括全民族绝大多数人口的最广泛的统一战线和强大的人民解放军,所以能够最后打败了蒋介石反动集团,取得了新民主主义革命战争的伟大胜利。

1949年7月1日,毛泽东同志在《论人民民主专政》中,总结了新民主主义革命斗争的经验说:

———————————

① 毛泽东:《目前的形势和我们的任务》。

一个有纪律的有马、恩、列、斯的理论武装的采取自我批评方法的联系人民群众的党。一个由这样的党领导的军队。一个由这样的党领导的各革命阶层各革命派别的统一战线。这三件是主要的经验。这些都是我们区别于前人的。依靠这三件,使我们取得了基本的胜利。

第七章　由民主主义革命到社会主义革命

第一节　革命的转变

一、民主主义革命是社会主义革命的必要准备

中华人民共和国的成立,标志着中国革命第一阶段的基本结束和中国革命第二阶段的开始,这即是标志着中国民主主义革命到社会主义革命的转变。

我们的党和毛泽东同志根据马克思列宁主义不断革命论和革命发展阶段论,结合中国革命的历史实际和社会实际,制定了中国革命的策略和步骤,领导了并且领导着人民革命的斗争。

党教导我们说:

> 我们是马克思列宁主义的不断革命论者,我们认为在民主革命和社会主义革命之间,在社会主义和共产主义之间,没有隔着也不允许隔着万里长城;我们又是马克思列宁主义的革命发展的阶段论者,我们认为不同的发展阶段反映事物的质的变化,不应当把这些不同质的阶段混淆起来。①

所以中国共产党所领导的整个中国革命运动,从民主主义革命到社会主义革命,从社会主义社会的建成到共产主义社会的实现,一个革命紧接着另一个革命,前一个革命为后一个革命打好基础,前后是互相联系、互相衔接,其间决没有不可逾越的界限。这就是说,一个革命为下一个革命准备条件,直到共

---

① 见《关于人民公社若干问题的决议》。

产主义时代,革命是不停顿的。但是,互相联系、互相衔接的各个阶段,各自具有其不同的特点,各自具有其不同的质,不应当把这些不同质的阶段混淆起来。例如民主主义革命是反帝反封建,建立民主主义国家,而社会主义革命是反对城乡资本主义,消灭剥削制度和剥削阶级,建立社会主义国家,这两个阶段的质是不相同的。并且,革命发展的各个阶段有前后的顺序,必须先完成前一阶段的革命,才能转变到后一个阶段的革命,既不能跳过前一阶段而进到后一阶段,也不能在条件不具备的时候而过早地转变到后一阶段。

毛泽东同志说:"我们共产党人从来不隐瞒自己的主张。我们的将来纲领和最高纲领,是要将中国推进到社会主义社会和共产主义社会去的,这是确定的和毫无疑义的。我们的党的名称和马克思主义的宇宙观,明确地指明了这个将来的、无限光明的、无限美妙的最高理想。"①但是,"很清楚的,中国现时社会的性质,既然是殖民地、半殖民地、半封建的性质,它就决定了中国革命必须分为两个步骤。第一步,改变这个殖民地、半殖民地、半封建的社会形态,使之变成一个独立的民主主义社会。第二步,使革命向前发展,建立一个社会主义社会。"②

关于革命的转变问题,毛泽东同志早在第二次国内革命战争时期就曾提起过。他说:"我们是革命转变论者,主张民主革命转变到社会主义方向去。"至于"何时转变,应以是否具备了转变的条件为标准,时间要相当地长。不到具备了政治上经济上一切应有的条件之时,不到转变对于全国最大多数人民有利而不是不利之时,不应当轻易谈转变。"到了将来,"不流血的转变是我们所希望的,我们应该力争这一着,结果将看群众的力量如何而定。"③但在当年,毛泽东同志再三强调:为要转变到社会主义革命,必先努力完成民主主义革命。他说:"两篇文章,上篇与下篇,只有上篇做好,下篇才能做好。坚决地领导民主革命,是争取社会主义胜利的条件。""现在的努力是朝着将来的大目标的,失掉这个大目标,就不是共产党员了。然而,放松今日的努力,也就不

① 《毛泽东选集》第三卷,第1082页。
② 《毛泽东选集》第二卷,第637页。
③ 《毛泽东选集》第一卷,第158页。

是共产党员。"①他在抗日战争后期,还提醒一切共产党员及其同情者说:"如果不为这个目标奋斗,如果看不起这个资产阶级民主革命而对它稍许放松,稍许怠工,稍许表现不忠诚,不热情,不准备付出自己的鲜血和生命,而空谈什么社会主义和共产主义,那就是有意无意地,或多或少地背叛了社会主义和共产主义,就不是一个自觉的和忠诚的共产主义者。只有经过民主主义,才能到达社会主义,这是马克思主义的天经地义。"②

28 年(1921—1949)的历史对我们表明了:党内外无数先烈,为了争取社会主义的胜利,忠心耿耿地、轰轰烈烈地投入长期的、曲折的、艰苦的民主革命斗争中,付出了自己的鲜血和生命,终于取得了民主主义革命的胜利,并为到社会主义革命的转变准备了政治上经济上一切必要条件。

在民主主义革命过程中准备起来的转变到社会主义革命的必要条件,分析起来,可归纳为下列数项。

第一,在政治上,工人阶级先锋队的中国共产党,从第一次国内革命战争起,经过第二次国内革命战争、抗日战争到达于第三次国内革命战争时期,党在全国人民中的政治影响逐步扩大了。特别是进入抗日战争时期,"党凭借着过去两个革命阶段的经验,凭借着党的组织力量和武装力量,凭借着党在全国人民中间的很高的政治信仰,凭借着党对于马克思列宁主义的理论和中国革命的实践之更加深入的更加统一的理解,就不但建立抗日民族统一战线,而且进行伟大的抗日战争。党的组织已经从狭小的圈子中走了出来,变成了全国性的大党。党的武装力量,也在同日寇的斗争中重新壮大起来和进一步坚强起来了。党在全国人民中的影响更加扩大了。"③在抗日战争结束以后,党联络各民主阶级、各民主党派进行争取和平民主和建立人民共和国的斗争;在蒋介石反动派发动国内战争时期,党领导军民群众进行解放战争,很快地打败了祸国殃民的蒋介石反动派;1947 年 10 月,适时地发出了号召,要联合各被压迫阶级、各人民团体,各民主党派等组成民族统一战线打倒蒋介石独裁政府,成立民主联合政府;1948 年五一节,党发出了召开没有反动派参加的新的

① 《毛泽东选集》第一卷,第 274 页。
② 《毛泽东选集》第三卷,第 1083 页。
③ 《毛泽东选集》第二卷,第 579 页。

政治协商会议,成立民主联合政府;——所有党的这些号召,都得到了全国人民和各民主党派的响应和拥护。这就表明了中国共产党在全国人民中已具有最高的威信,各民主阶级、各民主党派、各少数民族,都确认了党的领导权,加上我们工人阶级领导下的强大的工农联盟,就造成由民主主义革命到社会主义革命转变的政治条件。在解放战争的后期,我们已经可以很快地推翻国民党反动派的政权,建立起以工人阶级为领导,以工农联盟为基础的人民民主专政的政权。政权的转变就标志着由民主主义革命到社会主义革命的转变。

其次,在经济上,我们的党早在第二次国内革命战争时期,就努力组织经济工作。当时苏区国民经济是由国营经济、合作社经济和私人经济这三方面组成的。当时的经济政策的原则,如毛泽东同志所说,"是进行一切可能的和必要的经济方面的建设,集中经济力量供给战争,同时极力改良民众生活,巩固工农在经济方面的联合,保证无产阶级对于农民的领导,争取国营经济对于私人经济的领导,造成将来发展到社会主义的前提。"①

抗日战争时期,我党又在根据地建立了国营经济和合作社经济,并发展私人经济。"边区政府办了许多自给工业;军队进行了大规模的生产运动,发展了以自给为目标的农工商业;几万机关学校人员,也发展了同样的自给经济。"②这类经济都是社会主义性质的。此外,边区还组织了许多合作社,除了集体互助的农业生产合作社以外,还有包括生产、消费、运输和信用等的综合合作社、运输合作社和手工业合作社。这些合作社是半社会主义性质的。

在第三次国内革命战争时期,解放区已由农村扩大到许多中小城市、若干较大城市与相当数量的矿区,在这些地方,或多或少地有近代化工业的基础,所以解放区不只有中小工业,也有较大的工业,同时公营、合作社经营与私人经营的工业数目也增加了。③ 其中公营工业是社会主义性质的,合作社营的工业是半社会主义性质的。

上述在新民主主义革命时期所建立的社会主义国营经济和半社会主义的合作社经济,是新国家成立后社会主义经济建设的先导。特别应当提出的是:

---

① 《毛泽东选集》第一卷,第 127 页。
② 《毛泽东选集》第三卷,第 914 页。
③ 参见刘宁一:《解放区工业政策》。

在新民主主义各时期中,我党涌现了大批善于做财政经济工作的干部。他们是新国家成立后建设社会主义经济的能手。

以上所述,在新民主主义革命过程中发展起来的国营经济、劳动人民的合作经济以及大批善于做财政经济工作的干部,就是到社会主义革命的转变的经济条件。

再次,在思想上,我党自从1935年1月遵义会议确定毛泽东同志在全党的领导地位以后,党彻底地走上了布尔什维克化的道路,特别是经过了1942年的整风运动,批判了教条主义和经验主义,提高了全党的马克思列宁主义的水平,党的干部更多地领会了马克思列宁主义的理论,更多地学会了将马克思列宁主义的理论和中国革命的实践结合起来。党内思想上的统一就变成了战胜国民党反动派的物质力量。随着革命的势力的高涨,党扩大了马克思列宁主义的宣传。在党外的广大的知识分子和青年学生中,除了一小部分反动分子以外,接受马克思列宁主义的人越来越多了,其中有些人成了共产主义者,甚至有些不愿意接受马克思列宁主义的人,却也认为共产党的所作所为是正义的,因而同情于共产党。这正是大势所趋,人心所向。这种情况,在全国解放前夕,特别明显。这就准备了革命转变的精神条件。

毛泽东同志当年所说的,革命的转变必须到了具备政治上经济上一切应有的条件的时候,必须到了转变对于全国最大多数人民有利而不是不利的时候,现在临到全国即将解放前夕,革命转变的一切条件都已经具备了,并且这个转变对于全国大多数人民都是有利了。在这种时候,必须把民主主义革命“转变到社会主义革命的阶段上去,这就是中国共产党光荣的伟大的全部任务,每个共产党员都应为此而奋斗,绝对不能半途而废。”[1]

二、社会主义革命是民主主义革命的必然趋势

推翻国民党反革命的政权,建立人民民主专政的政权,这是政权的转变。这个政权的转变,标志着由民主主义革命到社会主义革命的转变。但所说的革命的转变,并不是说社会主义革命这一伟大的任务可以在人民共和国成立

---

[1] 毛泽东:《新民主主义论》。

以后立即在全国一切方面着手实施了。因为中国是一个大国，情况极为复杂。我们的民主主义革命是在部分地区首先取得胜利，然后取得全国胜利的，所以刚刚从半殖民地半封建状态脱离出来的新国家，为要在全国一切方面进行社会主义革命，必先完成一系列的工作，为这个革命打下政治的、经济的和思想的基础。

第一，完成民主主义革命的任务，首先要把解放战争进行到底。在新国家成立的当时，数百万人民解放军的野战军已经打到接近台湾、广东、广西、贵州、四川、云南和新疆的地区去了。直到这些地区获得解放和西藏的和平解放，还有美帝国主义和蒋介石反动派盘踞的台湾等待解放，这是一个严重的斗争任务。国民党反动派在大陆若干地区采取了土匪游击战争方式，匪众数十万分散在各个偏僻地方等待我们去剿灭。它还组织许多秘密的特务分子和间谍分子，企图破坏共产党和人民政府的威信，从事破坏人民经济事业，对于党和政府的工作干部采取暗杀手段。对于这类特务和间谍等反革命分子，必须严肃地予以镇压。所以我人民解放军在新解放区仍有继续剿灭残余土匪的任务，人民公安机关则有继续打击敌人特务组织的任务。只有完成这些任务，才能巩固人民的政权。

在对外方面，帝国主义者决不甘心于它们的失败，它们将每日每时企图重来奴役中国人民。所以中国革命在全国胜利以后，中华民族与帝国主义的矛盾仍是一个基本矛盾。美帝国主义于 1950 年 6 月侵入朝鲜民主主义人民共和国和侵占我国台湾，即是这一基本矛盾的表现。中国人民和中国政府曾经一再提出建议和警告，要求美国武装力量退出台湾，迅速停止侵略朝鲜战争，和平解决朝鲜和远东问题。可是美国政府竟悍然拒绝了这些建议和警告，大举越过三八线，直迫鸭绿江，还用空军不断轰炸和扫射我东北边境的城市和乡村，用海军攻击我海上的船只。中国人民忍无可忍，这才组织了抗美援朝保家卫国的志愿军，开往朝鲜，与朝鲜人民军并肩作战，沉重地打击了狂妄残暴的美国侵略军，把它从鸭绿江赶回到三八线，因而保卫了远东安全与世界和平。

在人民共和国成立初期，凡属人民解放军初到的地方，都一律实施军事管制，取消国民党政权机关，组织军事管制委员会和人民政府，领导人民建立革命秩序，镇压反革命活动，并逐步召集各界人民代表会议，代行地方人民代表大会的职权,团结各界人民共同进行工作,讨论人民地方政府所交议的一切重要事项,并作出决定。通过人民代表会议,把全国人民紧密地团结在各级人民政府的周围,就能使它成为执行国家建设任务和国防任务的统一的强大的力量。这项在全国范围内的民主建设工作,是需要一两年的时间才能完成的。

前面说过,中国革命战争是无产阶级领导下的农民战争,而农民战争就是土地革命战争,所以土地革命是新民主主义革命的基本内容。大家知道,第二次国内革命战争即是土地革命战争,只有到了抗日战争时期,党为了争取千百万人民进入抗日战争,才暂时停止土地革命而实行减租减息政策。到了第三次国内革命战争时期,形势大不同了,党及时领导老解放区千百万农民实行了土地革命。在全国解放以后,广大的新解放区必须普遍地进行土地改革运动,来完成民主主义革命的任务。新区的土地改革运动,是在全中国革命战争胜利和农村中清匪、反霸、减租退押等斗争胜利的基础上,根据国家土地改革法及其他决定,有计划、有步骤、有秩序地开展起来的。这是中国革命历史上最广大最健全的一次土地改革运动。但我国土地改革,不是运用"和平土改"的方式进行的,也不是依靠行政命令或"恩赐"农民土地的方式进行的,而是依靠发动贫农、雇农,团结中农,中立富农,对地主进行轰轰烈烈的阶级斗争的方式去完成的。由于土地改革的完成,就废除了地主阶级封建剥削土地所有制,实现了农民的土地所有制。农民群众所进行的一系列的斗争,与镇压反革命运动相结合,依据各地惩治不法地主暂行条例和人民法庭的处理,就彻底摧毁了地主阶级的反动势力,使被压迫的农民翻身成为农村的主人,完全掌握了农村政权,巩固了农村中的人民民主专政。由于土地改革的完成,就解放了农村生产力,农民的生产热情因而大大地高涨起来;他们的政治觉悟空前提高了;他们已经组织起来,武装起来,紧紧地团结在共产党的周围。这些事实,就为全国农民开辟了互助合作的社会主义的道路。

只有完成土地改革,才能解决广大农村中的农民与地主阶级之间的矛盾,才能完成民主革命的任务。

第二,全面地复兴国民经济,一百多年来,中国国民经济是半殖民地半封建的经济。帝国主义、封建主义和官僚资本主义的三重剥削,严重地破坏着中国社会的生产力。工业基础异常薄弱,生产技术落后,发展速度很慢。重工业比重小,轻工业比重大。在全国解放以前,重工业几种主要产品的最高年产量是:生铁180万吨,钢92万吨,煤6187万吨,电力59亿度(其中钢铁煤等包括日本侵占东北的厂矿产量在内)。轻工业方面,纺织业是大宗,解放前最高年产量是:棉纱244万件,棉布4500万疋。在农业方面,几种主要产品在抗日战争前最高年产量是:粮食3000亿斤,棉花1700万担。单就这些数字来看,就可以知道我国的国民经济已经是极端落后的,再加上日本侵略者和国民党反动派对中国人民所发动的十多年的战争,越发使中国落后的工业和农业处于破产的境地。特别是第三次国内革命战争时期,蒋介石匪帮对人民的搜刮和掠夺无所不用其极。他们在当权以后,搜刮了约两亿美元的巨大资本,在抗日战争结束以后,又利用政权接收了日德意等国在中国的企业,形成了庞大的官僚资本。但是他们不愿意发展生产,以致许多厂矿不能开工,机器设备任其毁坏。他们习惯于干投机性和掠夺性的勾当,大发横财。他们发行了天文学数字的钞票向人民榨取黄金美元及其他物资。钞票发行额增加1768亿倍,使物价比1937年上涨2500亿倍。由于通货膨胀和物价飞涨,顿使一切资本都卷入投机倒把追逐暴利的漩涡,最后把那些等于废纸的天文学数字的钞票都塞到农民手中,使农民陷入破产的深渊。结果是:生产规模缩小,百业萧条,工人失业,农民走投无路,整个国民经济陷于崩溃状态。这是全国解放前夕的经济情景。

1947年12月,毛泽东同志在《目前形势和我们的任务》中,针对当时全国经济情况,拟订了新中国经济建设的根本方针:没收官僚资本企业,建立社会主义的国营经济;完成土地改革,并领导农民建立合作化的农业经济;私人资本主义工商业,则允许其存在,还需要其中有益于国民经济的部分有一个发展。"新中国的经济构成是:(一)国家经济,这是领导的成分;(二)由个体逐步地向着集体方向发展的农业经济;(三)独立小工商业者经济及小的与中等的私人资本经济;这些,就是新民主主义的全部国民经济。而新民主主义国民经济的指导方针,必须紧紧地追随着发展生产,繁荣经济,公私兼顾,劳资两利这个总目标。"

1949年3月,党的七届二中全会决议指出:"中国现代性工业虽然还只占国民经济总生产量的百分之十左右,但它却极为集中,最大量的和最主要的资本是集中在帝国主义者及其走狗中国官僚资产阶级手里。没收这些资本归无产阶级领导的人民共和国所有,就使人民共和国握有国家的经济命脉,成为国民经济的领导成分。这一部分经济,是社会主义性质的经济,不是资本主义性质的经济。""在革命胜利以后一个相当长的时期内,正需要尽可能地利用城乡私人资本主义的积极性,以利于国民经济的向前发展。……但是它将从几个方面被限制。""占国民经济总量的百分之九十的分散的个体的农业经济和手工业经济,是可能和必须谨慎地、逐步地而又积极地引导它们向着现代化和集体化的方向发展的,……必须组织中央、省、县、区、乡的生产的、消费的和信用的合作社和合作社的领导机关。……单有国营经济而没有合作社经济,我们就不可能领导劳动人民的个体经济走向集体化,就不可能由新民主主义国家发展到将来的社会主义国家,就不可能巩固无产阶级在国家政权中的领导权。"

党的七届二中全会的决议和毛泽东同志所拟订的国民经济的指导方针,已由中国人民政治协商会议制订在共同纲领之中,我中央人民政府已按照共同纲领所规定的那些经济条款付诸实施,首先在城市立即着手接收官僚资本主义企业,使它变为社会主义的国营企业,建立社会主义国家银行,同时在全国范围内着手建立社会主义的国营商业和合作社商业,并对私人资本主义企业开始实行国家资本主义措施,因而初步确定了社会主义经济对私人资本主义经济的领导地位。但是在实行共同纲领所规定经济政策的过程中,也会遭遇到一些问题,如财政问题,通货问题,物价问题,失业问题等,必须解决这些问题,才能使国家的财政经济状况好转起来。毛泽东同志在1950年所强调的"为争取国家财政经济状况的基本好转而斗争",就是要从根本上解决这一些问题,否则我们就不能获得有计划地进行经济建设的条件。

全国解放初期,我们接受的经济遗产是被帝国主义者和国内反动派弄得破坏不堪的烂摊子,粮食和棉花都不能自给,要仰给外国进口,特别是1949年有广大的灾荒,物资非常缺乏。大城市的资本家们在反动统治时代习惯于投机倒把,他们不服从人民政府的命令,公开地买卖黄金美元,搅乱金融市场,套购物资,囤积居奇,因而使得物价高涨,并给我们的财政经济带来不少困难。更因为生产还没有恢复,变通运输还没有修复,物资的调度和供应很感困难,因而税收不足。再加上我们政府包下了国民党反动政府留下来的九百万军政公教人员，使得我们财政上的支出超过收入，我人民政府不得不暂时增加通货发行，弥补财政上的赤字。

为了恢复和发展生产，我人民政府除了大力取缔不法的资本家以外，并于1950年3月颁布了《关于统一国家财政经济工作的决定》，统一全国的财政收支，物资调度和现金管理，在财政、贸易和金融三方面采取了许多重大措施，来争取财政收支、物资调度和现金出纳的平衡。这个决定的实施不到三个月，我们在经济战线上就取得了一批胜利：财政收支已接近于平衡，通货已停止膨胀，物价已趋向稳定，表现了财政经济的开始好转。但如毛主席所说，"这还不是根本的好转，要获得财政经济情况的根本好转，需要三个条件，即：（一）土地改革的完成；（二）现有工商业的合理调整；（三）国家机构所需经费的大量节减。要争取这三个条件，需要相当的时间，大约需要三年时间，或者还要多一点。"由此可见，当人民共和国成立的初期，我们必须在很短的几年期间内，争取国家财政经济状况的基本好转，才能确立社会主义国营经济对于各种经济成分的领导，才有条件进行有计划的社会主义建设和社会主义改造。"有些人认为可以提早消灭资本主义实行社会主义，这种思想是错误的，是不适合我们国家情况的。"①

第三，"三反"、"五反"与思想改造，党的七届二中全会决议早就指出：新中国内部的基本矛盾是无产阶级与资产阶级的矛盾；对资本主义采取限制政策，必然受到资产阶级在各种程度和各种形式上的反抗，限制和反限制，将是新国家内部阶级斗争的主要形式。这是革命的客观规律。

资产阶级是剥削阶级，它的本性是唯利是图，损人利己，损公济私，反对共产主义。中国民族资产阶级的代表人物虽然参加了中国人民政协，表示遵守共同纲领，愿意接受共产党的领导，但并不是所有的资本家都是这样。绝大多数的资本家是口服心不服的，他们一有机会就发挥他们的劣根性，向党和人民猖狂进攻的。他们第一次的猖狂进攻，是在1949年下期，他们在各大城市买

---

① 以上引用的话均见毛泽东在七届三中全会的报告：《为争取国家财政经济状况的基本好转而斗争》。

卖黄金美元,破坏金融,囤积物资,抬高物价。这次进攻虽然遭到了打击,却给国家带来了很大的损失。1950年,不法资本家们又布置了第二次猖狂进攻。他们进攻的手段,第一是"拉过去",就是腐蚀我们的干部,使这类干部成为他们在我们财经机关和企业内部的暗盗;第二是"派进来",就是派遣他们的徒党混入机关和企业内部,为他们的盗窃服务。由于各部门各单位的领导上的官僚主义,一方面产生了许多干部的贪污和浪费现象,另一方面使得不法资本家们容易施放"五毒",即行贿、偷税漏税、盗窃国家资材、偷工减料和盗窃国家经济情报。不法干部的贪污浪费和不法资本家五毒行为发展到1951年下期,已经极端严重而普遍,使国家财产遭受到巨大的损失。所有这类贪污盗窃的罪行,主要地是资产阶级向革命阵营猖狂进攻和严重侵蚀的结果。当着我们国家一面进行抗美援朝,一面进行繁重的经济建设和文化建设的时候,若听凭资产阶级的猖狂进攻继续下去,资产阶级势将由篡夺经济领导权更进而篡夺政治领导权,其结果将使中国回复到帝国主义的附属国或殖民地地位。这种逆流,在无产阶级和共产党领导下的人民中国是绝对不能容许的。因此,我们全国人民在党中央和毛主席的号召下,轰轰烈烈、雷厉风行地展开了反对贪污浪费和官僚主义的斗争,反对行贿、偷税漏税、盗窃国家资材、偷工减料和盗窃国家经济情报的斗争。经过几个月恶战苦斗,终于把那些不法干部和不法资本家检举出来,并使他们受到应有惩处,因而取得了这一场阶级斗争的大胜利。剥削阶级的贪污浪费和盗窃国家财产的那种劣根性,在中国是有着悠久的深厚的历史根源和社会根源的。这种劣根性,在剥削阶级社会里是永远也不能肃清的,现在在共产党领导下的人民中国却彻底地予以肃清了。

结合"三反"和"五反"运动,人民政协全国委员会常务委员会发出了《关于展开各界人士思想改造的学习运动的决定和通知》,各民主党派也号召所属成员展开思想改造运动,还有科学、文化、教育、宗教各界也自觉地进行了思想改造运动。这一次思想改造运动,和"三反"、"五反"运动一样,都是全国规模的。通过这一次思想改造运动,大多数人都和封建的、买办的、法西斯的思想划清了界限,资产阶级思想受到了批判。知识分子在这一次运动中,有的人转到了工人阶级方面来,愿意学习马克思列宁主义和毛泽东思想;有的人成了共产主义者;多数人的学术观点和教学方法还是资产阶级的(这说明知识分子的思想改造是长期的),但都表示拥护共产党,拥护社会主义。这就为当年的教育改革和院系调整扫清了道路。

综上所述,由人民共和国的成立之日起到1952年为止的三年多的期间内,我们的党领导全国人民群众完成了民主革命的任务,争取了国家财政经济状况的基本好转,并对资产阶级和知识分子进行了思想改造工作,就使我国在政治、经济和文化方面具备了一些新的条件,以便由民主主义革命转变到社会主义革命。

由于全国各地区的解放(台湾尚待解放),就实现了空前的统一和团结。由于镇压了反革命,肃清了土匪和特务,建立民主的社会秩序,人民政权稳固了。由于全国人民发扬了爱国主义和国际主义精神,支援了抗美援朝保家卫国的战争,我人民志愿军配合朝鲜人民军打败了美国侵略军,我国的国际地位空前提高了。由于工人阶级支援农民群众完成了土地改革,工人阶级领导的工农联盟更加扩大和巩固了,同时,以工农联盟为基础的,由共产党领导的各民主阶级、各民主党派、各人民团体的人民民主统一战线更加扩大和加强了。由于财政经济状况的基本好转,我国工农业生产量已经超过了解放以前最高年产量,人民生活已经逐年提高了。社会主义国营经济已有很大的发展,能够成为国民经济的领导力量和国家实现社会主义改造的物质基础了。

在阶级力量的对比方面,已经发生了很大的变化。官僚资产阶级和地主阶级已被消灭了。工人阶级已成为领导阶级。中国共产党已成为"领导我们事业的核心力量"。马克思列宁主义已成为"指导我们思想的理论基础"。农民群众在土地改革完成以后,已经走上了互助合作的社会主义道路(在1952年末,全国已经组成了八百多万个互助组和三千多个初级农业合作社,还有十个包括几千农户的高级合作社)。剩下一个民族资产阶级,经过"三反"和"五反"斗争,暴露了它的腐朽的丑恶的面貌,已在人民群众中陷于孤立,它不得不接受工人阶级的领导,接受社会主义改造。

共产党的坚强领导,人民政权的建立和巩固,工农联盟的扩大和加强,农民走上互助合作的道路,社会主义国营经济的发展,以及苏联的援助和国际环境的对我有利,——这一切,表明了由民主主义革命到社会主义革命转变的条件已经具备了。那种认为在人民共和国成立当时即可以实行社会主义革命的

"左"的见解固然是错误的,而在这个时候安于新民主主义经济现状不愿转变的右的见解,也是错误的。我们必须把革命进行到底,必须转变到社会主义革命。

第二节　党的领导和人民政权在社会主义改造和社会主义建设中的作用

一、党是无产阶级专政的领导力量

我国无产阶级领导的民主主义革命在很早的时期就建立了自己的政权。如 1927 年大革命失败后建立起来的苏维埃政权,抗日战争时期抗日民主根据地的抗日民族统一战线的政权,解放战争时期解放区的人民政权,都是工人阶级领导的各革命阶级联合专政的政权。参加政权的阶级、派别和个人在不同的时期有不同的内容,但在整个民主革命时期,这个政权是以反对帝国主义、封建主义和官僚资本主义为目的,而不是以一般地反对资本主义为目的的。因此,这个政权的性质是工农民主专政,而不是无产阶级专政。

中华人民共和国的成立标志着我国民主革命阶段的结束和社会主义革命阶段的开始。随着革命任务的转变,政权的性质也发生了转变。社会主义革命的任务在于消灭城乡资本主义成分,消灭阶级和剥削,建成繁荣幸福的社会主义社会。因此,为执行这一历史任务而建立的政权必然是无产阶级专政。我国的工人阶级领导的人民民主专政,就是无产阶级专政的一种特殊形式。

如果我们在第六章中分析的,我国资产阶级民主革命只有由工人阶级领导才能取得胜利。显然,如果以反帝反封建为任务的民主革命尚且必须由工人阶级领导,那么以消灭城乡资本主义为任务的社会主义革命当然更必须由工人阶级领导。无论工农民主专政或无产阶级专政,都必须由工人阶级领导,这是由历史决定的。这一点已经为全国人民所公认,并且载入了《中华人民共和国宪法》第一条。

但是,工人阶级对国家的领导只有通过自己的政治代表——共产党才能实现。没有共产党的领导,就不可能有无产阶级专政。这是因为:第一,共产党是无产阶级的先进部队,是以马克思列宁主义为行动指南的、精通社会发展规律的战斗组织,只有这样的党才能高瞻远瞩,洞察革命长途中的全部复杂情况,制定正确的纲领、路线、战略、策略,指出实现社会主义和共产主义的道路,并纠正各种离开无产阶级根本利益的错误倾向。第二,共产党是无产阶级阶级组织的最高形式,是统率其他一切组织朝着统一的政治目标协同动作的战斗司令部,只有这样的党才能把无产阶级团结成为一支具有高度纪律性的战斗队伍。毫无疑问,如果没有党的领导,无产阶级就不可能绕过横在前进道路上的暗礁,在错综复杂的情况中辨明前进的方向,顺利地完成建设社会主义和向共产主义过渡的历史任务。共产党的领导是无产阶级专政的灵魂——这是放之四海而皆准的马克思列宁主义的普遍真理。

我国的情形也证明了这条普遍真理。我国在开始社会主义革命和社会主义建设的时候面临的任务是极其复杂艰巨的:第一,我国是一个经济上文化上落后的"一穷二白"的大国,为了建成社会主义,就必须发展社会主义的工业,首先是重工业,使我国由落后的农业国变成先进的工业国,这是一个需要相当长的时间才能实现的艰巨任务;第二,在我国,无产阶级的同盟者不仅有农民和城市小资产阶级,而且有民族资产阶级,为了改造旧经济,不仅对农业和手工业需要采取和平改造的方法,而且对资本主义工商业也需要采取和平改造的方法,这是在世界历史上没有先例的创举。显然,没有一个善于把马克思列宁主义的普遍真理创造性地运用于中国革命的中国共产党的坚强领导,要想完成这样艰巨复杂的任务是不可想象的。

只要回顾一下新中国成立十年来的历史过程,就可以看出党的领导具有何等重大的意义。

从中华人民共和国成立的时候起,无产阶级同资产阶级的矛盾、社会主义同资本主义两条道路的斗争,就成了国内的主要矛盾。新中国成立之初,资产阶级有着发展资本主义的强烈愿望和把中国变成资本主义国家的幻想。中国是向社会主义还是资本主义发展? 这是当时摆在中国人民面前的首要问题。毛泽东同志在《论人民民主专政》中对这个问题作了明确的回答:中国只能"走俄国人的路",只能走向社会主义和共产主义。党所提出而为中国人民政治协商会议第一届全体会议通过的《共同纲领》又以法律的形式肯定了工人阶级在政治上的领导地位以及社会主义性质的国营经济在经济上的领导地位,这就为我国朝着社会主义方向发展提供了可靠的保证。在三年的国民经济恢复时期中,党不仅领导全国人民完成了土地改革、抗美援朝、镇压反革命分子、恢复国民经济等大规模的斗争,并且坚决地打退了资产阶级的猖狂进攻,为有计划地进行社会主义建设和进一步展开社会主义革命准备了必要的条件。三年恢复时期结束时,摆在全国人民面前的首要问题是:按照什么路线来进行社会主义革命和社会主义建设? 党根据建设社会主义的目标和我国的具体情况,及时地回答了这个问题,提出了党在过渡时期的总路线,即在一个相当长的时期内,逐步实现国家的社会主义工业化,逐步完成对农业、手工业和资本主义工商业的社会主义改造。这条总路线成了"照耀各项工作的灯塔"。在执行总路线的过程中,党又坚决地批判了那些认为党不能领导人民建成社会主义的右倾错误意见和那些认为可以在"一个早上"消灭资本主义的"左"倾错误意见,保证了总路线的贯彻。由于党和毛泽东同志对马克思列宁主义的创造性地运用,社会主义道路不仅通过 1955 年到 1956 年的农业合作化运动和资本主义工商业全行业公私合营的高潮在经济战线上取得了决定性的胜利,并且通过 1957 年到 1958 年的整风和反右派斗争在思想战线和政治战线上取得了决定性的胜利。在这个胜利的推动之下,出现了我国历史上从来未有的生产大跃进和文化大跃进的壮丽局面。

在建设社会主义的过程中不仅有两条道路的斗争,而且有两种方法的斗争。是多快好省还是少慢差费,这是关系到社会主义建设能否高速度前进的关键问题。党中央和毛泽东同志历来主张多快好省,反对少慢差费,历来号召全党同志和全国人民要做"促进派"而不要做"促退派",并对各方面的右倾保守思想展开不调和的斗争。经过几年来的实践,党中央和毛泽东同志又把这种思想概括为"鼓足干劲,力争上游,多快好省地建设社会主义"的社会主义建设总路线,对全国人民的实践起了极大的指导、动员、组织和鼓舞的作用。同时,党和毛泽东同志又根据对于马克思列宁主义和中国实际情况的深刻研究,找到了人民公社这种加速社会主义建设和实现两个过渡(由集体所有制到全民所有制,由社会主义到共产主义)的最好的组织形式。

由此可见,我国人民政权在短短的历史时期内的巨大成就,完全是在中国共产党的领导之下取得的。毛泽东同志说:"领导中国民主主义革命和中国社会主义革命这两个伟大的革命到达彻底的完成,除了中国共产党之外,是没有任何一个别的政党(不论是资产阶级的政党或小资产阶级的政党)能够负担的。"①又说:"领导我们事业的核心力量是中国共产党。"②《社会主义国家共产党和工人党代表会议宣言》和《再论无产阶级专政的历史经验》在总结社会主义革命和社会主义建设的普遍规律时,也把党的领导放在第一条。这是具有非常深刻的意义的。

我国的右派分子懂得党的领导是无产阶级专政的生命线。他们极力攻击党对国家政权的领导,把党对国家政权的领导说成"一党专政"、"政治垄断",说成"官僚主义和宗派主义的根源",借口反对"党政不分"来要求取消党的领导,主张"各党各派轮流执政",散布"没有共产党的领导也能建设社会主义"的谬论。这种卑鄙的阴谋已经遭到了正义的批判。无产阶级专政的历史经验告诉我们:在进行社会主义革命和社会主义建设的过程中,在建设社会主义的总路线和总政策方面,在社会主义国家的方针政策方面,党必须起领导作用。在任何借口下取消或削弱共产党对国家的领导,实际上就是取消或削弱无产阶级专政,为资本主义复辟开辟道路。

二、我国无产阶级专政的特点

列宁说:"一切民族都将走到社会主义,这是不可避免的,但是走法却不完全一样,在民主的形式方面,在无产阶级专政的形式方面,在社会生活的社会主义改造的速度方面,每个民族都会有自己的特点。"③又说:"由资本主义过渡到共产主义,当然不能不产生很多的和很繁杂的政治形式,但在本质上却不免是同一的:无产阶级专政。"④这就是说,由于各国所处的发展阶段不同,阶级力量对比不同,旧统治阶级对于革命的抵抗程度不同,各国工业发展水平不同,各国的地理条件、人口多少、民族成分不同,以及民族传统和民族心理素质不同,因而在革命取得胜利后,各国无产阶级专政将采取不同的特殊形式,

---

① 毛泽东:《中国革命和中国共产党》。
② 毛泽东:《第一届全国人民代表大会第一次会议开幕词》。
③ 《列宁全集》第23卷,人民出版社1958年版,第64—65页。
④ 《列宁文选》两卷集,第2卷,第190页。

具有各自的特点。充分地重视这些特点,乃是巩固和加强无产阶级专政的必要条件。

那么,我国无产阶级专政的特点是什么呢?

我国无产阶级专政的特点,就是"最广泛的统一战线和最广泛的爱国主义团结"。参加政权的不仅有农民和小资产阶级劳动群众,而且还有民族资产阶级、上层小资产阶级、少数民族的上层人士、宗教界的爱国人士以及其他有社会影响的爱国人士等。

我国的无产阶级专政表现出这样的特点,这是由我国的特殊条件所决定的。我国原来是一个半殖民地半封建的国家,民主革命胜利以后,给人们选择的道路实际上只有两条:或者是重新受帝国主义的奴役,或者是实现社会主义。中国要成为独立、民主和富强的国家,只有走社会主义一条路。在这种情况下,凡是不愿意做殖民地奴隶的爱国的人们,就有在工人阶级领导下团结起来接受社会主义的可能。而工人阶级也只有与广大的可以接受社会主义的群众结成联盟,才能形成最大多数人对于反动阶级的专政,实现社会主义。列宁说:"无产阶级专政,是无产阶级……与人数众多的非无产者劳动阶层……或与大多数劳动者建立的特式阶级联盟,……"[①]当然,阶级联盟的范围在不同的历史条件下是可以不一样的,但无产阶级专政总是工人阶级领导下的、以建设社会主义为目的的一定形式的阶级联盟,则是没有疑义的。一般说来,在巩固工人阶级领导和工农联盟的前提下,在可能的范围内,这种联盟的范围越广,对于无产阶级专政和社会主义事业就越有好处。既然在我国的特殊条件下存在着实现最广泛的统一战线和爱国主义团结的实际可能性,那么把这些社会力量包括在为建设社会主义而结成的阶级联盟的范围之内就是完全必要的了。

工农联盟是无产阶级专政的基础,这是适用于一切国家的共同规律,而在我国又具有特别重大的意义。农民占我国人口的百分之八十以上,离开了同农民的联盟,就谈不到建设社会主义。我们党同农民在民主革命的长期斗争中结成了血肉相连的关系,在社会主义革命阶段又在新的基础上发展了这种

---

① 引自刘少奇同志向中国共产党中央委员会第八次全国代表大会所作的政治报告。

关系。农民在我国无产阶级专政中占有极重要的地位，这是容易理解，无需多说的。

作为我国无产阶级专政的突出特点的，是我们同民族资产阶级的联盟。民族资产阶级在我国无产阶级专政体系中占有特殊的地位。他们同工人阶级在社会主义事业中继续保持政治上的联系，他们的许多代表人物参加了国家机关的工作。于是有人怀疑：既然无产阶级专政的任务就是要消灭阶级剥削，民族资产阶级又怎能参加这个政权呢？特别是在社会主义革命已经取得了决定性的胜利的今天，还有什么必要让民族资产阶级继续参加政权呢？对于这种怀疑，党作了明确的回答。民族资产阶级虽然是我国除了官僚资产阶级以外人数最少的一个阶级，并且在政治上经济上具有很大的软弱性，但是它在我国社会上仍然有很大的影响和作用。一方面，他们不仅在历史上曾经领导过旧民主主义革命，在一定程度上参加过新民主主义革命，并且在中华人民共和国成立以后采取了接受工人阶级领导的态度，接着又采取了接受社会主义改造的态度。在这一点上，他们同当年的俄国资产阶级不同。另一方面，他们较早地掌握了现代文化和现代企业的技术知识和管理知识，直到现在他们仍然是我国具有比较丰富的现代文化知识的一个阶级。过去几年来，我国民族资产阶级参加了国民经济的恢复工作和各种社会运动。在社会主义改造的过程中，工人阶级同资产阶级的联盟对于教育和改造资产阶级分子起了积极的作用；今后还可以通过这种联盟对他们继续进行团结、教育和改造的工作，使他们利用自己的知识来为社会主义建设服务。因此，无论在国民经济恢复时期、社会主义革命过程中或者社会主义革命已经取得基本胜利之后，同民族资产阶级保持联盟，让他们参加政权，都是有利于社会主义事业的。

共产党和各民主党派的"长期共存，互相监督"也是我国无产阶级专政的一个特点。我国各民主党派是民族资产阶级、上层小资产阶级及其知识分子的政治代表，他们早在抗日时期就已经形成，并同我党发生了合作关系。中华人民共和国成立的时候，他们参加了人民政府，随后又逐步地支持了社会主义事业。在社会主义改造完成后，民族资产阶级的成员将变成社会主义的劳动者的一部分，民主党派就将成为代表这部分劳动者的政党，并将在很长的时期中继续联系这些人，代表他们，帮助他们克服资产阶级思想的残余。同时，我们党除了主要的需要依靠加强党内的自我批评和依靠广大劳动人民的监督来消除本身的缺点和错误以外,也还需要从各民主党派的监督和批评中得到帮助。因此,我们党提出与各民主党派"长期共存,互相监督"的方针,是完全适时和必要的。

但是,我们同民族资产阶级的联盟,仍然是有团结又有斗争的。民族资产阶级按其本性来说是与社会主义不相容的。他们之所以在一定程度上参加了新民主主义革命,其目的并不是为了建设社会主义,而是为了发展资本主义。中华人民共和国成立以后,他们虽然一方面表示接受工人阶级的领导,另一方面又有着发展资本主义的强烈愿望。1952 年的"三反"、"五反"运动,就是工人阶级对于他们的猖狂进攻的有力回击。直到社会主义革命在经济战线上取得了决定性的胜利之后,他们当中的右翼仍然坚持资本主义道路,在思想战线和政治战线上向工人阶级挑起了你死我活的斗争。在整个过渡时期,工人阶级同资产阶级的矛盾,社会主义同资本主义两条道路的矛盾,仍然是国内的主要矛盾。如果因为民族资产阶级参加了人民政权,就认为阶级斗争已经熄灭,那是完全错误的。只有坚持斗争,才能使民族资产阶级自始至终地接受工人阶级的领导,走社会主义的路,不致"半途而废"。

除了民族资产阶级之外,还有少数民族的上层人士、宗教界的爱国人士以及其他各种社会影响的爱国人士,也参加了政权,他们对于社会主义事业都作出了一定的贡献。

由此可见,最广泛的统一战线和最广泛的爱国主义团结,不但没有损害我国的无产阶级专政,而且有利于无产阶级专政的巩固和发展。这是我党中央和毛泽东同志对于无产阶级专政的国际经验的一个宝贵的贡献。

三、我国无产阶级专政的作用和目的

任何国家都是阶级矛盾不可调和的产物,都是阶级压迫阶级的工具。无产阶级专政的国家与一切剥削阶级专政的国家在性质上是根本不同的,它不是极少数剥削者压迫极大多数劳动者的工具,而是极大多数劳动人民统治极少数剥削者的工具。无产阶级专政是为着创造没有剥削、没有贫困的社会主义社会的专政,是人类历史上最进步的也是最后一次的专政。我国的无产阶

级专政虽然有自己的许多特点,但是在本质上是与任何别的无产阶级专政国家没有区别的。我国的无产阶级专政,就是以工人阶级为首的人民大众对于反动阶级、反动派和反抗社会主义革命的剥削者的专政。具体说来,这个专政的作用有如下两个:

第一,压迫国家内部的反动阶级、反动派和反抗社会主义革命的剥削者,压迫那些对于社会主义建设的破坏者,也就是解决国内的敌我之间的矛盾。毛泽东同志说得好:"我们对于反动派和反动阶级的反动行为,决不施仁政。"我们必须利用国家的力量,"向着帝国主义的走狗即地主阶级和官僚资产阶级以及代表这些阶级的国民党反动派及其帮凶们实行专政,实行独裁,压迫这些人,只许他们规规矩矩,不许他们乱说乱动。如要乱说乱动,立即取缔,予以制裁。"①在 1949 年通过的《共同纲领》第七条中即已明确规定:"中华人民共和国必须镇压一切反革命活动,严厉惩罚一切勾结帝国主义、背叛祖国、反对人民民主事业的国民党反革命战争罪犯和其他怙恶不悛的反革命首要分子。对于一般的反动分子、封建地主、官僚资本家,在解除其武装、消灭其特殊势力后,仍须依法在必要时期内剥夺他们的政治权利,但同时给以生活出路,并强迫他们在劳动中改造自己,成为新人。假如他们继续进行反革命活动,必须予以严厉的制裁。"在《中华人民共和国宪法》第十九条中也有同样的规定。解放初期,国内的反革命活动是很猖獗的。1950 年美帝国主义发动了侵朝战争,国内的土匪、恶霸、特务及其他反革命分子以为时机已到,乘机大肆活动,他们公然破坏铁路、工厂、矿山、学校,抢劫财物,刺杀干部,妄图推翻人民政权。针对这种情况,国家发动了一次大张旗鼓的镇压反革命运动,处决了一批积恶累累民愤极大的首恶分子,对一般反革命分子则根据情节轻重分别判处徒刑,实行劳动改造,对投案自首或有立功表现的则分别予以减刑或免于刑事处分。这次运动有力地打击了反革命的凶焰。但是由于过渡时期阶级斗争的尖锐和复杂,反革命分子仍然采取隐蔽的方式继续进行活动,有的甚至打入国家机关和人民团体内部。1955 年揭发出来的胡风反革命集团的案件,就是反革命分子暗藏在人民内部进行隐蔽活动的典型例子。1955 年的肃反斗争取

---

① 毛泽东:《论人民民主专政》。

得了巨大的胜利,加上社会主义革命胜利后国内形势起了根本变化,反革命分子内部明显地表现出分化瓦解的趋势。由此可以说,反革命分子已经不多了。但是,如果以为在社会主义革命取得基本胜利以后国家的对内职能就已经没有了,那是完全错误的。事实上,我国内部还有一些残余的反革命分子,仍在伺机而动;在原来的剥削阶级分子中也还有破坏社会主义建设的人;社会上还有一些盗窃犯、欺骗犯、杀人犯、放火犯、流氓集团和各种破坏社会秩序的坏分子;蒋介石集团还在不断地派遣特务、间谍来进行破坏活动和颠覆活动。因此,决不能削弱我们国家的专政作用,必须改进法院、检察院、公安机关等专政机构的工作,保卫社会主义建设。

第二,防御国家外部敌人的颠覆活动和可能的侵略,也就是当这种情况出现时解决对外的敌我之间的矛盾。担负这一任务的国家机器,主要地是海陆空军武装部队,其次还有侦察机关等等。毛泽东同志说:"从马克思主义关于国家学说的观点看来,军队是国家政权的主要成分。谁想夺取国家政权,并想保持它,谁就应有强大的军队。"①《中华人民共和国宪法》第二十一条规定:"中华人民共和国的武装力量属于人民,它的任务是保卫人民革命和国家建设的成果,保卫国家的主权、领土完整和安全。"这是绝对必要的。以美国为首的帝国主义侵略阵营一贯敌视我国,处心积虑地破坏我国的社会主义事业。美帝国主义不仅对我国实行禁运政策,竭力在国际事务中排斥我国,蛮横地剥夺我国在联合国的合法地位,而且霸占我国的领土台湾,派遣特务间谍对我国进行颠覆活动,派遣飞机军舰侵入我国的领空领海,进行军事挑衅。只要帝国主义存在一天,战争和武装进犯的威胁也就存在一天。在这种情况下,如果没有强大的武装部队和侦察机关,就将不能抵抗侵略,保卫祖国。1950年美帝国主义者发动侵朝战争,直逼鸭绿江边,结果被我英勇的人民志愿军协同朝鲜人民军赶回了三八线。1958年美帝国主义者又在台湾调兵遣将,企图阻止我国解放金门、马祖,并扬言不惜使用原子武器来扩大侵略范围和实行战争威胁。但是由于我国拥有强大的武装力量,美帝国主义的阴谋终于未能得逞。由此可见,只要我国还存在着遭受外部敌人侵略的可能性时,就必须加强无产

① 《毛泽东选集》第二卷,第511页。

阶级专政的这种对外作用,就必须加强常备武装力量和民兵组织,以便在帝国主义者胆敢发动侵略战争时彻底打败它。

如上所述,无产阶级专政有对内镇压反革命和对外抵抗侵略两方面的作用。那么,无产阶级专政的目的又是什么呢? 无产阶级专政的目的,就是"保卫全体人民进行和平劳动,将我国建设成为一个具有现代工业、现代农业和现代科学文化的社会主义国家"①。无产阶级专政的国家必须组织经济建设和文化建设,这是社会主义革命和社会主义建设的一条共同规律。其所以必须如此,是由于:其一,社会主义的经济形式不可能从旧社会的母胎中生长出来,而只能在推翻旧政权以后从"空地上"建立起来;其二,在社会主义的经济建设和文化建设中自始至终贯穿着社会主义和资本主义两条道路"谁战胜谁"的斗争,如果没有国家这个强力机关的作用,就不能克服资产阶级的反抗,保证社会主义道路的胜利;其三,在一切经济工作和文化工作中都必须贯彻执行无产阶级的阶级路线和阶级政策,只有无产阶级专政的国家才能担负起这样的任务;四、社会主义建设必须从全国全民出发,统筹兼顾,适当安排,这也只有统一的无产阶级专政的国家才可能做到。无产阶级专政的国家的这种管理经济工作和文化工作的职能,即使到了共产主义时代,也还将作为社会的职能而保存下去的。

我国的人民政权在组织社会主义经济方面进行了巨大的工作。在三年的经济恢复时期中,国家没收了官僚资本主义企业使之变为社会主义的企业,建立社会主义的国家银行、国营商业和合作社商业,掌握了国家的经济命脉;同时在农村中完成了民主主义性质的土地改革。从 1953 年起,国家根据党所制定的过渡时期总路线,开始了大规模的社会主义改造工作。在农业方面,经过临时互助组、常年互助组、低级形式的农业生产合作社、高级形式的农业生产合作社等由低到高的形式,在 1956 年年底实现了全国范围的农业合作化,1958 年更实现了全国农村的人民公社化;在手工业方面,经过各种形式的手工业合作社在 1957 年年初实现了合作化;在资本主义工商业方面,用"赎买"的办法,通过收购、经销、加工、订货、统购、包销、代购、代销、公私联购、公私联

---

① 毛泽东:《关于正确处理人民内部矛盾的问题》。

营以及个别公私合营、全业公私合营等形式,逐步地把它们纳入了国家资本主义轨道,并在 1956 年实现了全行业的公私合营。现在,社会主义的生产资料所有制已经基本上成为我国社会唯一的经济基础了。从 1953 年起,国家进行了大规模的社会主义建设工作。我们在 1957 年超额完成了第一个五年计划的各项指标,迅速地发展了工业、农业、交通运输业和其他经济事业,以及文教事业和科学研究事业,大大增强了社会主义建设的物质基础。到 1958 年更出现了空前未有的生产"大跃进"和文化"大跃进"。所有这些,都是无产阶级专政的国家依据社会发展的客观规律进行有计划的活动的结果。

现代修正主义者极力攻击无产阶级专政的国家对敌人的专政职能和管理经济的职能。首先,他们反对国家对反动派实行专政,把这种专政诬蔑为"极权主义",为没有"民主"。我们说,任何国家都是阶级对阶级实行专政的工具,问题在于谁来行使专政,对谁专政。资产阶级专政的国家是极少数剥削者对极多数劳动人民实行专政的工具,无产阶级专政的国家则是极多数劳动人民对极少数剥削者实行专政的工具。如果不对敌视和破坏社会主义的反动派实行专政,就会葬送社会主义事业。民主是阶级统治的一种形式,它不可能是"全民的"。资产阶级民主只供资产阶级享受,社会主义民主则只供人民享受。我们不能给反动派以"民主"权利,但是在人民内部则实行广泛的民主。"对人民内部的民主方面和对反动派的专政方面互相结合起来,就是人民民主专政。"①"在人民民主专政下面,解决敌我之间的和人民内部的这两类不同性质的矛盾,采用专政和民主这样两种不同的方法。"②修正主义者以发展"民主"为幌子,企图要我们放弃对反动派的专政,这实际上就是要搞垮无产阶级专政,搞垮社会主义制度。其次,修正主义者反对无产阶级专政的国家管理经济,把这说成"阻碍社会主义发展的因素"。这也是完全的胡说。国家是政治上层建筑,是统治阶级的经济要求的集中表现,是为经济基础服务的。资产阶级专政的国家虽然不可能组织经济,但是它对内压迫劳动人民,保证资产阶级有剥削劳动人民的自由,对外进行侵略战争、掠夺落后民族,保证资产阶级获

① 毛泽东:《论人民民主专政》。
② 毛泽东:《关于正确处理人民内部矛盾的问题》。

得垄断高额利润,它仍然是为资产阶级的经济要求服务的工具。无产阶级专政的国家则是为无产阶级和劳动人民的经济要求服务的工具,它可以而且必须为着满足整个社会经常增长的物质文化的需要而全面地组织社会主义经济,即一方面对非社会主义的经济成分实行社会主义改造,一方面逐步实现国家工业化和农业机械化电气化。没有无产阶级专政的这种巨大的组织作用,社会主义的经济基础是不可能自发地形成和发展起来的。修正主义者如此起劲地反对社会主义国家管理经济,其目的就在于毁坏社会主义经济。这种阴谋是很恶毒的,必须加以揭穿和粉碎。

四、我国的社会主义民主

我们的无产阶级专政包括对人民内部的民主方面和对反动派的专政方面。我国的民主是社会主义民主,它是资产阶级民主的对立物。资产阶级民主,如列宁所说,是"狭窄的、残缺不全的、虚伪的和假仁假义的",是极少数剥削者用来掩盖其剥削罪行和欺骗劳动群众的手段。我们的社会主义民主是新型的高级形式的民主,是全体人民、首先是广大劳动人民享有的最广泛的民主。根据我国宪法的规定,我国公民享有广泛的民主权利。随着社会主义事业的发展,这种权利正日益扩大并日益得到充分的保障。我国人民不仅享有选举权和被选举权以及言论、出版、集会、结社、游行、示威等的自由权,而且能够直接参加对国家大事的管理。人民行使统治权的最高机关是全国人民代表大会。国家的一切重大问题都要经过全国人民代表大会讨论并作出决定。全国人民代表大会代表是由各民族、各民主阶级、各民主党派及其他爱国民主人士的代表组成的,并且大都是工业、农业战线上的生产者或政法、财经、文教各部门的工作人员,他们带着群众的意见出席大会(从群众中来),又带着大会的决议回到工作岗位和选举单位进行传达(到群众中去)。所以全国人民代表能够执行人民的意志,决定符合于人民利益的政策。此外,许多重要法律的制定,都要经过群众的充分酝酿和讨论;国家经济计划的制订,也要由国家有关部门提出控制指标或草案交给基层生产单位的广大群众讨论。我国人民经常通过人民代表、监察机关、人民团体、报纸刊物对政府各方面的工作提出批评和建议,或以直接来信来访的形式向各级领导机关提出意见。人民可以公开地揭发批评任何国家机关或工作人员的缺点和错误。这是任何资产阶级国家所不能比拟的。

我国是一个统一的多民族国家,境内除汉族外还有 55 个少数民族,都享有真正的民主权利。依照宪法的规定,各民族是一律平等的。在少数民族聚居的地区实行了民族区域自治,在统一的祖国大家庭内,少数民族的人民群众以及与群众有联系的公众领袖有权按照自己的意志处理本民族内部的事务。国家并大力帮助各少数民族发展政治、经济和文化建设事业,迅速消除历史上遗留下来的落后状况以及由于这种历史原因而产生的事实上的不平等,赶上先进民族,走上社会主义道路。

全民整风,大鸣、大放、大争、大辩、大字报,是我国人民在社会主义革命和社会主义建设过程中创造出来的一套相当完整的社会主义民主的新形式,是社会主义民主的重要发展。经验证明,这种新的民主形式不仅是正确处理人民内部矛盾的好方法,而且是教育和团结人民群众对敌人进行斗争的好方法。毛泽东同志极力称赞群众的这一出色创造,他说:"大字报是一种极其有用的新式武器,城市、乡村、工厂、合作社、商店、机关、学校、部队、街道,总之一切有群众的地方,都可以使用。已经普遍使用起来了的,应当永远使用下去。"①

1957 年开始的全民整风运动充分显示了社会主义民主为社会主义经济基础服务的作用。这次整风是从中国共产党内开始的,目的在于检查主观主义、官僚主义和宗派主义。整风的方式是开展"和风细雨"的批评与自我批评;整风的原则是从团结的愿望出发,经过批评或斗争,在新的基础上达到新的团结。同时,党还发动党外群众帮助党整风。在运动中,党内党外提出的意见大部分是正确的,其中有些意见虽然偏激,也可以供作改进工作的参考。但在这时却涌现出一批资产阶级右派分子,在"帮助党整风"的幌子下猖狂地向党进攻。他们反对共产党的领导和社会主义道路,阴谋把中国拉向半殖民地的老路。这时全国人民在党的领导下展开了轰轰烈烈的反右派斗争,运用大鸣大放大争大辩大字报的武器,把右派分子的反动言论驳斥得体无完肤,使他们的阴谋遭到了彻底的粉碎。接着全民性的整风运动宣告开始。在党内和国

---

① 毛泽东:《介绍一个合作社》。

家机关干部中,通过整风,克服了"三风""五气",提高了思想政策水平,巩固了党的团结;直接领导生产的各个党组织的领导人参加生产、领导生产,各级干部都参加了体力劳动,党和群众的关系更加亲密了。在工人阶级内部,经过整风和社会主义思想教育运动,一部分工人、技术人员和职员的非社会主义思想受到了批判,解决了两条道路的矛盾,提高了阶级觉悟,工人阶级内部的团结加强了,因而巩固了工人阶级在社会主义革命和社会主义建设中的领导地位。在农村人口中,经过大规模的社会主义思想教育运动,就合作社优越性问题、粮食及其他农产品统购统销问题、工农关系问题、肃反和遵守法制问题等等,展开了摆事实、讲道理的大辩论,辩明了大是大非,批判了富裕中农的资本主义思想,揭露和打击了地主、富农、反革命分子和坏分子的破坏活动,实行了整党、整团、整社,由于这一系列的工作,农民的社会主义觉悟提高了,为农业生产的大跃进打下了基础。科学界、教育界和文化艺术界的绝大多数知识分子在整风反右中受到了深刻的教育。他们展开了社会主义和资本主义两条道路的大斗争,也进行了红专问题的大辩论,掀起了"兴无灭资"自我革命的高潮,接着又在学术领域中展开了两条道路的斗争。在这种力量的推动下,科学界、文学艺术界、教育界、医药卫生界、新闻界、体育界,都出现了大跃进的局面。资产阶级民主党派和工商联经过整风反右,大部分中间分子的政治觉悟已有很大的提高,左派的队伍已有所扩大和巩固,他们表示愿意接受社会主义道路,把自己改造成为自食其力的劳动者。

由于充分地运用了社会主义民主,提高了人民群众的觉悟,发挥了人民群众的集体智慧和首创精神,改善了生产关系,改革了一些不合理的规章制度,结果就为生产力的进一步发展开辟了广阔的道路。1958 年的生产"大跃进"和"文化大跃进",以及在这个基础上出现的农村人民公社化,是和整风运动分不开的。

毛泽东同志告诉我们:"民主这个东西,有时看来似乎是目的,实际上,只是一种手段。马克思主义告诉我们,民主属于上层建筑,属于政治这个范畴。这就是说,归根结底,它是为经济基础服务的。"[①]我们不是为民主而民主。我

---

① 毛泽东:《关于正确处理人民内部矛盾的问题》。

们实行社会主义民主的目的是为了正确处理人民内部的矛盾，调动一切积极因素，化消极因素为积极因素，迅速地进行社会主义建设，并为过渡到共产主义准备条件。因此，社会主义的民主是有领导的民主，是集中指导下的民主，不是无政府状态。"在人民内部，民主是对集中而言，自由是对纪律而言。这些都是一个统一体的互相矛盾着的侧面，它们是矛盾的，又是统一的，我们不应当片面地强调某一个侧面而否定另一个侧面。在人民内部，不可以没有自由，也不可以没有纪律，不可以没有民主，也不可以没有集中。这种民主和集中的统一，自由和纪律的统一，就是我们的民主集中制。"①民主集中制是我国国家机构的组织基础和进行活动的基本原则。全国人民代表大会和地方各级人民代表大会集中地行使国家权力，一切国家机关都贯串着部分服从全体、下级服从上级、地方服从中央的原则，这是高度的集中；另一方面，国家权力机关的代表由人民选出并可以罢免，一切国家机关都采用会议方式讨论或决定国家事务，一切国家机关的工作人员都必须倾听群众的意见，这又是高度的民主。为了发扬各地方和人民群众建设社会主义的积极性，党和国家把企业管理权下放，这是高度的民主；另一方面，为了把全国经济组织成"一盘棋"，又要实行集中领导和统一安排的原则，在全国范围内统一安排建设项目、投资分配、生产指标、原材料调发等，这又是高度的集中。只有集中而没有民主，就不能调动广大群众的积极性和创造性；只有民主而没有集中，就不能使全国人民朝着一个共同的目标，在统一的计划下进行有组织的斗争。只有实行"在民主基础上的集中"和"在集中指导下的民主"，把民主和集中正确地结合起来，才能出现一个"又有集中又有民主、又有纪律又有自由、又有统一意志又有个人心情舒畅的生动活泼的那样一种政治局面"，完成建设社会主义和向共产主义过渡的历史任务。

现代修正主义者极力攻击民主集中制，硬说集中破坏了民主，产生了"官僚主义"。这些谬论是从一百年以来就有了的反动派的武器库中搬取出来的。恩格斯在同无政府主义者作斗争的时候就指出过："把权威原则描写成绝对坏的东西，而把自治原则描写成绝对好的东西，这是荒谬的"，这是"为反

---

① 毛泽东：《关于正确处理人民内部矛盾的问题》。

动派效劳"①。列宁在批评德国共产主义"左派"的时候也曾经着重地指出过,否认党的领导作用,否认领导者的作用,否认纪律,"这就等于解除无产阶级的武装以帮助资产阶级",就将"使任何无产阶级的革命运动都会一败涂地"。又说:"实行无条件的集中制与无产阶级的最严格的纪律,乃是无产阶级战胜资产阶级的基本条件之一。"②社会主义的敌人是懂得这一点的,所以他们总是打着"自由化"、"绝对民主"的幌子,要求我们取消民主集中制,以便涣散劳动人民的斗志,瓦解劳动人民的组织性和纪律性,使劳动人民成为一盘散沙。毛泽东同志把"有利于巩固民主集中制,而不是破坏或者削弱这个制度"列为辨别香花和毒草的标准之一③,这正好打中了现代修正主义者及其他反动派的要害。

现代修正主义者在分别攻击了无产阶级专政的镇压敌人的职能、组织经济和文化建设的职能以及民主集中制的原则的同时,还提出荒谬透顶的所谓"国家消亡论",从根本上否认无产阶级专政的国家有存在之必要。他们叫喊说,只要社会主义国家制度"存在一天",官僚主义就"仍将作为一种倾向而出现",就会"妨碍社会主义因素和经济因素的发展"。这是彻头彻尾的胡说。官僚主义是剥削阶级国家统治机构的产物。如果在社会主义国家机构中还存在着某些官僚主义的现象,那么这正是旧社会遗留下来的影响,绝不是社会主义国家制度的产物。历史证明,只有社会主义的国家制度才可能依靠党的领导和人民群众的主动精神,有效地克服官僚主义。无产阶级专政的国家是建设社会主义的不可替代的工具,离开了无产阶级专政,社会主义的经济形式不仅不能发展,而且也不能形成。现代修正主义者的"国家消亡论",正是一种"挖心战术",正好完全符合于帝国主义者和一切反动派的要求。马克思列宁主义者是真正的国家消亡论者。我们认为,只有在国内阶级和阶级影响已经消灭,在国外帝国主义制度已经消灭的时候,无产阶级专政的国家才会因为失去作用而自行消亡。在国际国内的阶级斗争都十分激烈的时代提倡"国家消亡",只能意味着要无产阶级放下武器,听任资产阶级来摧毁社会主义事业。

---

① 《论权威》,见《马克思恩格斯文选》第2卷。
② 《共产主义运动中的"左"派幼稚病》,《列宁文选》第2卷,第692、710页。
③ 毛泽东:《关于正确处理人民内部矛盾的问题》。

事实上,南斯拉夫的领导集团为了巩固他们小集团的统治地位,不仅没有使他们的国家机器"消亡"掉,而且还大大地加强了警察、法院、军队及其他惩罚机关,经常对那些反对他们的反动政策的人民进行大规模的逮捕和监禁;他们对于帝国主义国家的加强更是赞不绝口。这就清楚地暴露出他们鼓吹"国家消亡论"的反动企图。原来他们要"消亡"的正是无产阶级专政,正是社会主义。为了保卫社会主义事业,我们必须巩固无产阶级专政,粉碎现代修正主义者的阴谋。

第三节　生产关系一定要适合生产力性质的规律在我国社会主义革命过程中的运用

一、社会主义革命的目的

社会主义革命与历史上的其他一切革命有原则的区别。以往的一切革命,都不过是用一种私有制去代替另一种私有制。由于一切阶级社会具有同一类型的基础即生产资料私有制,新的经济成分可以在旧社会的母胎中自发地成长起来,因而这一类革命的目的无非是夺取政权,使政权适合于现存的经济基础并帮助它发展,因而取得政权就是革命的完成。社会主义革命则不同。社会主义革命的目的是要"彻底消灭剥削制度,并且杜绝产生剥削制度的根源"[①],这就是说要以生产资料公有制来代替生产资料私有制。社会主义公有制的经济形式是不可能在以私有制为基础的旧社会内部预先形成起来的,它只能在无产阶级取得政权后运用无产阶级专政的工具从"空地上"建立起来。夺得政权,不是社会主义革命的完成,而是社会主义革命的开始。要彻底完成社会主义革命,就需要经历一个对整个国民经济实行社会主义改造、并建立起社会主义的物质基础的历史时期。这个历史时期,叫作由资本主义到社会主义的过渡时期。

关于过渡时期的一般理论,马克思在《哥达纲领批判》一书中曾作过原则性的指示。他指出:"在资本主义社会和共产主义社会之间有一个前者变为

---

① 《中国共产党章程》总纲。

后者的革命转变时期。与这个时期相适应的是一个政治上的过渡时期,这个时期的国家不能是别的任何东西,只能是无产阶级的革命专政。"列宁在十月革命的实践中发展了马克思的理论,他进一步指出"这个过渡时期不能不含有这两种社会经济结构的特点或特征。这个过渡时期不能不是死亡着的资本主义与生长着的共产主义彼此斗争的时期",而这个时期的"社会经济的基本形态就是资本主义、小商品生产、共产主义"①。苏联共产党在列宁的理论的指导下,胜利地完成了社会主义革命。中国共产党和毛泽东同志依据马克思列宁主义的学说,早在民主革命阶段就对过渡时期将要出现的基本情况作了科学的预见,并且预先制订了党在过渡时期的基本方针。后来的事实证明,马克思列宁关于过渡时期的学说以及我党中央和毛泽东同志对于我国过渡时期情况的预见是完全正确的。

中华人民共和国成立以后的头几年中,没收了官僚资本企业,建立了国家银行、国营商业和合作社商业,建立了社会主义的国营经济。在农村中完成了属于民主革命范围的土地改革,消灭了封建所有制,并在这个基础上建立了合作社经济。同时,国家又对私人资本主义工商业开始实行了国家资本主义的措施。这样,在恢复阶段结束后,我国社会就出现了五种经济成分并存的局面,即国营经济、合作社经济、私人资本主义经济、农民和手工业者的个体经济以及国家资本主义经济。这五种经济成分在过渡时期的作用和地位是各不相同的。

国营经济是社会主义性质的经济。生产资料归全民所有。一切工人都是不受剥削的劳动者;人们的相互关系是同志间互助合作的关系。生产是为了满足人民的需要、并按照国家的计划进行的。生产的社会性和占有的私人性这一矛盾已经彻底克服。国营经济代表着适合生产力发展要求的最进步的生产关系,同时又掌握着国家的经济命脉,因而,它一开始就是整个国民经济中的领导力量和国家实现社会主义改造的物质基础。

合作社经济是社会主义的或半社会主义性质的经济。在社会主义性质的合作社经济中,生产资料归全体社员集体所有;社员间的相互关系是平等的互

---

① 列宁:《无产阶级专政时代的政治和经济》。

助合作关系;一切劳动生产品除向国家缴纳一定的税款、并扣除一定的公积金公益金和生产费用外,其余由社员按劳分配。这种经济形式在发展程度上低于国营经济,但与国营经济同属于社会主义经济,同样代表着最进步的生产关系。半社会主义的合作社经济则是由个体经济到社会主义经济的过渡形式。

在私人资本主义经济中,生产资料归资本家所有;资本家利用生产资料所有权剥削工人的剩余劳动;工人与资本家的关系是阶级关系;生产的目的是为了追求利润,与国家的计划和人民的需要存在着不可调和的矛盾。在经济极端落后的我国,资本主义经济在一定时期内有着有利于国计民生的一面,因而国家允许它有一定程度的发展;但是随着生产力的发展,它就越来越变成生产力的障碍了。

农民和手工业者的个体经济是小商品经济。它一方面以生产资料私有制为基础,一方面又以个人劳动为基础,一般并不剥削别人。这种经济不仅劳动生产率极低,而且还会每日每时地产生出资本主义。小商品经济在我国好像一个汪洋大海,阻碍着生产力的发展,并与国家计划有着极大的矛盾。

国家资本主义经济不是以单纯的一种所有制为基础的经济,而是国家所有制和资本家所有制在各种复杂形式上的联盟。这种经济形式是把私人资本主义经济改造成为社会主义经济的桥梁,在我国具有极大的意义。这在后面还要详细谈到。

以上分析的五种经济成分,按照列宁的理论,可以归结为三种基本形态,即社会主义、资本主义、小商品生产。就所有制说,就是社会主义的公有制、资产阶级的私有制和个体劳动者私有制。只有在社会主义的公有制之下,生产关系是适合于生产力性质的,而私有制的生产关系则愈来愈成为生产力发展的桎梏。生产力的进一步发展和增长,生产过程的公共性质的日益增长,要求以社会主义的公有制来统一全部国民经济。因此,整个过渡时期就是成长着的社会主义与死亡着的资本主义彼此斗争的时期。贯穿整个过渡时期的主要矛盾,就是社会主义道路和资本主义道路"谁战胜谁"的矛盾,就是无产阶级和资产阶级的矛盾。解决这一矛盾的方法,就是不断地扩大社会主义的全民所有制和劳动群众集体所有制,建立起社会主义所有制的强大的物质基础,并采取适当的方法把农民和手工业者以自己的劳动为基础的私人所有制改造成合作社社员的集体所有制,把以剥削工人阶级的剩余劳动为基础的资本主义私人所有制改造成为全民所有制。只有完成了由生产资料的私人所有制到社会主义所有制的过渡,使社会主义所有制成为我国社会的唯一的经济基础,才能促进社会生产力的迅速向前发展,才有利于在技术上起一个革命,把在我国绝大部分经济中使用落后工具的情况改变为使用机器的情况,以便大规模地出产工农业产品,满足人民日益增长的需要;增强国防力量,抵御帝国主义侵略;巩固人民政权,防止反革命复辟。在1949年3月举行的中国共产党七届二中全会的决议中,对过渡时期总路线的主要内容曾作了大体的规定。1953年,毛泽东同志作了如下的具体指示:"从中华人民共和国成立,到社会主义改造基本完成,这是一个过渡时期。党在这个过渡时期的总路线和总任务,是要在一个相当长的时期内,逐步实现国家的社会主义工业化,并逐步实现国家对农业、对手工业和对资本主义工商业的社会主义改造。这条总路线是照耀我们各项工作的灯塔,各项工作离开它,就要犯右倾或'左'倾的错误。"毛泽东同志的这一指示得到了全国人民的热烈拥护,并且载入了中华人民共和国宪法,作为整个国家和全体人民的行动指南。在这一正确路线的指导下,终于在1956年基本上完成了生产资料所有制方面的社会主义革命。

马克思列宁主义告诉我们:人类社会发展中有共同的基本规律,但是在不同的民族中又有千差万别的特点,每个民族都将沿着在一些基本点上相同而在具体形式上各不相同的道路走向共产主义。只有根据自己的民族特点运用马克思主义的普遍真理,才能指导无产阶级的革命事业达到胜利,才能创造出自己的新的经验,从而给别的民族和马克思列宁主义的总宝库作出一定的贡献。中国革命是十月革命的继续,中国革命的道路就是十月革命的道路。中国革命和建设的方针路线完全是以马克思列宁主义的普遍真理和苏联革命建设的基本经验为依据,同时又是完全符合于中国的民族特点的。由于以毛泽东同志为首的中国共产党把马克思列宁主义的普遍真理和苏联革命建设的基本经验巧妙地运用于中国的特殊环境之中,于是就创造了中国社会主义革命的特殊经验。下面我们将从对农业、手工业的社会主义改造以及对资本主义工商业的社会主义改造两个方面来阐述这些经验。

二、对农业、手工业的社会主义改造

我国在农村中完成了民主革命性质的土地改革、消灭了封建主义的土地所有制之后,农业生产力获得了一定程度的解放。但是在农村中占绝对优势的是建筑在劳动农民私有制的基础之上的小农经济。小农经济与社会主义工业化的事业之间存在着尖锐的矛盾,严重地阻碍着农村生产力以至整个社会生产力的进一步发展。这种情形主要地表现在:第一,社会主义工业化事业的进展需要愈来愈多的商品粮食和工业原料,而小农经济的劳动生产率很低,不仅不能逐年实现扩大再生产,而且有时连简单的再生产也难于维持,如果在农村中保存小农经济,就不能解决年年增长的商品粮食和工业原料的需要同主要农作物一般产量很低之间的矛盾,社会主义工业化事业就会遇到绝大的困难。第二,要使我国农业的发展同工业的发展互相适应,就必须在农业中实现技术革命,即实现由手工劳动过渡到大规模现代化机器生产的革命;但在小农经济的分散状态下却不可能使用或者不可能广泛使用拖拉机、收割机、化学化肥、现代运输工具、电力等等,因而无法实现这种技术革命。第三,国家工业化和农业本身的技术改造需要大量的资金,其中相当大的一部分要从农业方面积累,积累的方法除了直接征收农业税之外,就要依靠用轻工业产品去同农民所生产的商品粮食和工业原料相交换;而轻工业的发展是需要市场的,贫困的小农经济不能提供广大的市场,因而就不可避免地要影响轻工业的发展和资金的积累。第四,小农经济极不稳固,时刻向两极分化,有的人因受天灾人祸而贫困破产,有的人利用投机买卖和放债等办法变为富农剥削者;如果继续保存小农经济,失去土地的农民和继续处于贫苦地位的农民就将埋怨党和国家"见死不救",向资本主义方向发展的富裕中农也将埋怨党和国家不能满足他们发展资本主义的要求,这样,工农联盟就不能够继续巩固,国家的基础就有动摇的危险。

上述这些情形,就是小农经济的旧生产关系与新的社会生产力之间的矛盾在各方面的表现。显然,社会主义国家和社会主义建设事业决不能在比较长久的时间内建立在巨大统一的社会主义工业和分散落后的小农经济这样两种不同基础之上。如果这样,整个国民经济都会趋于崩溃。毛泽东同志说:

"没有农业的社会化,就没有全部的巩固的社会主义。"①只有依据生产关系一定要适合生产力性质的规律,把旧的小农经济的生产关系改造成新的社会主义的生产关系,使整个国民经济建筑在统一的社会主义生产关系的基础之上,才能使上述种种矛盾得到解决,才能使社会生产力得到进一步的强大的发展。

根据马克思列宁主义关于吸引农民参加社会主义建设的理论和苏联的经验,对农业的社会主义改造必须通过合作化的道路,即根据自愿和互利的原则,号召农民逐步过渡到共耕制。我党早在中华人民共和国成立前的22年的革命战争期间,就有了在土地改革后领导农民发展互助合作运动的经验。中华人民共和国成立以后,党又领导农民更广泛地组织互助组,并在互助组的基础上成批地组织农业生产合作社。从1951年12月到1955年6月,合作社由三百多个发展到六十五万个,增加了两千一百多倍,预示着全国性的合作化高潮的到来。但在这时,党内一部分同志受了资产阶级、富农或者具有资本主义自发倾向的富裕中农的影响,产生了安于小农经济的右倾保守主义思想,竟认为运动的发展"超过了实际可能","超过了群众的觉悟水平","超过了干部的经验水平","有破坏工农联盟的危险",因而主张"坚决收缩","赶快下马"。他们用无数的清规戒律限制群众的积极性,并且大批地解散已有的合作社。针对这种情况,毛泽东同志于1955年7月31日在省、市、区党委书记会议上作了《关于农业合作化问题》的报告,总结了多年来农业合作化运动的经验,着重地批判了当时党内在农业合作化问题上的主要错误思想即右倾保守思想,并就农业合作化的必要和可能,合作化的具体道路和步骤,以及领导合作化运动的工作方法等一系列的问题作了纲领性的指示。毛泽东同志指出,由于我国人口多、已耕土地面积小、时有灾荒和耕作方法落后,占农村人口百分之六十到七十的贫农和下中农的生活仍然是困难的或者还不富裕的,他们除了合作化以外再别无的出路,因而有走社会主义道路的积极性,而党又是完全能够领导农民走合作化道路的;这就决定了"农村中不久就将出现一个全国性的社会主义改造的高潮"。毛泽东同志这个马克思列宁主义的科学论断,迅速地为生活实践所证实。这篇报告发表后几个月的时间内,我国农业的社

----

① 毛泽东:《论人民民主专政》。

会主义改造就基本完成了。

我国农业的社会主义改造是遵循着下列步骤进行的：

1. 互助组。这是仅仅带有某些社会主义萌芽的互助合作形式。有临时互助组和常年互助组两种。临时互助组的主要特点是临时性或季节性的互助。常年互助组的主要特点是常年地把劳力、畜力、工具、土地以互助合作的方式结合起来进行生产，有的组还可以把农业同副业结合起来，有的组可以实行某种技术上的分工，有的组可以合资购买新农具。这两种互助组都是建立在生产资料私有制的基础上的；但是由于共同劳动，已经有了社会主义的萌芽，对于生产力的发展起了显著的推动作用。

2. 初级形式的农业生产合作社。互助组的形式对生产力的解放是有限的。到了一定的时候，农民就感到小块土地的分散经营限制了集体劳动、分工合作的优越性，限制了大型新式农具的使用，限制了新的耕作方法的推行。为了解决这个矛盾，党又领导农民建立以土地入股、统一经营为特点的半社会主义的初级形式的农业生产合作社。在这种合作社中，一方面农民仍保有土地及其他主要生产资料的私有权，并按入股土地的多少和好坏分配到一定的收获，同时还取得入股的工具、耕畜等的代价或租金；但另一方面，合作社却可以集中地比较合理地使用土地和生产工具，组织劳动力，同时实行"评工记分，按劳分红"，鼓励社员的劳动积极性。这样，初级形式的农业生产合作社就能够解决共同劳动和分散经营的矛盾，提高土地的利用率和劳动效率，推行新的农业技术，发展副业生产，加强中贫农之间的团结，更易于与国民经济相结合，更易于使农民受到集体主义的教育。因此，它对于农业生产的发展，又起了一次很大的推动作用。

3. 高级形式的农业生产合作社。初级形式的农业生产合作社虽然具有上述种种优越性，但是随着生产的发展又出现了新的矛盾：土地较多的社员仅靠土地分红就可以获得较多的收入，因而不愿积极劳动；土地较少的社员则感到自己努力劳动反不如别人从土地分红所获得的收入为多，因而也降低了劳动积极性。这两种人对于改革生产工具、提高耕作技术、扩大公共积累的兴趣都逐渐减少。这是不利于生产力的发展的。正如毛泽东同志所分析的："因为初级形式的合作社保存了半私有制，到了一定的时候，这种私有制就束缚了生产力的发展,人们就要求改变这种制度,使合作社成为生产资料完全公有化的集体经营的经济团体。"①于是,党又领导农民建立社会主义性质的高级形式的农业生产合作社。这种合作社的一切主要生产资料归社员集体所有,全部产品除向国家缴纳税款、并提出一部分作为公积金和公益金以外,其余按照社员劳动的数量和质量分配给每个社员。这种合作社的极大的优越性在于:(1)由于在生产资料公有制的基础上实行了按劳分配的原则,社员的收入完全取决于合作社的总收入和社员本人的劳动数量和质量,这就使社员把个人利益同集体利益恰当地结合了起来,因而大大提高了全体社员劳动的积极性和创造性;(2)由于一切主要生产资料和劳动力由合作社统一支配,这就更便于安排生产计划,进行多种经营,合理组织劳动,提高工作效率,并为机械化电气化创造了前提条件;(3)由于集中股金,形成大量资金,因而可以大量购置新式农具、农药、农械和化学肥料,可以兴修水利,大大提高生产,增加收入;(4)由于从根本上取消了生产资料私有制,这就彻底堵塞了资本主义复辟的空隙,巩固地建立了社会主义的生产关系。到了这一步,我国农村的社会主义改造就基本完成了。

4. 人民公社。到了 1958 年,随着经济上、政治上、思想上社会主义革命的伟大胜利,出现了生产"大跃进"的局面。大规模的农田水利的建设,先进的农业技术措施,农村工业的发展,都要求投入更多的劳动力,我国农村对机械化电气化的要求愈来愈迫切;在水利建设和争取丰收的斗争中必须实行打破社界、乡界、县界的大协作;为了实现进一步解放劳动力,实现技术革命和文化革命,必须大量兴办公共食堂、幼儿园、托儿所、幸福院、农业中学、红专学校等等。所有这些,都说明单纯的农业生产合作社已不能适应生产力发展的要求。于是农民就开始自己动手改变原有的生产关系,"共产主义公社"、"国营农场"、"集体农庄"、"大合作社"、"人民公社"等等名目繁多的组织形式,就在1958 年夏秋之间在全国农村中许多地方涌现出来了。我党中央和毛泽东同志及时地抓住了这个新形势,在 1958 年 8 月北戴河会议上作出了关于发展人民公社的决议,把名目繁多的新的组织形式统一于这个最好的组织形式和名

① 《中国农村的社会主义高潮》上册,第 285 页。

称——人民公社。在党的正确领导下,只经过了几个月的实践,就实现了全国农村的人民公社化。人民公社的所有制仍然是集体所有制,但是带有若干全民所有制的成分;分配原则仍然是按劳分配,但是带有某种按需分配的萌芽。人民公社的巨大优越性主要表现在:(1)劳动力和生产资料可以在更大的范围内作统一的安排和调度,比以前得到更合理的使用,因而更便于发展生产;(2)工农商学兵各项事业(其中的农又包括农林牧副渔五业)在公社的统一领导下得到了密切的结合和迅速的发展;(3)公社创办了大量的公共福利事业,解放了妇女劳动力;(4)很多公社在巨大丰产的基础上实行了工资制和供给制相结合的制度,使广大农民在生活上得到了最可靠的社会保险。这就表明,人民公社是加速社会主义建设和实现两个过渡(由集体所有制过渡到全民所有制,由社会主义过渡到共产主义)的最好的组织形式。根据几个月来的经验,人民公社必须实行统一领导、分级管理、分级核算的制度,必须严格实行按劳分配和等价交换的原则,把政治思想教育同物质鼓励正确地结合起来,反对小资产阶级平均主义的错误倾向。

由带有若干社会主义萌芽的互助组到半社会主义性质的初级形式的农业生产合作社,到社会主义性质的高级形式的农业生产合作社,——这就是我国农业的社会主义改造所经历的道路。而人民公社化运动则是农业合作化运动的提高和发展。党所规定的这条道路,完全是以马克思列宁主义的基本理论和我国工农业生产的实际情况为依据的,因而使生产力得到了飞速发展的广阔场所。

以下说到对手工业的社会主义改造。

手工业在我国国民经济中占很大的比重。手工业为城乡居民制造许多种类的生产资料和生活资料,农民所需用品中的百分之六十到八十都仰赖于手工业。由于我国目前还不能迅速大量发展现代化的轻工业,我国手工业的很大一部分还有存在的价值和发展的余地。即在社会主义工业化实现以后,手工业也仍是机械工业不可缺少的助手。但是个体手工业是分散的,落后的,产量少,质量低,成本高,不能利用新技术,不能提高生产,在买进原料和推销成品方面常受私商剥削;同时个体手工业具有自发的资本主义倾向,时刻向两极分化,少数人发财,多数人贫困。为了克服这些矛盾,国家必须对手工业进行社会主义改造。

对手工业进行社会主义改造,也必须通过合作化的道路,把手工业劳动者的个体所有制改变为合作社员集体所有制。手工业的合作化主要的有以下三种形式:

1. 手工业生产小组。这是广泛地组织手工业者的一种低级形式。这种小组又有两种不同的形式:一种是由人数很少的手工业者自愿联合起来,聚集股金,租借生产工具,集体生产;另一种是把独立的手工业者或家庭手工业者组织起来,由供销合作社、消费合作社以加工订货的方式为他们供给原料和推销成品,但生产仍然是分散进行的,合作社只能在供销上给以支持,还不能在生产上加以改造。

2. 手工业生产供销社。这是由许多个体手工业者或几个生产小组组织起来的。他们设有自己的供销机构,统一地向国营企业或供销合作社购买原料,推销产品,承揽加工订货。这种生产供销社是生产小组的领导机构,它可以加强各小组之间的联系,并使小组的公共积累集中起来。有了公共的积累,就可以购置公共的生产工具,首先把生产中的某些环节改变为集中生产,然后再发展为全部生产过程的协作分工。随着公共积累的继续扩大,社会主义的成分也不断上升。

3. 手工业生产合作社。这是手工业者在国营经济的领导和帮助下自愿联合起来进行集体生产的合作工厂。这类合作社有两种形式:一种是生产资料部分集体所有制的半社会主义的性质合作社;另一种是生产资料集体所有制的社会主义性质的合作社。这种生产组织能够实行合理的分工协作,提高劳动效率;可以改进工具,提高技术,逐步过渡到机器生产。

经过上述步骤,手工业的合作化已经基本完成。但在1958年秋季以来的全民办工业和农村人民公社化的新形势下,手工业合作社的生产关系又显得不能适应生产力发展的要求,这是因为:(1)手工业合作社在购买原料、安排生产、销售成品等方面与地方国营工业和人民公社工业发生越来越多的矛盾;(2)手工业合作社的资金积累逐渐增多,在原有生产关系的狭窄范围内不仅不能充分合理地运用这些资金,而且还有产生本位主义甚至资本主义倾向的可能。因此,手工业合作社向全民所有制的过渡就成为客观的必然。从1958

年秋季起,全国手工业在党的领导下掀起了"转厂"高潮,即向全民所有制过渡的高潮。这种过渡的主要形式有下列三种:(1)直接过渡为地方国营工厂。这是全民所有制的工厂。(2)转为手工业联社经营的合作工厂。这种工厂实质上也是全民所有制。因为从工人与工厂的关系来看,取消了劳动分红,改行工资制,工人不再负企业盈亏的责任,与国营工厂的工人相似;从企业与国家的联系来看,产品的生产和分配是按照国家计划进行的,也与国营工厂基本相同(只是在上缴利润归联社统一调剂这一点上与国营企业略有不同)。(3)转为地方国营的乡办工业后,再转为人民公社工业。这种工业属于下放到公社的全民所有制工业。在几个月的时间中,全国的手工业合作社已分别转为上述三种新的组织形式,基本上完成了向全民所有制的过渡。这标志着我国手工业合作化运动进一步发展的新阶段。

三、对资本主义工商业的社会主义改造

中华人民共和国成立以后的一段时期内,我国的资本主义工商业有着有利于国计民生的积极作用和不利于国计民生的消极作用两个方面。国家对资本主义工商业采取了利用、限制和改造的政策:利用其有利于国计民生的积极作用,限制其不利于国计民生的消极作用,并且通过和平的道路逐步地实现社会主义改造。

资本主义工商业在一定时期中所以有积极作用,是由我国的历史特点决定的。由于我国原是半殖民地半封建的国家,工业极为落后,在革命胜利后的一段时期中,社会主义工商业还不可能代替原有的资本主义工商业,还必须尽可能地利用资本主义工商业的积极性,借以增加工业产品的供应,通过税收和公积金为国家积累工业化的资金,扩大商品流转,维持劳动者的就业,训练技术工人和管理人员,以利于国民经济的向前发展。

资本主义工商业的不利于国计民生的消极作用,是由资产阶级唯利是图的本质决定的。例如偷工减料、偷税漏税、贿赂干部、抽走资金、扰乱市场、盗窃国家资财、盗窃国家经济情报、破坏国家经济计划等,都是不利于国计民生、不利于生产力的发展的。1951年党和国家不得不发动的"五反"运动,就是工人阶级对资产阶级"五毒"行为的坚决的反击。而"五毒"行为正是资本主义

工商业的消极性和破坏性的集中表现。因此,国家必须对资本主义工商业的消极的一面采取限制的政策。

但是,国家在过渡时期不仅要对资本主义工商业采取利用和限制的办法,而且更重要的是要对它们实行社会主义改造,即把资本家所有制改造成为社会主义的全民所有制。

为什么必须对资本主义工商业实行社会主义改造呢?这是因为资本主义所有制与社会主义所有制之间的矛盾,资本主义所有制与资本主义生产的社会性之间的矛盾,资本主义生产的无政府状态与国家有计划的经济建设之间的矛盾,以及资本主义企业内部工人与资本家之间的矛盾,都是不可能在保存资本主义生产关系的条件下得到解决的。由于上述这些矛盾的存在,这些企业的设备利用率和劳动生产率很低,资金浪费,成本高昂,扩大再生产的能力很少,甚至没有,因而影响到工业产品在市场上供不应求,影响到国家计划受到破坏。上述这些矛盾,就是资本主义的生产关系与生产力的不可调和的矛盾在各方面的具体表现。如果不根本改变资本主义的生产关系,这个广大部分的社会生产力就不可能获得充分发展以适应国计民生的需要,而我国的社会主义工业化的事业就要受到严重的障碍。因此,对资本主义工商业实行社会主义改造是完全必要的,它是社会主义革命的总任务的一个不可缺少的重要部分。

对资本主义工商业实行社会主义改造,应当通过什么道路呢?

在我国的具体条件下,对资本主义工商业的社会主义改造是通过和平的道路逐步实现的。马克思主义的经典作家早就指出过,无产阶级在取得政权后究竟应当采取什么样的斗争形式来消灭资本主义——是和平改造还是强力剥夺,这要决定于许多具体的条件,首先是决定于资产阶级对于社会主义革命的抵抗程度。如果能够采取和平改造的斗争形式,就可以使社会生产力在改造过程中不致受到破坏,这对于无产阶级是更为有利的。列宁在十月革命以后曾经准备通过国家资本主义的道路对资本主义企业实行和平改造,但由于当时的俄国资产阶级对社会主义革命采取了疯狂的敌视态度,不肯接受任何改造,因而苏维埃国家被迫改变了斗争形式,采取了强力剥夺的办法。但是在我国条件下,对资本主义工商业实行和平改造却是完全可能的。这是因为:第一,我国的民族资产阶级是在半殖民地半封建社会中成长起来的带有两重性的阶级,一方面它的力量比较软弱,另一方面由于它一贯地受着帝国主义、封建主义和官僚资本主义的压迫,因而对于反帝反封建的民主革命常常采取中立态度(它的一部分代表人物在某些时机还参加了相当的革命斗争),而在中华人民共和国成立以后,它又承认了工人阶级的领导地位,参加了经济恢复工作和各种爱国运动。经过工人阶级的斗争和教育,许多资本家提高了认识,逐渐了解到社会主义确是大势所趋,人心所向,因而表示愿意接受社会主义改造。第二,我国已经建立了强大的无产阶级专政的政权,这个政权已经建立了强大的社会主义国营经济,掌握了国家的经济命脉,这就具备了改造资本主义工商业的雄厚的政治力量和经济力量。第三,经过几年来的实践,社会主义经济的优越性已经愈加充分地显示出来,而资本主义经济的腐朽性和破坏性也已暴露无遗,这就使得全国广大人民,首先是资本主义企业内部的工人和职员纷纷要求改造资本主义经济。第四,我们处在"东风压倒西风"的时代,有强大的社会主义阵营存在,有苏联这样高度发展的工业国家的援助,国际环境对我们是有利的。以上这样一些有利条件,决定了我国对资本主义工商业的社会主义改造可以通过和平的道路,而不必通过强力剥夺的道路。

在我国,国家对资本主义工商业的社会主义改造的步骤,是通过各种形式的国家资本主义转变为社会主义。无产阶级专政条件下的国家资本主义,按照列宁的说法,就是"我们能够加以限制,我们能够规定它的界限的一种资本主义",它是工人阶级向资产阶级实行"赎买"的一种形式。在我国条件下,国家资本主义就是在社会主义经济直接领导下的社会主义成分与资本主义成分的经济联盟;国家资本主义企业也就是社会主义成分同资本主义成分按照不同条件,采取各种形式,而在不同程度上进行联系或合作的企业。在实践过程中,国家资本主义发展了多种具体形式,按照它们与社会主义经济相联系和结合的程度,可以区分为低级形式、中级形式和高级形式。

国家资本主义的低级形式是收购、经销和批购零销。收购是国家在一定的条件下收购私营工厂的部分产品;经销是由私营商店向国营或合作社营商业购货并按规定价格零售,赚取批发和零售之间的差额利润;批购零销同经销大体相同,但计划性不如经销。这是资本主义工商业开始走上国家资本主义轨道的第一步。但私营工商业与国营经济的这种合作关系是不固定的。

国家资本主义的中级形式主要的有加工、订货、统购、包销等。加工是由国家供给原料或半成品，委托私营工业在一定时间内按规定的数量和质量进行加工，并给予一定的工缴费；订货是由国家向私营工业订货，私营工业根据国家规定的规格、数量和质量进行生产，将成品交给国家，领取货款；统购是国家规定某些私营企业所生产的关系国计民生的重要产品必须由国家统一收购，不得在市场上自行出售；包销是国家与资本家订立合同，规定私人工业的产品在保证一定的规格和质量的条件下，在一定期间内全部由国营贸易机关代为销售。中级形式的国家资本主义企业较之一般私人资本主义企业所具有的优点，大体上有这样几项：第一，国家资本主义企业在不同的程度上适应了国家计划建设的条件，可以逐步纳入国家计划的轨道；第二，由于企业主要是为国家的需要而生产或经营，企业的利润又是采取"四马分肥"（即国家所得税、工人福利奖金、企业公积金、资本家的股息红利等四方面各约占四分之一）的分配原则，这就减轻了资本家对工人的剥削程度，提高了工人的劳动积极性，在一定程度上改善了劳资关系，改进了企业的经营管理；第三，企业中共产党组织和工会组织对生产和经营的领导加强了，有利于促进企业的各项改革；第四，可以给予资本家及其代理人以一定的时间接受爱国守法和服从国营经济领导的教育，减少进一步实行社会主义改造的阻力。因此，国家资本主义的中级形式是完成社会主义改造的不可缺少的重要步骤。但是这种形式在发展生产力方面仍有不可克服的矛盾。因为生产资料仍归资本家所有，企业的经营管理仍然没有脱离资本主义的方式，因而公私矛盾、劳资矛盾以及其他许多矛盾都不能获得有效的处理。例如在公私关系上，国家对这些企业只能实行间接计划而不能实行直接计划，因而供销之间、地区之间、大小企业之间等等矛盾就在发展中日益暴露出来；同时一部分资本家仍然唯利是图，不按照国家的要求完成任务，不改善经营管理，不改进技术，甚至仍有"五毒"行为。在劳资关系上，当工人群众的劳动积极性不断提高的时候，资本家从工人身上取得的股息红利就愈来愈多，这就必然使得工人劳动积极性的进一步提高受到严重的阻碍。总之，国家资本主义的中级形式不能够适应生产力进一步发展的要求，因而必然要向国家资本主义的高级形式过渡。

国家资本主义的高级形式是公私合营。公私合营的企业就是由国家向私营企业投资,并派遣干部与资本家进行合作的企业。在1954年到1955年间,实行公私合营的主要方式是采取个别合营,这种形式比之国家资本主义的中级形式具有下列优点:(1)生产资料由私有制变为公私共有,改变了企业内部的所有制关系;(2)国家对企业可以采取直接计划;(3)社会主义成分在企业中居于领导地位,生产管理按照社会主义原则进行;(4)公方代表同企业内工人结合,形成了领导力量,提高了工人的劳动积极性;(5)企业利润除少部分用来拨付股息红利和适当改善职工福利外,大部分根据国家计划用来发展生产;(6)资本家及其代理人在公方代表直接领导和职工群众经常监督之下,更有利于正确地发挥积极作用和改造思想。因此,这类企业已经成为半社会主义性质的企业。到了1955年下半年,在社会主义工业化飞速发展和农业合作化高潮到来的形势下,要求工商业提高产品质量,增加产品数量,制造新产品,降低成本,加速商品流转,保证商品供应,而个别公私合营却不能满足这些要求;同时由于中小私营工商业分散众多,如果继续采取个别合营的方式,势必在国家投资、配备干部、经济改组等等问题上遇到严重的困难。因此就有必要把国家资本主义推进到全行业公私合营的新阶段。全行业的公私合营就是将全行业的企业改组成为一个企业单位,统一领导,统一经营,统一调配人力,统一计算盈亏。在这种情形下,生产资料的资本主义所有制已经基本上被消灭了,资本家与企业生产资料的关系仅仅表现在取得股息这一点上;而资本家的股息又从"四马分肥"的分配办法改变成了"定息",固定在一定的比率之上,受到了严格的限制。这样就基本上克服了生产的社会性同占有的私人性之间的矛盾,这种企业在性质上已经同国营企业没有什么差别,基本上是社会主义性质的经济了。因此,全行业公私合营的胜利,是对资本主义工商业实行社会主义改造的决定性的胜利,它为最后完成这一改造创造了可靠的保证。

国家对资本主义工商业的社会主义改造的伟大胜利,并不是在风平浪静的情况下取得,而是在激烈的阶级斗争中取得的。对资本主义工商业的社会主义改造就是社会主义革命,就是消灭资本主义剥削制度和资产阶级本身,这样的革命如果不受到资产阶级这样那样的反抗,是不可想象的。资产阶级之所以逐步接受了由低级形式到高级形式的国家资本主义,首先是由于无产阶级国家控制了整个的金融机构,掌握了重工业,逐步加强了对农产品原料和工业品原料的控制,并在市场价格、税收以及行政管理等各方面进行了复杂的斗争,否则是不可能的。事实上,即使在上述情况下,资本家也仍然在不同程度上以不同形式反抗社会主义改造。例如已经加入了中级形式的国家资本主义企业的资本家中,就有人进行偷工减料,粗制滥造,以坏顶好,虚报成本,抬高工缴利润等违法活动;在已经加入了高级形式的国家资本主义企业的资本家中,也有人有"合公营私"的违法行为。只是由于有国营经济的领导、国家行政的管理和工人群众的监督,战胜了资本家的反抗,才取得了社会主义改造的胜利。由此可见,对资本主义工商业的和平改造乃是无产阶级同资产阶级的阶级斗争的特殊形式。

列宁说:"国家政权如果掌握在工人阶级手中,通过国家资本主义也可以过渡到共产主义。"[1]又说:"付给国家资本主义大宗贡款,不仅不会葬送我们,反而会使我们通过这一最可靠的道路走向社会主义。"[2]中国共产党遵循着列宁的原则,在我国的具体条件下创造性地执行了和平改造资本主义工商业的政策,取得了伟大的胜利。这个胜利的经验,对于马克思列宁主义的理论和国际共产主义运动都作出了有价值的贡献。

第四节　我国社会的生产关系和生产力之间的矛盾

从 1949 年中华人民共和国成立到 1952 年为止,是我国国民经济恢复时期。在这个时期中,我们建立了并且巩固了无产阶级专政的政权,完成了民主改革,同时大力发展了社会主义国营经济,为社会主义革命准备了物质基础和领导力量。

从 1953 年起,我国进入了第一个五年计划建设时期,一方面按照计划进行社会主义建设,为国家社会主义工业化奠立初步基础;另一方面对农业、手

---

[1] 《列宁全集》第 33 卷,人民出版社版,第 364 页。
[2] 《列宁全集》第 27 卷,人民出版社版,第 313 页。

工业和资本主义工商业实行社会主义改造。到了 1956 年,我国社会主义建设已经取得了巨大的成就,同时,我国的农业、手工业和资本主义工商业的社会主义改造,也已经取得了决定性的胜利。在生产资料的所有制方面,农业和手工业的个体所有制已转变为集体所有制,资本家所有制已被赎买而转变为全民所有制。全民所有制和集体所有制都是社会主义公有制。根据社会主义公有制建立起来的新生产关系,就成了我国社会的唯一的经济基础。我国从此进到了社会主义时代。

在社会主义下,生产资料公有,这就挖掉了剥削制度的根子。人们在生产劳动过程中的相互关系,已不是像旧时代那样的剥削者和被剥削者、统治者和被统治者的关系,而是人人为我,我为人人而劳动的相互关系,是同志式的、平等的互助合作关系。在产品的分配形式方面,贯穿着社会主义的按劳分配的原则。所以推翻了阶级的生产关系以后建立起来的社会主义生产关系,大大地解放了生产力,首先解放了劳动者这种首要生产力,劳动人民成了社会的主人,所以他们能够发挥生产劳动的积极性和创造性,提高劳动生产率,使新社会生产力以空前未有的速度向前发展起来。正如毛泽东同志所说:"所谓社会主义生产关系比较旧时代生产关系更能适合生产力发展的性质,就是指能够容许生产力以旧社会所没有的速度迅速发展,因而生产不断扩大,因而使人民不断增长的需要能够逐步得到满足的这样一种情况。"[1]在全国解放前夕,半殖民地半封建的生产关系完全成为生产力发展的桎梏,所谓"百业凋敝、生产萧条",正是当时经济情况的写照。"在 1949 年,全国钢产量只有十几万吨,但是全国解放不过七年,全国钢产量便已达到四百几十万吨。旧中国几乎没有机器制造业,更没有汽车制造业和飞机制造业,而这些现在都已建立起来了。"[2]特别是在 1956 年三大改造完成并建立了全面的社会主义生产关系以后,全国经济和文化事业在这一年有了很大的跃进,工业生产增长了 31%,基本建设工作量增长了 62%。这一年大跃进为 1957 年以后各年更大的跃进,打下了物质的基础。由此可见,社会主义生产关系最能适合于生产力发展的性

---

① 毛泽东:《关于正确处理人民内部矛盾的问题》。
② 毛泽东:《关于正确处理人民内部矛盾的问题》。

质,它给生产力发展以充分广阔的场所,它是促进生产力大发展的推动力。

但是,我们不能由此得出结论说:社会主义生产关系完全适合生产力发展的性质,生产关系和生产力之间不再有矛盾了。不是的! 生产关系和生产力之间的矛盾,仍然是社会主义社会发展的原动力,但社会主义时代的生产关系和生产力之间的矛盾,同过去剥削者阶级社会中的生产关系和生产力之间的矛盾,其性质是完全不同的。毛泽东同志说得好:"在社会主义社会中,基本的矛盾仍然是生产关系和生产力之间的矛盾,上层建筑和经济基础之间的矛盾。不过社会主义社会这些矛盾,同旧社会的生产关系和生产力的矛盾、上层建筑和经济基础的矛盾,具有根本不同的性质和情况罢了。"[①]为什么"社会主义社会这些矛盾"和旧社会中同样的两个矛盾具有根本不同的性质呢? 这主要地是由于社会的性质根本不同。在旧社会中,例如在半殖民地半封建社会中,生产关系和生产力的矛盾表现为经济上的阶级斗争,上层建筑和经济基础的矛盾表现为政治上和思想上的阶级斗争,而阶级斗争的结局必然是半殖民地半封建的生产关系的消灭和社会主义生产关系的产生。在社会主义下,生产关系和生产力的矛盾不是对抗性的矛盾,当人们一旦发现生产关系障碍生产力的发展时,就立即改善那种生产关系来推动生产力的发展,决没有衰朽的力量或阶级去阻挠生产关系的改善的。至于无产阶级政权和马克思主义思想意识,则是完全适应于社会主义经济基础,并帮助这个基础的形成、巩固和发展的。但是政治制度某些环节上的缺陷,某些不符合于马克思主义的错误思想,也是同基础相矛盾,因而妨害基础的发展的。这些缺陷,这些错误思想,在共产党的领导下,是容易改正的。当然,上述两种基本矛盾是不断产生的,往往一种矛盾解决了,又有新的矛盾冒出来,等待人们去解决。正因为矛盾的不断地产生和不断得到解决,所以社会主义社会才能够继续向前发展。

这里先谈谈社会主义生产关系和生产力之间的矛盾发展的情景。

1956 年三大改造完成后刚刚建立起来的社会主义生产关系,"它是和生产力的发展相适应的,但是,它又还很不完善,这些不完善的方面和生产力的发展又是相矛盾的。"这样的矛盾,表现在以下三个方面:

---

① 毛泽东:《关于正确处理人民内部矛盾的问题》。

第一,在所有制方面,"在工商业的公私合营企业中,资本家还拿取定息,也就是还有剥削;就所有制这点上说,这类企业还不是完全的社会主义性质的。"资本家的这种剥削,只有到了取消定息的时候,才能消灭,才能更有利于生产力的发展。其次,1956年当时,"农业生产合作社和手工业生产合作社有一部分还是半社会主义性质的;完全社会主义化的合作社在所有制的某些个别问题上,还需要继续解决。"

第二,在生产过程中的相互关系方面,企业中的领导干部和科室人员,多少沾染了旧时代的思想习惯,有些"三风"(官僚主义、主观主义、宗派主义)和"五气"(官气、暮气、阔气、骄气、娇气),他们和劳动大众的关系,还不是真正平等的互助合作关系,相互间是有隔阂的。这种隔阂会妨害劳动大众的劳动的积极性,因而不利于生产力的发展。这样的不正常的关系在农村干部和农民群众之间也有相类似的情况。生产关系这些不完善的方面,是和生产力的发展相矛盾的。这一类矛盾,到了1957年,经过全民整风运动和社会主义思想教育,在"两参、一改、三结合"的基础上,逐步地得到了解决。所谓"两参",就是干部参加生产,领导生产,群众参加管理,学会管理。由于实行"两参",干部和群众互通声气,能够及时发现问题,解决问题。干部和群众的关系就成为真正的平等的互助合作关系。这就大大地鼓舞了群众的生产积极性。所谓"一改",就是改正那些不利于生产发展的规章制度。所谓"三结合",就是以"两参"为基础、以领导干部为核心的干部、工人和工程技术人员三方面的结合。通过"三结合",领导能了解技术人员的思想情况和业务水平。了解生产关键,有更多的发言权;工程技术人员能掌握实际知识,把技术理论和实际操作更好地结合起来,可以向工人学到实际经验和优秀品质;工人可以学到技术理论,用以总结自己的直接经验,可以发挥自己的创造性,因而提高劳动生产率。

上述"两参、一改、三结合"是改善生产关系促进生产力发展的好经验,应当在工农业方面普遍推广。

1958年大跃进中生长起来的大协作,是社会主义生产关系的一个新方面。这种大协作,就是经济各部门相互间、各企业相互间、各合作社相互间、城市乡村间以及各经济区域相互间通力合作,互相支援,因而完成各自的生产任务。这样的大协作,克服了过去互相封锁、互不通气的那种本位主义的偏向,对于生产力的发展具有推动作用。

第三,在分配关系方面,如何保持积累和消费的适当比例,这是一个复杂的问题。每一年度的国民总收入,要分为积累和消费两大部类。在积累的部类中,要分为两个部分,一部分作为扩大再生产的生产资料,其余一部分作为生产和消费的储备。消费这一部类,是分配给全国人民作为生活资料。消费部分满足人民当前物质和文化生活的需要,关系于人民目前的利益;积累部分是发展生产,满足人民日益增长的物质和文化生活的需要,关系于人民长远的利益。所以积累和消费形成辩证的统一。但是积累和消费如何保持适当的比例呢? 这种适当的比例,在全民所有制经济方面,在集体所有制经济方面是各不相同的;还有,在两种所有制经济之间,这个比例也要适当地划分。大体上说来,积累部分的比重过大,会影响人民目前的利益;消费部分的比重过大,会影响扩大再生产,即影响人民长远的利益。这只有统筹兼顾,适当安排,既要考虑到扩大再生产,又要考虑到人民的生活,既要考虑到全部的、集体的、长远的利益,又要考虑到局部的、个人的、目前的利益。在发展生产的基础上,适当地划分积累和消费的比例,逐步提高人民的物质和文化生活的水平,这应当是关于处理积累和消费关系的一个原则。

积累的资金在国民经济各部门间(例如重工业和轻工业间、工业和农业间、中央工业和地方工业间)的分配,也要保持适当的比例,既要保证重点,又要照顾全面。特别是公社的积累资金,在目前应当着重于农业方面的投资,工业应当放在第二位,将来随着农业生产的发展,可以及时变更分配的比例。

消费的资金在全民所有制经济各部门工人之间的分配和在人民公社社员之间的分配,是各不相同的。但在社会主义阶段,必须坚决贯彻按劳分配的原则:多劳多得,少劳少得,承认差别,反对平均主义。只有贯彻这个原则,劳动者的物质利益才能和社会生产的发展统一起来。这个按劳分配的原则,只有到了共产主义时代,才为按需分配原则所代替。

现在,生产过程中最突出的矛盾是工农业生产大跃进和劳动力不足之间的矛盾。这个矛盾产生的原因,是由于生产组织和劳动的组织不够完善同劳动生产率进一步提高的要求之间的矛盾。这主要地表现在生产组织同劳动组织的不够完善阻碍着劳动生产率的提高。例如,1958 年"大跃进"以来,新旧厂矿企业招收了数百万不熟练的新工人,他们的劳动生产率是很低的,企业领导方面还未能迅速提高他们的文化水平和技术水平,使他们变为熟练工人;有的企业工人过多,人浮于事,有的企业因原材料供应不及时,出现窝工现象;在人民公社方面,农业和工业之间的劳动力分配还不能定出适当的比例。这些情形,都是劳动生产率进一步提高的障碍。只有解决上述的矛盾,改善生产组织和劳动组织,才能迅速提高劳动生产率。此外,为要提高劳动生产率,还必须大搞技术革新和技术革命,逐步用新的技术武装国民经济各部门,同时严格实行经济核算,节约人力、物力和财力。目前,在工业方面,要抓紧工艺方面、设备方面和产品设计方面的改革,并组织工人学习文化和技术,提高工人的技术水平。在农业方面,目前主要是工具改革,这对于提高农民的劳动生产率,有立竿见影的功效。为要提高劳动生产率,最重要的一条就是要在劳动者中进行政治教育,提高他们的共产主义觉悟,发挥劳动的积极性和创造性。在政治挂帅的基础上贯彻物质利益的原则,即正确执行按劳分配的原则,使劳动者从物质利益上关心生产的成果,并刺激劳动生产率的增长。

生产关系和生产力之间的矛盾,是常常出现的。一种矛盾解决了,又有新的矛盾冒出来,又需要人们去解决。正因为矛盾的不断出现和不断得到解决,所以我们的新社会能够不断地向前发展。

第五节　我国社会的上层建筑和经济基础之间的矛盾

指导我们的民主主义革命、社会主义革命和社会主义建设的理论基础是马克思列宁主义,领导我们的革命和建设事业的核心力量是中国共产党。马克思列宁主义、中国共产党以及在全国解放以后由党所领导的人民民主专政(实质上是无产阶级专政)的政权,是我国新社会的上层建筑。这些上层建筑是适应于解放以后我国国民经济生活情况的,即适应于新社会的经济基础的。就全国解放以后的国民经济生活情况来说,有五种经济成分:社会主义国营经济、合作社经济、农民和手工业者的个体经济、私人资本主义经济和国家资本主义经济(共同纲领第四章)。这五种经济成分,可以归纳为下列三种,即社会主义国营经济、农业和手工业的个体经济、私人资本主义经济。在这三种经济成分之中,社会主义国营经济是发展生产、繁荣经济和实行对农业手工业和资本主义企业的社会主义改造的物质基础和领导力量。因此,我国当时社会的经济基础,是社会主义经济同它所领导的、并即将实行社会主义改造的个体经济和资本主义经济暂时并存的一种过渡形式。在这种过渡形式中社会主义经济和资本主义经济是在斗争着的。这种斗争就表现为无产阶级和资产阶级在经济战线上的阶级斗争。其次,我国的无产阶级专政的形式是和当时那种经济基础相适应的。因为我国的无产阶级专政,是工人阶级领导的、以工农联盟为基础的、并包括资产阶级和其他爱国民主分子的统一战线的政权。农民阶级从民主主义革命时代起,就在工人阶级领导下和工人结成巩固的联盟,并且在民主主义革命胜利以前的老解放区就开始走上互助合作的社会主义道路。所以这个联盟能成为无产阶级专政的巩固基础。至于民族资产阶级在民主主义革命阶段曾经同情过并且也参加过革命,在中华人民共和国成立当时,它又表示愿意接受共产党的领导,并赞成共同纲领和宪法,接受社会主义改造,所以民族资产阶级和它的党派有更多代表人物参加了我国的无产阶级专政性质的国家机关,并且同共产党和工人阶级在社会主义事业中继续保持政治上的联盟。但是资产阶级在经济上具有两面性:一方面表示拥护共产党,并参加了无产阶级专政的政权,另一方面又反对无产阶级民主,要求资产阶级民主。这样就形成了无产阶级和资产阶级在政治战线上的阶级斗争。在意识形态方面,马克思列宁主义的世界观虽然成了全国劳动人民的指导思想,但资产阶级和它的知识分子的资产阶级世界观,却要顽强地在政治问题和经济问题上表现出来。这样,就形成了无产阶级和资产阶级在思想战线上的阶级斗争。

以上是我们新国家成立以后,即转变到社会主义革命时期中的社会结构的一般图景。在这样的社会结构中,上层建筑和经济基础是相适应的,同时又不相适应。所谓适应,就是说,马克思列宁主义、中国共产党和它所领导的无产阶级专政,是发展社会主义经济并改造个体经济和资本主义经济的精神力量和政治力量。所谓不适应,就是说,资产阶级世界观和资产阶级要实行资产阶级民主的要求,是反对社会主义经济并发展资本主义经济的精神力量和政治力量。这就是上层建筑一些部分和经济基础之间的矛盾(即阻碍社会主义经济发展)。但是,由于共产党正确地运用了人民民主专政的政权,由于全国劳动人民发挥了高度的劳动积极性和创造性,社会主义经济日益发展起来,并在1956年完成了三大改造,因而社会主义战胜了资本主义,我们取得了经济战线上社会主义革命的胜利,正在这个时候,资产阶级和它的党派中一些右派分子,不甘心于资本主义的灭亡,就开始了企图使资本主义复辟的政治阴谋活动,他们竟然公开地反党反社会主义,并在思想战线上用资产阶级世界观进攻马克思列宁主义世界观。他们这些阴谋活动,到了1957年5月我党宣告整风的时候,特别猖獗。一小撮右派分子反党反社会主义的阴谋同我们刚刚建立的社会主义经济基础是相矛盾的。这个矛盾,由于全国人民所发动的一场轰轰烈烈的粉碎右派猖狂进攻的大斗争而得到了解决。我们又取得了政治战线和思想战线上的社会主义革命的胜利。

在社会主义革命取得了全面的胜利以后,上层建筑和经济基础之间是不是还有矛盾呢? 我们的答复是:有矛盾的。这两者间的矛盾主要地是非对抗性的矛盾即人民内部的矛盾,但对于这些矛盾如果处理不当,也可以转化为对抗性的矛盾,即转化为敌我矛盾。此外敌我矛盾也还会存在,地、富、反、坏分子同我们之间的矛盾,即是敌我矛盾,我们要随时提高警惕。这里只谈谈上层建筑和经济基础之间的矛盾。

首先,我们来谈谈无产阶级专政对于社会主义经济基础的作用。

毛泽东同志说,无产阶级专政有两个作用和一个目的。专政的第一个作用是镇压国内的反对阶级和一切反革命派,这是为了解决国内敌我之间的矛盾。专政的第二个作用,就是防御国家外部敌人的颠覆活动和可能的侵略。"专政的目的是为了保卫人民进行和平劳动,将我国建设成为一个具有现代工业、现代农业和现代科学文化的社会主义国家。"由此可见,无产阶级专政的目的是为了社会主义建设,而首先是为了建设社会主义经济。在这种意义上,无产阶级专政是帮助社会主义经济基础的形成、巩固和发展的,即是为社会主义经济基础服务的。

属于无产阶级专政体系中的组织,有党、政、工(会)、社(公社)、团。党是工人阶级的先锋队,是经济工作的指导者和组织者;人民代表大会主要是劳动者的群众组织,它在国家机关方面联系党和劳动群众,是经济计划和经济政策的制定者和执行者;工会是工人阶级的群众组织,它首先在生产方面联系党和群众;人民公社是农民群众的组织,它联系党和农民群众;共青团主要是工农青年的群众组织,它是党的助手。这样说来,从经济这一方面来看,党、政、工、社、团,属于政治的体系,又属于经济的体系。像这样,政治体系和经济体系,即政治上层建筑和经济基础之间有怎样的矛盾呢?下面分别说明。

首先,党是无产阶级专政体系中的基本的指导力量。党的目的是在于领导全国人民群众实现社会主义和共产主义。党是全心全意为群众的利益服务的。党的工作方法是群众路线的工作方法,一切从群众中来到群众中去。它一面向群众学习,一面用共产主义精神教育群众,使他们不断地提高社会主义觉悟,所以党和群众的关系在实践活动中是日益巩固和加强着的。党的政策和决议如果偶尔有不符合群众利益的地方,一经发觉就立即予以改正。但是,我们的党是执政的党。几年来的经验证明,执政党的地位容易使党的干部滋长脱离群众、脱离实际的主观主义、官僚主义和宗派主义,这些缺点如不加以克服,就会影响工农群众积极性和创造性的发挥,阻碍生产力的发展。整风运动,就是为了克服这些缺点而进行的。

其次,国家机关所制订的经济政策和经济计划,是实行社会主义建设和社会主义改造的非常巨大的力量。政策和计划之所以有这样的力量,第一,是因为它们的制订根据于社会经济发展的规律,反映了社会物质生活发展过程中已经成熟的需要,并估计到经济发展的现实的可能性;第二,是因为政策和计划的制订依靠了劳动群众(他们是首要的生产力,是社会主义事业的真正的创造者),考虑到了劳动群众的根本利益,因而劳动群众乐于把它们当作自己的政策和计划来贯彻执行。正因为这样,所以经济政策和经济计划总是促进生产力的发展的。但是,社会的经济生活是不断发展的,劳动群众的需要和利益也是不断变化的,国家机关必须经常深入群众,进行调查,对政策和计划及时地进行补充和修改。又如关于经济计划的制订,也有因为资料不够,调查不周,对工农群众劳动的积极性和创造性估计不足,不免出现许多缺点。计划机关的经济领导和组织领导的水平,必须迅速提高起来,才能够促进经济的高涨。经济生活的发展总是走在前面,领导机关总不能百分之百地掌握经济过程的一切方面。这就是一个矛盾。领导者必须及时地发展矛盾,解决矛盾,以加速经济生活的发展。

政府各部门所制订的各种规章制度是上层建筑的一部分。建国以来所积累起来的规章制度中,有一部分是合理的,可以适用的;有一部分是不合理的,就不适用了。中央国家机关在反保守反浪费运动中,群众根据多快好省的方针,揭发了许多不合理的规章制度。它们都在不同程度上束缚群众的积极性和创造性,因而妨碍了生产力的发展,必须予以废除或修改。还有不利于各个部门之间的协作的许多规章制度,从1958年以来,这一类规章制度,各部门已经大加修改,革除了那些"公事公办"、"讨价还价"、"手续繁杂"、"往返周折"的旧时代的衙门习气,便利于互相协作,多快好省地搞好经济工作。一切规章制度的补充修改或重新制订,都要考察经济生活发展的实况,采取群众路线的新方法,深入下层,倾听群众的意见,在多快好省地发展社会主义事业的前提下,鼓励群众打破限制生产力发展的规章制度。

在组织经济工作方面,中央和地方之间是有过矛盾的。中央对于经济事业,过去集中得过多,阻碍了地方的积极性,这是客观的矛盾。自从中央决定中央工业和地方工业同时并举,大型工业和中小型工业同时并举,"大洋群"和"小土群"同时并举,并且将财政金融贸易等体制下放以后,地方的积极性就大大地发挥出来了。1958年大跃进以来,中央办工业,地方办工业,公社办工业,像这样全民办工业以后,就使得工业在全国各地普遍开花。所以这些解决矛盾的措施,不但改进了政治上层建筑某些环节上的缺陷,也调整了生产过程中的相互关系,因而促进了生产力的大发展。

我们国家的制度是高度的民主和高度的集中的结合,这个制度在过去几年的历史中表现了它的优越性,对于经济的发展起了极大的组织作用和推动作用。我们国家机关的工作人员,一般也是忠诚地为人民服务,能够经常保持同群众的密切联系,倾听群众的意见,接受群众的监督的。但是这并不是说一切都很完备了。在我们的国家机关中,还存在着高高在上、不了解甚至压制下级和群众的意见、对于群众的生活漠不关心的官僚主义作风。这种作风妨碍着广大群众积极性的发挥,妨碍着社会主义事业的前进。国家机关的整风,主要地就是要克服官僚主义。

工会、公社和共青团在工农业生产中的干部,一般说来,他们的工作成绩都是很好的,他们中的"三风"、"五气"经过整风运动和社会主义思想教育都改正了很多,因而加强了他们和一般劳动者之间的联系,即改善了生产关系,促进了生产力的发展。但不能说他们之中的"三风"、"五气"已经根本消除了。特别是主观主义是很不容易克服的。主观能动性必须同客观规律性相结合,冲天干劲必须同科学分析精神相结合。如果单凭主观的感想来代替党的政策,这对于生产事业必然发生不良的后果,把好事办成坏事。这种现象在公社成立的初期,相当普遍,这是必须逐步加以改善的。

以上说明了政治建筑和经济基础的矛盾的不断发生及其不断得到解决的大概情形,下面再说说意识形态和经济基础之间的矛盾。

毛泽东同志说,以马克思列宁主义为指导的社会主义意识形态,对于我国社会主义改造和社会主义劳动组织的建立起了积极的推动作用,它是和社会主义的经济基础即社会主义的生产关系相适应的;但是,资产阶级意识形态的存在,又是和社会主义的经济基础相矛盾的。[①]

资产阶级世界观是拥护资本主义,反对社会主义的。在我国三大改造完成以后,资产阶级世界观并没有随同资本主义经济基础的消灭而消灭,反而要在相当长的时期中继续存在。因此,"无产阶级和资产阶级之间在意识形态方面的阶级斗争,还是长时期的、曲折的、有时甚至是很激烈的。"1957年的反右派斗争,正是思想上的很激烈的阶级斗争的实例。

1957年6月,毛泽东同志曾经说过:"我国知识分子的大多数,在过去七年中已经有了显著的进步。他们表示赞成社会主义制度。他们中间有许多人正在用功学习马克思主义,有一部分人已经成为了共产主义者。这部分人目前虽然还是少数,但是正在逐渐增多。当然,知识分子中间有一些人现在仍然怀疑或者不同意社会主义,这部分人只占少数。"[②]在1957年的整风运动和反右派斗争取得胜利以后,我国大多数知识分子的进步更加显著。科学界、文化界、教育界的绝大多数知识分子,在整风运动和反右派斗争中,受到了深刻的

① 毛泽东:《关于正确处理人民内部矛盾的问题》。
② 毛泽东:《关于正确处理人民内部矛盾的问题》。

社会主义思想教育。他们运用批评和自我批评的方法,展开了社会主义和资本主义两条道路的斗争,也进行了红与专问题的大辩论。左派分子决心走又红又专的道路,中间分子向左转的人也越来越多了。特别是当着他们受到工农业生产大跃进的浪潮的冲击,多数知识分子的思想也来了一个大跃进,掀起了一个"兴无灭资"的自我革命运动大高潮。"把心交给党"、"把知识交给人民"、"决心做左派"、"力争又红又专",这些,已成为多数知识分子的响亮的行动的口号。在这种巨大力量的推动下,无论科学界、文艺界、教育界、医药卫生界、新闻界、体育界,都出现了大跃进的新局面,这是非常令人鼓舞的。但是这种大跃进,在知识分子中间是不平衡的。特别是一些保守派,他们的资产阶级个人主义思想根深蒂固,有的龟行蛙步,迟迟不前,有的情绪抵触,心怀不满。这些人在一切机会和一切问题上,总是要顽强地把自己的思想表现出来,马克思主义者对于这类思想必须进行无懈的斗争,不能让它到处泛滥,所以今后对资产阶级思想的批判必须继续进行。

在思想战线上,我们还必须对教条主义和修正主义进行斗争。教条主义使理论脱离实际,是党性不纯的表现,虽然是属于人民内部的问题,但它能使社会主义事业遭受损失,必须继续进行批判。至于修正主义是一种资产阶级思潮,它同马克思主义处于敌对地位,两者之间的矛盾是敌我矛盾。现代修正主义者,例如南斯拉夫共产主义者联盟的领导集团,它打着社会主义的招牌,实际上却反对社会主义,堕落到资本主义泥坑,我们对它一定要坚持严厉的持久的斗争。

第八章　从社会主义到共产主义

第一节　社会主义建设总路线

一、社会主义建设总路线形成的过程

党在过渡时期的总路线,就是要在一个相当长的时期内,逐步实现国家的社会主义工业化,并逐步实现国家对农业、手工业和资本主义工商业的社会主义改造。经过了三年恢复时期和第一个五年计划时期的努力,已经为国家的社会主义工业化奠定了初步基础,并且基本上完成了社会主义改造。从此,我国就进入了以技术革命和文化革命为中心的社会主义建设的新时期。全党全民在这个时期的总任务,就是要尽快地把我国建设成为一个具有现代工业、现代农业和现代科学文化的伟大的社会主义国家。于是社会主义建设总路线的问题就提上了议事日程。根据几年来人民斗争的实际经验和毛泽东同志的思想的发展,在 1958 年党的第八届全国代表大会第二次会议上正式提出了鼓足干劲,力争上游,多快好省地建设社会主义的总路线。

这条总路线的形成是经过了长期的曲折的斗争过程的。有两条道路的斗争,也有两种方法的斗争。

首先,是社会主义同资本主义两条道路的斗争。

社会主义和资本主义两条道路的斗争是我国过渡时期的主要矛盾。斗争的内容不是如何建设社会主义的问题,而是要不要建设社会主义的问题。在我国过渡时期中有两个劳动阶级和两个剥削阶级。两个劳动阶级:一个是工人阶级,这是全国人民中最先进的队伍,是国家政权和社会主义事业的领导力量;一个是农民及其他原来的个体劳动者,这些劳动者的绝大部分已经参加了合作社,并组织了人民公社,成了社会主义的热烈拥护者。两个剥削阶级:一

个是被打倒了的地主买办阶级及其他反动派，以及作为他们代理人的资产阶级右派；一个是正在逐步接受社会主义改造的民族资产阶级及其知识分子，这些人中间的大多数在两条道路之间处于动摇的过渡状态。两个劳动阶级和两个剥削阶级的存在以及它们之间的斗争，就是社会主义同资本主义两条道路的斗争的阶级基础。其中对第一类剥削阶级的斗争是敌我之间的斗争，对第二类剥削阶级的斗争则属于人民内部的斗争，在斗争方法上是有原则区别的。

当我党宣布第一个五年计划的时候，资产阶级的代言人主张"巩固新民主主义秩序"，即主张社会主义与资本主义长期和平共处，各奔前程。这实际上就是坚持资本主义道路，反对社会主义改造。还有以梁漱溟为代表的一些人，提出"工人生活处在九天之上，农民生活处在九地之下"的谬论，主张把国家建设资金用来"改善农民的生活"，反对社会主义工业化。这实际上就是企图把我国拉回半殖民地半封建的道路。这一类人对于社会主义的抵抗，都被党和人民所彻底粉碎。在社会主义改造基本完成以后，资产阶级右派不甘心于自己的灭亡，刮起了反党反社会主义的妖风。1957 年的反右派斗争，就是社会主义和资本主义两条道路的你死我活的斗争。斗争的结局，是社会主义道路取得了决定性的胜利。

其次，社会主义建设总路线的形成还经过了两种方法的斗争，即多快好省的建设方法和少慢差费的建设方法之间的斗争。

两种方法的斗争，不是关于要不要建设社会主义的问题，而是关于用什么方法来建设社会主义的问题，因而在性质上与两条道路的斗争不同。但是这一斗争的结果对于社会主义建设仍然具有极端重要的意义。因为两种方法的斗争实质上就是关于社会主义建设速度问题的斗争，而建设速度问题是社会主义革命胜利后摆在我们面前的最重要的问题。

毛泽东同志屡次指出，建设社会主义可以有两种方法，即快些好些的方法和慢些差些的方法。党中央和毛泽东同志历来主张采取快些好些的方法，拒绝慢些差些的方法。早在 1949 年，党的七届二中全会就指出："中国经济建设的速度将不是很慢而可能是相当地快的，中国的兴盛是可以计日程功的。对于中国经济复兴的悲观论点，没有任何根据。"在制定第一个五年计划时，党中央曾经批判过主张放慢建设速度的错误意见，并在 1955 年冬季群众性的生产建设高潮开始出现时，号召以更高的速度代替原来规定的速度。毛泽东同志在这个时候指出："人们的思想必须适应已经变化了的情况。当然，任何人不可以无根据地胡思乱想，不可以超越客观情况所许可的条件去计划自己的行动，不要勉强地去做那些实在做不到的事情。但是现在的问题，还是右倾保守思想在许多方面作怪，使许多方面的工作不能适应客观情况的发展。现在的问题是经过努力本来可以做到的事情，却有很多人认为做不到。因此，不断地批判那些确实存在的右倾保守思想，就有完全的必要了。"[①]接着，毛泽东同志把这个思想概括为又多、又快、又好、又省地建设社会主义的口号，号召全党同志做"促进派"而不要做"促退派"。1956年，党提出了《1956年到1967年全国农业发展纲要草案》。同年4月，毛泽东同志作了关于"十大关系"的报告，为实现多快好省地进行社会主义建设的总方针规定了一系列的重大政策，在实际工作中起了巨大的作用，使得1956年的建设事业有了一个很大的跃进。当然，在这个巨大的跃进中也产生了一些个别的缺点，这些缺点本来是容易克服的。但是当时有些同志却夸大了这些缺点，把跃进说成了"冒进"，形成了一种所谓反"冒进"的空气，损害了群众的积极性，减低了建设速度。但是党不久就纠正了这个错误，重申了坚持多快好省地建设社会主义的方针，并提出了十五年在钢铁和其他主要工业产品产量方面赶上和超过英国的战斗口号，因而在1958年又掀起了更大的建设高潮。

在总路线形成过程中，有些同志保存着一些所谓"右比左好"、"慢比快好"的陈腐思想。这种思想在各个时期都有所表现。有些人担心提高建设速度会使人们"过于紧张"，而不知道贫穷落后才是一种真正可怕的紧张局面。有些人怀疑执行多快好省的方针会造成浪费，而不知道多快好省正是节约社会劳动的唯一方法。有些人担心执行多快好省的方针会造成生产部门间和财政收支间的不平衡，而不知道应当以积极的平衡去代替消极的平衡。所有这些，都是与党中央和毛泽东同志所代表的多快好省地建设社会主义的思想相违背的错误思想，在社会主义建设过程中起着促退的作用。由于党中央和毛泽东同志对这种错误思想不断地进行批判和斗争，由于具有这种错误思想的

---

① 《中国农村的社会主义高潮》一书的序言。

同志在实践过程中特别是 1956 年反"冒进"的教训中逐步认识了错误,两种方法的斗争终于得到了结果,即多快好省的方法战胜了少慢差费的方法。这样,在八年的建设实践中经过考验的多快好省地建设社会主义的总方针,就在党的第八届全国代表大会第二次会议上以社会主义建设总路线的形式提到全党全民面前了。

为什么鼓足干劲,力争上游,多快好省地建设社会主义的总路线是唯一正确的路线?为什么离开了这条总路线就要犯这样那样的错误?这就是下面要加以说明的问题。

二、社会主义建设总路线是社会主义经济规律的反映

马克思列宁主义政党在制定纲领、路线、方针、政策的时候不是以主观愿望为准则,而是以社会发展的客观规律为准则。检验纲领、路线、方针、政策是否正确的唯一标准,就是看它是否正确地反映了社会发展的客观规律。党的社会主义建设总路线之所以具有伟大的生命力,就因为它是社会主义经济规律的正确反映。

随着生产资料所有制方面的社会主义革命的逐步完成,社会主义的经济规律——社会主义基本经济规律、国民经济有计划按比例发展的规律、劳动生产率不断提高的规律、生产资料优先增长的规律(即社会主义积累的规律)以及按劳分配的规律等等,也就在国民经济中产生并发挥作用。这些规律都是不以人们的意志为转移的客观过程的必然联系,只有认识它们并遵照着它们的要求去组织社会主义建设,社会主义的国民经济体系才能顺利发展,否则必然导致国家经济生活的混乱。

社会主义基本经济规律是决定社会主义生产方式的本质及其发展方向的规律,它规定着社会主义生产的根本目的以及实现这一根本目的的手段。这个规律的特点是:用在先进技术基础上使社会生产不断增长和不断完善的办法,来最大限度地满足全体社会成员经常增长的物质和文化的需要,并使他们得到全面的发展。在敌对的生产方式中,生产的目的不是满足全体社会成员的需要,而是满足一小撮剥削阶级的寄生性的需要;达到这一目的的手段不是在先进技术的基础上使社会生产不断增长和不断完善,而是最大限度地剥削

劳动者的剩余劳动甚至一部分必要劳动。社会主义生产的目的和手段则是由生产资料公有制决定的。既然生产资料掌握在全民或者由劳动者组成的集体手里,社会生产就不可能只是为了某一部分人的利益,而必然是为了全体社会成员的利益。社会主义的全部生产活动,除了满足全体社会成员的需要而外,不可能有其他的目的。全体社会成员的需要总是不断增长的,只有不断增长和不断完善的社会生产,才能最大限度地满足这种需要;而为了使社会生产不断增长和不断完善,又必须尽可能地采用先进技术。社会主义生产的目的和手段是分不开的:生产的不断增长和不断完善满足着人们的需要并刺激着新的需要,而人们需要的满足和新的需要的产生又推动着人们努力使生产不断增长和不断完善。这就是社会主义生产方式根本优越于以往任何生产方式的特点。党和国家在领导经济生活的活动中,首先考虑了社会主义基本经济规律的要求。

社会主义的其他经济规律是决定社会主义生产的某些重要方面和某些重要过程的规律,它们与社会主义的基本经济规律有着有机的联系:一方面,它们服从于社会主义基本经济规律的要求,并且只有当它们以社会主义基本经济规律的要求为依据时才能朝着有利于生产力发展的方向充分发挥作用;另一方面,社会主义基本经济规律的要求又只有当这些经济规律的作用得到充分发挥的时候才能圆满地实现。

首先说到国民经济有计划按比例发展的规律。任何社会形态为了自己的存在和发展,都要求在国民经济各部门间按照一定的比例关系分配劳动力和生产资料。但是在资本主义社会中,生产发展的必要比例是通过竞争和生产无政府状态的规律、通过劳动力和生产资料的大量浪费而自发地形成的,并且不断地遭到破坏。在社会主义制度下,劳动力和生产资料的分配比例是由国家计划来调节的。这种有计划地确定生产发展的比例关系的必要性和可能性,根源于生产资料公有制和社会主义基本经济规律。这首先是必要的:因为既然生产的根本目的是最大限度地满足全体社会成员的需要,就必然要求在进行生产时最大限度地节约社会劳动的消耗,避免浪费,以便尽可能迅速地发展生产,而这一点又只有当国民经济各部门、各成分、各环节间保持着合理的比例关系的时候才能达到。这也是可能的:因为既然生产资料公有制已把无数生产单位联合成为统一的国民经济整体,就完全有可能使几万万人都遵照一个统一的国民经济计划进行生产,完全有可能通过国家计划自觉地保持国民经济发展中必要的比例关系。国民经济中最重要的比例关系是:生产资料的生产与消费资料的生产之间的比例,工业生产与农业生产之间的比例,工业内部和农业内部各部门间(例如采掘工业与加工工业之间、粮食作物与经济作物之间等等)的比例,工农业生产与运输业之间的比例,各经济区之间的比例,生产与消费之间的比例,积累与消费之间的比例,现有干部人数与国民经济发展所需干部人数之间的比例,以及社会主义国家间因实行国际分工协作而建立的比例关系,等等。这些比例关系是客观的,不能随意规定的;但又不是一成不变的。在各个不同的时期,上述各种比例关系可以根据国内外政治经济情况的变化而有所变化。国家的任务就在于使自己所制定的计划正确地反映社会主义基本经济规律和国民经济有计划按比例发展规律的要求。一定的比例关系是经常会被打破的,这就是所谓不平衡;当这种比例关系即旧的平衡关系被打破的时候,国家经济领导机关就使落后环节赶上先进环节,以求得新的平衡,保证国民经济的高速度发展。

其次说到劳动生产率不断提高的规律。劳动生产率是劳动生产品的数量与生产这些产所耗费的劳动时间的比率,它是社会生产力发展程度的分量指标。劳动生产率的提高表现在单位产品中所包含的活劳动和物化劳动的减少,它意味着社会劳动的节约。劳动生产率提高的规律在各种社会形态中都曾以不同的形式起过作用,但在以往的社会形态中却不是无条件地、不断地起作用。例如在资本主义社会中,劳动生产率的提高是以为资本家带来超额利润为前提的;如果不能使资本家获得超额利润,资本家就宁愿使劳动生产率降低(例如采用手工劳动,收买并毁掉新技术的发明,等等)。只有在社会主义社会中,这一规律才能无条件地、不断地发生作用。因为既然社会主义基本经济规律要求用使社会生产不断增长和完善的办法来满足人们的需要,那么凡属一切有助于劳动生产率提高的因素都必然会无条件地发挥它们的作用。这些因素是:提高劳动的技术装备,提高劳动者的熟练程度,发展分工协作和生产专业化,改善劳动组织,利用科学技术的新成就,加强经济核算,利用按劳分配的经济杠杆等。当然,增加劳动者的人数也是使生产增长的途径之一,但是这种办法受到有劳动能力的人口的限制。至于用延长劳动时间或提高劳动强度的办法来增加生产,那是不符合社会主义基本经济规律的要求的,因而一般说来是不妥当的。只有不断地提高劳动生产率才是使社会生产不断增长和不断完善的根本途径。国家在领导生产时总是经常估计到劳动生产率不断提高的规律的要求,最大限度地节约社会劳动。

再次说到生产资料的生产优先增长的规律。马克思关于社会再生产理论的基本原理,适用于一切社会形态,也适用于社会主义社会。马克思把社会生产分为生产资料的生产(即第一部类)和消费资料的生产(即第二部类)。这两个部类的对比关系是:在一定时期中,当第一部类所生产出来的生产资料仅够补偿两个部类在同一时期中所消耗的生产资料时,社会就只能实现简单再生产,即同样规模和同样速度的生产;只有当第一部类所生产出来的生产资料除了补偿两个部类在同一时期所消耗的生产资料以外还有剩余时,才能实现扩大再生产,即更大规模和更高速度的生产。因此,为了保证国民经济各部门(包括第一部类和第二部类)获得为实现扩大再生产所必需的愈来愈多的技术装备,就必须使第一部类的增长速度大于第二部类的增长速度,即使生产资料生产的增长占据优先地位。不仅如此,生产资料生产的优先增长还是提高劳动生产率的必要条件。因为劳动生产率的提高不仅要求单位产品中所包含的劳动总量不断减少,而且还要求单位产品中所包含的物化劳动的比重愈来愈大,活劳动的比重愈来愈小。这一点又只有不断地提高劳动的技术装备程度,使一定量的活劳动能够使用更多更好的机器,加工更多的原料,才能达到。违反了生产资料的生产优先增长规律,就会使劳动生产率下降,使社会生产缩减,使人民的生产水平降低。当然,优先发展生产资料的生产并不意味着消费资料的生产可以低速度地进行,相反地,两者之间必须保持正确的比例关系,这种正确的比例关系就是:一方面,生产资料的生产必须保证两个部类的生产在先进技术的基础上不断增长,并保证第一部类优先增长;另一方面,消费资料的生产数量也必须保证满足两个部类的劳动者以及非物质生产部门的工作者的要求。此外,还要从每个时期的生产资料和消费资料中拿出一部分来增加各种后备。国家制定计划时正是遵守了这样的原则。

最后还要说到按劳分配规律。社会产品的分配形式是任何社会形态的生产关系的重要方面之一。分配形式决定于生产资料所有制和人们在生产体系中的地位。在以生产资料私有制为基础的资本主义社会形态中,产品分配是按照有利于资产阶级而不利于劳动者的原则进行的:占有生产资料愈多的人从社会总产品中取得的份额也愈多(尽管他们完全不劳动),至于只有极少量生产资料或完全没有生产资料的人就只能取得极小的份额(尽管他们担负着极繁重的劳动)。"多劳少得,不劳多得",这是资本主义社会以至一切阶级社会中通行的分配原则。在以生产资料公有制为基础的社会主义社会中,产品的分配当然只可能按照最有利于全体社会成员的原则进行。而在社会主义社会中,唯一有利于生产力的发展、因而也有利于全体社会成员的分配原则就是按劳分配,即根据每个社会成员在国民经济中所付出的劳动数量和质量来确定他应得的社会产品份额。这是因为:第一,在社会主义社会(即马克思所说的共产主义社会的第一阶段)中,生产力的发展还没有达到足以使全体社会成员对生活必需品的需求得到充分满足的程度,劳动者还不可能不关心个人的物质利益,因而还不可能实现按需分配的共产主义原则;第二,在社会主义社会中还存在着熟练和非熟练劳动之间的本质区别,只有按劳分配才能从物质利益上刺激劳动者努力提高熟练程度;第三,在社会主义社会中还有一部分人残留着旧社会带来的对待劳动的不正确的态度,只有按劳分配才能督促他们习惯于社会主义的劳动纪律。如果按照小资产阶级的平均主义原则来实行分配,必然会损害熟练程度较高的或积极性较高的劳动者的物质利益,降低人们的劳动兴趣,降低社会的劳动生产率,妨碍生产力的发展。由此可见,按劳分配乃是社会主义社会的客观经济规律。国家遵照了这一规律的要求,利用它作为推动生产发展的杠杆,坚决反对那种鼓励懒汉、妨碍生产的小资产阶级的平均主义倾向。

此外还应该提到价值规律。价值规律虽然不是社会主义经济所特有的规律,但是既然在社会主义制度下存在着商品生产和商品流通,价值规律也就继续发挥作用。价值规律要求商品的生产和销售应根据社会必要劳动量来进行。国家只有估计到价值规律的要求,才可能正确地计算和规定商品的价格;按照国家的任务调节商品的需求;在企业中实行经济核算,降低劳动消耗。

由上面的简略分析可以看到,社会主义的各种经济规律是互相补充,互相制约,形成一个整体的。例如,国民经济有计划按比例发展的规律要求国民经济各部门、各环节间保持一定的比例,但比例如何确定? 这就要估计到生产资料优先增长的规律和劳动生产率不断提高的规律。劳动生产率不断提高的规律要求不断地降低单位产品的劳动消耗量,但怎样才能做到这一点? 这就必须估计到生产资料优先增长的规律和国民经济有计划按比例发展到规律。生产资料优先增长的规律要求生产资料生产的增长速度大于消费资料生产的增长速度,但大到什么程度才算恰当? 这又必须估计到国民经济有计划按比例发展的规律和劳动生产率不断提高的规律。至于按劳分配规律和价值规律,则是促使上述几个规律充分发挥作用的杠杆。而所有这些经济规律,又都是社会主义基本经济规律的要求在各方面的表现。国家在领导经济活动时,不是孤立地考虑某一个或某几个规律的要求,而是全面地考虑了所有这些规律的要求,并把它们正确地反映到方针路线的计划中去。

我党中央和毛泽东同志制定的鼓足干劲,力争上游,多快好省地建设社会主义的总路线,乃是上述社会主义经济规律的全面的正确的反映。多是对数量的要求,快是对时间的要求,好是对质量的要求,省是对成本的要求。多、快、好、省就是要求增加产品数量、提高生产效率、改进产品质量、降低产品成本。这四个方面的指标,概括地反映了社会主义基本经济规律以及其他规律的要求。社会主义生产的实质,都在这四个字中间包括无遗了。多、快、好、省这四个方面也存在着相互补充、互相制约的关系。片面地强调某一方面而忽视其他方面,就会造成劳动力和生产资料的浪费,延缓建设速度。只有全面地执行多快好省的方针,才能把人民群众潜在的积极性调动起来,在整个生产建设事业中造成最大的节约。

如前所述,两种方法的斗争,实质上就是关于建设速度问题的斗争。鼓足干劲,力争上游,多快好省地建设社会主义的总路线,就是一条高速度建设的总路线。社会主义建设之所以必须以尽可能高的速度进行,不仅是由社会主义经济的一般规律所决定的,而且是由当前我国的国内状况和国际环境所决定的。第一,我国是一个"一穷二白"的国家,只有尽可能地加快建设,才能提高人民的生活水平:第二,我国的外部还有帝国主义,遭到武装侵略的可能性仍然存在,只有加快建设,才能巩固我们的社会主义国家;第三,我国是一个拥有六亿多人口的大国,尽快地完成社会主义建设,必将有利于以苏联为首的整个社会主义阵营的优势,有利于世界和平和国际合作。因此,延缓建设速度是绝对不能允许的。多快好省的总要求以及相应的各项具体方针政策,都是为了高速度地发展社会主义建设事业而制定的。为了实现高速度发展社会主义建设事业的目的,全国人民正在充分发挥主观能动作用,投入紧张的劳动和斗争。"鼓足干劲,力争上游"的口号,生动地概括了亿万人对于高速度发展社会主义建设事业的热烈愿望。

正因为党和毛泽东同志所制定的这条社会主义建设总路线反映社会主义经济规律的要求,反映了我国当前的具体情况,反映了亿万人民的迫切要求,所以它是一条马克思列宁主义的正确路线,所以它能在实践中起伟大的鼓舞、动员和组织的作用,成为指导亿万人民群众前进的灯塔。

三、贯彻社会主义总路线的基本条件

党的社会主义建设总路线所解决的问题,是我国社会主义建设工作的总的方向和总的原则问题。为了保证这条总路线的贯彻,还必须具备下列的基本条件。

首先,要调动一切积极因素,正确处理人民内部矛盾。社会主义建设是异常艰巨复杂的事业,只有依靠千百万群众的积极性和创造性才能顺利发展。毛泽东同志屡次指示,从事任何工作都要从我国有六亿人口这一点出发,采取统筹兼顾,适当安排的方针,决不可以仅由少数人加以包办。但是,在参加社会主义建设工作的六亿人口中间,由于在生产体系中所处的地位不同,由于觉悟程度不同,由于看问题的角度和方法不同,以及其他种种原因,仍然是存在着矛盾的。这就是人民内部的矛盾。"在我国现在的条件下,所谓人民内部的矛盾,包括工人阶级内部的矛盾,农民阶级内部的矛盾,知识分子内部的矛盾,工农两个阶级之间的矛盾,工人、农民同知识分子之间的矛盾,工人阶级及其他劳动人民同民族资产阶级之间的矛盾,民族资产阶级内部的矛盾等。我们的人民政府是真正代表人民利益的政府,是为人民服务的政府,但是它同人民群众之间也有一定的矛盾。这种矛盾包括国家利益、集体利益同个人利益之间的矛盾,民主同集中的矛盾,领导同被领导的矛盾,国家机关某些工作人

员的官僚主义作风同群众之间的矛盾。这种矛盾也是人民内部的一个矛盾。"①一般说来,人民内部的矛盾是在人民利益根本一致的基础上产生的矛盾,是非对抗性的矛盾。但是,如果得不到正确的处理,就会损伤一部分人建设社会主义的积极性,在特殊的场合下甚至有使非对抗性矛盾转化为对抗性矛盾的危险。相反地,如果正确地处理了人民内部的矛盾,就能把一切有利于社会主义建设的积极因素都调动起来,能把不利于社会主义建设的消极因素转化为积极因素,从而大大加速社会主义建设的进展。处理人民内部矛盾的唯一经过考验的正确方法,就是从团结的愿望出发,经过批评或斗争,在新的基础上达到新的团结。行政命令的方法,强制的方法,是不能解决问题的。1957年的整风运动,在改善人民内部的相互关系上收到了很大的效果,并且创造了一整套正确处理人民内部矛盾的具体办法。今后的任务就是要在这种成绩的基础上继续地经常地有系统地处理在不同时期中暴露出来的人民内部矛盾,团结一切可能团结的人,为贯彻社会主义总路线造成一个最有利的政治局面。

其次,要巩固和发展社会主义的全民所有制和集体所有制。由于社会主义改造的基本完成而全面地建立起来的以生产资料公有制为基础的社会主义生产关系,对生产力的发展起了伟大的推动作用。这是因为:第一,它消灭了产生阶级剥削的根源,消灭了人们利益上的对抗,使人们建立了同志式的互助合作的关系;第二,它根本改变了劳动的性质,使劳动者的个人利益同社会利益紧密地结合起来;第三,它消灭了资本主义所固有的竞争和生产的无政府状态,使整个社会有可能按照全体成员的利益有计划地进行生产;第四,它扫除了一切阻碍劳动生产率提高的因素,使社会有可能采用最新技术成就,为生产力的高速度发展开辟了广阔的余地。因此,社会主义的生产资料公有制是加速并最后完成社会主义建设的基本条件之一。但是,我国的生产资料公有制还建立不久,还不完全巩固。无论在国营企业中,公私合营企业中,以及人民公社中,都还有许多复杂的问题需要解决。解决问题的过程,就是巩固和发展社会主义生产资料公有制的过程。现有的问题解决了,又会随着生产力的发

---

① 毛泽东:《关于正确处理人民内部矛盾的问题》。

展而产生新的问题，又需要加以解决。巩固和发展生产资料公有制是一个长期的工作，又是一个在现阶段必须着重致力的工作。

再次，要巩固无产阶级专政。无产阶级专政的国家政权不仅是保障革命成果、抵御外来侵略、防止资本主义复辟、保卫人民的和平劳动的强大武器，而且是组织社会主义建设的领导机关。没有无产阶级专政的国家政权，就根本不可能有社会主义的建设。无产阶级专政的国家政权在共产党的领导下，根据社会主义经济规律的要求和国际国内的现实条件，根据国家在一定时期中的政治任务，规定国民经济发展的方向和速度，编制国民经济计划和指示，拟定国民经济方面的措施，并动员和组织群众为完成计划而斗争。当然，国家在领导经济活动的时候，必须把经济工作同政治工作结合起来，把集中领导同大搞群众运动结合起来，官僚主义的领导方法是错误的。但是，在经济工作中鼓励自发性和自流性，削弱国家的统一领导，更是错误的。

又次，要巩固无产阶级的国际团结。无产阶级革命本质上就是国际性的，这一点明确地表现在《共产党宣言》中所提出来的"全世界的无产者联合起来！"这个著名的战斗口号中。这是因为只有无产阶级的国际团结，才能战胜各国资产阶级的共同压迫，实现自己的共同利益。在帝国主义时代，任何国家的无产阶级所领导的革命运动，如果没有国际无产阶级在各种不同方式上的援助，都是不可能取得胜利和巩固胜利的。这条原理对于已经取得革命胜利并已经开始社会主义建设的我国也没有丝毫例外。只有巩固无产阶级的国际团结，才能阻止帝国主义者发动侵略战争的阴谋，使我国获得为从事建设所必需的和平环境；只有巩固无产阶级的国际团结，才能使我国通过国际合作获得技术上的援助。没有这些，我国社会主义建设的高速度发展是不可能的。因此，我们必须坚持无产阶级的国际团结，反对一切破坏或削弱这种团结的言论和行动。

最后，还要在继续完成政治战线和思想战线上的社会主义革命的同时，逐步实现技术革命和文化革命。技术革命和文化革命标志着社会主义革命的新阶段。技术革命的目的在于建立社会主义的物质技术基础，文化革命的目的在于建立完全适合于社会主义经济基础的意识形态的上层建筑。只有完成了这两方面的革命，社会主义的生产方式才最终确立，由资本主义到共产主义的过渡时期才宣告结束。在我国条件下,技术革命的主要任务是逐步实现机械化、电气化和工业化。机械化,就是用机器生产代替一切可能代替的手工劳动;电气化,就是使电力成为全国各生产部门中动力的主要形式;工业化,就是使全国各省、自治区以至大多数专区和县的工业产值都超过农业产值。为了达到这个目的,首先必须尽一切可能采用世界上最新科学技术成就,用更多的和更新的机器来装备工业和农业;同时还必须广泛地开展群众性的技术革新运动,使暂时不能得到最新技术装备的部门或生产单位尽可能地提高劳动生产率,并通过这种运动使劳动者积累经验。文化革命的主要任务,则是要完成马克思列宁主义的思想建设,消灭科学文化上的落后状态。为了完成马克思列宁主义的思想建设,就必须加强对人民群众的马克思列宁主义的思想政治教育,开展对资产阶级学术思想的批判;彻底完成教育革命,建立强大的工人阶级知识分子队伍;为了消灭科学文化上的落后状态,就必须加速扫除文盲和普及教育的工作,完成少数民族文字的创制和改革,积极进行汉字改革,发展体育卫生运动和文化娱乐活动,发展社会主义的文学艺术事业,批判地继承中外历史上一切有用的知识,向苏联和各社会主义国家学习,努力赶上世界科学的先进水平。文化革命同技术革命是相辅而行、互相促进的。文化革命进展愈速,愈能大大提高人民群众的觉悟程度和文化水平,愈能把科学成就在技术上应用起来,因而愈能加速技术革命;同样,技术革命进展愈速,广大群众愈容易从繁重的体力劳动中解放出来,愈能获得较多的时间和较好的物质条件从事文化科学和艺术活动,因而愈能加速文化革命。技术革命和文化革命的开展,是贯彻多快好省方针的一个极重要的条件。

四、社会主义建设总路线的内容

多快好省是社会主义建设总路线的总的要求。为了实现这个总的要求,还必须规定各项具体的方针政策。概括地说来就是:在整个物质生产部门中,实行工业和农业同时并举的方针;在工业生产各部门的比例关系上,实行重工业与轻工业同时并举的方针和以钢为纲、全面跃进的方针;在工业生产的管理体制问题上,实行中央工业和地方工业同时并举的方针;在工业生产的规模问题上,实行大型企业和中小型企业同时并举的方针;在生产的技术装备问题上,实行洋法生产和土法生产同时并举的方针;在工业生产的领导方法上,实行集中领导与大搞群众运动相结合的方针。这一整套"用两条腿走路"的方针,构成了社会主义建设总路线的无限生动和无限丰富的内容,它们是在研究苏联社会主义建设经验和总结我国社会主义建设经验的基础上制定出来的,它们是社会主义经济建设的一般原理和我国具体情况相结合的产物。

首先,我们分析工业和农业同时并举的方针。

工业和农业是国民经济中两个最重要的物质生产部门。在社会主义建设过程中,工业和农业具有互相矛盾而又互相依赖的关系。首先应当承认发展工业和发展农业之间是有矛盾的。这主要地表现在发展速度问题上:片面地强调发展农业,把劳动力和生产资料不适当地集中到农业方面,就会减低工业的发展速度;同样地,片面地强调发展工业,也会减低农业的发展速度。不承认它们之间这种互相矛盾的情况,也就取消了正确处理它们之间的相互关系的任务,这当然是不对的。但是,在社会主义制度下,工业和农业这两个互相矛盾着的侧面又有着密切的相互依赖的关系。一方面,只有工业发展了,才能用先进的农业机械、化学肥料等装备农业,使农村逐步实现水利化、机械化、电气化,以便从手工劳动转移到最新的技术基础上来,从而大大提高农业劳动生产率;也才能以足够的轻工业品满足农村人口日益增长的需要。如果没有工业的迅速发展,农业生产的增长就要受到极大的限制。另一方面,又只有农业发展了,才能为工业人口提供必需的粮食,为工业生产提供愈来愈多的原料,为工业产品提供广大的市场,为工业的进一步发展积累更多的资金。没有农业的相应的发展,工业的发展就会遇到严重的阻碍。当然,一般说来,工业和农业的矛盾,工业是主导方面,工业的增长速度应当大于农业的增长速度,全国各地区的工业产值应当逐步超过农业产值,这是没有疑义的。但是不能由此得出结论,说只需要高速度地发展工业,而农业就可以发展得特别迟缓。尤其应当指出的是,我国目前还是一个农业国,农业在整个国民经济中占有极其重要的地位。在第一个五年计划期间,轻工业原料的百分之八十来自农业,出口物资的百分之七十五是农产品或农产加工品,国内消费品的百分之八十是由农业直接或间接供给的。如果不大力发展农业,则所谓迅速发展工业不过是不能实现的主观愿望。由此可见,只有依据国民经济有计划按比例发展的要求,在重工业优先发展的基础上使工业和农业同时并举,使它们互相推动,互相促进,才是唯一正确的方针,而看不到它们之间的依赖关系的片面观点是错误的。

其次,我们分析重工业和轻工业同时并举的方针以及以钢为纲、全面跃进的方针。

重工业和轻工业也是互相矛盾而又互相依赖的两个侧面。在一定的工业建设投资总额下,用于重工业的愈多,用于轻工业的就不免愈少;反过来也是这样。这就是矛盾。但重工业和轻工业又是互相依赖的。一般说来,在重工业和轻工业的相互关系中,重工业是矛盾的主导方面。只有重工业优先增长,才能为国民经济其他部门(包括轻工业)提供更多更好的机器设备和动力,实现扩大再生产,这个原理在前面阐述生产资料的生产优先增长的规律时已经分析过了。在第一个五年计划期间,正因为坚持了优先发展重工业的原则,所以建立了社会主义工业化的初步基础,今后也仍然必须坚持这个原则。这说明了轻工业对于重工业的依赖关系。另一方面,重工业的发展也离不开轻工业。这不仅是由于轻工业的发展可以为重工业积累资金,扩大市场,而且还由于只有相应地发展了轻工业,才能满足人民对消费品的日益增长的需要,才能适应人民群众由于生产发展而增长着的有支付能力的需求,否则就会造成比例失调,市场供应紧张,影响人民的生活,因而也影响建设事业的发展。因此,必须根据生产资料生产优先增长的规律和国民经济有计划按比例发展的规律,采取重工业和轻工业同时并举的方针。在整个工业战线上,钢铁工业部门和其他部门之间的关系也是矛盾的统一。矛盾的主要方面是钢铁工业。因为只有有了钢铁才可以制造机械,有了机械才可以提高工业、农业和运输业的装备程度,加速整个国民经济的发展。其他一切部门的发展规模和发展速度,都在很大的程度上取决于钢铁生产的发展规模和发展速度。这是一方面。但另一方面,钢铁工业的发展规模和发展速度又受到勘探、采掘、燃料、动力、机械以至交通运输等部门的发展情况的制约,只有这些部门有了相应的发展,才可以保证钢铁工业的迅速发展。钢铁生产是纲,其他部门的生产是目。既要举纲,又要张目。既要"一马当先",又要"万马奔腾"。这就是以钢为纲、全面跃进的方针。

其次,我们分析中央工业和地方工业同时并举的方针。

在第一个五年计划期间,我国刚开始进行大规模的经济建设,资金和技术力量有限,建设经验缺乏,资本主义经济仍然存在,在这种情况下,为了集中有限的资金和技术力量,总结建设经验,因而强调国家集中统一管理,强调发展中央管理的工业,是完全必要的。但是近几年来上述情况已发生了很大的变化。为了加速社会主义的工业建设,必须充分调动地方工业的积极性。这是因为,中央所能够集中起来的资金和技术力量毕竟是有限的,依靠这些只能保证重点建设;而且,我国地区辽阔,工业分布和发展极不平衡,很难用一个格式把全国的企业管理起来;因此,仅仅发展中央管理的工业就不够了。只有同时发展能够充分利用各地资源、资金和劳动力的地方工业,才能促进整个工业建设的高速度发展。中央工业和地方工业同时并举的方针的实质,就在于全党办工业和全民办工业,就在于充分发挥中央工业和地方工业的积极性,这个方针,只有在集中领导,全面规划和分工协作的条件下才能很好地实现。

又次,我们分析大型企业和中小型企业同时并举的方针。

现代化的大型企业,一般说来具有中小型企业所不能具有的优点,如技术先进、生产效率高、经济效果大、能大量生产、能制造大型设备和器材、能利用最新科学成就,等等,因此大型企业担负着发展国民经济的主要任务,是工业建设中的骨干。如果不发展现代化的大型企业,社会主义工业化就不能实现。但是,片面地强调发展现代化的大型企业,而忽略或者限制中小型企业的发展,也会延缓建设速度。因为现代化大型企业需要的投资大,设备不易解决,技术较难掌握,不能多建快建;而中小型企业却具有投资少、建设时间短、投资效果发挥快、分布广、产品种类多等等优点,可以直接为当地的农业和人民生活服务。这些中小型企业目前虽然设备比较简陋,技术水平比较低,但是可以逐步提高;它们的星罗棋布地大量发展,将对推进我国社会主义工业化事业起巨大的作用。因此,在建设工业企业的时候,必须从我国现时的具体条件出发,统筹兼顾,合理安排大、中、小型企业。这就是大型企业和中小型企业同时并举的方针。

再次,我们分析洋法生产和土法生产同时并举的方针。

洋法生产是指劳动的技术装备程度较高、技术比较先进、劳动生产率较高的那些生产;土法生产是指劳动的技术装备程度较低、技术比较落后、劳动生产率较低的那些生产。当然,根据劳动生产率不断提高的规律的要求,必须首先在各个工业部门迅速地尽可能地采用新的技术装备,利用最新的技术成就,实行洋法生产。那种嫌洋法生产麻烦,不愿意尽可能实行洋法生产的想法和做法是不对的。但是,在我国当前条件下,由于受到资金、设备、动力、运输力量等等的限制,普遍地实行洋法生产还是不可能的。因此还必须同时实行土法生产。土法生产投资少,收效快,可以因陋就简,因地制宜,而且其中常常包含着我国人民在技术方面的许多优良传统和创造发明。在实行洋法生产的同时实行土法生产,就可以发挥广发群众的积极性,加快建设速度。忽视当前条件下土法生产的重要,认为土法生产只能造成浪费的想法和做法是不对的。但是,我们也不能不看到土法生产的弱点:土法生产一般是用手工操作,因而花费的劳动力和原材料较多,成本较高,产品质量较差,因而只是在洋法生产不足的情况下所采取的辅助办法。因此,决不应当满足于土法生产,而应当逐步地尽可能地扶土化洋、由土生洋、以洋换土。所谓洋,所谓土,是相对的。在一定条件下属于洋的东西,在另一条件下会变为土的。技术装备程度不一致的情况,即洋土并存的情况,在任何时期都会存在,不过洋和土的内容各有不同罢了。土洋并举,由土到洋,不断提高,乃是生产力发展的必由之路。因此,洋法生产和土法生产并举的方针,乃是充分挖掘生产潜力,提高建设速度的有效方针。

最后,我们分析集中领导与大搞群众运动相结合的方针。

管理社会主义企业的根本原则是民主集中制。民主和集中是对立的统一。高度的集中必须以高度的民主为基础,否则会犯主观主义和官僚主义的错误。高度的民主也必须在高度集中的指导之下才能走向正确的方向,否则形成无政府状态。这两种情形都不利于生产的发展。正确的方针是把民主和集中统一起来,既要有高度的集中领导,又要大搞群众运动。为了实现高度的集中领导,就必须坚持"全国一盘棋"的原则,在全国范围内统一安排建设项目,统一安排工农业主要产品的生产,统一分配原材料,统一调拨和收购生产资料的消费资料两大部类的主要物资。除了全国的统一计划外,各地方、部门、企业以至车间、小组都应该有各自的计划,不容许有放任自流的现象。一切小计划必须服从大计划,小局必须服从大局,局部必须服从整体。那种认为可以不要集中领导、不要计划管理、不要分工协作、不要规章制度的看法,是小资产阶级无政府主义思想的表现,是完全错误的。按照这种看法做去,必然违反国民经济有计划按比例发展的规律,造成比例失调和经济生活的混乱,使社会主义建设遭到严重的损失。这是一方面。另一方面,又必须坚持大搞群众运动。群众路线是党进行一切工作的根本路线,它不仅适用于社会改革,也适用于生产建设。劳动群众是首要的生产力,是生产过程的直接参加者,他们对技术革新和技术革命的要求最迫切,对生产中的关键问题摸得最熟悉。因此,只要放手发动群众,引导他们破除迷信、解放思想、发扬敢想敢说敢做的共产主义风格,就可以在技术革新和技术革命方面创造奇迹。那种认为在生产建设问题上不能走群众路线,只能由少数人包办的想法,也是完全错误的。当然,在大搞群众运动的时候,必须把破除迷信同尊重科学结合起来,把敢想敢说敢做同实事求是结合起来,把放手发动群众和一切经过试验结合起来,防止表面上轰轰烈烈、实际上空空洞洞的虚夸现象。为了使群众运动健康发展,还应当在党的领导下实行行政干部、技术人员和劳动群众的三结合,以保证各方面的积极性都能得到充分的发挥。集中领导和大搞群众运动相结合,是调动一切积极因素为实现统一的国家计划而奋斗的唯一正确的方针。

由此可见,党所制订的这一整套"用两条腿走路"的方针,是社会主义建设总路线在各方面的具体发挥,是革命的辩证法在经济建设问题上的运用。只要坚持不懈地贯彻这些方针,就能够又多、又快、又好、又省地把社会主义事业推向前进,把我国建设成为一个具有现代工业、现代农业和现代科学文化的伟大的社会主义国家。

（本节完,全文待续①）

---

① 本章未见有续篇。——编者注

沿着理论联系实际的方向前进[*]

（1959.11）

这一期哲学专号上的文章，具有比较鲜明的党性和战斗性。作者们拿起了马克思列宁主义哲学的武器，对右倾机会主义思潮举行了讨伐战，对社会主义现实生活进行了观察、研究和说明。这种密切联系实际的、有的放矢的态度，是完全正确的。尤其值得欣慰的是，有好些篇文章是出自哲学系青年教师和青年同学的手笔。我以为，这是整风反右以来、特别是教育革命以来哲学系师生在"红"和"专"两个方面所取得的丰硕收获的具体表现。

教育革命前，理论联系实际这样一条马克思主义的根本原则，在哲学系师生中是没有真正从思想上得到贯彻的。有些同志害怕党性，不愿意学习辩证唯物主义和历史唯物主义，而专门去学习一些所谓"没有党性"或"党性最弱"的学科；有些同志醉心于做空头"理论家"，而不愿意做普通劳动者和马克思列宁主义宣传员；有些同志在教学和科学研究中存在着浓厚的教条主义作风，扣词句，扣概念，扣"体系"，害怕联系当前的社会主义革命和社会主义建设的实际问题；个别的甚至持有修正主义观点。"只专不红"，"先专后红"，轻视实践，轻视劳动的错误思想，在相当一部分同志中严重地存在着。尽管我们一贯地反复地强调我们的哲学系必须是马克思列宁主义的哲学系、无产阶级的政治系，必须以研究毛泽东的哲学思想、研究中国革命建设中的哲学问题为中心，可是有些同志似乎还是不愿意听。这就是说，哲学系的方向问题在当时是没有真正解决的，红旗是插得不牢的。教育革命解决了这个根本问题。一阵东风，把资产阶级思想吹垮了，把许多事情弄明白了。在绝大多数同志心目

---

[*] 本文亦发表于 1959 年 12 月 17 日武汉大学校报《新武大》第 339 期。——编者注

中,哲学系应该走什么道路——是理论联系实际的道路还是理论脱离实际的道路——这样一个关系方针方向的大是大非的问题,是基本上正确地解决了。这是一个伟大的胜利,这个胜利的意义是无论怎样估计也不会过高的。虽然目前还有一些同志仍然不赞成理论联系实际的原则,今后也一定还会有,但这不是主要的;主要的是理论联系实际的方向已经确立了。

党性、战斗性和密切联系实际的态度,是马克思主义哲学的本色,也是马克思主义哲学工作者的本色。马克思主义哲学不是书斋中的玩物、少数人的珍品,而是无产阶级用来改造世界的精神武器,共产党在革命斗争中的行动指南。它是在斗争的风雨中诞生的,也一定要在斗争的风雨中发展壮大,取得自己的阵地。马克思主义哲学如果失掉了这种革命的、批判的和实践的性质,就不成其为马克思主义哲学了。马克思主义哲学工作者也是这样。他们不是清谈家、玄想家、古董鉴赏家或者"自由职业者",而是无产阶级配备在思想战线上的一支战斗部队。他们必须把自己的武艺练得精而又精,随时准备在党的统一号召下执行战斗任务。马克思主义哲学工作者如果脱离实际,害怕斗争,也就不成其为马克思主义哲学工作者了。

我们正处在社会主义建设的伟大历史时期,6亿5000万人民在党的领导下创造了无数的奇迹,有待于我们去分析、整理、概括和说明。在由资本主义到社会主义的过渡时期,资产阶级世界观必然要采取各种形式、在社会生活的一切方面向无产阶级世界观进行顽固的斗争,我们必须去做坚持的战斗。这就是摆在我们面前的最重大的实际问题。马克思主义哲学工作者的中心任务,就是运用辩证唯物主义和历史唯物主义的立场、观点、方法,研究我国社会社会主义革命和社会主义建设极端丰富的经验,探索其中的客观规律;就是掌握大量的材料,正确地创造性地阐释和论证党的方针政策;就是高举无产阶级思想的红旗,对资产阶级世界观的各种表现进行不调和的并且是深刻细致的斗争。当然,我们还必须注意联系历史,联系外国的东西。不研究历史,不研究外国的(特别是社会主义国家的)的东西,也是不对的。但是研究历史,研究外国,也仍然是为了服务于当前的中心任务。马克思列宁主义之"矢",必须用来射中国革命之"的"。这是进行一切工作的根本原则,也是从事哲学工作的根本原则。在贯彻这个原则的过程中,我们既要着重反对当前成为主要危险的修正主义,也要不断地克服教条主义;只有坚持理论上的两条战线的斗争,才能培养出布尔塞维克化的理论队伍来。

为了学会理论联系实际的正确方法,我认为有必要掀起一个学习毛泽东著作的高潮。毛泽东同志的一切著作,都是运用马克思列宁主义的世界观和方法论解决中国革命建设中的实际问题、又从而丰富和发展了马克思列宁主义理论的最高典型。毛泽东同志是唯物辩证法的大师。他把理论联系实际的原则提到了党性的高度,指出理论联系实际的态度"是一个共产党员起码应该具备的态度"。他告诉我们:"真正的理论在世界上只有一种,就是从客观实际抽出来又在客观实际中得到了证明的理论,没有任何别的东西可以称得起我们所讲的理论。"因此,真正的理论工作也只能是"在实际的斗争中进行了详细的调查研究,概括了各种东西,得到的结论又拿到实际斗争中去加以证明"。调查研究,在调查研究中形成概念,作出判断,进行推理,得出结论,这是"从群众中来"的过程;回到群众斗争的实践中去检验自己的结论是否正确,这是"到群众中去"的过程。把这两个过程结合起来,循环往复地使用下去,使自己的认识一步一步地提高,一步一步地接近客观实际,这就是名副其实的理论工作。任何理论家的头脑只不过是一个加工厂,离开了大量的实际材料,这个加工厂就不能生产出任何"成品"。这样的原则,是我们必须细心领会并且严格遵循的。

解决了方向问题,还只是迈出了第一步。我们的马克思列宁主义水平同革命实践对我们的要求比较起来,还是很不相称的。我们还需要作长期的艰苦的努力。青年同志们应当破除迷信,解放思想,在马克思列宁主义的基础上发扬敢想、敢说、敢做的共产主义风格,同时又要注意谦虚谨慎,戒骄戒躁。既然方向正确了,又反掉了右倾,鼓足干劲,我相信,我们的进步将会是很快的。

(原载 1959 年《武汉大学人文科学学报》第 9 期,署名李达)

在哲学教科书提纲讨论会上的讲话[*]

（1959.12）

　　讲几点意见。首先应对主席的哲学贡献有一个评价，主席是全面地发展了马列主义哲学，马、恩、列、斯都没有做到这一点。列宁的主要著作《唯物论和经验批判论》、《谈谈辩证法问题》，前者发展了认识论，后者发展了辩证法。但真正从各方面展开了的是毛主席，不仅《矛盾论》、《实践论》、《关于正确处理人民内部矛盾的问题》，而且其他著作均达到新的境界。过去有人重视不够。有人说，要学毛主席的哲学，要请毛主席重新写过，或者说，主席著作不是普遍真理，这是反对的。还有不够重视的，估计不足的，贬低的。一定要承认毛主席的哲学思想是当代的顶峰。现有的提纲还未把毛主席思想贯彻到一切方面去，这反映同志们的思想状况。要抓住科学性和革命性相结合，普遍真理同中国实际相结合。要贯彻几个观点：一、阶级观点（阶级性、党性）。为社会主义革命和社会主义建设服务。二、实践观点。改造客观世界（自然、社会），改造主观世界（思想），一方面要破资产阶级世界观，立无产阶级世界观，当前的世界观基本上是两种。人民内部矛盾，从世界观的角度分析起来，无非是两种，但在实际工作中犯错误，不能都归结到资产阶级世界观，要分析。如果把劳动群众的实际经验上升到理论，对劳动群众的实践，不要多看到缺点方面，而要多看到成绩方面。1958 年的大跃进的经验要反映到理论上来，使理论发展。过去写哲学教科书时，把劳动人民在工作中犯的局部错误也同世界观混在一起批判了，错了。三、矛盾观点，两点论。毛主席看一切问题都是从对立

---

　　* 这是 1959 年 12 月 19 日李达在全国哲学教科书提纲讨论会上的讲话记录稿，标题系编者所加。——编者注

的统一的观点出发的。主观能动性同客观规律、生产力和生产关系……四、群众观点。劳动人民是历史的创造者,讲主观能动性时离不开人民群众,当然讲人民群众时也要有阶级观点,要讲党的领导。这些观点应贯彻于教科书的始终。写书时形式和内容都要反映主席(对)哲学的发展。要学习一下如何写文章。写作如何组织。搞几个结合:一、四个单位写教科书与其他单位写专题结合;二、上下结合;三、领导(党委)、执笔者、群众三结合(执笔者要挑选政治上、思想上、文学修养上比较强的同志担任)。

第二个问题,毛泽东同志在哪些方面发展了马列主义。什么是理论与实际相结合? 就是马列主义的普遍真理与中国革命的具体实践相结合,这是必须贯穿始终的一根红线。如何结合呢? 就是用阶级分析方法、矛盾分析方法。毛泽东思想是三个字:辩证法。毛泽东思想是社会主义革命在十几个国家取得胜利时代的马列主义,中国革命虽是十月革命的继续,但是没有前例可援的,开辟了革命的新纪元,是有国际意义的,亚非国家要取得革命胜利,就要学习毛泽东思想。澳共领袖回去说:毛泽东是当代唯一的最伟大的马克思主义者。毛泽东发展了列宁主义。我党成立后两年多后,列宁死了,他没有给我们具体的指示,只在东方代表会议上作了些原则指示(先干民主革命,后干社会主义革命)。斯大林1926年的指示很好,但被陈独秀右派集团捏死了,毛泽东同志未看见过。"左"倾机会主义者也是不赞成斯大林的指示。毛主席是革命的天才,1926年发表的《中国社会各阶级的分析》,完全是阶级分析,是辩证法。《湖南农民运动考察报告》,讲"糟"就是"好",何等坚定,第二次国内革命战争时期,毛泽东同志的主张拿出来了,突破反动阶级最薄弱的一环(乡村)。国民革命就是资产阶级民主革命,资产阶级民主革命就是农民革命,故搞土改,这是中国的创造,是毛主席的东西,外国没有的。抗日战争时期,要解决民族矛盾,无产阶级领导的新民主主义革命、工农联盟、群众路线、不断革命(如对民主革命不努力,是错误的)。统一战线(建了破,破了再建,否定之否定),依靠左派,争取中间派,孤立右派。党的建设也不同,有许多特殊的创造。党是巩固的,虽然农民成分多,但是我们能够教育,搞思想,好得很,秩序井然。革命的转变问题,早有准备(因素已积累起来)。民主主义革命、社会主义革命、社会主义建设,都是毛主席创造的。如土改,是独创的,领导农民去斗争,不是恩赐。1954年世界工联开会时,少奇同志讲武装斗争,有人不赞成,传到斯大林那里,斯大林认为少奇同志是对的。资本主义工商业的改造,完全是毛主席的东西。社会主义建设前半截是搬苏联的,到1955年起毛主席的东西出来了,四十条,十大关系就是十大矛盾,几个并举,都是从群众中来的。总路线的发布,全国人民斗志昂扬,搞出了个人民公社。善观风向,插红旗。

胡克实同志讲了十条,都是主席发展了马列主义:

一、过渡时期阶级斗争的规律;

二、社会主义建设时期政治挂帅与物质刺激的问题;

三、高速度与按比例发展的问题;

四、人民公社;

五、不断革命论与革命发展阶段论;

六、世界观与同路人问题;

七、帝国主义最后阶段的问题(纸老虎);

八、阶级、政党、领袖的问题;

九、党内团结与斗争的问题;

十、人民内部矛盾、基础与上层建筑、生产力与生产关系的问题。

讲到三本书的问题。《实践论》所最注重的是从认识到实践,这是要死人的事情,在战争中,战略策略如搞错了,就不知要死多少人。这是符合列宁的原则的。再则注意认识是发展的,实际是发展的,而且是有阶段地发展的,必须反映到认识上来。还有真理问题。《矛盾论》告诉我们一个认识方法,我们同帝国主义的斗争是敌我斗争,你死我活,它做梦也没有忘记消灭我们。赫鲁晓夫同艾森豪威尔握手,不能称"新纪元"。以前教科书中讲社会主义社会没有矛盾,主席提出矛盾问题对世界是一个很大的震动。矛盾是一万年以后还是存在的,没有矛盾就没有发展嘛!

提纲问题。

打破框框问题。过去斯大林搞了个紧箍咒,不能越雷池一步。斯大林的《辩证唯物主义和历史唯物主义》出来以前,还搞出了一套体系。现在要打破框框。当然也要照顾逻辑顺序。准确、鲜明、生动。笔下要有锋芒,要有"骨、肉、血、气",要真刀真枪!

高举毛泽东思想和总路线的红旗前进

（1960.1）

我们的国家走完了 1959 年的光荣历程,现在,用英雄的步伐跨进 1960 年来了。回顾既往,展望前途,使我们感到无限的自豪和欣慰!

1959 年是中华人民共和国成立的十周年,是具有世界历史意义的一年。

首先,在国际方面,东风日盛,西风日衰。苏联宇宙火箭的到达月球和社会主义阵营各国建设事业的"大跃进",向全世界人民进一步显示了社会主义制度的无限生命力。现在苏联已经进入了全面展开共产主义建设的历史时期,所有其他社会主义国家的经济建设和文化建设在这一年中都有了迅速的发展。苏联为缓和国际紧张局势而采取的一系列的步骤,得到了所有社会主义国家和一切爱好和平的国家和人民的热烈拥护和支持,美帝国主义者虽然被迫着也说要和平,但仍然加剧冷战。这表示着两大阵营的对抗是不可调和的。在另一方面,拉丁美洲和非洲许多民族反帝国主义的民族革命运动如火如荼地展开着。帝国主义国家内部,罢工浪潮,汹涌澎湃,失业人数日益增多。这些就说明了帝国主义者脖子上的绞索是越套越紧了。同时,帝国主义阵营内部却笼罩着危机和震荡的阴影,各帝国主义国家之间明争暗斗,同床异梦,分崩离析。美帝国主义妄图发动新的世界战争的阴谋,正越来越遭到重重的困难。这一切,都进一步证实了毛泽东同志的英明论断:"敌人一天天烂下去,我们一天天好起来。"东风正在进一步压倒西风。

其次,国内的形势是好得很,好得很,好得很。1959 年是在 1958 年"大跃进"的基础上继续跃进的一年。在这一年里,我们党在毛泽东同志的领导下举行了八届八中全会,粉碎了右倾机会主义分子的进攻。在总路线、大跃进、人民公社的旗帜下,全国人民鼓足了冲天的干劲,在各个战线上展开了有声有色的、轰轰烈烈的斗争，一个高潮接着一个高潮，一个胜利接着一个胜利，一个奇迹接着一个奇迹，有如波涛澎湃，万马奔腾。在工业、交通运输、基本建设和财贸战线上，开展了以技术革新和技术革命为中心的增产节约运动。许多省市提前完成了全年总产值任务，跨进了 1960 年；大批的新企业投入生产，大批的新产品试制成功，大批新的工业基地正在形成。在这条战线上，涌现出了千千万万意气风发、奋勇当先的英雄人物，今年在群英会上聚首的六千多名当代英雄，就是其中最出色的一批。在农业战线上，人民公社这个初升的太阳在严重的考验中显示了自己强大的威力。尽管 1959 年有二十多个省区、六亿多亩土地遭到了几十年来未有的特别严重的水、旱、风、虫等自然灾害，但是在党的坚强领导下，在灾区人民的英勇奋斗和全国人民的合力支援下，终于实现了"重灾不减产，轻灾保丰收"的奇迹。在中央的领导和关怀下，全国在很短的时间内就基本上解决了蔬菜自给问题。在"养猪为纲，六畜兴旺"的方针指导下，全国已经掀起了一个养猪高潮。在不久的将来，一定可以基本上解决全国人民的肉食问题和农作物的肥料问题。在水利建设方面，全国几亿大军正在移山造海，向地球开战，不仅修筑了成千上万的大大小小的水库，而且要进一步使各地的江河湖泊贯通起来，实现灌溉自流化，建设四通八达的河运网。在文化教育和科学战线上，由于教育革命的胜利，由于确立了党对科学事业的领导，由于正确执行了党的文艺方针，结果是教学质量提高，科学研究果实累累，艺术作品大放异彩。这些无可辩驳的生动事实，充分证明了 1959 年是继续跃进的一年，是取得了辉煌胜利的一年。国际国内的反动势力以及跟在他们后面随声附和的右倾机会主义分子那样下死劲攻击我们，污蔑我们，把我们在 1959 年所做的事情说成漆黑一团，这恰恰表明了他们对于我们伟大成就的恐惧心情。如果说，敌人的称赞就意味着我们做了某种傻事的话，那么，他们的咒骂和攻击不是恰好证明了我们做得完全正确吗？

我们学校的形势同全国的形势一样，也是好得很。教师们由于在大破资产阶级教育思想和批判资产阶级学术思想中受到了深刻的教育，他们的世界观开始起了深刻的变化。他们的教学态度是严肃认真的，许多的教师夜以继日地备课，有些系科并在个人钻研的基础上实行了集体备课的方法，互相帮助，再三讨论讲稿；在讲课中大多数教师能够坚持理论联系实际的原则，并力图贯彻辩证唯物主义观点，反映最新科学成就。许多教师（包括一部分老年教师）深入学生宿舍，耐心辅导，和学生打成一片。有些多年不下实验室的教师，也积极展开了科学研究工作。青年学生们的政治觉悟也空前提高了，他们在"红专双跃进"、"思想、学习、劳动生产三丰收"的口号下奋勇前进，曾经一度腐蚀过一部分学生的所谓"先专后红"、"只专不红"的道路及灰色的人生观，也大大地改变了。他们的思想解放了，敢于坚持真理，敢想敢说敢做，不仅在学习和劳动方面大有进步，而且展开了科学研究。无论教师和学生，都迫切感到学习马克思列宁主义理论、学习时事政策的必要，政治理论书籍的阅读数量空前增加，政治理论学习的小组纷纷成立，这是一种极为可喜的现象。全校的职工同志们也发挥了高度的革命干劲，出主意，想办法，刻苦钻研，提高效率，为教学和科学研究工作服务。虽然在我们的师生员工中间还有一些觉悟较低的人，但是总的说来，通过 1959 年的大变革，全校师生员工的精神面貌是焕然一新了。这一点，在八届八中全会文件的学习展开后表现得尤为显著。

由于全校同志有了上述的变化，因而各项工作也就呈现出空前未有的大跃进的局面。

在教学方面，教学质量大大提高了。全年共编制了新的教材 97 门，教学大纲 63 门。在科学研究方面，全年有 3192 人下乡下厂，走遍了 12 个省 63 个县（市），共完成 422 个科学研究项目。化学系在煤焦油的利用、有机氟和有机硅等间断项目的研究上，都有了新的进展。他们在 12 月份一个月内就完成了 40 万元的生产任务。物理系制成的高频调频发射接收机、毫微秒脉冲发生器、毫伏计等仪器，经北京预展正式选定，已运往莱比锡世界博览会参加展出。数学系和生物系的师生也是密切结合生产实际，积极进行科学研究。哲学、经济两系的师生将在两、三个月之内突击完成"辩证唯物主义和历史唯物主义"及"政治经济学"两本教科书和一本逻辑教科书的编写工作；历史系师生将在三个月内突击完成鄂东地区革命史资料的编写工作。中文、外文和图书馆学等系的师生，也是意气风发，干劲冲天，在教学和科学研究方面都取得了很大的成绩。

尤其应该强调指出的，是生产劳动正式列入了教学计划。教育革命以来，据不完全统计，全校学生在校内外共参加了四十多万个劳动日。教师们也和学生一道,积极参加了劳动。他们在劳动中逐步锻炼了自己的阶级感情,密切了与工农群众的联系。

在文娱体育活动方面,也显得丰富多彩,气象一新。在 1959 年冬季武汉市大专学校运动会上,我们学校取得了良好的成绩,如男子棒球、女子排球等几个项目都获得了第二名。

教学行政工作和总务工作在教学和科学研究服务上也做出了很多成绩。如在副食品生产方面,我校被评为武昌区和高教系统的先进单位。

由以上所述看来,在过去一年中,我们学校无论在教学工作方面、科学研究工作方面、文娱体育方面、行政事务工作方面,都出现了一种新气象、新局面。这是党的总路线的胜利。这种胜利,绝不是右倾机会主义分子的胡言乱语能够抹杀得了的。

然而,这还不过是开端。摆在我们面前的 1960 年的任务更为重大的。我们武汉大学已经被确定为全国重点学校之一。从现在起,我们将要扩大学校的规模,并准备增设无线电电子学、半导体物理、固体物理、生物物理、生物化学、社会主义、古籍整理等许多新的专业和专门化。此外,为了适应形势的需要,我们还要开办夜大学,设立函授站等。这个任务是光荣的,也是艰巨的。我们只有在 1959 年胜利的基础上鼓起更大的干劲,发扬集体主义精神,在党的统一领导下朝着红透专深的方向前进,才能不辜负党和国家对我们的重托。

为了取得新的更伟大的胜利,关键的问题在于政治挂帅和大搞群众运动。对于每一个同志来说,努力提高自己的马克思列宁主义思想水平是一个首要的问题。为了达到这个目的,我们必须掀起一个学习毛泽东著作的高潮。毛泽东同志的一切著作,都是马克思列宁主义的普遍真理同中国革命的具体实践相结合的最高典范,是当代马克思列宁主义理论的最高峰。毛泽东同志把马克思列宁主义的武器创造性地运用于中国这样一个拥有六亿五千万人口的、情况极为复杂的大国里,取得了民主主义革命、社会主义革命和社会主义建设的伟大胜利,找到了一条向共产主义过渡的具体途径,这样,他就全面地发展了马克思列宁主义的理论,把这门无产阶级革命建设的科学推进到了一种前所未有的新的境界。毛泽东同志的哲学思想、政治思想、经济思想、军事思想、教育思想、文艺思想等,乃是我们从事于任何研究工作的指导思想。凡是切实认真地学习、领会并且贯彻了毛泽东思想的，就不会走错路，就能够取得很大的成绩；凡是忽视了毛泽东思想的，就要犯错误，走弯路。我们要学习马克思列宁主义理论，当然应该学习马克思、恩格斯、列宁、斯大林的著作，但是特别应该学习毛泽东同志的著作。不认识这一点，不执行这一点，是错误的。现在我建议学校正式成立"毛泽东思想研究所"，下面暂设哲学思想、历史学思想、经济学思想和文艺思想四个研究室，每个研究室下面成立小组，以后再逐步扩大。在此以前，有些单位的教师和同学们已经自动成立了毛泽东著作的研究和学习小组，积极地展开了活动，这是很好的现象。希望各系的同志们踊跃参加毛泽东思想的学习和研究，把它贯彻到教学工作和科学研究中去，并经常举行科学报告会，撰写研究毛泽东著作的论文，以便形成一种生气勃勃的、理论联系实际的新学风。

让我们努力学习毛泽东思想，继续高举毛泽东思想和总路线的红旗，进一步贯彻党的教育方针，实现以教学为中心的全面大跃进！祝同志们在新的一年中做到"开门红，月月红，全年红，红到底"，并祝同志们工作顺利，学习进步，身体健康！

（原载1960年1月1日武汉大学校报《新武大》第341期，署名李达）

努力学习，学以致用*

——谈学习毛泽东同志的著作

（1960.1）

近几年来，学习毛泽东同志的著作的人越来越多了，学习也越来越深入了，全国即将汇成一个学习毛泽东同志的著作的高潮。这是我国理论战线上的新境界、新阶段。

毛泽东思想是马克思列宁主义的普遍真理和中国革命的具体实践相结合的产物，"是中国民族智慧的最高表现和理论上的最高标准"①。历年以来，我党中央根据毛泽东思想制定的民主主义革命的理论和政策、社会主义革命的理论和政策、社会主义建设的理论和政策等，"是完全马克思主义的，又完全是中国的。"②我党凭借这些理论和政策，动员并组织全国人民群众进行了一次又一次革命，从胜利走向胜利。可以说，中国革命的胜利是马克思列宁主义的胜利，是毛泽东思想的胜利。

毛泽东同志的著作丰富多彩，生气勃勃，其中有哲学、经济、政治、教育、文艺等方面的论述，这些都是运用马克思列宁主义的理论研究中国历史的文化的特点和政治经济的状况所得的结论。建国十年来，哲学社会科学工作者、教育工作者、文艺工作者和其他理论工作者们，凡是把毛泽东思想贯彻于自己的专业方面的，都能够做出新的成绩来。

---

* 本文亦曾以《怎样学习毛泽东思想》为题发表于 1960 年 1 月 15 日武汉大学校报《新武大》第 343 期、《武汉大学人文科学学报》1960 年第 1 期和 1960 年 2 月 2 日《光明日报》。——编者注

① 刘少奇：《论党》。

② 刘少奇：《论党》。

毛泽东思想,从宇宙观到思想方法、工作方法,是发展着和完善着的中国化的马克思主义,是社会主义革命和社会主义、共产主义建设的科学理论。一切理论工作者和实际工作者,都必须努力学习毛泽东思想,并运用来解决社会主义革命和社会主义建设中的理论问题和实际问题,就可以提高自己的政治水平和理论水平,这是没有疑义的。

在这里,我只想谈谈怎样学习毛泽东思想这个问题。

怎样学习呢?我以为:首先要学习《改造我们的学习》和《整顿党的作风》。这两篇文章中所指示的学习马克思主义的方法,对于学习毛泽东思想也是完全适用的。那两篇文章的大意是:我们要学习马克思列宁主义,必先端正学习的态度,这种态度就是"马克思列宁主义的态度"。这种态度就是有的放矢的态度,就是实事求是的态度。为此,必先学好马克思列宁主义的理论,要能够精通它,应用它,要能够"依据马克思列宁主义的立场、观点和方法,正确地解释历史中和革命中所发生的实际问题,能够在中国的经济、政治、军事、文化种种问题上给予科学的解释、给予理论的说明。"我们学习毛泽东思想,首先要学习毛泽东同志如何应用马克思列宁主义的理论和方法去研究中国的革命和建设问题因而作出结论的那种榜样。

在端正了学习的态度以后,就要进一步学习毛泽东同志的思想方法,即学习他的关于认识论的著作。

毛泽东同志关于认识论的著作有三个基本原则:其一,贯彻马克思列宁主义的普遍真理和中国革命的具体实践相结合的原则;其二,贯彻唯物主义辩证法,即运用矛盾的分析方法、阶级的分析方法;其三,强调实践在认识过程中的重要作用,"实践的观点是辩证唯物论的认识论之唯一的与基本的观点"。所以毛泽东同志在"实践论"中指出:实践是认识的基础,是认识的真理性的标准。

按照"实践论"的说明,认识从实践发生,又为实践服务。这就是说,认识从实践出发,又复归于实践。因此,认识的过程,可以用下列的公式表达出来:

实践——认识——实践

从实践出发即是从感性认识出发,因为感性认识是人们在实践中接触于外界事物所得的印象。所以认识过程的公式又可以改写为下式,即:

感性认识——理性认识——实践

"矛盾论"指出,世界任何事物都含有内在的矛盾,都是矛盾统一体的发展过程,每一事物的发展过程中存在着自始至终的矛盾运动。所以我们认识外界任何事物时,就要用矛盾的分析方法,揭露出那个事物的内部矛盾,研究矛盾双方的情况及其经过斗争而互相转化的全部过程。在经过这样的分析矛盾之后,就可以做综合工作。伴随于分析和综合的过程,又要经过造概念、下判断和进行推理的过程。通过这一番逻辑操作,就可以作出合乎客观事物的规律性的结论,即到达于理性认识。于是根据理性认识拟定计划或方案,用以指导实践,并通过实践来检验认识是否正确。如果在实践中能够实现预想的目的,对于这一事物的认识运动算是完成了。

在这里,我不打算详细说明"实践论"的内容,而要回到"实践——认识——实践"那个公式。前面说过,马克思列宁主义的普遍真理要和中国革命的具体实践相结合,因此,我们所说的实践必须是"中国革命的具体实践",也就是中国广大群众的生产斗争和阶级斗争的实践。因为除了群众的生产斗争和阶级斗争的实践,就不能再有别的实践。我们的民主主义革命、社会主义革命和社会主义建设的事业,都是人民群众自己解放自己的事业,党是全心全意为人民群众服务的,党只有密切地联系群众,坚决地信任群众,领导群众为这一解放事业奋斗到底。为此,党关于革命和建设的政策、计划和方案的制订,必须集中群众的智慧和意见,总结群众生产斗争和阶级斗争的经验,才能发挥群众的革命性和创造性,使这一解放事业能够取得完全胜利。因此,以毛泽东同志为代表的党中央,早在民主革命时期,就创造了领导和群众相结合的领导方法(或工作方法)的认识论的理论。毛泽东同志在《关于领导方法的若干问题》中,这样写着:

在我党的一切实际工作中,凡属正确的领导,必须是从群众中来,到

群众中去。这就是说,将群众的意见(分散的无系统的意见)集中起来
(经过研究化为集中的系统的意见),又到群众中去做宣传解释,化为群
众的意见,使群众坚持下去,见之于行动,并在群众运动中考验这些意见
是否正确。然后再从群众中集中起来,再到群众中坚持下去。如此无限
循环,一次比一次地更正确,更生动,更丰富。这就是马克思主义的认
识论。

　　从群众中来的过程是从实践到认识的过程,是调查和研究的过程。领导
者必须投身到群众中去,虚心向群众学习,采取各种调查方法,搜集群众各方
面的意见(即详细地占有材料)。群众的这些意见中,总有比较先进的、中间
的和落后的区别。按着群众路线,要重视先进的意见,但必须照顾多数的中间
群众的意见和部分落后群众的意见。因此,领导都要在马克思列宁主义理论
指导之下,运用矛盾分析的方法,具体地分析群众中的那些分散的无系统的意
见,经过去粗取精、去伪存真、由此及彼、由表及里的改造制作的工夫,造成理
论及概念的系统,即是说,把群众分散的无系统的意见,化为集中的系统的意
见(理性认识),所以从群众中来的过程,又是概念形成的过程、判断形成的过
程和推理进行的过程。其次,到群众中去的过程是从认识到实践的过程。在
这段过程中,领导者根据那个集中的系统的意见制订计划和方案,拿到群众中
坚持下去。在认识水平上,集中的系统的意见,比较分散的无系统的意见是高
一级的东西。要使计划或方案为一般群众(特别是中间的和落后的群众)所
乐意接受而自觉自愿地去执行,必须向他们做耐心细致的宣传解释工作。群
众如果被说服了,自觉自愿地执行上级的计划了,这个集中的系统的意见就化
为群众的意见,理论一旦掌握群众就成为物质的力量。例如,农业发展纲要、
农业"八字宪法"和社会主义建设总路线,都是反复地经过了从群众中来和到
群众中去的过程然后制订出来的。所以它们能够掌握全国人民群众,发扬人
民群众的积极性和首创精神,鼓足革命干劲,掀起经济和文化各方面持续大跃
进的高潮。

　　以上简略地叙述了毛泽东同志的认识论的理论(只是它的重要部分而不
是全部)。我们学习了这个认识论的理论之后,就可以理会毛泽东同志的思

想方法和工作方法。但是，我们学习了毛泽东思想，学习了他的思想方法和工作方法，还必须学会应用它才行，若要应用它，没有研究资料是不行的。譬如一个工人，他有制造某种产品的知识，又有生产工具，但若没有适当的材料，是不能制造出什么产品来的。我们的研究资料从哪里来呢？从群众中来！为此，我们就必须到群众中去，到工厂和农村中去，同工农群众同劳动，同命运，共呼吸，诚心诚意向工人农民学习。自己已经真正是群众中的一分子了，就可以做细致的调查工作，就可以积累起丰富资料，开展研究工作。倘若我们能够应用毛泽东同志的思想方法，说明社会主义建设过程中一两个实际问题，那就算有了几分成绩。正如毛泽东同志所鼓励我们的那样："被你说明的东西越多，越普遍，越深刻，你的成绩就越大。"全国哲学社会科学工作者、文艺工作者和教育工作者都应当确立无产阶级世界观，彻底清除资产阶级世界观，我们要努力钻研毛泽东思想，把毛泽东思想贯彻到科学研究和教学工作中去，把理论工作和时代精神结合起来，蔚成新的学风，攀登新的阶段。

（原载 1960 年 1 月 4 日《人民日报》，署名李达）

毛泽东对马克思主义认识论的发展[*]

（1960.2）

一、前　言

近几年来,学习毛泽东同志著作的人越来越多了,学习也越来越深入了,全国现在已经汇成一个学习毛泽东思想的高潮。这是我国理论战线上的新境界、新阶段。

毛泽东思想是马克思列宁主义的普遍真理和中国革命的具体实践相结合的产物,"是中国民族智慧的最高表现和理论上的最高标准"[①]。历年以来,我党中央根据毛泽东思想制定的民主主义革命的理论和政策、社会主义革命的理论和政策、社会主义建设的理论和政策等,"是完全马克思主义的,又完全是中国的"[②]。我党凭借这些理论和政策,动员并组织全国人民群众进行了一次又一次革命,从胜利走向胜利。可以说,中国革命的胜利是马克思列宁主义的胜利,是毛泽东思想的胜利。

毛泽东同志的著作丰富多采,生气勃勃,其中有哲学、经济、政治、军事、教育、文艺的方面的论述,这些都是运用马克思列宁主义的理论研究中国历史的文化的特点和政治经济的状况所得的结论。建国十年来,哲学社会科学工作

---

　　* 《毛泽东对马克思主义认识论的发展》是李达的一部专著的初稿,原题为《毛泽东对马克思主义认识论的发展(初稿)》,它是作者在以往撰写的《马克思主义认识论(草稿)》和《唯物辩证法的认识论(初稿)》(二者的基本内容均已包含在《毛泽东对马克思主义认识论的发展》中,故未收入)的基础上完成的,1960年2月曾作为征求意见稿铅印刊出,以往未曾公开出版。——编者注

　　①　刘少奇:《论党》。
　　②　刘少奇:《论党》。

者、教育工作者、文艺工作者和其他理论工作者们，凡是把毛泽东思想贯彻于自己的专业方面的，都能够做出新的成绩来。

毛泽东思想，从宇宙观到思想方法、工作方法，是发展着和完善着的中国化的马克思主义，是社会主义革命和社会主义、共产主义建设的科学理论。一切理论工作者和实际工作者，都必须努力学习毛泽东思想，并运用来解决社会主义革命和社会主义建设中的理论问题和实际问题，就可以提高自己的政治水平和理论水平，这是没有疑义的。

这里，我们提出怎样学习毛泽东思想的问题。

我们要学习毛泽东思想，学习毛泽东著作，首先要学习毛泽东的思想方法和工作方法。为要学习他的思想方法和工作方法，就要学习他的认识论。

毛泽东同志的认识论，是马克思主义认识论的发展。毛泽东同志在认识论的领域中，始终贯彻着马克思列宁主义的理论和实际统一的基本原则。这一条基本原则，就是"马克思列宁主义的普遍真理和中国革命的具体实践相结合"。毛泽东同志认为"将马克思列宁主义的普遍真理和中国革命的具体实践互相结合"是我党的一件"伟大的事业"。事实正是这样，中国革命的胜利正是这一"伟大事业"的胜利，而毛泽东同志正是实现这一伟大事业的旗手。

在认识过程中，怎样把马克思列宁主义的普遍真理和中国革命的具体实践互相结合起来呢？如毛泽东同志在《改造我们的学习》中所说，两者的结合方法，就是"运用马克思列宁主义的立场、观点和方法，来具体地研究中国的现状和中国的历史，具体地分析中国革命问题和解决中国革命问题"；就是"有的放矢"，用马克思列宁主义之"矢"射中中国革命之"的"；就是"实事求是"，从客观事实中探求它的内部联系即规律性，作为我们行动的向导。"而要这样做，就须不凭主观想象，不凭一时的热情，不凭死的书本，而凭客观存在的事实，详细地占有材料，在马克思列宁主义的一般原理的指导下，从这些材料中引出正确的结论。"毛泽东同志在这里所说的学习马克思列宁主义的正确方法，正是我们认识任何问题时所必须遵守的基本原则。毛泽东同志的一切著作，都贯彻着这一原则。

其次，毛泽东同志在认识论的领域中，彻底地贯彻了辩证法。他把对立的统一和斗争的规律作为认识的规律、思维的规律。他在认识过程中怎样运用这一规律呢？这就是他经常运用的矛盾的分析方法、阶级的分析方法。毛泽东同志认为任何革命过程都具有复杂的矛盾，都是矛盾的发展过程，所以他研究一个革命过程时，首先搜集关于这一过程的一切资料，然后就这些资料进行具体的分析，找出过程中所包含的许多矛盾，更进而从这些矛盾中找出一对基本矛盾，追求它的发生、发展及其消灭的过程，暴露这一过程的规律，因而根据这一规律定出解决这一基本矛盾的方法。

再次，有了马克思主义的理论和方法，还必须有研究资料。譬如一个工人，他有创造某种产品的知识，又有生产工具，但若没有适当的材料，是不能制造出什么产品来的。我们的头脑是一个加工厂，既然知道把辩证法规律作为认识规律，把辩证方法作为思维方法，那末我们还必须有认识的资料。这认识的资料，就是中国革命的具体实践，就是群众的生产斗争和阶级斗争实践的经验。有了这些认识的资料，我们就可以进行逻辑的加工，造成概念和理论的系统。在这里，表现着毛泽东同志的认识论是和群众路线密切联系着的。

毛泽东同志的认识论贯彻着上述三个最基本的原则：其一是用马克思列宁主义的一般原理作为研究中国历史实际和革命实际的指导；其二是用对立统一和斗争的法则即"事物的矛盾法则"作为思维或认识的法则；其三是用群众斗争的经验作为认识的资料。简括起来说，毛泽东同志在认识论的领域中，坚决地主张运用马克思列宁主义的理论和方法，对现实的革命问题和建设问题作系统周密的调查和研究，从其中引出科学的结论，作为我们实践的指导。毛泽东同志自己的许多著作，在这些方面，就给我们作出了榜样。

还应当指出，毛泽东同志的认识论还表现着它和辩证法、和逻辑的同一性。大家都知道，毛泽东同志写了三本专论哲学的著作，即《实践论》、《矛盾论》和《关于正确处理人民内部矛盾问题》。其中《实践论》即认识论，是贯彻着辩证法的，它是唯物辩证法的知行统一观。其次，《矛盾论》和《关于正确处理人民内部矛盾问题》虽然是阐明辩证法的著作，但两者的基本精神都是教导我们怎样运用辩证法去认识革命和建设过程中的矛盾，怎样认识矛盾的特殊性和普遍性的统一和差别，怎样认识矛盾的同一和斗争及其转化的条件？怎样认识人民内部矛盾和敌我矛盾的差别并定出不同的对待方法，怎样认识生产力和生产关系的矛盾、上层建筑和基础的矛盾，以及两类矛盾在新社会中和在旧社会中的差别等,并且还引用了很广泛的事例,展开对于各种矛盾的认识过程。所以毛泽东同志这两部论辩证法的著作的基本精神实是矛盾的认识论,即矛盾逻辑、辩证逻辑。

以上是毛泽东同志认识论的几个基本原则。这些基本原则不仅贯彻于上述三本哲学著作中,也贯彻于其他一切著作之中,所以我们学习了毛泽东同志的哲学著作之后,还要学习他的其他著作,学习他对于各种问题的认识方法、思想方法和工作方法。

下面,我们根据毛泽东同志的哲学著作和其他著作,说明马克思主义认识论的一般原理,并着重谈到毛泽东同志对于马克思主义认识论所作的新贡献。

二、世界及其规律的可知性

(一)认识论上两个对立的路线

马克思主义认识论是从对于哲学上根本问题的解决开始的。哲学上的根本问题,是物质和意识的关系问题。这个问题有两个方面。第一个方面是:物质是第一性,还是意识是第一性;物质规定意识,还是意识规定物质。一切唯物主义哲学都主张物质是第一性,意识是第二性;物质规定意识,意识是物质的反映。一切唯心主义哲学都主张意识是第一性,物质是第二性;意识规定物质,物质是意识的产物。由于对这个根本问题的解答不同,哲学界便分裂为唯物主义和唯心主义互相对立的两大阵营、两大党派。唯物主义是和科学同盟的、唯心主义是和宗教同盟的,是反科学的。这里只谈到哲学上根本问题的第二个方面。

哲学上根本问题的第二个方面是世界及其规律是否可以认识的问题。这即是恩格斯所说的"思维对存在的关系问题还有另一个方面:我们关于我们周围世界的思想对这个世界本身究竟处在一种什么关系呢?我们的思维能否认识现实世界?我们能否在我们的关于现实世界的表象和概念中构成对现实的正确反映?"[1]

---

① 《马克思恩格斯文选》第2卷,莫斯科外文书籍出版局1955年版,第367页。

关于这方面的问题,马克思主义认识论同唯心主义认识论的主张是完全对立的。

马克思主义认识论断言:世界及其发展规律是完全可以认识的。世界没有不能认识的事物,只有现在还没有认识而将来由于社会实践和科学发展就可以认识的事物。人类的认识是由不知到知,由知之不多到知之更多,它是不断地发展着的。

唯心主义者断言:世界及其发展规律是不可知的。人只能和自己的感觉和观念有关系,这些感觉和观念是否符合于真实的事物是永远也不能知道的。人的认识只能局限于感觉和经验的范围,无法认识观念以外的世界。照这样,唯心主义者就封闭了人们认识客观世界的发展规律的道路。

(二)对不可知论的批判

唯心主义和信仰主义密切地结合着,不可知论是到达信仰主义的通路。

近代资产阶级不可知论的创始者是休谟。休谟的怀疑论即是不可知论。休谟断然否认世界的可知性。休谟主张哲学的任务只在于研究感觉和知觉,说明它们在人类意识中的关系,至于在感觉和知觉之外有什么东西存在,那是一点也不能知道的。休谟是主观唯心主义者,能所以否认世界的可知性,主要地是否认离开人类意识独立的客观世界。

康德受了休谟的怀疑论的影响,一方面承认在我们意识以外存在着实物世界即所谓"自在之物",另一方面却认为"自在之物"是不能认识的。康德断言:客观实在是由根本不同的现象世界和本质世界构成的,人只能认识现象世界,至于本质世界却是完全不能认识的。康德从本质世界不可知性出发,就创立了他的主观唯心主义认识论。康德所以不相信科学的认识力量,是在于维护意志自由和神灵存在。他自己率直地承认:"我在自己的哲学中限制了科学的领域,以便给信仰腾出地盘。"像这样把哲学和宗教结合起来的意图,显然是为剥削制度服务的。

到了帝国主义时代,一切流派的主观唯心主义者,看到资产阶级统治摇摇欲坠,感到自己的哲学的无力,不能不求救于上帝,宁愿把自己的哲学充当神学的奴婢,同时复活康德的不可知论,并且把康德的"自在之物"删除出去,把

"不可知论"改得更为彻底。例如马赫主义、实用主义、新实在论、逻辑实证论等,都异口同声地宣传世界及其规律是不可知的。我们现在所极力批判的反革命者胡适和他的祖宗一派的实用主义者,都是彻底的不可知论者。胡适的祖宗詹姆士曾经千百次宣称世界的认识是不可能的。他说:"我宁可相信我们人类对于全宇宙的关系和我们的猫儿狗儿对于人世生活关系一般。"又说:"我们在世界上也许是同猫儿狗儿在我们的图书馆中一般,它们看见书,听见人讲话,但嗅不出其中任何意义。……猫儿狗儿每日的生活可以证明它们有许多理想和我们相同,所以照宗教经验的证据看来,也很可能相信此人类更高的神力是实有的,并且这些神也朝着人类理想中的方向努力拯救这个世界。"胡适一派的实用主义者情愿像猫儿狗儿那样做不可知论者,这表示着:他们一方面要求救于上帝来挽救自己阶级的灭亡;另一方面要愚弄无产阶级和劳动人民,不要做革命的斗争,听凭资产阶级剥削,因为世界发展的规律既然是不能知道的,又何必干什么革命。现代一切流派的唯心主义哲学家所以都宣传不可知论,其用意都是如此。

马克思主义认识论,揭破了这一切唯心主义的无稽之谈,对世界可知性问题作了唯一正确的科学的解决:物质世界是离开我们意识而独立的客观实在;在现象与物本体之间决没有任何原则的区别,只有已知和未知之间的区别;我们的认识不是一成不变的,我们要分析从无知中怎样产生出知识,不完全不确切的知识怎样变成了较完全较确切的知识。

科学的历史和社会实践的历史,完全证明了世界及其规律是可以认识的,同时也暴露了不可知论的怪诞和荒谬。

三、反 映 论

(一)反映论的基本观点

反映论是马克思主义认识论的核心,我们分析认识过程时,必须彻底展开这一反映论,才能粉碎认识论领域中的唯心主义和不可知论。这一反映论是马克思、恩格斯所首创而由列宁发展起来的。

马克思在《资本论》序文中说:"在黑格尔看来,他所称为观念的而且甚至将其变为独立主体的思维过程,是现实界的创造主,而现实界不过是思维过程的外部表现。在我看来,恰巧相反,观念的东西不过是被移置于人类头脑中并在人类头脑中改造过的物质的东西而已。"恩格斯也说:"我们头脑中的概念"是"现实事物的反映"。这些命题是唯物主义反映论的古典见解,列宁全面地展开了马克思主义的反映论。他在《唯物主义和经验批判主义》这一著作中,为了批判各种唯心主义的认识论,强调马克思主义反映论的重要意义,他说:"承认理论是摸写,是客观实在的近似的复写——这就是唯物主义。""物、世界、环境,是不依赖我们而存在的。我们的感觉,我们的意识,不过是外在世界的映象,并且不言而喻,没有被反映者,反映就不能存在,可是被反映者是不依赖于反映者而存在的。唯物主义自觉地把人类的素朴的信念作为它的认识论的基础。"列宁强调反映论是唯物主义认识论的基础,他认为对反映论的任何曲解都是对唯心主义和不可知论让步。

毛泽东同志关于认识论的著作,贯彻着唯物主义反映论。他认为,一切事物的规律都是客观实际在我们头脑中的反映。例如,他在《中国革命战争的战略问题》中说:"军事的规律,和其他事物的规律一样,是客观实际对于我们头脑的反映,除了我们的头脑以外,一切都是客观实际的东西。"他在其他许多著作中都强调"主观符合于客观",这些都是关于反映论的见解。我们只有学懂了反映论,才能学懂马克思主义认识论。

依据这一反映论,人类对于客观世界的认识,即是客观世界的反映,即映象或肖像。凡属认识过程中的一切因素,如感觉、知觉、表象、概念、判断,推理、思想、规律等,都是客观世界的反映。依据这一反映论,人们就能够完全地认识客观世界,虽然人们的认识不能一次地完全地反映出客观世界一切的方面、联系和属性,但那些还不曾被反映的方面、联系和属性,人们都能够在认识过程中把它们反映于感觉和概念之中,变为人们所认识的东西。照这样,由于社会实践的发展,人们就能够在认识运动过程中,一步又一步地接近于客观世界之完全的认识。

映象依存于被反映的对象,对象不依存于映象,对象是第一性的东西,映象是第二性的东西。这就是说,反映论的出发点,是承认物质世界离人类意识而独立存在。

反映过程包含着受动作用和能动作用两个方面。人是积极地改变自然来维持自己生存的动物,是从事于物质生产的社会的动物,人之反映自然并不像无知镜子那样只是受动的反映,而是积极的能动的反映。当一个事物刺戟我们眼帘时,我们有了这个事物的印象,这是受动的反映,也是意识中的受动作用;同时,我们又正视这个事物,要来处理它,这是能动的反映,也是意识中的能动作用,即是主观的能动作用。正如在生产活动中就自然物加工造出成品一样,我们在思维活动中就感性材料加工造出概念。这是主观能动性的发挥。所以我们意识中那种反映外界事物的那种反映是能动的反映。这能动的反映,正是历史的社会的实践的积极因素。所以说,哲学的任务不只是认识世界而且是改造世界。

反映过程是认识过程,并且是辩证法的过程,我们在认识论的领域中,必须作辩证法的考察。反映客观世界的过程是一个矛盾运动的过程。反映过程中的内在矛盾,是客观世界内在矛盾的反映。如同感觉与概念的矛盾、现象与本质的矛盾、旧理论与新理论的矛盾等,都是反映过程中的矛盾。由于这些矛盾的运动,引起反映过程中的突变,如由感觉到概念,由现象到本质,由旧理论到新理论,都是突变。我们必须懂得这些突变,才能懂得反映论的实质。所以反映过程是科学和哲学的创造性的发展过程。

(二)对于曲解反映论的批判

反映论表明了认识是客观世界的反映,因而客观世界是可以完全认识的,所以它是粉碎唯心主义和不可知论的有效的武器。

一切唯心主义都主张意识规定存在,否认意识是存在的印象,认为物质世界是意识的产物,这种主张完全是荒谬的,是反科学的。

康德认为"自在之物"是不可知的,因而把"自在之物"转变为简单的思想符号。唯物主义阵营中的符号论或象形文字论,都是从康德这里发源的。

马克思主义认识论不仅坚决驳斥唯心主义认识论,并且要反对唯物主义阵营中那些接受唯心主义认识论影响的见解。普列哈诺夫是属于唯物主义阵营中的人,他用象形文字论来代替反映论。他说,我们的感觉只是象形文字,只是条件的记号,主张感觉和引起感觉的事物之间并没有相同之点。这种见解,显然偏向于康德主义。

普列哈诺夫的象形文字论,是从黑尔姆霍兹那里踏袭而来的。黑尔姆霍兹是个生理学家,他在生理学方面是唯物主义者,但在哲学方面却是康德主义者。黑尔姆霍兹认为对象在我们意识上的反映,与对象本身全不相同,它只是某种对象的单纯的象形文字或记号。我们是知道这对象的存在的,因为感觉到这对象对我们所起的作用,但我们却不知道这对象本身究竟是什么。这种见解,显然是康德主义的不可知论。

普列哈诺夫的弟子机械唯物论者阿克雪里洛特,也拥护象形文字论,反对反映论。阿克雪里洛特说:"如果感觉是事物的印象或反映,我就要问:为什么物是必要的呢? 物在这种情形,就会变为绝对意义上的物本体。把感觉看成对象的肖像或反映,那就是再度在主体与客体之间设立不可逾越的深渊。"这种主张,仍然是一种不可知论。

列宁对于普列哈诺夫在认识论上所犯的这样的错误给了严厉的批判,认为像这样的思想混乱将会走向唯心主义和不可知论。

感觉是人类通达到外界去的渡桥,象形文字论者否认感觉是外界事物的印象,在认识主体与认识客体之间设立人为的障壁,这就阻塞了人们认识外界事物的通路,外界事物就变成不可认识的东西了,这种象形文字论也变为不可知论了。

反映论是马克思主义认识论的核心,对于反映论的任何微小的歪曲,都会坠入唯心主义的泥坑,是辩证唯物主义所坚决排斥的。

在阶级社会中,要反映客观社会现象,得到客观真理,党性是唯一的条件。只有站在先进阶级的立场,特别是无产阶级的立场,去反映客观的社会现象,才能认识客观真理。

目前,我国还存在着两个剥削阶级和两个劳动阶级,剥削阶级和劳动阶级之间意识形态的斗争仍在继续进行着。资产阶级右派看见生产资料的私有制即将消灭,不甘心于自己的死亡,因而发动了反党反社会主义的猖狂进攻,阴谋使资本主义在中国复辟。这个阴谋已被劳动阶级粉碎了。右倾机会主义分子,也是站在剥削阶级的立场,对于我国社会主义建设事业的突飞猛进看得不顺眼,反对党的社会主义建设总路线、大跃进和人民公社运动,企图篡夺党的领导,达到他们的不可告人的目的。只有劳动阶级看到总路线光芒万丈,大跃进果实累累,人民公社万寿无疆,因而能够发挥出冲天的革命干劲,在党的领导下,向着社会主义和共产主义的伟大目标奋勇前进。他们的革命热情和科学精神是完全一致的。

四、实践是认识的基础和认识真理性的标准

(一)实践是认识的基础

用实践的观点贯穿到认识论中去,这是马克思主义在认识论方面所实行的革命的变革。毛泽东同志把所写的认识论命名为《实践论》是完全正确的。

马克思主义所说的实践,和唯心主义所说的实践完全不同。客观唯心主义者(例如黑格尔)虽然重视实践的意义,却把实践解释为绝对观念(即上帝)的意志的活动。主观唯心主义者把实践解释为抽象的精神活动或主观内省。一切唯心主义者都曲解了实践这个范畴,把实践和物质基础分裂开来。

马克思主义以前的唯物论,虽然主张认识是客观实在的反映,却不知道实践在认识的发生和发展过程中的作用。因此,马克思主义以前的唯物论"不能了解认识对于社会实践的依赖关系,即认识对生产和阶级斗争的依赖关系"。

马克思主义在唯物主义的基础上展开了实践这个范畴,把实践理解为包括物质生产活动和其他许多社会实践活动的综合。这里分别列举如下:

1. 物质生产的活动——最基本的实践活动,是决定其他一切活动的东西。

2. 一定阶级或社会集团的社会改造活动——阶级斗争。

3. 科学的实验、观测和艺术的活动。

正因为马克思主义把上述实践的范畴引入认识论之中,指出实践是认识的基础和真理的标准,就给科学以锐利的武器去暴露客观世界的规律,因而粉碎了认识论中的唯心主义和不可知论,克服了旧唯物主义的缺陷。

（二）知识来源于实践

感觉是认识的来源。感觉是在实践中接触于外界事物才发生的，因此也可以说实践是认识的来源。人的认识，主要地依赖于物质的生产活动，其次依赖于政治生活和阶级斗争、科学和艺术的活动。从古以来，人类在采取生活资料的过程中，接触到自然界的无数自然物，首先知道他们自己是和那些自然物有区别的。他们在长期的生产活动中，逐渐认识种种自然现象，看到日月的运行、昼夜的交替、植物一年一度的生长和成熟等，于是就了解这些自然物的性质及其规律性，并且顺应它们的性质和规律性，经常地利用自然、克服自然、改造自然、向自然界争取到日益增多的生活资料。像这样一代一代地传承下去，就积累了极端丰富的生产斗争的经验，因而就促进了自然科学的发生和发展。其次，人们是结成生产关系从事生产活动的，在生产关系的基础上又结成了其他种种社会关系，因而人们在社会生活中就取得了社会关系的知识；特别是在阶级社会中，生产关系是阶级关系，社会被分裂为互相斗争的剥削阶级与被剥削阶级，于是阶级斗争从经济战线上升到政治战线和思想战线，由于社会关系的知识和阶级斗争经验的积累，就促进了社会科学的发生和发展，各种思想无不打上阶级的烙印。

随着人类的物质生产活动和阶级斗争逐步地由低级阶段向高级阶段发展，自然科学和社会科学也一步一步地发展起来。到了资本主义时代，由于大工业的出现，生产力突飞猛进，因而促进了自然科学的繁荣，同时资产阶级统治无产阶级的社会科学也有了相应的发展。于是无产阶级最伟大的导师马克思和恩格斯，总结了自然科学的历史、阶级斗争的历史和无产阶级对资产阶级斗争的经验，创立了马克思主义科学，作为无产阶级革命斗争的理论指导。由此可见，人类的一切知识，包括革命的知识，都是从实践中产生的。

（三）在实践中学习

毛泽东同志说："读书是学习，使用也是学习，而且是更重要的学习。从战争学习战争——这是我们的主要方法。没有进学校机会的人，仍然可以学习战争，就是从战争中学习。革命战争是民众的事，常常不是先学好了再干，而是干起来再学习，干就是学习。"①所以，人们如果要有知识，就必须参加变革现实的实践，要认识某种自然物，只有在改造自然的过程中，亲自接触那自然物，才能认识它的规律性；要认识某一社会事变，只有在社会斗争过程中，亲自接触那一事变，才能认识那事变的真相。这是任何人实际上走着的认识过程。但是，中国有句古话："秀才不出门，全知天下事。"这是不是说，知识可以不依赖于实践呢？那句古话，在交通和技术不发达、文化传播不便利的时代，只是一句空话。"秀才"只不过从一些古书上"知"道一点天文、地理和人事，至于当时的新事变与新知识，却不一定能够知道。到了现代，交通技术发达，文化传播也很便利，"秀才"坐在家中读书、看报、看杂志、听广播，也可以间接知道天下事。不过，这些"天下事"是别的许多人的直接经验，是别人从实践中得来的。在我们这个时代，如果真有这样不出门的"秀才"，不去参加热火朝天的革命斗争，只能成为一个古董鉴赏家，是一个无用的长物。

一切真知都是从直接经验发源的。人要求得知识，就必须参加变革现实的实践。只有在实践中才能接触到外界事物，发生感觉，积累经验，然后依据经验来思维，才能认识外界事物的性质和规律，并且还要通过实践证明了这一认识的正确，才算是真实的知识。

所说知识发源于直接经验，这是就认识与实践的历史性说的，事实上，我们不能事事直接经验，我们的知识多半是间接的东西。因此，我们就要学习马克思列宁主义、学习毛泽东思想，就要阅读革命导师的著作。这些革命导师的著作，都是他们革命经验的科学总结，都是无产阶级世界革命的正确理论，都是由革命的实践证明了的真理。我们从他们的著作中学得的知识，是完全可靠的，问题是在于我们能不能把这些知识实际应用到革命和建设的工作罢了。所以我们的知识，不外直接经验的和间接经验的两部分。马克思、恩格斯、列宁、斯大林、毛泽东的革命经验，在我们是间接经验，在他们却是直接经验。归结起来，一切知识都不能离开直接经验。

依照《实践论》说明：人类的生产活动是最基本的实践活动，是决定其他一切活动的东西，只有依赖生产活动，人们才能了解自然的性质和规律，才能

---

① 《毛泽东选集》第一卷，第 179 页。

了解人和人的一定的相互关系；只有亲自参加生产活动，才能懂得生产发展规律，更好地为生产事业服务。这些提示，在社会主义建设高潮汹涌澎湃的今日，更有重大的现实的意义。近年来，我国工业交通运输基本建设和财政贸易各个战线上，涌出了数以百万计的先进生产者。他们在生产活动中，积累了非常丰富的经验，并且能够从这些经验中找出生产发展的规律和技术发展的规律，因而能够结合这些规律，发挥主观能动性，鼓足干劲，提出无数合理化建议，挖掘生产潜力，大搞技术革新和技术革命，大大提高劳动生产率，促成我国生产事业继续大跃进的波澜壮阔的新局面。劳动创造世界这一句话，确是至理名言。

生产劳动是建设社会主义和共产主义的基本手段，凡属不直接参加生产的工作干部和知识分子，都应当以一定时间参加生产劳动，才能更好地为建设事业服务。因此，党中央于 1957 年发出了《关于各级领导人员参加体力劳动的指示》，又于 1958 年制定了"教育为无产阶级政治服务、教育与生产劳动相结合"的方针。由于领导者参加生产劳动，同群众打成一片，有利于及时地、具体地发现和处理问题，有利于改进领导工作，从而可以比较容易地避免和克服官僚主义、主观主义和宗派主义的许多错误，并且有利于改变社会上所存在的那种轻视体力劳动的观念。由于教育与生产劳动相结合，教育界的师生定期下乡下厂参加生产，可以向工农群众学习生产技术并和他们建立亲密的情感，可以贯彻教学、科学研究和生产劳动三结合的方针，学生可以被培养为有共产主义觉悟和有文化的劳动者，因而可以逐步缩小脑力劳动和体力劳动的差别。

（四）实践是真理的标准

所谓真理，是说人们的认识正确地反映了客观世界的规律性，即是说，主观符合客观。反之，认识如果不能正确地反映客观世界的规律性，或者歪曲了客观世界的规律性，便是谬误，即是说，主观不符合于客观。这真理和谬误的鉴定的标准是什么？这标准只能是社会实践。

"马克思主义者认为，只有人们的社会实践，才是人们对于外界认识的真理性的标准。实际的情形是这样的，只有在社会实践过程中（物质生产过程中,阶级斗争过程中,科学实验过程中),人们达到了思想中所预想的结果时,人们的认识才被证实了。"①

科学上许多伟大的发明和发现,都在物质生产过程中证明了它的真理性。马克思主义科学,在以苏联为首的社会主义阵营各国的社会主义的革命和建设过程中,日益证明着它的真理性。

认识是随着社会实践的发展而发展的。作为真理标准的社会实践由旧阶段发展到新阶段的时候,由旧阶段实践所判定的认识的真理性也必定随着发生变化。随着生产、科学和技术的发展,社会实践也发展起来,这时候,发展了的社会实践就要求审查从前在旧实践基础上的真理,加以补充和修改。当着阶级力量的对比发生变化,客观革命形势有了转变的时候,从前认为正确的政策或计划必须随着改变。只有这样,才能推动思想前进,不致陷于教条主义。

"判定认识或理论之是否真理,不是依主观上觉得如何而定,而是依客观上社会实践的结果如何而定。真理的标准只能是社会实践。"②提出社会实践作为真理的标准,这就驳倒了唯心主义者所说的真理标准的谬论。

唯心主义者黑格尔也曾提过实践是真理标准的主张,但黑格尔所说的实践,只是人的精神活动,只是一个抽象的观念,认识的是否真理纯粹是依主观上觉得如何而定的。马赫主义者渡格丹诺夫主张真理是主观的,认识之是否真理由许多人所公认的经验所决定,这是走向于信仰主义的说法,因为宗教迷信也是许多人所公认的经验。

实用主义者主张效用是真理的标准。詹姆士说:"实用主义认为:凡是有利于我们的工作并使我们获得效果的东西就是真理,这也是真理的唯一标准。"詹姆士又说:"如果神学的观念于具体的生活能有价值,它在实用主义上就是真的,就真到这个限度。""在他方面,上帝的观念,纵没有如数学观念的明了,却有一个实际上的大优点,就是保证一个理想的秩序,可以永久存在。"又说:"你自己个人经验,给了你一个上帝以后,上帝的名词,至少给你休息日的利益。"在我们说来,在实践中去认识客观世界的规律,再根据这个规律去

---

① 毛泽东:《实践论》。
② 毛泽东:《实践论》。

实践,求得了符合于那个规律的效果,这认识便是真理。在实用主义者说来,主观经验自己认识自己,用不着去实践,只有在把主观经验组成了观念或思想以后,才拿它投到实践中去看效果,有效果的观念或思想便是真理。上帝这个观念之所以是真理,就因它能保证资本主义制度的永久存在,并能给一般人以休息日的利益。我们说,实践的效果,证明我们的认识与客观对象相符合。实用主义者说,实践的效果,证明他们的思想与主观经验相符合。这显然是荒谬的。

五、从感性认识到理性认识

关于认识过程,列宁在《黑格尔〈逻辑学〉一书摘要》中给了我们一个典型的指示:"从生动的直观到抽象的思维,并从抽象的思维到实践,这就是认识真理、认识客观实在的辩证的途径。"按照列宁的指示,我们可以把认识过程列成下列的公式:

生动的直观——抽象的思维——实践

生动的直观是感性认识,抽象的思维是理性认识,因此我们也可以把认识过程列成下列的公式:

感性认识——理性认识——实践

人的认识从实践发生,又为实践服务,因此我们又可以把上述公式改写如下:

实践——认识——实践

这一认识过程,可以分为由感性认识到理性认识的过程和由理性认识到实践的过程。这里先阐述由感性认识到理性认识的过程。

（一）感性认识阶段

感性认识包括感觉、知觉、表象等认识形式，它是认识的初级阶段。我们的认识是从感觉出发的。

客观世界的合乎规律的统一，首先在感觉上反映给我们，我们的思维就把感觉作为材料，抽象出客观世界的发展规律。在感觉上反映给我们的东西，就是思维的全部内容，在感觉中未曾反映着的东西，在思维中也是没有的。所以在世界的具体的认识上，都必须从感觉出发。从古以来，一切的科学，都是从反映外物的感觉出发的。思维的高级的认识形式，是从感觉的初级认识形式发生，两者具有不可分离的联系，所以，感觉是认识的来源。

但是，感觉是认识的来源，不单是唯物主义者这样认定，并且主观唯心主义者也是这样认定的。不过两者却有根本不同的地方。感觉是认识的来源，这是认识论的第一前提；离开人类意识而独立的客观的实在，是在感觉上反映给人类的东西，即外物是感觉的来源，这是认识论的第二前提。主观唯心主义者虽然承认第一前提，却否认第二前提。主观唯心主义者不把感觉看做是意识和外物的结合，而把它看做是从外物隔离意识的障壁；不把感觉看做是反映外物的印象，而把它看做是"唯一的存在物"。反之，在辩证唯物主义者看来，感觉、表象及思维，都是客观世界的合规律的统一性的反映。感觉是人类通达到外界去的渡桥。外物作用于感官而成为感觉，我们只有凭借感觉去认识外物的存在，并在意识中区别外物与自己。只有依靠这种区别，思维才有可能。所以，"从感觉出发，可以依着主观主义的路线前进而达到唯我主义（'物体是感觉的复合或结合'），或者依着客观主义的路线前进而达到唯物主义（感觉是物体、外间世界的映象）。在第一种观点——不可知主义，或更稍进一步，主观唯心主义——看来，客观真理是不能有的。在第二种观点，即唯物主义看来，承认客观真理是重要的。"①

感觉是对我们表现客观真理的东西，它能使我们正确地明了客观对象的真相。如果感觉单只给人们以关于外界事物的歪曲的印象，人类与自然的斗

---

① 列宁：《唯物主义与经验批判主义》，人民出版社1956年版，第117—118页。

争将成为不可能,社会也就难于存在了。所以感觉是不欺骗人们的。固然错觉和假象也是有的,但它们可以由实践所订正,并且仍然对我们表现客观的真理。

比感觉进一步的认识形式是知觉。知觉是在感觉的基础上产生的。各种感觉(视觉、听觉、嗅觉、味觉、触觉)反映一个对象的个别的特性和特征,当各种感觉汇合在一起之时,便形成了这个对象的整个形象,这是知觉。在知觉中,各种感觉互相联系,合成一个关于对象的完整的映象。知觉的特点是反映整个对象,反映对象的特性的总和及其相互联系。

比知觉进一步的认识形式是表象。表象是在关于对象的知觉的基础上产生的。知觉离开了直接对象,还可以在记忆中保存下来。表象即是知觉的重现。表象是关于对象的感觉普遍化的最初的形式。例如人们头脑中有关于某一类对象(例如苹果)的知觉的记忆,那些苹果有不同的品种,有不同的特征,但在表象中,那些不同的品种和不同的特征都消失了,只存留着它们之中的共同的类似的特征。所以表象比较知觉更能概括关于外界事物的感觉。表象的作用是概括感觉和知觉,是就过去和当前关于对象的知觉中抽出其共通的特征,此较进一层地反映客观对象。在表象中已含有初步的抽象作用。

由感觉、知觉到表象的推移,是在实践的基础上显现的。人类在其实践的过程中,不但观察到许多事物,并且观察到许多事物的变化。由于现象的反复以及在实践上各种现象的再生产,头脑中的联想作用就能够把现在关于某一事物的知觉和过去关于其他事物的知觉联系起来,也能够把过去关于一些事物的各种知觉联系起来,造出各种不同的表象。例如看到一个柑子,就联想到过去关于苹果、香蕉、桃子等的知觉,造出比较更概括的果子的表象。又如看到昼夜的循环,四季的交替,就造出关于因果性的表象。

表象虽然还不是概念,还不能抓住事物的本质,但是它已经完成感性认识阶段,能够把认识引导到抽象思维的阶段。

感觉、知觉和表象,都是客观世界的主观映象。作为映象来说,它们都是主观的;就其内容来说,它们都是客观的,因为都反映着离我们意识而独立的客观实在。

感觉、知觉和表象,都是生动的直观,即感性认识。它们都是人的脑神经系统的作用或机能,是在社会实践过程中发生的,并随着社会实践的发展而发展。

客观对象的总体性固然在我们的感性认识上反映出来,但这种反映还只是直观的认识。如要理解客观对象的各方面的规律性及其本质的联系等等,我们就不能停留在感性认识的阶段上,必须从感性认识阶段上升到抽象思维即理性认识阶段。

(二)理性认识阶段

理性认识,比较感性认识,是认识的高级阶段。由感性认识到理性认识,即是由事物之个别的、现象的、外部联系的认识到达于事物之全体的、本质的、内部联系的认识。这是认识过程中的突变。

理性认识是在感性认识的基础上发生的,是抽象思维就感性认识材料进行逻辑的加工的总结和概括。

思维是人脑的最高的产物,是认识的作用的发挥,是通过感觉、表象、概念、判断、推理等来深刻地反映客观现实的过程。

人的思维能力,是在劳动生产过程中发生和发展的,它和语言的发生、发展有密切不可分的联系。人在劳动生产过程中,每日无数次地接触到自然界的许多事物,积累了大量的感性认识材料。于是就运用思维能力,把自然界的事物加以分析,先研究个别的、特殊的东西和它的各种特点,其次把这些个别的、特殊的东西分组,实行比较、对照,把那些个别的、特殊的东西中共同的一般的本质的特点抽象出来,把其余那些各自独有的特点舍弃出去,然后用一个词把那些个别的、特殊的东西概括起来,变成了一般的东西,这就是概念。例如,客观世界有无数的东西,它们的特性和特点千差万别,不可胜数,我们要就这无数的东西舍弃其个别的和特殊的个性和特征,抽取其共同的本质的联系,才能概括大量的东西。这种共同的本质的联系,就是物质性,就是离开我们的感觉而独立又为感觉所反映的客观实在。所以,物质是一个哲学上的范畴,物质是离开人的感觉而独立又为感觉所反映的客观实在。又如,就社会这个概念形成的过程来说。社会的形式有:原始社会、奴隶社会、封建社会、资本主义社会以及社会主义社会,它们虽然各自具有其特殊的本质,但是它们却有一个共同的本质,即都有其一定的物质关系即生产关系,和与它相适应的精神关系。我们对社会这个概念可以作这样的规定:社会是包摄着一定生产关系的总和以及与它相适应的一定的精神关系的系统。所以概念是从感觉和表象中所反映的各种个别和特殊的具体存在形式抽象出来的最一般的规定、最抽象的概括。简单地说,概念是感觉和表象的最普遍化的概括。感觉和表象,反映事物的个别性、事物的现象、事物的外部联系;概念反映事物的普遍性、事物的本质、事物的内部联系。像这样由个别到普遍,由现象到本质,由外部联系到内部联系的推移,就是认识运动过程中的突变。

人类最初造出的概念,是单纯的概念(如人、物、虫、鱼、鸟、兽、山、水、土地、农具、谷物、耕种、收获等),后来随着实践和知识的发展,逐步造出复杂的科学的概念,也造出了反映客观现实最一般的基本联系的范畴(如因果性、必然性、发展、联系、物质、运动、空间、时间等)。

概念和范畴是客观现实最深刻的本质的反映,又是帮助人们认识客观现实的思维形式。一切科学都运用一定的概念,来概括客观世界的各种现象。

概念本身是发展的,因为它所反映的客观世界是在发展着。概念的发展,反映着客观世界的发展,表现着人类的实践和知识的发展。

"人们的概念,在其抽象性、分离性上,是主观的;在其全体性、过程、总计、来源上,是客观的。"(列宁)作为客观世界的印象来说,概念是主观的,但概念的来源是客观世界,它所反映的内容完全是客观的。唯心主义者把概念看做是纯主观的或先天的东西,否认客观世界与概念的关系,把认识封闭于纯主观的领域,玩弄概念的游戏,因而虚构出无世界的世界观。

逻辑思维的形式,概念以外,还有判断和推理。概念是客观世界的规律性在思维形式上的反映。同样,判断和推理,是客观世界和人类认识的发展史的一般规律在思维形式上的反映。判断和推理,在其形式上,是各种不同的对立概念的联系,在其内容上,是客观世界的事物和过程的客观实在的联系的反映。

判断和推理是思维的运动形式,又是概念的运动形式。概念反映客观事物的运动和发展,同样,判断和推理,通过概念的运动,也反映客观事物的运动和发展。

判断是一种认识活动。这种认识活动,判明一个对象是什么或不是什么,表现出这一对象的属性、特点和特征,说明这一对象和别的东西的质的差别。这样,我们通过判断,就可以使我们对于客观事物的认识明确起来。我们看到一个东西,立刻知道它,这便是已经下了判断;如果不知道,就先要研究它的属性、特点和特征,才能下判断。

推理是思维的高级运动形式。正如判断是概念的运动一样,推理是判断的运动。判断是发展了的概念,推理是发展了的判断。推理是概念和判断的统一。

判断和推理,从其内容上说,同是客观世界的事物和过程之客观的实在的联系的反映,两者不同的地方在于下述一点,即判断反映事物和过程的个个规定的合规律的联系,推理进一步反映这些联系的必然的关系。所以推理是思维的高级运动形式,它能够帮助人们由已知的东西推知到未知的东西,它比较判断更深刻地反映出客观世界的规律性。

(三)感性认识和理性认识的统一

感性认识和理性认识是密切不可分地统一着,这个统一的基础是实践。在感性认识过程中,实践是直接表现出来的,因为我们的感觉是在实际活动中接触于外界事物的时候才形成的。在理性认识过程中,实践是间接表现出来的,因为理性认识要靠在实践中积累起来的感性材料才和外界事物发生联系。但无论是直接或间接,两种认识仍然在实践的基础上统一着。在实践过程中,人们感知到新的事物时,就去理解它,在理解它的时候,还是要感触它。照这样,对于一种新事物,在实践中感觉了才去理解,在理解时仍要到实践中去感觉,直到完全理解为止。所以认识是不能离开实践的。

在感性的阶段,人们只能认识事物之片面的、现象的、外部联系;到理性的阶段,人们才能认识事物之全体的、本质的、内部联系。这两种认识形成一个统一,即片面和全体、现象和本质、外部联系和内部联系,形成一个统一。所以这两种认识虽然是有差别的,却绝不是各自孤立的。

理性认识依赖于感性认识,感性认识有待于发展到理性认识。换句话说,理性认识以感性认识为前提,感性认识以理性认识为归趋。

感性认识和理性认识,互为条件,互相渗透,两者之间,没有不可超越的界限。实践证明:我们对于事物的认识,总是先感觉到它,然后才去理解它,并不能先理解它,然后去感觉它。只有我们的感觉随着实践的发展而发展了,只有感觉十分丰富和合于实际了,我们才能更深刻地理解它。在另一方面,我们对于事物有了理解,我们才能更敏锐地感觉它。

人们如果割裂感性认识和理性认识,把两者分离开来,或者专重理性认识而无视或轻视感性认识,或者专重感性认识而无视或轻视理性认识,就背离于马克思主义而陷入于主观主义。哲学史上有唯理论和经验论两派。唯理论者(例如笛卡儿、斯宾诺莎等)只承认理性的实在性,不承认经验的实在性,以为只有从理性产生的知识才是可靠的知识,而感觉的经验是靠不住的。经验论者(例如培根、洛克等)只主张感性认识是人类知识的来源,却轻视理性认识,认为只有依靠感性经验才能获得关于事物的正确知识。唯理论者片面地夸大理性认识的作用,必然陷入于抽象的空谈;经验论者片面地夸大感性经验的作用,必然不能认识他所依靠的事实。

我们今日所说的教条主义与唯理论相像,所说的经验主义与经验论相像。教条主义注重理论而看轻经验,经验主义注重经验而看轻理论。前者从统一的认识过程剥夺去感性认识,后者则剥夺去理性认识。两者都是主观主义。

六、思想方法

(一)分析和综合的统一

认识论是辩证法。认识过程是辩证法的过程。从物质世界得到感性认识是辩证法,从感性认识到理性认识是辩证法,从理性认识到实践也是辩证法。我们只有在认识过程中彻底运用辩证法,才能认识客观真理。因此,我们认识任何事物或过程时,必须把辩证法的规律,特别是对立统一规律,作为思维的规律、认识的规律。依照这一规律,一切的事物都是联系着,所以,我们研究任何一个事物时,必须在其联系上去考察,考察它和其他事物之间的联系,考察它本身内部各方面的联系。这就是全面的考察。只有尽可能地作全面的考察,才能避免片面性,防止思想僵化。同时,一切事物都是发展着,我们研究任何一个事物时,还必须在其发展上去考察,考察它怎样发生、发展及其转化的过程。这就是历史的考察。只有作这样历史的考察,才能避免静止的、死板的形而上学的偏向。其次,依照这一规律,世界的一切事物或过程,无论是属于自然的或属于社会的,都是矛盾统一体的发展过程。当我们认识任何一个事物或过程时,必须运用辩证法,探究它的内在矛盾的斗争发展过程,才能暴露它的发展规律。其三,依照这一规律,我们认识任何一个事物,必须运用分析方法,主要的是矛盾的分析方法。列宁说:"统一物之分而为二以及我们对其各矛盾部分的认识,是辩证法的本质。"这就是指的矛盾的分析方法。列宁又说:"……马克思主义的最本质的东西、马克思主义的活动的灵魂:具体地分析具体的情况。"把这一句话同上面一句话联系起来,我们可以这样说,当我们研究一个对象时,必须具体地分析具体的矛盾。这矛盾的分析方法,实质上就是辩证的思维方法,它包含着综合方法和其他各种思维形式。在辩证逻辑上,分析和综合是统一着的,没有分析就没有综合。分析和综合的统一,是"辩证法的要素"之一。列宁在《哲学笔记》中说:"分析和综和的结合,——各个部分的分解和所有这些部分的总和、总计。"马克思列宁主义的经典著作,都是使用这个方法。马克思在《资本论》序言中说明他所用的研究方法就是分析方法。在《资本论》中,先进行分析,后实行综合,同时分析的综合的起作用。列宁在《帝国主义论》中,给了我们运用分析方法和综合方法的一个范例。他分析了帝国主义的五个特征后,说:"帝国主义乃是资本主义已经发展到垄断组织和财政资本的统治业已确立,资本输出已具有特别重大意义,国际拖拉斯分割世界业已开始而各最大资本主义国家分割全球领土业已完结的那个阶段上的资本主义。"①他更概括地说,帝国主义是垂死的资本主义,是社会主义革命的前夜。

毛泽东同志所运用的研究方法、思想方法,主要的是矛盾的分析方法、阶级的分析方法,是分析与综合相结合的方法。他说:"一篇文章或一篇演说,如果是重要的带指导性质的,总得要提出一个什么问题,接着加以分析,然后综合起来,指明问题的性质,给以解决的方法,这样,就不是形式主义的方法所

---

① 《列宁文选》第 1 卷,第 996 页。

能济事。"又说：研究问题"应当从客观存在着的实际事物出发，从其中引出规律，作为我们行动的向导。为此目的，就要像马克思所说的详细地占有材料，加以科学的分析和综合的研究。"像这样的研究方法、思想方法贯串于他的一切著作之中。例如，他在《论持久战》中，分析了中日双方四个方面的特点，然后进行综合。他说："日本的军力、经济力和政治组织力是强的，但其战争是退步的、野蛮的，人力、物力又不充足，国际形势又处于不利。中国反是，军力、经济力和政治组织力是比较地弱的，然而正处于进步的时代，其战争是进步的和正义的，又有大国这个条件足以支持持久战，世界的多数国家是会要援助中国的。——这些，就是中日战争互相矛盾着的基本特点。这些特点，规定了和规定着双方一切政治上的政策和军事上的战略战术，规定了和规定着战争的持久性和最后胜利属于中国而不属于日本。"

毛泽东同志的一切著作，都贯穿着辩证的思想方法，这里不一一列举，只就毛泽东同志运用辩证的思想方法，研究和解决中国革命问题的事例，加以说明。毛泽东同志研究中国革命问题时，先作了历史的考察。他认为，中国自周秦以来，是封建社会。封建社会的历史，是农民阶级反对封建制度的历史。历史上大小数百次农民起义，推翻了历代的封建王朝。只因为农民阶级不能代表新的生产方式，也没有无产阶级作领导，致使革命的果实被地主阶级掠夺去，作为改朝换代的工具。因此，人民大众与封建主义的矛盾，一直没有得到解决。历史的车轮进到19世纪40年代，英帝国主义首先侵入了中国，于是中国社会又产生了中华民族与帝国主义的矛盾，因而引起了反帝国主义革命的鸦片战争。从此以后，其他帝国主义国家也接连侵入中国。清国的封建王朝，对于国际帝国主义，由抵抗，而妥协，而投降，终于与帝国主义结合起来，共同压迫中国人民大众。由于封建主义和帝国主义相结合，中国就变成了半殖民地半封建的社会。但是，中国人民对于帝国主义及其走狗始终是反抗的。鸦片战争、太平天国运动、中法战争、中日战争、戊戌政变、义和团运动等，都是这种反抗精神的表现。在另一方面，国际帝国主义利用不平等条约，除向中国输入商品、采取原料以外，还在中国境内经营金融、工业、路矿交通等事业，于是中国境内出现了外国资产阶级（和依附于它的买办阶级）和中国无产阶级的矛盾。19世纪末叶，民族资本的企业，也逐步出现，于是又产生了无产阶级和民族资产阶级的矛盾、农民及城市小资产阶级和资产阶级的矛盾。随着民族资产阶级的出现,就产生了资产阶级民主主义革命运动,因而爆发了辛亥革命,推翻了清朝皇帝。但由于资产阶级的软弱性,终于和袁世凯所代表的封建势力相妥协,使这次革命流产,于是出现了封建军阀割据的局面。各派封建军阀与各个帝国主义相结合,加重了对于中国人民大众的压迫和剥削,使人民大众处于水深火热的状况。在第一次世界大战期间,中国民族资本企业有了相当的发展,随着无产阶级也发展起来。无产阶级和人民大众在反抗帝国主义和封建阶级的斗争中,逐步地看出了帝国主义和封建阶级是人民的死敌。这种认识是在十月革命以后、"五四"运动前后开始的。十月革命给我们送来了马克思列宁主义,解放了中国人的思想。五四运动是反帝国主义反封建主义的革命运动,无产阶级登上了政治舞台,它的知识分子是这次运动的领导者。接着无产阶级的先锋队中国共产党,在1921年宣布成立了。党拿起马克思列宁主义这个最好的真理,作为解放我们民族的最好的武器。"马克思列宁主义的普遍真理一经与中国革命的具体实践相结合,就使中国革命的面目为之一新"。从此,资产阶级所领导的旧民主主义革命,就转变为无产阶级所领导的新民主主义革命。毛泽东同志分析中国革命的实际和国际的革命实际,以及中国革命和十月革命的关系,认为这样的新民主主义革命是世界无产阶级社会主义革命的一部分。因此,毛泽东同志分析了当时的阶级关系,指出半殖民地半封建的中国人民革命的对象是帝国主义、封建主义和官僚资本主义,这个革命的任务就是对外推翻帝国主义的压迫的民族革命,对内是推翻封建主义的压迫的民主革命。这个革命的领导者是无产阶级,农民是无产阶级的天然的最可靠的同盟者,农民以外的各种类型的小资产阶级也是无产阶级的最好的同盟者,至于民族资产阶级虽然具有两重性,但党对它如果采取慎重的政策,它也可能成为较好的同盟者。因此,毛泽东同志把这个革命叫做"无产阶级领导的、人民大众的、反对帝国主义、封建主义和官僚资本主义的革命"。这个革命的前途是社会主义而不是资本主义。毛泽东同志根据对于阶级矛盾的全面的分析,就进行综合,引出这样的结论:"中国共产党领导的整个中国革命运动,是包括民主主义革命和社会主义革命两个阶段在内的全部革命运动;……只有认清民主主义革命和社会主义革命的区别,同时又认清二者的联系,才能正确地领导中国革命。"

以上所举的例子,说明毛泽东同志所用的思想方法,完全是辩证的方法。为要能够这样开展研究工作,就必须依照马克思所说的:"研究必须搜集丰富的材料,分析材料的种种发展形态,并探究这种种形态的内部关系。不先完成这种工作,则对于现实的运动,必不能有适当的叙述。"①毛泽东同志正是这样做了的。

(二)归纳和演绎的统一

在运用分析方法和综合方法的同时,还要运用归纳方法和演绎方法。在辩证逻辑中,归纳和演绎是统一的。归纳和演绎的统一,必须结合于分析和综合的统一。

毛泽东同志在《矛盾论》中,就归纳与演绎的统一运用问题,作了如下的说明:

> 就人类认识运动的秩序说来,总是由认识个别的和特殊的事物,逐步地扩大到认识一般的事物。人们总是首先认识了许多不同事物的特殊的本质,然后才有可能更进一步地进行概括工作,认识诸种事物的共同的本质。当着人们已经认识了这种共同的本质以后,就以这种共同的认识为指导,继续地向着尚未研究过的或者尚未深入地研究过的各种具体的事物进行研究,找出其特殊的本质,这样才可以补充、丰富和发展这种共同的本质的认识,而使这种共同的本质的认识不致变成枯槁的和僵死的东西。这是两个认识的过程:一个是由特殊到一般,一个是由一般到特殊。人类的认识总是这样循环往复地进行的,而每一次的循环(只要是严格地按照科学的方法)都可能使人类的认识提高一步,使人类的认识不断地深化。

上面一段话,说明了两个认识过程:由特殊到一般和由一般到特殊的过

---

① 马克思:《资本论》第1卷,第二版跋。

程。前一个过程是归纳过程,即由个别或特殊的事物到它们的概括的过程,即由具体的东西到抽象的东西的推理方法;后一个过程是演绎过程,即由一般原理到个别或特殊的结论的过程,即由抽象的东西到具体的东西的推理方法。

归纳和演绎都是辩证法的因素。在辩证逻辑中,归纳和演绎是密切联系着的,两者虽然是不同的研究方法,却有相辅相成的作用。演绎以归纳为前提,归纳由演绎所补充或订正。如果只是单独地运用归纳或演绎,那样的研究方法就是片面的,不完全的。并且,就认识运动的秩序说来,归纳在先,演绎在后,因为演绎所据以进行推理大前提应当是归纳推理所得的概括。所以当研究客观对象时,应当先用归纳后用演绎,即是说要从实际出发;不应当先用演绎后用归纳,即是说不要从定义出发。毛泽东同志指斥教条主义者的错误,就是从书本出发,把马克思列宁主义当作教条指导中国革命,而对于中国革命的具体情况又不肯做任何艰苦的研究工作,"完全否认了并且颠倒了这个人类认识真理的正常秩序。他们也不懂得人类认识的两个过程的互相联结——由特殊到一般,又由一般到特殊,他们完全不懂得马克思主义的认识论。"

早在1946年,毛泽东同志列举了国内外许多反动派(清朝皇帝、袁世凯、徐世昌、段祺瑞、吴佩孚等;俄国皇帝、希特勒、墨索里尼、日本帝国主义等)一贯凶恶地压迫人民、进攻人民而终于为人民所推翻的种种事实,说明了这样两条真理:其一,人民的力量最初虽然弱小,却是进步的新生的力量,必然成长壮大起来,而反动派的力量最初虽然强大,却是退步的腐朽的力量,必然逐步削弱下去,终于为人民的力量所推翻。其二,人民民主是历史的主流,反动独裁是历史的逆流,这逆流终必为主流所冲决。因此,毛泽东同志作出了一个英明的论断:"帝国主义和一切反动派都是纸老虎。"(归纳过程)

当毛泽东同志作出上述论断的时候,正是美帝国主义走狗蒋介石匪帮进攻解放区、进攻人民的时候。蒋介石匪帮依靠美帝国主义者的军事上和财政上的援助,有正规军四百万,又有美国式的装备,因此气势汹汹,声言要在三个月到六个月期间内消灭我们人民解放军。当时我们人民的力量怎样呢?我们只有九十万游击队,并且都被蒋介石匪帮分割为几十个根据地。敌人是飞机加大炮,并且还有挥舞着原子弹的美帝国主义者作帮凶,而我们是小米加步枪,只有坚决地依靠人民。当时敌强我弱,表现得非常清楚。但这只是现象而不是本质。毛泽东同志说:"那时我们说,敌人军事力量的优势,这只是暂时的现象,这只是临时起作用的因素;美国帝国主义的援助,也只是临时起作用的因素;而蒋介石战争的反人民的性质,人心的向背,则是经常起作用的因素;而在这方面,人民解放军则占着优势。人民解放军的战争所具有的爱国的正义的革命的性质,必然要获得全国人民的拥护。这就是战胜蒋介石的政治基础。"三年的解放战争的胜利的经验,完全证明了这个推论的正确,蒋介石匪帮逃亡到台湾,美帝国主义势力被逐出了中国大陆。结论是:美帝国主义走狗蒋介石反动派是纸老虎(演绎过程)。第二次世界大战结束以后,东亚和西南欧出现了十一个推翻了帝国主义和反动派统治而成立的社会主义国家,亚洲和非洲各出现了殖民地人民推翻了帝国主义统治而成立的民族独立的国家,再加上英、法、美等帝国主义侵略各民族独立国家而遭到可耻的失败的事实等等,更加证明了毛泽东同志那个论断的正确,并且丰富了那个论断的内容。

毛泽东同志研究一个问题时,总是从实际出发,从客观存在的事实出发,经过研究,作出概括,然后根据这个概括来推论到与问题有关的新方面。这就是说,先用归纳,后用演绎,两种研究方法是统一着的。

为什么说,归纳和演绎的统一必须结合于分析和综合的统一呢?这是因为:在归纳过程中,要概括大量的客观事物或现象,必先进行具体的分析,抽象出它们中间的共通的本质的规定,才能通过综合,作出科学的概括;在演绎过程中,也必须就推论的前提作具体的分析,从其中找出本质的联系,才能通过综合,作出科学的结论。就前面所举的例子说,毛泽东同志在作出"帝国主义和一切反动派都是纸老虎"这个概括以前,是运用过分析方法和综合方法的。他分析了帝国主义和一切反动派两者同人民之间的矛盾,抽象出双方之间的根本矛盾及其消灭的必然性:前者的腐朽力量必然为后者的新生力量所推翻,前者的反动独裁的逆流必然为后者的人民民主的主流所冲决。其次,当运用这个概括推论到蒋介石反动派也是纸老虎的时候,也运用过分析方法和综合方法,他分析了蒋介石反动派和人民解放军之间的矛盾,抽象出其中的根本的矛盾及其消灭的必然性:蒋介石反动派进攻解放区的战争是背叛人民的、非正义的战争,结果必败;人民解放军的战争是人民拥护的、正义的战争,结果必胜。

由此可见,归纳和演绎的统一必须结合于分析和综合的统一。当运用归纳方法概括大量现象时,如果不就大量现象作分析和综合的工作,而仅仅从形式上拈取一些共同的标帜就作出概括,这样的概括,必然是肤浅的。例如,资产阶级政治学者从各色各样的国家形态中,拈"土地、人民、主权"三个共同标帜就作出概括说:"国家是有一定领土、一定人民和一定主权的共同体。"这样的概括,完全没有触及国家的本质,显然是形式主义的,并且也暴露了资产阶级学者故意粉饰阶级斗争的伎俩。马克思主义国家学说运用阶级分析方法,揭示了国家发生的原因及其历史发展的趋势,认定国家是在社会分裂为阶级以后阶级冲突不可调和的产物;国家的历史形态有奴隶所有者国家、封建国家、资本主义国家和社会主义国家;奴隶所有者国家是奴隶主阶级专政的机关,封建国家是地主阶级专政的机关,资本主义国家是资产阶级专政的机关,社会主义国家是无产阶级专政的机关。基于上述的分析,就可以作出这样的概括:国家是特定阶级专政的机关,它随着社会的阶级分裂而发生,又将随着阶级的完全消灭而自行消亡。又如,右倾机会主义分子根据唯我主义世界观,捏造了"偏"、"乱"、"糟"、"得不偿失"、"小资产阶级狂热性的表现"这些词句,加在总路线、大跃进、人民公社身上,说我们的社会主义事业是又偏、又乱、又糟、得不偿失和小资产阶级狂热性的表现。这种污蔑性的攻击,已经由1959年国民经济发展情况的公报所粉碎了。我国第二个五年计划的主要指标已经提前三年实现了。

其次,当运用演绎方法,由一般原理推论到尚未研究过或者尚未深入地研究过新对象的时候,如果不就那个新对象做分析和综合工作,而仅仅从形式上引出结论,这样的结论,必将变成独断。例如有这样一个推论式:

一切上层建筑都有阶级性

自然科学没有阶级性

所以自然科学不是上层建筑

这个推论在形式上没有问题,有些人对于这个结论也感到迷惘。实际上,这个推论是大有问题的。首先就那个大前提分析一下。一切上层建筑是不是都有阶级性？在阶级社会中,上层建筑具有阶级性,这是不待言的。但不是所有上层建筑都具有阶级性。自然科学,也和形式逻辑一样,是为一切阶级服务的,它虽然没有阶级性,却是上层建筑一部分。因为自然科学是在物质生产活动的基础上发生发展的,促进自然科学发展的动力完全是物质生产发展的需要。所以自然科学是意识形态的一部分,无疑地是上层建筑。我们只要就那个大前提略加分析,便可以知道:自然科学是阶级社会的上层建筑中不具有阶级性的一部分。其次,所谓"自然科学没有阶级性"是指关于自然规律的科学知识说的。至于自然科学家是属于一定的阶级的,他用哲学的形式写抽象的理论时,就难免不带阶级性,因为他的世界观如果不是唯心主义的,便是唯物主义的。所以自然科学中某些抽象理论中是含有阶级性的。因此所谓"自然科学不是上层建筑"那个结论,只是一个独断。

归纳和演绎是辩证逻辑的两个不可分离的因素,当运用归纳和演绎研究客观事物时,必须应用矛盾的分析方法和综合方法,还要有唯物观点和实践观点,就是说,归纳所得的概括,必须经过实践证明它确实符合客观实际,才是正确的,才可以运用这个概括推论及于新冒出来的特殊事物,但对于这个新的特殊的事物,仍须进行具体的分析,否则,会引出错误的结论。如果涉及我们这个时代的社会问题时,还须有阶级观点,还须符合我们党的政策和决议。像这样的研究,就"不是形式主义的方法所能济事"。

在辩证逻辑说来,认识从实践出发,又为实践服务。所以辩证逻辑关于归纳和演绎的涵义,同归纳逻辑所说的归纳,同演绎逻辑所说的演绎,是大不相同的。辩证逻辑认为:归纳是从实践到认识,演绎是从认识到实践。例如:毛泽东同志在1947年12月总结了18个月的解放战争各次战役的经验,拟订出十大军事原则,这是归纳过程,即是从实践到认识的过程;自此以后,我人民解放军灵活地具体地运用这些原则于各次的新战役,因而能够节节取得胜利,终于取得了全面的胜利,这是演绎过程,即是从认识到实践的过程。在这种意义上,我们可以这样说:主观反映客观,主观又见之于客观,都必须付出群众的艰辛的实践。认识上的归纳和演绎反映实践上的归纳和演绎,又指导着实践上的归纳和演绎。所以当我们运用归纳和演绎的方法研究一个革命问题或一个建设问题的时候,必须做系统周密的调查和研究的工作,然后根据研究所得的结果拟订出计划和方案付诸实践,才能实现预想的目的。怎样去做系统周密的调查工作和研究工作呢? 这就是要运用分析方法和综合方法。

七、从理性认识到实践

(一)实践要求理论

前面我们引用了列宁的指示,"认识真理、认识客观实在的辩证法的途径",是由感性认识到理性认识,由理性认识到实践。依据这一指示,认识的总过程,包括由感性认识到理性认识的过程和由理性认识到实践的过程。但是许多关于辩证唯物主义的著作,只认为由感性认识到理性认识是认识过程,却不认为由理性认识到实践是认识过程,这样的说明方法是不正确的,是不符合于列宁的指示的。

毛泽东同志认为:认识的运动只是到达于理性认识为止,认识运动还没有完结。他说:"辩证唯物论的认识运动,如果只到理性认识为止,那末还只说到问题的一半。而且对于马克思主义哲学说来,还只说到非十分重要的那一半。马克思主义的哲学认为十分重要的问题,不在于懂得了客观世界的规律性,因而能够解释世界,而在于拿了这种对于客观规律性的认识去能动地改造世界。"① 读了这段话,我们可以知道,由理性认识到实践的过程必须包括在认识的总过程之中,这是符合于列宁的指示的。

理论是适应于实践的要求而产生的。我们在生产活动和革命斗争中,遇到了困难,发生了问题,我们就来认识这困难,解决这问题,这样就形成了理论。接着就依据这理论去组织实践,指导实践,实践活动就可以继续下去。若果得到了理论而不去组织实践,指导实践,实践就必然停顿了。

马克思主义者是重视理论的。但理论之所以重要,"正是,也仅仅是,因为它能够指导行动。如果有了正确的理论,只是把它空谈一阵,束之高阁,并不实行,那末,这种理论再好也是没有意义的。认识从实践始,经过实践得到

---

① 毛泽东:《实践论》。

了理论的认识,还须再回到实践去。"①

在我国社会主义建设高潮声中,大多数的科学工作者,都认识到了理论结合实践这一原则的正确性,都能够根据自己的所学,研究建设过程中的实际问题,作出了优异的成绩。但是,也有一小撮研究科学的人,他们对于这一原则有抵触情绪。特别是一些搞数学的人,他们认为数学是从公式、定理出发的,与实践没有直接关系。他们的公式是:理论——理论——理论。但是,经过多数人的驳斥,指出科学是从物质生产发源的,并且举出了很多的例证,于是他们作了微小的让步,把他们的公式改为:实践——理论——理论。他们认为,数学虽然从实践出发,但以后就脱离了实践,向着理论——理论的方向发展。在今日星际交通的时代,许多科学技术上的新问题,都要求有高深的数学为它服务,而那种搞数学的人,却坐在斗室中写他自己认为有价值的数学论文,而拒绝为实践服务。这种人如不猛省过来,必将为时代所抛弃。

理论(理性认识)是否正确,是否符合于客观世界的规律性,必须把它拿到实践中去检验一番,如果证明它是正确的,它就能够组织实践,指导实践;如果它是错误的,它就只能妨害实践,使实践遭到失败。单就这一点说,就可以知道从理性认识到实践是整个认识过程的继续了。倘若认识只到达理性认识阶段就结束了,那样的认识就算是半途而废,更不要说起它的是否正确了。

(二)理论指导实践

前面说过,人类的认识有受动作用和能动作用,其中能动作用占居主导地位。认识的能动作用,表现为思维的创造力,能够改造感性认识的材料,引起认识过程的突变,即感性认识飞跃到理性认识。认识的能动作用,不但表现于从感性认识到理性认识之能动的飞跃,更重要的还是表现于从理性认识到实践的飞跃,即从理论到实践的飞跃。理性认识到实践的飞跃的重要意义,就是理性认识与实践的结合,使理性认识受到实践的检验和证明,因而能够组织实践,指导实践。这一从理性认识到实践的能动的飞跃,比较从感性认识到理性认识的能动的飞跃更有重要的作用。

---

① 毛泽东:《实践论》。

马克思说:"理论一掌握了群众,便立刻成为物质的力量。"列宁说:"没有革命的理论,不能有革命的行动。"由此可见,我们的导师们是非常重视理论的。这因为正确的革命理论是在和革命实践的密切联系中形成的,它具有动员人民群众的力量,指导革命运动的方向,坚定革命群众的信心,所以它能掌握群众,成为物质的力量,把革命推向前进。

但是正确的革命理论,只有当社会实践向它提出迫切的要求时,它才能产生出来。当它一经产生出来,它就成为严重的力量,对人民群众发挥出动员、组织和指导的作用。十月革命以前,我国无数先烈为了民族解放而流血斗争,其英勇事迹是可歌可泣的,但他们不能摸索出救国救民的真理,以致常常使得革命流产。自从十月革命一声炮响,给我们送来了马克思列宁主义以后,党和毛泽东同志把"马克思列宁主义的普遍真理一经与中国革命的具体实践相结合,就使中国革命的面目为之一新",这是从理论到实践的能动飞跃的实例。

由感性认识飞跃到理性认识,再由理性认识飞跃到实践,这就完成了认识的一个循环。但是社会的实践不断地发展着,在社会实践中所遇到的问题是层出不穷的,因而我们的认识也必随着社会实践的发展而发展下去。"实践、认识、再实践、再认识,这种形式,循环往复以至无穷,而实践和认识之每一循环的内容,都比较地进到了高一级的程度。这就是辩证唯物论的全部认识论,这就是辩证唯物论的知行统一观。"[1]

八、不断革命论和革命发展阶段论的统一

毛泽东同志在《实践论》中说:

> 社会实践中的发生、发展和消灭的过程是无穷的,人的认识的发生、发展和消灭的过程也是无穷的。根据于一定的思想、理论、计划、方案以从事于变革客观现实的实践,一次又一次地向前,人们对于客观现实的认识也就一次又一次地深化。

---

[1]　毛泽东:《实践论》。

依社会运动来说,真正的革命的指导者,不但在于当自己的思想、理论、计划、方案有错误时须得善于改正,如同上面已经说到的,而且在于当某一客观过程已经从某一发展阶段向另一发展阶段推移转变的时候,须得善于使自己和参加革命的一切人员在主观认识上也跟着推移转变,即是要使新的革命任务和新的工作方案的提出,适合于新的情况的变化。革命时期情况的变化是很急速的,如果革命党人的认识不能随之而急速变化,就不能引导革命走向胜利。

上面所引的前一段话,从认识论上说明了马克思列宁主义的不断革命论;后一段话,从认识论上说明了马克思列宁主义的革命发展阶段论。马克思列宁主义的不断革命论和革命发展阶段论是不可分离地统一着的。前者反映革命一个接着一个而不间断地前进的过程,盾者反映革命由一个发展阶段到另一个新的发展阶段而不间断地前进的过程。各个阶段各具有其不同质的根本矛盾,因而要用不同的方法解决。但前后两个阶段之间又具有密切的联系,前一阶段是后一阶段的准备,后一阶段是前一阶段的归趋。在步骤上,只有完成了前一阶段才能转变到后一阶段。

不但由一个阶段不停顿地转变到另一新的阶段是不断革命,并且每一阶段的过程中顺次显现的许多较小的阶段的推移,也是不断革命。因为每一阶段的发展过程中,由于其中的主要矛盾的双方斗争的发展,逐渐采取激化的形式,因而被那个主要矛盾所规定或影响的许多大大小小的矛盾,有些激化了,有些是暂时地或局部解决了,或者缓和了,又有些是发生了。因此,在这一阶段的发展过程中,就显现出几个小阶段来。这样,一个小阶段到另一小阶段的推移,是逐步的量变,也是较小的质变,即是革命(革命是解决矛盾的,解决矛盾就是革命)。量变是质变的准备,只有到了那个主要矛盾中新生的进步一方消灭那腐朽的反动的一方的时候,这一革命阶段就转变到另一个较高级的革命阶段。

毛泽东同志从民主革命时期起,始终坚持马克思列宁主义的不断革命论和革命发展阶段论,并与"左"右倾机会主义展开了两条战线上的斗争。正如刘少奇同志所说:"以毛泽东同志为代表的指导中国革命的正确方针是:一方面,实行马克思列宁主义的革命发展阶段论,把民主革命和社会主义革命这两个阶段的革命任务区别开来;另一方面,又实行马克思列宁主义的不断革命论,把这两个革命密切地联系起来,在民主革命阶段就尽一切可能为将来进行社会主义革命准备条件,以便民主革命在全国取得胜利以后,不停顿地立即展开社会主义革命的斗争。"①右倾机会主义者认识落后于实际,他们在民主革命和社会主义革命之间筑起一座万里长城,把中国革命停顿在民主革命阶段上,实际上只想帮助资产阶级实现民主革命为止,而把社会主义革命推迟到遥远的将来。"左"倾机会主义者认识超过实际,他们混淆两个革命的界限,要想在民主革命阶段内同时实现社会主义革命的任务。这两种错误倾向,曾使中国革命受到很大的损失,我们应当引为警戒。

中华人民共和国的成立,标志着民主革命阶段的结束和社会主义革命的开始。社会主义革命的目的是在于消灭一切剥削制度和一切剥削阶级,把我国建成为一个具有现代工业、现代农业和现代科学文化的伟大的社会主义国家,社会主义革命过程中的主要矛盾是无产阶级和资产阶级之间的矛盾,即社会主义和资本主义之间的矛盾。这个主要矛盾贯彻于这一革命过程的始终,要到社会主义完全建成之日才能消灭。但在社会主义完全战胜资本主义以前,受这个主要矛盾所规定或影响的许多矛盾,必须一个一个地加以解决,一个矛盾克服了,新的矛盾又产生出来,又要加以克服。所以我国社会主义革命的过程是不断地克服矛盾的过程,即是不断革命的过程,建国以来的历史说明了这样一个过程。

1949 年,中国人民推翻了帝国主义、封建主义和官僚资本主义在中国的反动统治,建立了以工人阶级为领导、以工农联盟为基础的人民民主专政,实质上是无产阶级专政的政权,没收了官僚资本主义企业,建立了社会主义国营经济,确立了在整个国民经济中的领导地位,同时对私人资本主义工商业采取国家资本主义的措施。另一方面,党在农村中领导农民进行土地改革,实现土地的农民所有制,完成了反封建主义的民主革命的任务,同时指出了农业方面的互助合作化的道路。由于民族资产阶级的猖狂进攻,党于 1952 年领导了

---

① 刘少奇:《马克思列宁主义在中国的胜利》。

"三反"(在国家机关中反贪污、反浪费、反官僚主义)和"五反"(在资产阶级工商业者中反行贿、反偷税漏税、反盗窃国家资材、反偷工减料、反盗窃国家情报)的斗争,此外还进行思想改造运动和镇压反革命运动。

当1952年国民经济恢复了以后,党及时提出了社会主义改造和社会主义建设同时并进的总路线。这在当时党内外一部分人之间是有抵触的,他们要求把革命停顿下来,说什么要"巩固民主主义秩序",希望资本主义和社会主义两种经济和平共处,长期共存;而在农村方面,则主张所谓"四大自由"(土地买卖租佃、雇工、借贷、贸易等自由),实际上是要在农村中发展资本主义。党中央和毛泽东同志严肃地驳斥了这类资产阶级观点,采取了一系列社会主义改造的步骤,使革命不间断地前进,因而在1955年下期出现了全国农业合作化的高潮。由于农业合作化的高潮,就促进了1956年春季全国资本主义工商业实行全行业公私合营的高潮,也推动了个体手工业合作化的高潮。于是对农业、手工业和资本主义工商业的社会主义改造就基本上完成了,我们取得了生产资料所有制方面的社会主义革命的胜利。

在经济战线上取得了社会主义革命的基本胜利以后,毛泽东同志于1957年提出了正确地处理人民内部矛盾的问题,党发出了整风运动的文告,以期进一步改善人与人之间的生产关系促进生产力高速度的发展,改进上层建筑某些环节上的缺陷使与经济基础相适应。正在这个时候,资产阶级右派却利用我党整风的机会,发动了反党反社会主义的猖狂进攻,妄想推翻无产阶级专政,使资本主义在中国复辟。于是,党领导了全国人民进行了轰轰烈烈的反右派斗争运动,粉碎了资产阶级右派的猖狂进攻,取得了政治战线和思想战线上的社会主义革命的胜利。由于反右派斗争的胜利和全民的社会主义思想教育的普及,全国劳动人民的生产积极性空前提高,生产力空前发展,党中央根据这种有利形势,及时地提出了和执行了"鼓足干劲、力争上游、多快好省地建设社会主义"的总路线,并在其中提出了技术革命和文化革命的号召。全国劳动人民在这条总路线的鼓舞下,发挥了无穷的智力和潜力,干劲冲天,生产热情高涨,因而出现了1958年国民经济"大跃进"的波澜壮阔的新局面。特别是跟着国民经济"大跃进"而俱来的,是全国农村的人民公社化运动的大发展。在短短的几年期间内,"从一亿一千多万个个体农户变为二万四千多个公社,这是一个多么巨大的变化! 这是马克思列宁主义的不断革命论一个多么光辉的胜利!"①

刘少奇同志说:"马克思、恩格斯和列宁曾经多次指出,工人阶级的战斗口号应当是不断革命。"党中央和毛泽东同志长期以来就是用这个不断革命的战斗口号指导中国革命,使人民群众革命热情不断高涨,使工作干部不致满足于既得成就而滋长骄气和暮气,因而能使革命不停顿地从一个阶段前进到另一个阶段,从一个胜利前进到另一个胜利。

不断革命论和革命发展阶段论是马克思主义的认识论,它反映着革命一个接着一个、一个阶段接着一个阶段而不停顿地前进的过程,反映着革命过程中不断地遭逢矛盾和解决矛盾的过程。在社会主义革命和社会主义建设的长途中,政治、经济和文化各个战线上的矛盾是层出不穷的,革命工作者必须及时地善于和敢于去认识矛盾并解决矛盾,才能把工作推向前进。如果客观过程由于矛盾的斗争已被推向前进了,而自己的思想却不能随着变化了的客观情况而前进,这就表现为右倾机会主义。现在右倾机会主义者反对总路线、反对大跃进、反对人民公社,这固然是由于他们站在资产阶级的立场,但除了阶级的根源以外,也还有其认识论的根源。他们的认识落后于实际。他们害怕矛盾,更说不上认识矛盾和解决矛盾,所以他们只想扭转历史的车轮,开倒车。他们反对不断革命论。

九、工作方法

(一)领导与群众相结合

毛泽东同志创造性地运用马克思主义认识论于领导方法、工作方法方面,于党的领导和群众路线的关系方面,这是对马克思主义认识论的一个最卓越的贡献。

共产党领导人民群众革命的目的,是在于消灭一切的剥削制度和剥削阶级,建立繁荣幸福的社会主义社会并向共产主义社会迈进。为要完成这一伟

---

① 周恩来:《伟大的十年》。

大的革命任务,就必须解决完成任务的领导方法、工作方法的问题。"我们的任务是过河,但是没有桥或没有船就不能过。不解决桥或船的问题,过河就是一句空话。不解决方法问题,任务也只是瞎说一顿。"①由此可见,毛泽东同志是极端重视工作方法的。

以毛泽东同志为代表的党中央,在长期领导革命的斗争中,锻炼出一套科学的领导方法或工作方法。毛泽东同志在1943年为党中央所写的《关于领导方法的若干问题》这一文件中,对于这个科学的领导方法作了精辟的说明。这个文件的第一项这样写着:

> 我们共产党人无论进行何项工作,有两个方法是必须采用的,一是一般和个别相结合,二是领导和群众相结合。

这里所说的"领导和群众相结合",可以用"群众——领导——群众"的公式来表达;所说的"一般和个别相结合",可以用"个别——一般——个别"的公式来表达。两者之中,要以"群众——领导——群众"这一公式最能表现党的领导和群众路线的血肉相连的关系,它应当是领导方法的最基本的原则。

"群众——领导——群众"这一公式,和前面所列举的"实践——认识——实践"那个公式是一致的。我们党所强调的要把马克思列宁主义的普遍真理同中国革命的具体实践相结合,即是同群众的革命的实践相结合,因为除了群众的实践以外,不能再有别的实践。公式中的"领导"代表着群众实践经验的总结,也体现着领导者的实践经验。在这种意义上,领导方法的认识论,同关于客观事物的认识论是一致的。所以上述那个文件中又说:

> 在我党的一切实际工作中,凡属正确的领导,必须是从群众中来,到群众中去。这就是说,将群众的意见(分散的无系统的意见)集中起来(经过研究,化为集中的系统的意见),又到群众中去做宣传解释,化为群众的意见,使群众坚持下去,见之于行动,并在群众运动中考验这些意见

---

① 《毛泽东选集》第一卷,第136页。

是否正确。然后再从群众中集中起来,再到群众中坚持下去。如此无限循环,一次比一次地更正确、更生动、更丰富。这就是马克思主义的认识论。

我们的民主主义革命、社会主义革命和社会主义建设的事业,都是人民群众自己解放自己的事业,党是全心全意为人民群众服务的,党只有密切地联系群众,坚决地信任群众,领导群众为这一解放事业奋斗到底。为此,党关于革命和建设的政策、计划和方案的制订,必须集中群众的智慧和意见,总结群众生产斗争和阶级斗争的经验,才能发挥群众的革命性和创造性,使这一解放事业能够取得完全胜利。因此,以毛泽东同志为代表的党中央,早在民主革命时期,就创造了领导和群众相结合的领导方法(或工作方法)的认识论的理论。

从群众中来的过程是从实践到认识的过程,是调查和研究的过程。领导者要投身到群众的实践中去,虚心向群众学习,采用各种调查方法,搜集群众各方面的意见(即详细地占有材料)。这些意见中,有先进的,有中间的,有落后的;有正确的,有错误的;有真实的,有虚伪的;有感性认识,有理性认识;有成熟的经验,有不成熟的经验等。总的说来,这些意见是个别的、分散的、不成系统的。领导者要在马克思列宁主义理论的指导下,运用阶级分析的方法,具体地分析这些意见,经过去粗取精、去伪存真、由此及彼、由表及里的改造制作的工夫,造成理论和概念的系统。即是说,经过研究,把群众的分散的无系统的意见,化为集中的系统的意见(即理性认识)。所以从群众中来的过程,又是概念形成的过程、判断形成的过程和推理进行的过程。其次,到群众中去的过程,是从认识到实践的过程,又是检验主规是否符合于客观的过程。在这段过程中,领导者依据那个集中的系统的意见,制订计划和方案,拿到群众中坚持下去。集中的系统的意见,在认识水平上,比较分散的无系统的意见是高一级的东西,为要使计划或方案为一般的群众(特别是中间的落后的群众)所乐意接受而自觉自愿地去执行,必须向群众做耐心细致的宣传解释工作,群众如果被说服了,自觉自愿地执行上级的计划或方案了,这个集中的系统的意见就化为群众的意见。理论一掌握群众,就成为物质的力量。人脑是能够反映客观世界的,但不能一次地、完全正确地把客观世界都反映出来,这就必须反复地调查和研究，才能一次比一次地反映得比较正确，比较更进一步地接近于客观实际。因此，就要"再从群众中集中起来，再到群众中坚持下去。如此无限循环，一次比一次地更正确、更生动、更丰富"。这也就是说："实践，认识，再实践，再认识，……而实践与认识之每一循环的内容，都比较地进到高一级的程度。"

毛泽东同志草拟1956年至1957年农业发展纲要的时候，最初从群众中集中起来的东西只有十七条，后来反复地到群众中坚持下去，又从群众中集中起来，最后集中了四十条。这四十条纲要完全是群众自己的东西，是群众认为只要自己努力都可以办到的事情，这个纲要对于农村干部和农民群众起了莫大的鼓舞的作用，因而掀起了1958年以来的全国农业生产大跃进的高潮。

（二）社会调查是主要的工作方法

如上所述，在革命和建设过程中，党的政策是从群众中集中起来的，党的政策的实行是到群众中坚持下去的。在这里，政策的制定是先务之急，因而从群众中集中起来是首要的任务。上面说过，从群众中来是一个调查和研究过程，这样说来，到群众中去做调查和研究工作，和党的政策的制定，就具有非常密切而不可分的关系。以毛泽东同志为代表的党中央非常重视调查和研究工作，曾经发布过《关于调查研究的决定》。这个决定，肯定了毛泽东同志所说的"没有调查就没有发言权"这一句话的真理，认定系统周密的社会调查是决定政策的基础；领导机关的基本任务就在于了解情况和掌握政策，而情况如不了解，则政策势必错误。因此，党中央通告全体党员都要做调查研究工作，使了解情况注意政策的风气与学习马克思列宁主义理论的风气密切结合起来，反对将学习马克思列宁主义原理原则与了解中国社会情况、解决中国革命问题互相脱节的恶劣现象。党中央这一决定在我们党内起了良好的作用。

毛泽东同志在第一次国内战争时期，创造了这种领导方法的认识论，即从群众中集中起来到群众中坚持下去的认识论。他在1927年春季，到湖南湘潭、湘乡、衡山、醴陵、长沙五县，实地考察了农民运动的情况。他到处召集有经验的农民和农运工作同志开调查会，仔细倾听他们的报告，积累了非常丰富的材料。他运用马克思列宁主义的理论和阶级的分析方法，缜密地研究了那些材料,总结了广大的农民运动的经验,写成了《湖南农民运动考察报告》这一辉煌的历史性的文件。《报告》着重指出:共产党人所领导的这个农民革命实际上就是民主革命,只有农民革命才能把一切帝国主义、军阀、贪官污吏、土豪劣绅都葬入坟墓,才能完成民主革命;占乡村人口百分之七十的贫农是这个革命的先锋,占百分之十二的中农虽然态度游移,却都加入了农会。从这里,可以知道农民已经成了工人阶级的同盟军,工人阶级领导的工农联盟已经开始形成了。《报告》还总结了农民在农会领导下所作的十四件大事,其中尤以农民组成农会,一切权力归农会,从政治上经济上打击地主,推翻土豪劣绅的封建统治,推翻地主武装,建立农民武装这几件大事最富有政治意义,简直构成了民主革命策略的基础。所有这些关于农民运动经验的总结,都是从群众中集中起来的东西。1927 年革命失败以后,毛泽东同志和他的战友们领导农民重新组织起来,进行反封建主义的土地革命战争,同时组织工农红军建立红色政权,在农村中发展革命,由农村包围城市进而夺取城市——这一些策略思想,是和前一时期的农民革命运动的总结相联系的,也可说是到群众中坚持下去的过程。

由此可见,系统周密的社会调查工作对于政策的制定具有何等重要的意义。当然,领导者是掌握着马克思列宁主义的理论和方法的,但是如果不到群众中去做系统周密的社会调查,不从群众实践中吸取丰富的经验作为研究的材料,那么,理论就变为空洞的东西,方法也无用处,若果这样,理论便和实际相脱离,便成为教条主义。

(三)工作方法的新形式

近几年来,各级领导人员根据"领导和群众相结合"同"一般和个别相结合"的原则,创造了工作方法的许多新形式,这里择要选列几项说明如下。

种试验田。湖北红安县领导干部首创种试验田的领导方法。他们通过种试验田,用自己直接的实践,创造典型经验,用这种经验去领导和推动广泛的群众的生产运动。这就一举而解决了领导和群众相结合同一般和个别相结合两大问题。

种试验田有原则性的重大意义:领导者参加生产,领导生产,推广先进经验,实行以点带面,点面结合,可以实现全面的深入的具体领导;由于领导者可以随时倾听群众的呼声,集中群众的智慧,及时了解情况,发现问题,解决问题,因而可以避免或减少主观主义和官僚主义;由于取得了生产的技术和知识,外行变成内行,可以实现政治和技术的统一,可以走上又红又专的道路,可以促进脑力劳动和体力劳动的结合。因此,种试验田是一个十分重要的领导方法。这个领导方法不仅推广于农村,也推广于工矿等企业方面,如"跟班劳动"、搞"试验车间"、"试验工段"、"一条龙"等,都是这一领导方法的推广。

专业会议。专业会议从城市搬到乡村、从机关搬到现场去举行,这是一个大跃进的领导方法。集合在现场的有领导、各级干部、技术人员和富有经验的工人或农民。现场中有典型事物(有的还有表演),大家用眼看,用耳听,用口讲,边看,边听,边想,边讨论,生动活泼,新鲜愉快。最后由领导者作出总结,以资推广。这是一场生动的从群众中去的领导方法。

现场会议。有许多好处。第一,领导者要走出办公室到生产最前线去考察,发现群众有创造性的新经验、新事物就当场加以研究,认为应当推广时,就准备布置会议。第二,参加会议的人可以取得丰富的感性知识,因而容易提高到理论认识。第三,在现场上对实际事物进行共同的研究和讨论,可以沟通领导和群众、上级和下级之间的思想,使大家的认识趋于一致,上下左右拧成一股劲,这就可以调动一切积极因素,发挥群众的智慧,把先进经验全面推广。第四,现场会议比较在城市或机关举行的会议,更能多、快、好、省,先进经验可以及时推广。这真是一个大跃进的领导方法,是唯物辩证法的认识论在实际工作中的应用,大大地有利于我们国家多快好省地建设社会主义。

参观和展览。组织干部和群众参观先进经验和集中地展览先进的产品和做法,是两项很好的领导方法。要组织参观和展览,就要求领导者善于深入实际,深入群众,发现先进典型,认真总结先进经验,把群众实践经验集中起来,经过研究,形成正确的领导意见,这就是从群众中来。组织参观和展览,就便于用先进经验去普遍地指导群众,使它为更多的群众所接受,所坚持,这就是到群众中去。参观和展览的方法,具体地体现了坚决依靠群众,用群众自己的经验来教育群众,用先进带动落后,用个别带动一般的群众路线的原则。

抓两头,带中间。任何一种情况,总有先进的、中间的和落后的三种状态。

先进和落后两头跟中间状态比较,总是少数,中间状态占居多数。先进和落后是矛盾的对立面。领导者只要抓住两头,使落后赶上先进,就把中间带动起来了。这是一个辩证的方法,是一个很好的领导方法。又如领导者组织干部和群众"学先进,比先进,赶先进",使先进带动中间和落后,使先进更加先进,如此继续前进,就可以使先进的水平变为全国的水平。

九个指头和一个指头。毛泽东同志经常谈起十个指头问题,用九个指头和一个指头或者多数指头和少数指头的区别,来比拟于成绩和缺点、主流和支流、大局和小局的区别。这种说法很生动,也符合于我们工作的情况。党的政策虽然是按照客观规律和群众要求制定的,而我们所做的事业是史无前例的,在做的过程中,总难免发生一些缺点和错误。但无论如何,成绩总是主要的,它表现为主流,为大局。在前进过程中,我们要重视成绩,改正错误和缺点;要抓住主流,不要错抓支流;要看清大局,不要只拘泥于小局。如果把支流当做主流,把小局看成大局,那一定要翻跟斗。党的根本路线是正确的,偶然出现一些缺点,可以及时改正。

成绩和缺点的关系的问题,是九个指头和一个指头的关系问题,领导者只有正确地认识这个问题,巩固成绩,改正缺点,就可以提高干部和群众的信心,鼓起他们的干劲,就可以使我们的事业持续大跃进。右倾机会主义分子,一叶障目,不见泰山,他们把一个指头的缺点夸大为九个指头甚至十个指头。攻其一点,尽量夸大,不及其余,这种态度,和资产阶级右派几乎没有区别。

务虚和务实。"虚"指思想,"实"指工作;"虚"指认识世界,"实"指改造世界。虚和实形成辩证的统一。领导者布置一项工作的时候,首先要召集有关工作人员和群众的代表共同研究工作对象(现实事物)的规律性,统一认识,解放思想,这叫做务虚。其次,根据工作对象的规律性,作出计划或方案,规定指标,采取措施,鼓起工作人员和群众的干劲,保证指标的实现和超额完成,这叫做务实。务虚和务实是辩证的统一。务虚以务实为目的,即认识世界以改造世界为目的;务实以务虚为指导,即一切工作要以政治为统帅,以思想为灵魂。这就是以虚带实,虚实并举。若果把务虚和务实两者割裂开来,专务实而不务虚,方法不对头,指标就会落空,群众的积极性就会遭到挫折。专务虚而不务实,就变为说空话的人,必将一事无成,不能得到群众的信任。所以我们无论做任何工作,必先充分务虚,才能多快好省地完成任务。

工作方法的新形式还有很多,这里就不一一列举了。

工作方法是和思想方法一致的。我党所创造的领导和群众相结合、一般和个别相结合的方法,是马克思主义的领导方法、工作方法,又是马克思主义的认识论。在我们这个伟大时代,群众在生产前线上所创造的先进经验和典型事例是层出不穷的,领导者只要亲临前线去考察,随时可以发现新人新事新幼芽,辨风向,树标兵,一定可以创造出新的工作方法。大跃进促进新的工作方法的产生,新的工作方法的产生又能加速大跃进。多快好省的工作方法,可以多快好省地建设社会主义。

十、革命精神和科学精神的统一

(一)认识的能动作用

近来许多同志论述了"主观能动性和客观规律性的关系"的问题。究竟"主观能动性"的含义怎样? 这是首先要弄清楚的问题。毛泽东同志在《实践论》中说起了"认识的能动作用"的重要性。他说:

> 认识从实践始,经过实践得到了理论的认识,必须再回到实践去。认识的能动作用,不但表现于从感性的认识到理性的认识之能动的飞跃,更重要的还须表现于从理性地认识到革命的实践这一个飞跃。抓着了世界的规律性的认识,必须把它再回到改造世界的实践中去,再用到生产的实践、革命的阶级斗争和民族斗争的实践以及科学实验的实践中去。这就是检验理论和发展理论的过程,是整个认识过程的继续。

由此可见,认识的能动作用,包括两个过程:其一是从实践到认识的过程,即是从感性认识到理性认识、到事物的客观规律性的认识的过程;其二是从认识到实践的过程,即是从理性认识到实践的过程,即根据客观规律性的认识制成理论、计划或方案运用到生产斗争和革命斗争中去的过程。这两个过程是不可分离地统一着,这正是认识和实践的统一。所以认识的能动作用,包括客观规律性的认识和生产的、革命的斗争两个有机的构成部分。

毛泽东同志在《论持久战》中,谈到了"自觉的能动性"。他说:

> 但是一切事情是要人做的,持久战和最后胜利没有人做就不会出现。做就必须先有人根据客观事实,引出思想、道理、意见,提出计划、方针、政策、战略、战术,方能做得好。思想等等是主观的东西,做或行动是主观见之于客观的东西,都是人类特殊的能动性。这种能动性,我们名之曰"自觉的能动性",是人之所以区别于物的特点。一切根据和符合于客观事实的思想是正确的思想,一切根据于正确思想的做或行动是正确的行动。我们必须发扬这样的思想和行动,必须发扬这种自觉的能动性。

从上面一段话看来,"自觉的能动性"也包括两个方面:其一是"根据和符合于客观事实的思想",这种思想即是根据于事物的客观规律性的认识而来的;其二是"根据于正确思想的做或行动",这即是根据于以客观规律性的认识为基础制定的计划、方案、政策等去从事于生产的或革命的斗争。由此可见,毛泽东同志所说的"自觉的能动性"和"认识的能动作用",其内容是完全相同的,即两者都包括关于客观规律性的认识和根据于客观规律性认识的实践(即生产的或革命的斗争),这两个部分是不可分离地结合着的。

主观能动性或主观能动作用,其内容是和"自觉的能动性"或"认识的能动作用"完全相同的,即同样包括关于客观规律性的认识和基于客观规律性的实践这两个构成部分。这两个部分互相联系,互相促进,形成辩证的统一。只有掌握了客观规律,基于客观规律的实践就能达到预想的结果;只有在符合于客观规律的实践中,才能深入地、全面地掌握客观规律,并发现新的客观规律,因而更促进实践的发展。只有这样,人们的主观能动性就可以逐步提高,并可以充分发挥出来。

主观能动性、自觉的能动性或认识的能动作用,是人类所固有的,"是人之所以区别于物的特点"。人类的祖先(猿)在其漫长的劳动过程中,并不是完全被动地、消极地适应自然,多少也能动地积极地适应自然,到了发明工具变成为人类以后,他们在生产斗争中,逐渐认识了自然的性质、自然的规律,因而根据于自然规律的生产斗争,就可以达到预想的结果。在世代相承的长期生产斗争中,由于不断地暴露了自然规律,不断地促进生产斗争的发展,因而人类的主观能动性就不断地提高,不断地得到充分发挥。因此,我们可以说,人类社会的历史,是人民群众合乎客观规律的生产斗争的历史,是人民群众发挥主观能动性改造自然世界的历史。

其次,说到阶级斗争和社会规律的关系。这种关系同生产斗争和自然规律的关系不同。在奴隶制社会和封建社会中,人民群众(奴隶和农民)受着剥削阶级的残酷的剥削和压迫,对于社会规律是不自觉的,他们的主观能动性受到抑制,所以奴隶们虽然发动了多次反抗奴隶主的暴动,农民们虽然发动了多次反抗封建王朝的起义,却总是遭到了失败。近代无产阶级对于资本主义社会规律的认识,在其实践的初期还处于感性认识阶段,他们对于资产阶级的斗争是破坏机器和自发斗争,这时,他们还是一个所谓"自在的阶级"。直到他们进入有意识有组织的经济斗争和政治斗争的时期,"由于长期斗争的经验,经过马克思、恩格斯用科学的方法把这种种经验总结起来,产生了马克思主义的理论,用以教育无产阶级,这样就使无产阶级理解了资本主义社会的本质,理解了社会阶级的剥削关系,理解了无产阶级的历史任务,这时他们就变成了一个'自为的阶级'"。由此可见,无产阶级只有成为"自为的阶级"的时候,才能高度发挥革命的主观能动性,即是说,他们掌握了社会发展规律,资本主义必然为社会主义所代替的规律,并根据这些规律制定革命的理论和策略,进行无产阶级革命,推翻资本主义社会,建立共产主义社会。

(二)人民群众的主观能动性是一个伟大的动力

刘少奇同志说:"事在人为,人民群众的主观能动性,是一个伟大的动力。忽视这个伟大的动力,就会同马克思列宁主义背道而驰。"①事实正是这样,我国人民群众的革命的主观能动性不单是民主主义革命的伟大的动力,并且是社会主义革命和社会主义建设的伟大动力,又将是由社会主义进到共产主义的伟大动力。

———————————

① 刘少奇:《八大二次会议工作报告》。

人民群众的主观能动性怎样发展起来的呢?

我国人民群众从 19 世纪中叶以来,连续不断地进行反帝国主义反封建主义的革命斗争,其英勇事迹是可歌可泣的,只因为没有摸索到救国救民的真理,不懂得中国社会发展的规律、革命发展的规律,致使革命遭到失败,甚至大规模的辛亥革命也终于流产。但自从 1921 年中国共产党起来领导民主主义革命以后,革命的面貌发生了根本的变化。党运用马克思主义这个科学,针对中国的历史实际和革命实际,制定中国革命理论和策略,领导这个革命。人民群众在党的领导下,发挥了冲天的革命干劲,因而取得民主主义革命的完全胜利(包括土地改革在内)。这就证明了人民群众的主观能动性,是民主主义革命的伟大的动力。

进到社会主义革命时期以后,人民群众的主观能动性更加高涨起来了。这是因为,我们推翻了官僚资本主义和封建主义的生产关系,建立了新的生产关系,解放了生产力,而作为首要生产力的人民群众首先得到了解放,成了国家的主人;党对人民群众进行了政治思想教育,使人民群众能够以"政治作统帅、思想作灵魂";党用科学规律的知识武装了人民群众,同时,人民群众在生产的实践中,也逐步认识了客观规律,因而提出了许多合理化建议。因此,以毛主席为代表的党中央,在 1952 年国民经济恢复工作完成以后,适时地运用生产关系适合生产力性质的规律和政治对于经济的能动作用的规律,结合人民群众的主观能动性,制定了党在过渡时期的总路线,实施了社会主义革命和社会主义建设同时并举的方针。由于党的领导和人民群众主观能动性的发挥,我们在 1956 年完成了对农业、手工业和资本主义工商业的社会主义改造,同时提前实现了第一个五年计划。接着党和毛主席用不断革命论的理论教育人民群众,在经济战线上取得社会主义革命决定性胜利的同时,提出了关于正确处理人民内部矛盾的问题,调动一切积极因素,为社会主义建设服务。因此,在 1957 年,开展了大规模的整风运动,接着进行了反右派的斗争,并对全民普及了社会主义思想教育,我们又取得了政治战线上和思想战线上的社会主义革命的胜利,从此人民群众破除了迷信,解放了思想,精神奋发,斗志昂扬,意气风发,出现了空前未有的现象。党和毛主席运用社会主义经济规律、高速度按比例发展的规律,结合人民群众高度的主观能动性,制定了鼓足干劲、力争上游、多快好省地建设社会主义的总路线,及其一整套两条腿走路的方针。这条总路线充分估计到了客观的物质条件,并且反映了全国人民要求迅速改变我国"一穷二白"落后面貌的强烈愿望。所以,它能够成为动员、鼓舞和组织全国人民的物质力量。因而,我国出现了1958年以来的工农业生产的全面大跃进及其以后的持续大跃进的高潮。

其次,从1957年冬季起,广大的农民群众为了合理安排和使用劳动力与生产资料,兴办水利事业,实行畜牧业和林业等多种经营,采用先进的农业技术,实现"八字宪法",举办为农业服务的工业,举办学校,修建便于运输的道路,以及举办必要的社会福利事业等。他们感到这绝不是小社所能做到的事情,因此,邻近的各个合作社,互相协商把小社并为大社。这样的大社在各省的名称并不一致。毛泽东同志看见这个新生事物,立即称赞"人民公社好"。他和党中央根据生产关系必须适应生产力性质的规律,根据当时群众的要求,及时地领导了这个运动。党中央作出了关于在农村建立人民公社问题的决议,总结和提高了群众的创造,确定农林牧副渔全面发展、工农商学兵互相结合、政社合一的人民公社,是加快我国社会主义建设的速度,以及实现下述两个过渡的最好组织形式,即第一,成为我国农村由集体所有制过渡到全民所有制的最好的形式;第二,成为我国由社会主义社会过渡到共产主义社会的最好的形式。

总体来说,总路线、大跃进和人民公社是我国政治和经济发展的必然产物,是党的领导和群众运动结合的产物,是党的正确方针和人民群众的主观能动性相结合的产物。依靠这三大法宝,必能加速我国社会主义建设的速度,并向共产主义迈进。现在,全国人民正在努力学习文化,学习毛泽东思想,学习政治经济学,学习科学技术,我们深信,他们必定会用更丰富的社会发展规律和科学技术发展规律的知识把自己武装起来,从而进一步提高自己的主观能动性。这种主观能动性是建设社会主义和共产主义的伟大的动力。

(三)科学的预见

认识了客观规律,就是认识了客观真理,我们就可以根据这个客观规律,指出事物或过程发展的倾向,因而拟定计划和方案,作为实践的向导,这就是科学预见。科学预见是依据对客观规律的正确认识，指出事变发展前进过程的科学推测。一百多年前马克思和恩格斯暴露了社会发展的最一般规律，暴露了资本主义社会发生、发展及其没落的规律，断定了无产阶级必然起来推翻资产阶级，资本主义社会必然转变为社会主义社会，并且描画了共产主义两个阶段的轮廓。这种最伟大的科学预见，已经由我们社会主义各国的社会主义革命和社会主义建设完全证实了。列宁暴露了帝国主义时代各国经济政治发展不平衡的规律，认为社会主义首先在单独一个国家中获得胜利是可能的。这个伟大的科学预见，为十月革命所证实了。

一个无产阶级的政党——共产党，为要领导人民大众取得革命的胜利，如果没有科学预见，那是不可能的。中国共产党所以能够在占全世界人口四分之一而情况又极端复杂的半封建半殖民地的国家中，领导全国人民群众，推翻帝国主义、官僚资产阶级和地主阶级三位一体的统治，建立了人民民主共和国，并向社会主义和共产主义前进，这完全是由于党和毛泽东同志用伟大的科学预见指导革命的结果。毛泽东同志根据中国社会发展规律和社会经济发展规律，为我党制定了民主主义革命的总路线、社会主义革命的总路线和社会主义建设的总路线，这些都是伟大的科学预见，已由我国的革命和建设的胜利证明了并且正在证明着。正因为毛泽东同志通晓社会发展规律和社会经济发展规律，所以他提出了许多科学预见，确定了革命运动的方向，坚定了革命群众的信心，因而能够领导群众向前迈进。例如，在第一次国内革命战争时期，他考察了当时大规模的农民革命运动，其势如暴风骤雨，迅猛异常，就断言一切帝国主义、军阀、贪官污吏、土豪劣绅都要被葬入坟墓；在第二次国内革命战争时期，出现了革命潮流低落的现象，他分析了当时国内复杂的矛盾的情况和政治经济的特点，断言革命高潮有迅速到来的可能，并且指出当时处于四围白色政权中的小块红色区域，必然成长壮大，星星之火，必将燃成燎原的烈火；在抗日战争时期，他分析中日双方矛盾的特点，预言这个战争是持久战，最后胜利属于中国而不属于日本；在第三次国内革命战争时期，预言国民党反动派的军队必将为解放军所打败。所有这些预见，都为实践所证实了。又如，在我国经济建设方面，早在民主主义革命胜利的前夕，毛泽东同志就预言全国解放后，我国生产力必将以高速度向前发展；在农业的社会主义改造方面，早在民主主义革命时期,他就从农民的劳动互助组织中看出了社会主义的因素,在合作化初期的过程中,指出三个穷棒子社就是五亿农民的道路;在资本主义工商业的社会主义改造方面,早在第一次国内革命战争时期,他就看出了民族资产阶级的二重性,指出他们中间的右翼可能成为我们的敌人,其左翼可能是我们的朋友,这就预定着这个阶级有在无产阶级领导下接受改造的可能。所有这些预言都为社会主义革命和社会主义建设的实践证实了。

毛泽东同志那许多的科学预见之所以能够一一实现,第一,由于我们有了抓住真理,为真理而冲锋陷阵的党,和在党领导下的革命热情高涨的人民群众;第二,由于党和毛泽东同志掌握了科学的思想方法和工作方法,能够随时适应客观事变的趋势,吸取群众的经验和智慧,制定正确的计划和方案,动员和组织群众,向着预定的目标前进,因而能够达到预想的结果。这就是科学预见和革命的具体实践相结合。

我们应当向毛泽东同志和其他联系群众的领导同志学习,"学习他们在实际工作中时时刻刻应用马克思列宁主义、应用辩证法和唯物论的榜样,学习他们把马克思列宁主义的普遍真理同中国革命的具体实践相结合、把严肃的原则精神同生动的独创精神相结合的榜样,学习他们同亿万群众在一起、看到了正确方向、抓住了真理、就为真理而奋斗、势如破竹、所向披靡的榜样"①。

十一、真 理 论

(一)有没有客观真理

关于真理的问题,是从哲学家对于哲学上根本问题的解答发生的。唯物主义者承认物质的第一性和意识的第二性,承认物质世界是离开我们意识独立而又为我们意识所反映的客观实在。从这里出发,就引出了唯物主义的反映论。依据反映论,我们的感觉、表象和概念都是客观世界的反映。感觉、表象和概念,属于意识的范围,因而它们都是主观的;但感觉、表象和概念的内容,都是客观世界的印象,因而它们都是客观的。这便是说,感觉、表象和概念

---

① 刘少奇:《八大二次会议工作报告》。

的内容,是不依存于主体,不依存于人类的。依照列宁的说明,感觉、表象和概念中这种不依存于主体、不依存于人类的内容,就是客观真理。换句话说,客观真理就是客观的对象和过程在我们的感觉、表象和概念中的正确的反映。推广起来,一切为实践所证明了的自然科学和社会科学的规律,都是客观真理,因为它们都正确地反映着不以人类的意志和意识为转移的自然现象和社会现象中的规律性。

真理是客观的。客观真理就是客观对象在我们感觉、表象和概念中的正确的印象。映象只能和客观对象相一致,相符合,但两者并不是同一的,而是有差别的。所以客观真理和客观对象不是同一的,若果把两者混为一谈,就会犯严重的错误。

承认客观真理的存在,首先对于我们的实践具有重大的意义。我们为了改造客观世界,必须认识客观世界的规律,即认识客观真理,才能根据客观真理来组织实践。如果没有客观真理,那就单凭各人的主观见解去行动,决不能达到改遗客观世界的目的。其次,承认客观真理的存在,就能够有效地粉碎唯心主义认识论的路线,坚决卫护唯物主义认识论的路线。

唯心主义者主张意识的第一性和物质的第二性,主张物质世界只存在于他们的意识中,意识以外再没有物质世界。从这里出发,就引出了他们的主观真理论。

客观唯心主义者黑格尔,断定真理是存在和思维的同一性,并且他所说的存在和思维都是由所谓绝对精神产生的,所以他所说的真理纯粹是主观的。

主观唯心主义者马赫派,例如波格丹诺夫主张真理是人的经验的观念形态,即是主张主观真理。右倾机会主义分子根据唯我主义世界观,也是否认客观真理,而主张主观真理的。他们不是根据客观分析得出合乎社会发展规律的结论,而是根据他们的主观意愿来判断事物。在他们看来,一切事物凡是合乎他们主观意愿的,他们就赞成;凡是不合乎他们主观意愿的,他们就反对。

实用主义者认为真理是由人的主观愿望和意图来决定的,凡是符合于主观愿望的有用的东西,便是真理。詹姆士说:"真是我们观念的一个性质";又说:"真是有用的";又说:"在实用主义上,如上帝的假设,有满足的功用,这假设便是真的"。杜威说:真是给人满意的。实用主义者的徒孙胡适说:"真理原来是人造的,是人造出来供人使用的,是因为它们大有用处,所以才给它以'真理'的美名的。我们所谓真理,原不过是人的一种工具。真理和我手里这张纸、这条粉笔、这块黑板、这把茶壶是一样的东西,都是我们的工具。"够了!这简直是蛆虫哲学!美帝国主义的侵略政策,蒋介石匪帮的卖国政策,都是用这种蛆虫哲学做工具的。

(二)绝对真理和相对真理的关系如何

列宁说:"如果客观真理是有的,那末,表现客观真理的人的表象能否一下子、完全地、无条件地、绝对地表现它,或者只能近似地、相对地表现它?这第二个问题是关于绝对真理和相对真理的相互关系问题。"

绝对真理是那种在将来不会因为科学的继续发展和发现而被推翻的客观真理。例如,中华人民共和国成立于 1949 年 10 月 1 日;毛泽东是中国各族人民的伟大领袖;物质是离开我们的感觉独立而又为我们的感觉所反映的客观实在;世界发展的最一般规律即对立统一规律、质量转变规律、肯定否定规律;马克思主义是无产阶级革命行动的指南——这些都是绝对真理。但是,列宁在这段话里所说的绝对真理,是指关于绝对的整个世界的客观的绝对真理说的。相对真理是那些大致正确但不完全地反映着客观世界,并且逐步地变得更正确更完全的概念和理论。在辩证唯物主义说来,绝对真理是由相对真理的总和构成的,相对真理是绝对真理的阶段或成分。绝对真理和相对真理的关系是辩证的。

辩证唯物主义认为绝对的整个世界发展过程是可以完全认识的,即是说,客观的绝对真理是存在的。但绝对的整个世界发展过程,是非常广大、非常复杂的过程。在这绝对的整个过程中,各个具体过程的发展都是相对的。各个发展阶段的具体过程,都是绝对的整个过程中的一部分。若把人类对于绝对的整个世界发展过程的认识叫做绝对真理,那末,人们对于各个具体过程的认识只能叫做相对真理。绝对的整个过程是各个具体过程的总和,绝对真理就是无数相对真理的总和。绝对真理犹如长河,相对真理犹如支流,无数相对真理的支流,汇成绝对真理的长河。所以绝对真理和相对真理之间的关系,是一个辩证的关系,两者之间没有不可逾越的界限。人类对于客观世界的认识,是从相对真理逐步走向绝对真理去的过程。社会实践的历史,科学与技术发展的历史,都给予了充分的证明。例如由原子说到电子说到原子核论的发展,都逐步地给绝对真理添加了新的成分,而且也逐步地走近于绝对真理。

一切流派的主观唯心主义者和形而上学者对于真理是相对的或绝对的问题,各有片面的主张。形而上学者(例如杜林)是单只承认绝对真理而否认相对真理的。他们主张物质世界和人类意识都是不变的,不变的人类意识能够一次地,完全地认识不变的物质世界(即到达于绝对真理)。他们不懂得物质世界发展的历史和人类意识发展的历史,因而也把真理看做不发展的东西。他们认为真理只有绝对性,却不知绝对真理是在人类对于客观世界的认识过程中开辟出来的。绝对的整个世界的发展过程中每一具体过程的认识,虽然表现着绝对真理的一部分,却仍然只具有相对的真理性。

另一种片面的见解,是主观唯心主义者,他们根本否认物质世界的存在,因而否认客观真理而主张主观真理,否认绝对真理而主张相对真理。他们对于真理的看法是主张相对论的。这种见解也是荒谬的。因为单只主张认识的相对性,还不能区别真理和错误。依据相对论的见解,一切科学的知识都只是相对真理,因而也是相对的错误;同样,宗教都只是相对的错误,因而也是相对的真理。照这样,在科学和宗教、真理和错误之间,就没有什么区别。这种见解,显然是一种诡辩论和不可知论。

只有辩证唯物主义,在绝对真理和相对真理之间,指出了它们的正确关系,驳斥了唯心主义和形而上学的虚伪性。辩证唯物主义虽也承认知识的相对性,却不归结于相对论。正如列宁所说:"马克思和恩格斯的唯物辩证法无条件地包含着相对主义,可是并不归结为相对主义,就是说,它不是在否定客观真理的意义上,而是在我们的知识之接近于这个真理的限度是为历史所决定的意义上,承认我们的一切知识的相对性。"①这段话的意思,就是说,辩证唯物主义是承认客观真理的,其所以也承认知识的相对性,只因为人们受着当时科学和技术条件所限制,受着客观过程的发展及其表现程度所限制,使人们的认识不能更进一步地接近客观真理。但是知识的相对性仍然是知识的绝

---

① 列宁:《唯物主义与经验批判主义》,人民出版社 1956 年版,第 129 页。

对性的一部分。所以人的认识之接近于客观的绝对真理的界限,虽为历史条件所决定,而客观的绝对真理之存在却是无条件的,随着科学和实践的发展,人的认识逐步接近于绝对真理,却是无条件的。所以辩证唯物主义虽也承认知识的相对性,却与相对论绝不相同。辩证唯物主义在相对的东西中看出绝对的东西,而相对论却只承认相对而排除绝对,这就无异于把相对看成绝对,即把相对的认识看成绝对的认识,把科学变成了独断论或化石一类的东西。相对论者这种见解,显然是反动的。

只有辩证唯物主义,正确地解决了绝对真理和相对真理的相互关系的问题。它承认客观真理,承认绝对真理是由相对真理构成的,随着实践和认识的发展,人们逐步接近于绝对真理。

(三)真理是具体的还是抽象的?

辩证唯物主义坚决地认定:真理永远是具体的,不是抽象的,对于一切时期、地点都适合的抽象的真理是没有的。

我们的教条主义者用主观幻想代替真理,经验主义者墨守陈规,都不考虑客观的实际情况,事实上都是抽象真理的信奉者,因而都是主观主义者。

真理是具体的,又是客观的。人们的认识够得上称为客观的具体的真理,必须使主观符合于客观,必须正确地反映客观对象的发展过程。为要达到这样的认识,人们必须具体地分析具体情况,就对象作全面的分析,并在其发展上去研究它。正因为客观对象是在联系中不断地发展着的,所以客观对象在其长期发展过程中,由于内在矛盾的斗争,就由一个过程转变到新的过程。当客观对象由一个过程转到新的过程时,人们的认识就必须重新分析客观的具体条件,作出新的结论来。所以根据某一过程的认识去改造某一过程的时候,如果实现了预想的目的,人们对于这一过程的认识的真理性就得了证明。但是当客观对象在其发展中推移到另一新的过程时,人们的认识运动也必须随着推移和发展,使主观符合于新的客观情况,然后才能指导新的实践。

所谓具体的真理,就是因时因地使主观符合于客观。例如,在帝国主义前期的资本主义时期,马克思主义者认为,社会主义在单独一个国家内胜利是不可能的,社会主义将在一切文明国家内同时获得胜利。但是,到了帝国主义时代,列宁根据经济上政治上发展不平衡的这个资本主义的绝对规律,认为社会主义在一切国家内同时胜利是不可能的,而社会主义在单独一个资本主义国家内胜利是可能的。

又如,莫斯科十二国共产党宣言揭橥了社会主义革命和社会主义建设的共同规律。这些规律是经过各国社会生活证明了的客观真理。但由于各个民族的特点不同,这些规律在各个民族的革命与建设过程中所起的作用和表现的形式也各不相同。社会主义各国的党一致认为应该坚持马克思列宁主义的普遍真理同各国革命和建设的具体实践相结合的原则,创造性地运用了上述那些规律,并且互相学习和交流经验。

再举一个例子:1947 年,毛泽东同志在《目前形势和我们的任务》中提出十大军事原则。这些原则,蒋介石匪帮和美国帝国主义的在华军事人员都知道,并曾多次召集他们的将校共同研究,企图寻找对付的方法,但是所有这些努力,都不能挽救他们的失败。这是因为我们的战略战术是建立在人民战争这个基础上的,军队与人民团结一致,指挥员与战斗员团结一致,而他们的军队是反人民的,因此纵令知道了我们的战略战术,也不可能加以利用。

以上三个例子说明了,真理是具体的,没有抽象的真理。人们对于客观事物的认识,对于马克思列宁主义的原则的应用,一切都以时间、地点和条件为转移。马克思列宁主义是不断发展着,它不是教条而是行动的指南。马车思列宁主义者,必须根据所处的时代的新的革命的经验和科学的成就来应用那些原期,并使那些原则得到丰富和发展。

关于真理的问题,毛泽东同志有一段精辟的阐述,特引在下面结束本节。

客观过程的发展是充满着矛盾和斗争的发展,人的认识运动的发展也是充满着矛盾和斗争的发展。一切客观世界的辩证法的运动,都或先或后地能够反映到人的认识中来。社会实践中的发生、发展和消灭的过程是无穷的,人的认识的发生、发展和消灭的过程也是无穷的。根据于一定的思想、理论、计划、方案以从事于变革客观现实的实践,一次又一次地向前,人们对于客观现实的认识也就一次又一次地深化。客观现实世界的变化运动永远没有完结,人们在实践中对于真理的认识也就永远没有完结。马克思列宁主义并没有结束真理,而是在实践中不断地开辟认识真理的道路。①

---

① 毛泽东:《实践论》。

在全校科学工作会议上的开幕词

（1960.3）

同志们！

全校科学工作会议今天开幕了,这是一个攀登世界科学高峰的战斗动员大会,同时也是向世界科学高峰进军的誓师大会。

同志们！当前形势对我们是极为有利的。我国 6 亿 5000 万人民在党和毛主席的正确领导下,已经提前三年完成了第二个五年国民经济发展计划的主要指标。在 20 世纪 60 年代第一个春天里,在各个战线上又创造了开门红,日日红,月月红的伟大奇迹。现在祖国的每个人民都怀着雄心大志要在不长的时间内,在主要工业产品产量方面赶上并超过英国,要把我们伟大的祖国建成为一个具有现代工业、现代农业、现代国防和现代科学文化的社会主义强国。全国的形势好得很,我们学校的形势也是好得很。我们在取得 1958 年、1959 年"大跃进"的胜利基础上,正在为夺取更大的胜利而奋斗。两个多月来我们无论在思想、教学、劳动以及科学研究上,都取得了很显著的成绩。在思想工作上,我们正在广泛地开展毛泽东思想的学习和宣传活动。在劳动上,我们的劳动大军,在汉丹铁路前线,出色地完成了省委交给我们的任务。在科学研究工作上,进展异常神速,理科各系和文科历史、中文、哲学、经济等系,采取毛主席联合大兵团作战的战略方法,突破了许多难关,并取得令人满意的成果。

同志们！随着国民经济高速度发展的需要,科学研究工作的地位愈来愈显得重要了。要使工农业现代化,要使国防现代化,没有现代化的科学技术是不行的,因此中央发出号召,要高速度地发展我国的科学事业,要在今后 3—8 年的时间内登上世界最先进的科学技术高峰,这是摆在全国科学技术工作者面前的一个光荣而又艰巨的任务。

同志们！我们是国家的重点综合大学之一,是国家科学队伍一个方面军的成员,我们必须立下雄心大志,鼓足干劲,力争在国家的科学事业发展上作出更大的贡献。在今后3—8年内在几个学科中,攻下几个重大堡垒,攀登科学的高峰。

同志们！在前进的道路上,不是没有困难的。只要我们高举马克思列宁主义毛泽东思想的红旗,深入贯彻总路线和教育方针,我们一定能排除一切困难,奋勇前进,我们一定能在最短时间内,登上世界最先进的科学高峰!

（原载1960年3月15日武汉大学校报《新武大》第348期,署名李达）

武汉大学群英大会开幕词

（1960.4）

同志们！

我校贯彻党的教育方针的先进单位和先进分子大会,现在开幕了! 这是一次检阅成绩的群英大会,也是一次巩固成绩、乘胜追击、继续跃进的誓师动员大会。

我们的国家正处在一个历史上从来未有过的欣欣向荣的伟大时代。在总路线、大跃进、人民公社的旗帜下,全国人民意气风发,干劲冲天,取得了1958年和1959年连续"大跃进"的伟大胜利,提前三年完成了第二个五年计划的主要指标。今年,在各个战线上,又开始了以技术革新和技术革命为中心的增产节约运动,创造了开门红、日日红、月月红的伟大奇迹。城市人民公社化运动也以汹涌澎湃之势在全国普遍地发展起来。社会主义建设已进入了一个高速地发展的新阶段。全国的形势是无限美好,前途是一片光明。

在全国这种大好形势的推动和鼓舞下,我校开展了轰轰烈烈的教育革命运动,深入贯彻了党的教育方针,无论在政治思想、教学、科学研究、生产劳动、文娱体育、行政事务、副食品生产等各项工作方面,都出现了一种新气象、新局面,大大地改变了学校的面貌。在取得一系列胜利的同时,学校各项工作积累了比较丰富的经验,涌现出了大批的先进单位和先进人物。这些先进单位和先进人物,是高举总路线红旗、坚决贯彻的党教育方针的先锋和尖兵。通过这次大会,总结和交流先进经验,大插红旗,广树标兵,必将把我们学校各方面的工作推进到一个新的阶段。

随着国民经济高速度发展的需要,科学文化教育事业的地位愈来愈显得重要了。我们学校已经被确定为全国重点综合大学之一,是国家科学队伍一个方面军的成员,在建设现代工业、现代农业、现代科学文化和现代国防的社会主义强国的事业中,综合大学负有重大的任务,我们要为国家高速度高质量地培养理论工作队伍和科学技术工作队伍,发展科学技术事业,特别是尖端科学技术。这个任务是光荣的,艰巨的。我们只有高举毛泽东思想的红旗,鼓起更大的干劲,发扬集体主义精神,互相学习,互相帮助,共同提高,迅速把先进单位和先进人物的水平变为全校师生员工的水平,共同朝着红透专深的方向前进,才能不辜负党和国家对我们的重托。

预祝这次大会成功。让先进的种子在全校开花结果!

(原载 1960 年 4 月 23 日武汉大学校报《新武大》第 353 期,署名李达)

沿着毛泽东同志指示的道路前进

——纪念《关于正确处理人民内部矛盾的问题》发表 3 周年

（1960.6）

毛泽东同志的伟大著作《关于正确处理人民内部矛盾的问题》发表以来，整整 3 年了。

这部著作把辩证唯物主义和历史唯物主义的基本原理创造性地运用于新的历史条件下，概括了我国长期革命斗争的经验，并参照了国际共产主义运动的经验，系统地解决了我国社会主义建设时期的根本问题，奠定了我们党在社会主义建设时期的路线、方针和政策的理论基础。正因为这样，这部著作也就把马克思列宁主义向前推进了，发展了，为马克思列宁主义的宝库贡献了新的理论财富。

毛泽东同志的这部著作对于马克思列宁主义理论的贡献包括很多方面，不是一篇短文所能说得清楚的，这里只就两个最主要的问题说一些自己的意见。

第一个问题，是关于区别两类不同性质的社会矛盾的问题。

关于人类社会中存在着敌我矛盾和人民内部矛盾这样两种不同性质的矛盾，关于必须分别用专政的方法和民主的方法来解决这样两类矛盾，这个基本思想，是马克思、恩格斯和列宁早就有所阐明的，毛泽东同志本人在许多著作里也曾经反复地说到。我们党在长期的革命实践中实际上也是按照这种基本思想办事的。因此，这并不是一个突然提出来的新问题。但是，正式地提出敌我之间的矛盾和人民内部矛盾这样的哲学概念，把上述的基本思想概括成为一种系统的学说，指导人们处理一切政治问题的方法，则是毛泽东同志在这部著作中第一次完成的。这一任务在这样的时机由毛泽东同志完成，不是偶然的。这是由于我国进入社会主义建设的新时期以后,严格地划分两类不同性质的社会矛盾的问题,正确处理人民内部矛盾的问题,比历史上任何一个时期都显得更加重要。如果没有正确的指导方针,就不能正确地发挥无产阶级专政的作用,就不能最有效地打击敌人,就不能更好地团结自己,调动一切积极因素,加速社会主义建设。毛泽东同志的这一理论,就是适应着这样的需要而产生的。

毛泽东同志的这个理论的第一个重大的贡献,就在于它规定了一个正确地划分敌我矛盾和人民内部矛盾的科学的标准。

要区分两类不同性质的矛盾,首先要弄清楚什么是人民,什么是敌人。因此,毛泽东同志首先对于如何区分人民和敌人的标准问题作了辩证的历史的考察。他告诉我们,对于什么是人民,什么是敌人的问题,必须联系一定国家和一定历史时期的具体情况加以确定。在我国抗日战争时期、解放战争时期和当前的社会主义建设时期,人民和敌人的概念都有着不同的内容。只有善于在不同的历史时期中正确地区分人民和敌人的界限,才能够确定我们同哪些矛盾是敌我矛盾,同哪些矛盾是人民内部矛盾。其次,毛泽东同志阐明了这两类矛盾的根本不同的性质,以及由此决定的根本不同的处理方法。敌我之间的矛盾是对抗性的矛盾,只有采取对抗和冲突的形式才可能得到解决。人民内部的矛盾,在劳动人民之间说来是非对抗性的,不需要,也不应该用外部冲突的形式来解决。在被剥削阶级和剥削阶级之间说来,除了对抗的一面以外,还有非对抗的一面,如果处理得当,也可以用和平的方法解决。只有正确认识这两类社会矛盾的根本不同的性质,并用根本不同的方法来加以处理(对敌我矛盾要用专政的方法,即孤立、分化、惩办和镇压的方法来解决;对人民内部的矛盾则只能用民主的方法,即"团结——批评——团结"的方法来解决),才能正确地进行无产阶级专政下的阶级斗争,才能正确地解决劳动人民内部不属于阶级斗争范围的各种矛盾。如果混淆了这两类不同性质的矛盾,把敌我矛盾误认作人民内部矛盾,或者把人民内部矛盾误认为敌我矛盾,就会犯严重的政治错误,使革命事业遭到不应有的挫折和损失。另一方面,毛泽东同志又指出,敌我矛盾和人民内部矛盾在一定的条件下是可以互相转化的,如果矛盾的性质转化了,而我们的处理方法不随之转变,也必然要犯错误。这个原理,对于我国的社会主义革命和社会主义建设具有重大的理论意义和实践意义。这种意义的最突出的表现,就是毛泽东同志创造性地解决了我国民族资产阶级同工人阶级之间的矛盾这样一个极端重要而又极端复杂的问题。他指出,这一矛盾本来是对抗性的(因为它是剥削同被剥削的矛盾),但是由于我国民族资产阶级有两面性,在我国的具体条件下,如果处理得当,也可以转化为非对抗性的矛盾,用和平的方法加以解决;但是同时又指出,如果我们处理不当,或者民族资产阶级不接受团结、批评、教育的政策,这个矛盾又会变成敌我之间的矛盾。根据这样的分析,我们党成功地实现了对资本主义工商业的和平改造,同时又能够胜利地击溃资产阶级右派的猖狂进攻,大大加速了社会主义革命的进程。这是对马克思列宁主义创造性运用的模范。

毛泽东同志这个理论的第二个重大的贡献,就在于彻底发挥了列宁曾经指出过的社会主义制度下矛盾仍然存在着的思想,肯定了社会主义制度下仍然存在着人民内部矛盾,并详尽地分析了我国现阶段人民内部矛盾的具体内容。

毛泽东同志指出,在我国现在的条件下,人民内部矛盾包括工人阶级内部的矛盾,农民阶级内部的矛盾,知识分子内部的矛盾,工农两阶级之间的矛盾,工人、农民同知识分子之间的矛盾,工人阶级和其他劳动人民同民族资产阶级之间的矛盾,民族资产阶级内部的矛盾,等等。领导同群众之间也存在着一定的矛盾。一般说来,这些矛盾是在人民利益根本一致的基础上的矛盾,是可以而且必须采取"从团结的愿望出发,经过批评或者斗争使矛盾得到解决,从而在新的基础上达到新的团结"的方针来加以解决的。在社会主义制度下人民内部还存在着这样那样的矛盾,这在具有形而上学思想的人们看来是不可理解的,他们或者根本不承认这种矛盾的存在,或者把这种矛盾看作一种坏事,一种麻烦,在它们面前束手束脚。实践证明,这样的观点是完全不对的。在我国现阶段存在着的人民内部矛盾中,有些是属于人民内部的阶级斗争,有些是由于劳动人民中间遗留着剥削阶级的习惯上和思想上的影响而产生的,有些是由于旧社会遗留下来的工农差别、城乡差别、脑力劳动和体力劳动的差别而产生的,有些则是由于认识上的正确和错误、先进和落后的差别而产生的。所以,不仅在社会主义时期仍然存在着人民内部矛盾,就是在阶级完全消灭,进入共产主义时期以后,人民内部也仍然存在着矛盾,仍然必须采取正确的方法加以处理。人民内部矛盾的存在,不仅不是什么坏事,而且正是推动社会主义社会不断地向前发展的动力。采取"团结——批评——团结"的方针不断地解决人民内部的各种矛盾,我们就能够彻底完成经济上、政治上、思想上的社会主义革命,并且调整人民内部的关系,调动一切积极因素,把社会主义建设迅速地推向前进。1957 年,我们党所发起的整风运动,我们党的"百花齐放,百家争鸣"、"长期共存,互相监督"的方针,都是在承认人民内部矛盾的存在,并以正确处理这些矛盾为目的的基础上提出的。大家看到,这一方针发挥了伟大的效果。

第二个问题,是关于正确处理社会主义制度下生产关系同生产力之间、上层建筑同经济基础之间的矛盾问题。

按照历史唯物主义的基本原则,人类社会的一切阶段,都是在生产关系同生产力之间、上层建筑同经济基础之间的矛盾中向前发展的。那么,社会主义社会是不是仍然如此呢? 有一些用形而上学观点看问题的人对这个问题是弄不清楚的。在他们看来,社会主义社会应当是例外。在社会主义制度下,既然生产关系同生产力之间、上层建筑同经济基础之间是互相适应的,那么,它们之间就没有矛盾。历史唯物主义的基本规律,在这里似乎是不起作用了。这种观点,在理论上是错误的,在实践上也是有害的。这会使人们不去及时发现生产关系和生产力之间、上层建筑同经济基础之间的矛盾,采取适当的方法来加以解决,推动社会前进,这样就会使我们在向共产主义前进的道路上停步不前。毛泽东同志坚决反对了这种形而上学的错误观点,指出社会主义社会的基本矛盾仍然是生产关系同生产力之间、上层建筑同经济基础之间的矛盾,不过社会主义制度下的这些矛盾同旧社会的这些矛盾具有根本不同的性质和情况罢了。社会主义制度的优越性,正在于它不需要通过对抗和冲突的形式来解决这些矛盾,而可以经过社会主义制度本身自觉地加以解决。党和国家的任务,就是要及时地发现这些矛盾,认识这些矛盾,不断地调整生产关系以适应生产力发展的要求,不断地革新上层建筑以适应经济基础的变化,用这种办法来解决这些矛盾。当然,这些矛盾是不可能一劳永逸地解决的。一个现存的矛盾解决了,另一个新的矛盾接着又会产生,又需要加以解决。社会主义社会就是这样在矛盾的不断产生和不断解决中向前发展的。不但社会主义社会是这样，就是在进入了共产主义社会以后也还是这样，在亿万斯年的未来岁月中还将永远是这样。人类社会的不断革命的过程是一个川流不息的过程，是永远不会停顿的。

我国建国以来的历史，充分地证明了毛泽东同志上述理论的正确性。大家知道，从中华人民共和国成立的时候起，我国就进入了从资本主义到共产主义的过渡时期，工人阶级同民族资产阶级之间的矛盾、共产主义道路同资本主义道路之间的矛盾，成了国内的主要矛盾。这个矛盾，就表现为生产关系同生产力之间的矛盾、上层建筑同经济基础之间的矛盾。在三大改造基本完成以前，生产关系同生产力之间的矛盾占居突出的地位。这表现在资本主义的和个体经济的生产关系阻碍着生产力的发展。由于党依靠强大的国营经济的力量，不失时机地采取了一系列正确的社会主义改造的政策，结果就在1956年基本上完成了对资本主义工商业、农业和手工业的社会主义改造，取得了所有制方面社会主义革命的决定性的胜利，解决了上述矛盾。在这以后，紧接着上层建筑同经济基础的矛盾又突出起来。这表现在资产阶级的意识形态和政治活动同社会主义的经济基础互相抵触，国家机构中某些环节上的缺陷和某些官僚主义作风也同社会主义的经济基础不相适应。党发动了整风运动和反对资产阶级右派的斗争，孤立了反社会主义的右派，改进了干部的作风，改善了人民内部的相互关系；同时党又在这个基础上提出了"政治挂帅"的方针，加强了党对各项事业的领导；提出了"破除迷信，解放思想，发扬敢想敢说敢做的共产主义风格"的口号，鼓励革命性的试验和群众性的创造，领导群众废除不合理的规章制度，并在1958年的春天提出了"鼓足干劲，力争上游，多快好省地建设社会主义"的总路线。这就解决了上述上层建筑同经济基础的矛盾。这样两对矛盾得到及时解决的结果，就使生产力获得了极大的解放，因而出现了我国历史上空前未有的生产大跃进。

到了这种时候，可不可以说生产关系同生产力之间、上层建筑同经济基础之间再也没有矛盾了呢？决不可以。旧的矛盾解决了，新的矛盾接着产生。生产力突飞猛进地向前发展的结果，使得原有的农业生产合作社不能适应生产力发展的要求。党及时地发现了这个矛盾，领导着农民群众在很短的时间内进行了生产关系的伟大变革,实现了全国农村的人民公社化,使生产力的发展获得了广阔的余地。同时,随着经济基础的变化,上层建筑中的某些部分又显得不能适应。这主要地表现在党内某些具有右倾机会主义思想的同志对于总路线、大跃进和人民公社的攻击,表现在现有的科学文化教育事业的规模、质量和发展速度赶不上形势的需要。党又及时地发现了这个矛盾,进行了反对右倾机会主义的斗争,掀起了科学文化教育事业大跃进的高潮,解决了这个矛盾。目前,一个马克思列宁主义的城乡经济技术革命运动正在以空前的规模迅速地开展起来,城市人民公社也适应着生产力发展的需要迅速地发展起来,人民的生活方式和精神面貌正在按着共产主义的原则得到深刻的改造。由于我们党根据毛泽东同志的思想,深刻地了解了生产关系同生产力之间、上层建筑同经济基础之间的辩证规律,我们就能够在迅速发展生产力的同时,主动地及时地调整生产关系,革新上层建筑,以适应生产力发展的需要,使生产关系和上层建筑不仅不会成为生产力发展的桎梏,而且永远成为促进生产力发展的强大力量。这一光辉的理论,对于加速我国社会主义建设和加速向共产主义过渡的意义,是不可估量的。

毛泽东同志的这部伟大著作之所以具有这样巨大的理论威力,是因为它一贯到底地坚持了马克思列宁主义的辩证唯物主义和历史唯物主义的原则,敢于在新的历史条件下把马克思列宁主义推向前进。在纪念这部伟大著作发表三周年的时候,我们特别应该学习毛泽东同志的这种精神,用辩证唯物主义和历史唯物主义武装我们的头脑,同现代修正主义作不调和的斗争,同时也反对我们自己队伍中存在着的唯心主义思想和形而上学思想。这是我们当前重大的战斗任务。

我们正在迅速地改变我国的一穷二白的面貌,我们正在朝着共产主义的伟大目标大踏步前进。让帝国主义者和南斯拉夫修正主义者去自我安慰吧!只要我们坚定不移地高举毛泽东思想的旗帜,沿着毛泽东同志所指引的方向前进,胜利必然是属于我们的!

（原载 1960 年《长江》第 6 期,署名李达）

在武汉大学党委常委扩大会议上的讲话*

（1961.5）

刚毕业的要经过见习期才能做助教,这个文件及国务院实施办法请大家看。我早就提出要解决,由于搞运动,直到现在还未兑现。我党在整风,边整边改。我去年离开学校,今年2月才回学校,教学行政工作我未管,是主观主义者和官僚主义者,挂了校长名未作校长工作。教学秩序打乱了,我很痛心。现在助教可以作副系主任,作教研室主任,荒天下之大唐! 助教是辅助教学的。有人如问我们,是助教主持教学,如何答复人呢? 听说这是总支书搞出来的,总支书总揽教学行政大权,这也是没有的。教学秩序打得这样乱,是很痛心的。既然助教可作副系主任,这个助教就可以升系主任。系主任至少应由讲师担任,这个问题要赶快解决。各位系主任,要主持教学,总支书不得干涉,要恢复教学秩序。哪些助教应升讲师,系里开会讨论,提出名单,交校务委员会通过。讲师升副教授的,合乎条件的也要提出名单,讨论。

应该这样做,有些十年八年的老助教,也应该快点升讲师。几年来专搞运动,单打一,把秩序搞乱了,应该改的马上改。

学校两、三年来,运动很多。应该是运动工作两不误,我们学校单打一,把教学工作打得七零八落,很多规章制度破了未立,仪器设备,保管处在无政府状态,请各位负责同志考虑要行政恢复那些规章制度,要恢复反右以来的各项规章制度,搞教学计划要在原有基础上提高,各系拟出来再说。

最可痛心的就是把教学计划打乱了。特别是物理系,系主任要负责任的。

---

* 这是1961年5月22日李达在中共武汉大学党委常委扩大会议上的讲话记录稿,标题系编者所加。——编者注

要重视基础课,要有经验的教师担任基础课,有些根底浅的人出去对得起国家吗?课程要好好调整。"革命",把中央高教部规定的都革掉了,教育部的东西成了革命对象,这对吗?要边整边改,我负责任,校长也要负责任。

过去不讲话要不得,下面胡作非为,我们有责任。我们默认了,我们也有责任。

以后教科书多了,书好教了,但也要有准备才行。武大是一个重点学校。以前我们不是重点学校,我有点牢骚。北大向莫斯科大学看齐,武大要向列宁格勒大学看齐!重点学校出了这些怪事(指教育革命打乱了教学秩序),与重点大学名称很不相符。

物理系、化学系有的工厂还要下马,搞生意经不对。×××一开口就讲赚了几十万,学校不是做生意的!

沿着革命的道路前进

——为纪念党成立 40 周年而作

（1961.7）

今年 7 月 1 日，是我们党诞生四十周年纪念日。《中国青年》编辑部要我同青年同志们谈谈我们党成立的情况。我想，这方面的情况，同志们在学习党史的时候已经知道得很多，无需乎重复叙述。这里，我只从个人回忆的角度，简略地说明一下我们这一辈的人是怎样从帝国主义和封建主义的压迫下面走过来，是怎样找到了革命的道路的。如果能够多少帮助青年同志们进一步感受到生活在毛泽东时代的幸福，加强作为共产主义接班人的责任感，就算是达到目的了。

1890 年，我出生在湖南南部一个偏僻的农村里。我家佃种了一个姓王的地主家的二十多亩田。每年秋收以后，我父亲就把黄爽爽的谷子一担一担挑到王家庄上交租，我感到很心痛。父亲只希望我们长大成人，能够买些田自己种就好了。

10 岁的时候，我被送到一家私塾念"诗云"、"子曰"。那一年听到一些长辈人传说：有八个洋鬼子国家，一起攻打我们中国，打破了我们的京城，把皇帝都赶到陕西去了（这就是近代史上有名的"八国联军"侵略中国的战争）。洋鬼子是什么东西呢？当时我是闹不清的。

15 岁的时候，我考入一所享受公费待遇的中学，并开始接触一些新的知识，逐渐知道一些国家大事。如从看地图中，知道过去常常谈论的"洋鬼子"国家就是英、美、德、法、意、日、俄、奥等国，他们都是侵略中国的；中国的贫穷落后是由于政治的黑暗、清廷的媚外。开始有了一点国家观念，知道爱国了。有一次，我们接到长沙的来信，里面有一张红色的通知，标题是"徐特立断指血书,号召全国人民起来做反日救国运动"。这件事使我们大为感动,大家对日本侵略者和清朝卖国政府的罪行义愤填膺,都到操场里集合起来,议决了两条办法:第一条是抵制日货,第二条是练军事操。为了实行第一条,大家首先把自己所有日本制的文具统统集中起来,拿到操场上去焚毁。当时使用的火柴也全是日本货,为了点火,只好把火柴留下不烧了。事后,学校又发给我们一套文具,还是日本货。校长对我们说,我们国家工业不发达,这些新式文具只好暂时用外国货,希望以后不再烧毁了。我们听了都倒抽一口冷气。为了实行第二条,我们要求学校搞了两百支来福枪,找人来教我们练了几个月的军事操。当时我们爱国的办法就只懂得这么两条。这一类的反帝爱国运动在那时是年年都要举行的,每逢帝国主义者向清廷提出亡国性的侵略条件时,知识分子和青年学生们就集会、游行、喊口号、发宣言、向清廷请愿。可是这些运动每一次都以被压制而告终。

19岁的时候,中学毕业了,家贫不能自费升学。当时只有师范学校是公费的。我打听到京师优级师范(即现在北京师范大学的前身)招收新生。我父亲多方设法筹了几十元川资,让我到北平投考这个学校。我这才离开了偏僻的农村,到外面见了见世面。到了汉口,住在租界上,看到一些大建筑物。这些大建筑物都是外国人赚了中国人的钱以后修建起来的,汉口的租界成了中国境内的外国。我们从汉口坐外国船到上海,上海的租界比汉口的租界更要大得多,这又是中国境内的一个外国。我们曾想到一个公园里看看,走到门口,一个印度巡捕拦住了我们,他用指挥棒指着一个牌子给我们看,上面写着:"华人与犬不准入内。"真真令人气愤!居然敢在中国的土地上把中国人和狗同等看待。我们到了天津,又住在一个租界上,这又是一个外国。到了北京,北京仍然出了个外国,就是那时的东交民巷。这时我才悲愤地意识到,中国已经变成了列强统治着的殖民地了!

京师优级师范的空气仍然是腐败的,学生们穿着长袍马褂,带着"顶子",逢年过节还要向孔子的牌位行三跪九叩之礼。但在这段时间,我学到了许多新的知识。当时我简单地设想,中国之所以弱到这种地步,是由于中国人知识不发达的缘故,只有发展教育事业,才能唤醒全国人民的觉悟。于是就有了"教育救国"的理想。

1911 年辛亥革命,推翻了清朝政府,建立了中华民国。这使我极为兴奋,以为这一下子中国强了。当时孙中山认为他的民族主义和民权主义已经确立,只剩下一个民生主义了,所以他把临时大总统的职位让给袁世凯以后,就到处宣传民生主义,主张大干"实业",从事经济建设。我当时受了这种宣传的影响,放弃了"教育救国"的理想,主张"实业救国"。因此,我决定不学师范,改学理工科。我参加"统考"到日本去留学,就是抱着这个目的去的。

在日本学习期间,饱尝了不堪忍受的欺凌侮辱。学校里的教师,大都瞧不起我们。走到外面,小孩子们也跟在后面指着骂我们是"亡国奴"、"猪尾巴"。几乎所有的报章杂志都宣传中国如何落后,如何对中国进行政治的、经济的侵略。据我们所知,当时日本的小学里给学生讲地理课时,就是画一匹猪来代表中国的。总而言之,我们这些"中华民国"的国民似乎不算是人,走到哪里都抬不起头来。在这种情况下,我们一群留日的青年们,一方面感到耻辱,一方面滋长着反日情绪。老实说,我们是要忍耐着,在那里学习一点东西,以便将来回国搞好我们自己的国家。可是,当时国内的情势怎样呢? 由于资产阶级的软弱性,使得辛亥革命终于流产,出现了封建军阀头子袁世凯独裁的政治局面。袁世凯被人民推翻以后,又出现了直系、奉系、皖系各派军阀互相混战的局面;同时,南方也出现了川、滇、粤、桂各派新军阀互相争斗的局面。各派新旧军阀都勾结一个帝国主义作后台,发动内战。全国人民在蔓延的战火中,受着军阀们的剥削和压迫,都感到活不下去。另一方面,1914 年第一次世界大战发生以后,美、英、法、德、俄等帝国主义国家因为忙于欧洲战争,暂时放松了对于中国的侵略,日本帝国主义趁机大举对中国进行经济的、政治的侵略。它攻占了德国所盘踞的胶州湾,占领了山东,又以最后通牒的形式向北方军阀政府提出"二十一条"亡国条约,形成了日本独吞中国的局面。这件事激起了留日学生们极大的义愤,我们和全国人民一道,开展了"反日救亡"运动。我们发通电,开大会,表示抗议。可是在当时的日本,连开会的会场也很难找到。费了九牛二虎之力租到一所会场,刚刚开会,警察又跑来把我们驱散。这时我们沉痛地感到,日子是过不下去了。如果不找寻新的出路,中国是一定要灭亡了。可是新的出路在哪里呢? 这对我们仍是茫然的。当时我们就像在漫漫长夜里摸索道路的行人一样,眼前是黑暗的,内心是极端苦闷的。

1917 年，十月革命一声炮响，震动了全世界，震动了中国人，特别是震动了富于政治警觉性的中国知识分子。那时我在东京，从报纸上知道了俄国革命的消息，这真是人类有史以来破天荒的大好事，使我感到无限的喜悦和兴奋。当时日本的社会主义者对于马克思列宁主义的介绍还是很零碎的，而且这些零碎的介绍又要受到书报检查机关的禁止和删削（例如日译本的《共产党宣言》就被删去了很多），无法系统地了解马克思列宁的理论。尽管这样，我们还是初步树立了对马克思主义的信心和对苏俄的向往。

但是，中国的情况愈来愈坏了。1918 年 6 月，我们在日本听到消息，知道日本帝国主义要配合其他十三个国家一同进攻年轻的苏维埃俄国，并和段祺瑞政府缔结了秘密的"中日军事协定"，假道东三省出兵进攻西伯利亚。当时我们留日学生一致认为这是日本帝国主义"假虞灭虢"[①]之计。段祺瑞政府这样做就等于承认了"二十一条"中的第五条（这个第五条连袁世凯都没有承认的），等于允许日本占领东三省。这种无耻的卖国勾当，使得我们三千留日学生义愤填膺，忍无可忍，于是大家纷纷集会，决定全体罢学归国，组成"留日学生救国团"，分赴北京、上海做救国运动，唤起国人救亡图存。我当时是被分派到北京的。出乎我们意料之外，北京知识界的空气却相当沉寂，我们到几所高等学校去做宣传的时候，不少的学生甚至还不知道有日段缔结密约的事。段政府在接见我们的代表时，又大玩欺骗手腕，矢口否认卖国罪行；同时派出大批警察密探，监视我们的行动。这样，我们预定唤起国内学生大搞救国运动的希望终于没有实现。这次挫折，使我们深切地觉悟到：要想救国，单靠游行请愿是没有用的；在反动统治下"实业救国"的道路也是一种行不通的幻想。只有由人民起来推翻反动政府，像俄国那样走革命的道路。而要走这条道路，就要加紧学习马克思列宁主义的理论，学习俄国人的革命经验。这样，我再到东京后，就停止了物理数学的学习，专事马克思主义的学习。这时马克思主义的书籍在日本介绍的也逐渐多起来了。我初步学习了马克思的唯物史观说，剩余价值说，阶级斗争说，《资本论》第 1 卷和列宁的《国家与革命》。但是，那时我对马克思主义的了解还是极其肤浅的。

---

① 春秋时，晋献公伐虢，假道虞国；回师时又把虞国灭了（故事见《左传》）。

1919 年，"五四"运动爆发了，这是中国反帝国主义、反封建主义的运动的开端。"六三"运动是"五四"运动的发展。为了反对日本占领我国的山东，全国的工人、学生以至工商业者，举行了罢工、罢学、罢市的运动，这是一个有几百万人参加的大规模的革命运动。它的最突出的特点就是中国工人阶级已经登上了政治斗争的舞台。这次政治运动取得了巨大胜利，日本被迫交还了山东。

经过这次运动，全国的知识青年和进步人士在思想上有了很大的转变，因而出现了规模空前的新文化运动。参加这个运动的，有共产主义的知识分子，革命的小资产阶级知识分子和资产阶级知识分子（他们是当时运动中的右翼）。这个运动的思想主流是马克思列宁主义，它是崭新的文化生力军，它的传播是极其迅速的。但与此同时，也还有形形色色的资产阶级哲学思想、文艺思想、社会政治学说以及无政府主义等等在传播着，它们都是反马克思主义的。当时最突出的代表人物有文化汉奸胡适，保皇党梁启超，研究系政客张东荪，孔家店老板梁漱溟，无政府主义者区声白等，他们分别用世界主义、实用主义、资本主义、儒家伦理主义和无政府主义向马克思主义开火。马克思主义原本是在阶级斗争的烽火中锻炼出来的科学真理，真理是不怕辩驳的。所以，尽管我们当时的马克思主义水平很低，我们还是在一场大论战中使马克思主义取得了优势。

当时，由于工人阶级觉悟的提高，由于马克思列宁主义的相当普遍的宣传，由于苏联十月革命的先导，中国共产党的阶级基础、思想准备、组织准备和国际声援等客观条件与主观条件都已成熟，建党的任务提到议事日程上来了。

1920 年，中国的共产党发起组在上海、北京、长沙、武汉、济南和广州等地成立起来；我也在这一年以"中国留学生总会"代表的身份，从日本归国寻访"同志"，就在上海参加了发起建党的活动。

1921 年 6 月，各地的共产党发起组各派代表到上海开会。计有毛泽东、董必武、陈潭秋、何叔衡、王尽美、邓恩铭等 12 人。7 月 1 日下午 8 时，党的第一次代表大会在上海望志路树德里 3 号的楼上正式开幕，伟大的中国共产党诞生了。

正如毛泽东同志所说的，当时的党还是刚刚出生的小孩子，对于马克思列宁主义懂得很少,更谈不到用马克思列宁主义的普遍真理来结合中国革命的具体实践。至于中国革命的理论研究工作则还没有开始。但我们的党是英勇的,它不怕帝国主义和反动派的野蛮摧残和镇压,坚决领导工人阶级和全国人民进行不屈不挠的斗争。斗争,失败,再斗争,再失败,再斗争,经过 28 年,终于使星星之火燃成了熊熊之焰,把压在中国人民头上的帝国主义及其走狗们烧成了灰烬。在长期曲折的斗争中,中国人民找到了自己的伟大领袖毛泽东同志。他把马克思列宁主义的普遍真理同中国革命的具体实践统一起来,解决了中国革命的一系列的根本问题,指导着中国人民从一个胜利走向一个胜利。有了以毛泽东同志为首的中国共产党的英明领导,这是中国人民最大的幸福! 现在,党和毛泽东同志继续领导着全国人民进行着社会主义革命和社会主义建设,朝着共产主义的灿烂前途迈进。中国人民被人瞧不起的时代早已一去不复返了。

当我每次回忆起自己在青年时代所走的道路时,总会联想到今天的青年一代。我想,今天的青年同志们是何等幸福! 他们生长在毛泽东时代。我们这一辈人在青年时期所经受过的欺侮、迫害和苦闷,他们是再也不会经受了。我们这一辈人为了寻求革命的真理而徘徊摸索的苦境,他们是再也不需要经历了。他们开始走进生活的时候,就在党的亲切教导下沿着正确的道路大踏步地前进着,所以,他们有极其优越的条件来提高自己的社会主义觉悟,充实自己的知识和本领,把自己锻炼成为又红又专的共产主义接班人。新国家诞生 12 年来,在各个战线上涌现出了成千成万的优秀青年,他们继承了老一辈革命战士的光荣传统,他们具有崇高的理想和艰苦奋斗的精神,为革命事业作出了许多出色的贡献。象黄继光、向秀丽、李学惠、刘文学这样的一些非常年青、甚至还没有成年的同志,都能够奋不顾身保卫革命的胜利果实,甚至毫不吝惜地献出自己的生命。他们无愧于共产主义接班人这个光荣的称号。我们一想到他们的形象,就感到无比的喜悦和欣慰;把共产主义的旗帜交给像他们这样的同志,党是完全可以放心的。但我也想到另一方面的问题。这就是也有少数青年同志,由于生活在幸福的社会主义制度下,完全没有经历过旧社会的痛苦,没有亲身遭受过帝国主义和国民党反动派的压迫,因而对于今天的幸福体会不深,对于自己所负的责任认识不足。他们对于如何做一个共产主义接班人的问题,还没有十分正确的态度。譬如有的青年缺乏革命志气,害怕艰苦,逃避困难,贪图安逸;有的青年不能刻苦勤奋地学习文化科学知识,努力不懈地追求真理;这是一个值得注意的问题。

在几十年的革命斗争中,无数的先烈流血牺牲,就是希望我们的下一代,下两代,以至子孙万代都做坚强勇敢而又有真才实学的革命者。只有这样,革命的成果才不会丧失,世界才永远是我们的。古话说:"创业维艰,守成不易。"何况青年一代的任务不仅是"守成",而且还要继续"创业",把革命的胜利无止境地推向前进呢!帝国主义者希望我们"一代不如一代",我们一定要一代胜过一代,一定要让帝国主义的阴谋永远不能得逞。作为一个比青年同志们多一点生活经验的人,我恳切地希望青年同志们很好向我们的伟大领袖毛泽东同志学习,向革命先辈们学习,向我们时代的无数优秀儿女学习,学习他们崇高的革命品质和坚韧的革命精神,把自己锻炼成为又红又专的、经得起任何风吹雨打的共产主义接班人。我今年已经71岁了,但我还要为我们党的伟大事业贡献一点微薄的力量,我愿意和青年同志们共勉。

(原载1961年《中国青年》第13、14期合刊,署名李达)

在武汉大学全校学生大会上的讲话[*]

（1961.9）

各位同学，学校已开课一星期了，本学年已开始。今天召集大家谈谈新学年的事，二、三、四、五年级同学暑假休息得好，以饱满情绪迎接新学年学习，新同学绝大多数是第一志愿，报考专业思想应巩固下来。我代表学校向新来的七百多位同学表示热烈欢迎！

中央总结了12年的经验，发下来60条。首先确定了培养目标，我念给大家听一听：

> 高等学校的基本任务，是贯彻执行教育为无产阶级政治服务、教育与生产劳动相结合的方针，培养为社会主义建设所需要的各种专门人才。
>
> 根据毛泽东同志所提出的"我们的教育方针，应该使受教育者在德育、智育、体育几方面都得到发展，成为有社会主义觉悟的有文化的劳动者"，高等学校学生的培养目标是：
>
> 具有爱国主义和国际主义精神，具有共产主义道德品质，拥护共产党的领导，拥护社会主义，愿为社会主义事实服务、为人民服务；
>
> 通过马克思列宁主义、毛泽东著作的学习和一定的生产劳动、实际工作的锻炼，逐步树立无产阶级的阶级观点、劳动观点、群众观点、辩证唯物主义观点；
>
> 掌握本专业所需要的基础理论、专业知识和实际技能，尽可能了解本专业范围内科学的新发展，具有健全的体魄。

---

* 这是1961年9月上旬李达在武汉大学全校学生大会上的讲话记录稿。——编者注

424

综合地说,我校是重点高校之一,是综合大学,分文理两方面,文科 7 系,培养马列主义理论队伍。理科 5 系,培养科技队伍。我国社会主义建设需要两支重要的队伍。工作条例也明确了,不久可发下,全校师生要好好学习。本条例主要讲了教学工作,讲提高教学质量,教学时间 1 年要占 8 个月以上,教学为主,生产劳动、科研为辅,一主二辅三结合。生产劳动 1 个月,四、五年级不参加,科研高年级参加,四、五年级,科学为辅。今年教育部对我们的教学工作都发来了方案,要求高,新开的课,特别需要教师们努力准备,同学们也要努力学习。

学习时间 8 学时,不能超过,大家要劳逸结合,体育、劳动要参加。

首先要搞好师生关系,要尊师。我们是来向老师学习的。过去不谈,从这一学年起,要转过来,要有礼貌,见了老师不能像过路人一样。

其次,同学相互关系要搞好,建立互助合作。党团员与非党团员同学之间,要平等合作,不能有特殊。

关心公共财物,爱惜公共财物,这是无产阶级的财产,不能败无产阶级之家。过去我们没有做到,从现在起,我们要搞好。

培养又红又专的社会主义建设干部,"红"即拥护党的领导、拥护社会主义,至于思想上有资产阶级思想,那是思想问题,所以叫"白"。政治问题与思想问题要分开。"专"就要懂得专门知识。大家要在这 5 年时间内造就成又红又专的干部,祝大家成功。讲话完了。

辛亥革命学术讨论会开幕词*

（1961.12）

吴玉老、各位同志：

辛亥革命学术讨论会，今天开幕了。我代表湖北省哲学社会科学工作者，向远道前来参加会议的史学界各位同志表示感谢！向参加这次讨论会、并为讨论会提供论文的同志们表示感谢！向主持组织这次讨论会的同志表示感谢！

解放以来，关于辛亥革命的研究，是有成绩的。不仅写出了许多文章，也搜集、整理了大量的史料。如果说，我们今天对这一历史事件的认识，确实比过去有很大的提高，这主要也是得力于学习毛主席的著作。最近几年我们在学习毛主席著作的基础上，比较广泛地研究了辛亥革命时期的群众活动，肯定了人民群众的作用；研究了资产阶级的性格，揭露了资产阶级的软弱性；研究了清末立宪运动和立宪派的性质，进一步揭露了资产阶级上层对帝国主义和封建主义的依附性，以及他们政治上的反动性。这些工作都是极有意义的。各地辛亥革命老人，在解放以后，从各个不同角度写下了大量回忆录，对于研究辛亥革命的历史，又增加了许多珍贵的材料。而吴玉老最近发表的《辛亥革命》一书，尤其给予史学工作者以巨大的鼓舞和深刻的启发。

过去我们虽然取得了不少成绩，但是作为马克思列宁主义的史学工作者，我们永远也不会满足已经做过的工作。何况辛亥革命的历史又是如此丰富，不仅我们研究过的问题，须要作出具体的结论，对于还没有研究的问题，也须

---

* 本文是 1961 年 10 月 16 日李达在于武汉召开的辛亥革命五十周年学术讨论会上所致的开幕词，亦曾以"辛亥革命五十周年学术讨论会开幕词"为题发表于《历史研究》1961 年第 6 期。——编者注。

要进行探索。譬如,董必武副主席说,一部民国史,就是资产阶级共和国制度不断遭到破产的历史。这部历史早该写出来了,但是至今没有人写出来。其实这种书如果写得好,是有很大的现实意义的。再如,人民群众在辛亥革命中的作用,这是大家都肯定了的。但是,怎样充分地加以说明,也还须要继续努力。再如,关于历史人物的研究,对资产阶级革命派我们比较注意了研究孙中山,但对孙中山的思想研究仍然不够;对黄兴、宋教仁等的研究则更不够。对立宪派人物我们比较注意了康有为和梁启超,但对其他的人,则研究得很少。此外,对地区的革命活动的研究,虽然作过一些,也同样感到不够。就以湖北来说,曾是全国首义地区,湖北人也曾以此自豪。但是湖北的史学工作者却很少研究湖北的历史。最近有人给我们出了个题目:为什么武昌起义会成为辛亥革命的爆发点?我们感到难以答复,看来这样的问题,我们也应该很好地研究。

上面提到的这些,只不过是我的一些想法,自然远没有包括辛亥革命这一研究任务中所要解决的重要问题。既然这次讨论会的目的,是配合五十周年的纪念活动,贯彻"二百"方针,开展学术研究。因此,我希望所有参加会议的同志们,不论写了文章或者还没有写出文章,都可以把问题提出来。问题提出之后,如果大家对某些问题比较有准备,又感到兴趣,我们就先讨论。对于那些现在还不可能讨论的问题,就带回去继续研究,等到研究有了一定的成果之后,再来讨论。

在讨论中,我们必须自始至终贯彻百家争鸣的方针,有什么材料,就摆什么材料,有什么观点,就谈什么观点。这一点我不想多说,又没有什么多说的,因为各地来的同志们,比我体会得更深。不过在这里我还要提醒一下我们武汉的同志,我们这里搞近代史的基本上是一支年轻队伍,知识不足、理论不足对我们来说是事实,绝不是妄自菲薄。因此,我们参加这次讨论会,主要是向老前辈学习,向先进省区的同志们学习。据我看来,百家争鸣首先也就是学习。好好读人家的文章,反复地揣摩人家的思想,才能吸取人家的好东西,来丰富自己;同样也只有认真读了人家的文章,捉摸到人家的思想,才有可能给人家提出较为正确的意见。但是这一条却往往不容易做到,障碍究竟在哪里呢?我想除了我们对百家争鸣方针的精神理解不够完全之外,主要还是由于缺乏一种扎扎实实的学风。因此，从我们武汉地区的情况来看，要真正贯彻百家争鸣，还须要从加强学习入手。我也是七十多岁的人了，但是比吴玉老我还是年轻了几岁。吴玉老以八十多岁的高龄，仍然那样热心于革命事业和学术事业，不仅为辛亥革命五十周年写出了历史的诗篇，还为我们的讨论会亲自出席指导，这就是我们学习的最好榜样。

这次的讨论会能在武汉举行，使我们感到非常荣幸。但是作为东道主，我们的工作是没有做好的。特别是讨论会的时间是在国庆节后，外宾过汉，接待工作比较频繁，会议的地址比较窄狭，难以容纳更多的代表参加，有些应该邀请的单位没有邀请，应该多邀请的，也没有多邀请，迄至最近几天仍然还有些省区和单位来电要求参加，使我们感到非常不安。因此，除了接待不周，没有很好地安排大家的起居生活，先在这里致歉之外，还希望通过今天到会的同志们向没有到会的同志们，转致我们的歉意。

祝大家身体健康！

（原载 1961 年《江汉学报》第 4 期，署名李达）

在教学经验讨论会的准备工作中
必须注意思想发动工作*

（1962.5）

　　教学经验讨论会的组织准备工作,在教务处的具体领导下,在党、工会、各民主党派和青年团的配合下,正在积极进行。许多系主任、教研组主任和教师,对此十分重视。不少教研组已多次开会研究,不少教师正在积极准备,教研组或各系作了初步的报告,并展开了讨论。情况表明,教师们在苏联先进经验的指导之下,通过教学实践,的确积累了不少可贵的经验。去年春天中国人民大学举行教学经验讨论会时,我们学校曾经派了代表以"唐僧取经"、"入山探宝"的精神去学习过;现在,经过集体的努力,我们学校自己也开始有"经"可取,有"宝"可探了。可以相信,只要我们的工作做得好,这次教学经验讨论会是不愁没有收获的。

　　但这是不是说,现在所有的教师对教学经验讨论会的重要意义都认识得很明确,在实际行动上都做得很够了呢? 还不能这样说。

　　有些教师对教学经验本身就不够重视。"教学效果好靠内容好,研究教学方法是空的。""方法再好,没有货还是没有货。"一句话,教学内容就是一切,教学方法渺不足道。这种看法是不对的。第一,教学方法并不是一个"技巧"问题,而是贯串着高度党性的东西。马克思列宁主义的教学内容与资产阶级的教学内容有原则的区别,马克思列宁主义的教学方法与资产阶级的教学方法同样是有原则区别的。学习苏联不能只学教学内容,不学教学方法。

---

　　* 本文是 1962 年 5 月李达在武汉大学教学经验交流会准备过程中的一次会议上的讲话稿。——编者注

第二,教学方法是教学质量的不可分割的一个方面,不能把它和教学内容机械地割裂开来。方法不对头,正确的内容也收不到良好的效果。"资本论"的内容是正确的,但拿来给中学生读就收不到什么效果。苏联教材的内容是正确的,但照本宣读,不管学生接受程度,教学质量也一定不会高。正确的内容只有通过妥善的方法才能传授给学生,才能达到提高教学质量的目的。忽视教学方法是根本不对的。

有些教师并不否认教学经验的重要性,但认为经验不仅是全面的、成体系的,而且是百分之百地"独创"的,否则不配称为经验,因此,自己的经验是不能"登大雅之堂"的,拿出来是会"贻笑大方"的。有些青年教师以为自己初出茅庐,没有经验可言,没有发言权。有些教师则以为必须"不鸣则已,一鸣惊人",否则宁可不鸣,因此采取过于谨慎持重的态度。这也是不必要的。学习苏联进行教学改革是我们坚定不移的方针,但学习得卓有成效则须有一个过程,不可能一蹴而就。"万丈高楼平地起",一砖一石是"万丈高楼"的基础。今天的点滴经验就是他日成套经验的组成部分。只要是在苏联先进经验指导之下,从教学实践中得出来的真正的经验,即使暂时还不成套,也是宝贵的。在经验中有某些参照了别人先进经验的地方,也不能简单地认为就是抄袭。我们无须求"出奇致胜",而需要合乎客观真理。

部分教师对开展自由批评的意义还不够了解。有些教师本来很乐意拿出经验来,但及至别人对他的经验提出了不同的意见,就信心不足,甚至颇有牢骚了。应该说明,经验讨论会就是要展开讨论,就是要从充分的自由争论中得出正确的结论。即使别人的意见不一定完全中肯,也应当心平气和地从容讨论,互相商榷。只许自己发表,不许别人批评,就很难得出正确的认识。另一方面,也有少数教师自视过高,未能虚心学习别人经验中的正确的东西,对别人的经验笼统地采取轻视和否定的态度:人家认真负责地准备的报告,他听了却以为一无是处,极个别的教师甚至采取嘲讽的态度。这是很不应该的。我们举行教学经验讨论会是为了从各方面学习苏联进行教学改革工作的经验,并加以讨论和推广,是为了把学校办好,而不是为了"捧"谁。谁提出了经验,我们应该诚心诚意地学习它的优点,实事求是地指出它的缺点,互相帮助,互相学习。那种极庸俗的嫉妒心理是根本要不得的。

还有一些教师则认为开讨论会妨碍了教学。我们说，开会是要占去一部分教学活动的时间的，但它本身却是为了提高教学，也确实可以提高教学。打个比方，党在抗日战争最困难的关头，在各种工作极端紧张的时候，曾展开过全党规模的整风运动，整风运动不是妨碍了工作，而是大大地推进了工作。只要把长远与目前很好地结合起来，"妨碍教学"的顾虑就不难解除。

所有这些思想顾虑说明了什么问题呢？说明了截至目前，许多系和教研组的思想发动工作还做得很差。

做任何革命工作，如果没有思想发动，或者发动得很差，是一定做不好的。教学经验讨论会不能是例外。这个讨论会是要全体教师都自觉地参加的，假如还有一部分教师对讨论会等闲视之，漠不关心，那么虽然如期举行了讨论会，也还是形式主义的，走过场式的，没有实际收获的。所以，在当前，思想发动工作是一个关键。有的系和教研组确定了教学经验的内容，指定了准备报告的专人，这些工作都是很重要的，但还不是全部工作。如果只是被指定作报告的少数教师忙于准备，忙于报告，而有的教师则在准备过程中一次会也不参加，或者身在会中，心在会外，这个工作能不能算做得好呢？不能的。如果大家思想上没有动起来，这个工作就是失败的。

要做好思想发动工作，就要深入细致地宣传教学经验讨论会的目的、意义和做法，就要解除各种思想顾虑，批判各种不正确的认识，发动全体教师参加到工作中来。这样的工作谁来做？行政、党、工会、各民主党派、青年团要做，全体教师都要做。多和别人交换意见，就是一种做思想发动工作的方法。在发动别人的过程中，也提高了自己的认识。大家的思想发动了，具体工作就好做了。

这次教学经验讨论会能不能开好，关键不在于技术问题，而在于思想发动的广度和深度。经验讨论会的实质不是别的，就是最具体的学习苏联，而学习苏联的过程则是无产阶级思想与资产阶级思想的斗争过程。如果没有国际主义精神，没有共产主义觉悟，不热爱苏联，就很难做到深入体会苏联的科学成就，那就根本不可能诚心诚意地学习苏联。把教学经验讨论会简单地看成技术性的工作，是片面的、错误的。这一点讲明白是有好处的。我们全校的教师都应该起来做思想发动工作,把道理讲明白,让大家自觉地、积极地、认真地参加到教学验讨论会的工作中来,使这次讨论会能够达到预期的目的,把全校的教学水平提高一步。

在教学经验交流会上的讲话

（1962.6）

这次会议的目的，主要是总结和交流贯彻中央文教政策以来，在执行以教学为主的原则下，在各个教学环节中，如何贯彻理论联系实际、少而精学到手、因材施教的教学原则和教学方法等方面的经验，探讨教学工作规律，改进教学工作，不断提高教学质量。

自从贯彻教学为主原则以来，教师的积极性有了很大的提高，教学上认真负责，比较踏实细致。这次会议印发的教学经验也说明了这一点。他们在教学中所以总结了一些经验，正是由于他们在教学中发挥了教师的主导作用，认真地备课、讲授，热心地辅导学生，严格地要求学生学好功课，并且深入到学生中去启发他们学习的积极性，不断地改进教学内容和教学方法，因此教学效果比较好。这种情况，在青年教师和中老年教师中都有。他们没有来得及总结经验，但是，他们的教学成绩也是不能否认的。这次会议最重要的一点，就是要求我们发扬和学习这种严肃认真、积极负责的教学态度以及艰苦深入、细致踏实、实事求是、调查研究、群众路线的优良作风。希望大家继续鼓足干劲，努力提高教学质量。

这次教学经验总结还证明了这样一条真理，就是搞好教学工作与教师的提高是一致的，互相促进的，而不是互相对立的，事实说明了，通过教学实践，教师认真地备课、讲授、辅导、指导实验、实习等等，青年教师向老教师学习，辅导教师向主讲教师学习，教学相长，钻研课程中的问题，积累了教学经验，就提高了教学水平。

这次总结的教学经验，虽然反映了文科、理科不同专业课程的特点，但是共性是寓于个性之中，从具体课程的教学经验中可以看出在教学原则和教学方法上的许多共同性。不要因为特殊性而忽视了共同性,希望大家吸取教学经验中的精神实质和共同规律,虚心地学习人家的长处,取长补短。

教学经验的形成要有个过程,要反复地研究,提高,以趋于完善的。可能这次会议所介绍的经验,有些地方不够成熟,或存在某些缺点,或存在某些认识不一致的地方,希望大家贯彻"百花齐放,百家争鸣"的方针,充分发表不同的意见和看法,不必强求一致,认真讨论这些经验,提出意见,互相学习、彼此帮助、共同提高。

我们的教学工作要越做越细,要从艰苦细致的点滴工作中,逐步探索教学工作中的规律性,这次经验交流会就是这个良好的开端。虽然论文、生产实习、社会调查等方面,我们还缺乏经验。希望今后更多地注意总结这方面的经验,并把已总结的经验继续充实提高,以期通过三五年的努力,总结出一套比较完整的教学经验。

(原载 1962 年 6 月 2 日武汉大学校报《新武大》第 367 期,署名李达)

在1962年武汉大学理科系主任
汇报工作会议上的讲话[*]

（1962.7）

　　学校去年以来有个划时代的转变。学校各个方面的成绩是九个指头，缺点慢慢克服。教学秩序、质量都有很大转变，像一个大学样子。成绩的取得和各位主任的领导是分不开的。可以比上过去两三年（指读书）。"六十条"的完全实现不是三年两年，四五年实现也不错，总之走上了轨道。有一句老话：最高学府。过去几年不敢提，应该提！最高学术之府，有条件。物理系提的百分之八十五青年教师如何提高他们？这是严重任务。1957年毕业后留校的助教还要补基础课程！教学任务要求和师资力量是当前的主要矛盾。我还希望各系主任找点有培养前途的教师，以三至五年为期，十年、八年在学术界出现几个有地位的。把中级骨干充实起来，希望三至五年之内，十至八年之内，涌现一批名教授，要培养一批人才出来。系主任抓事务要抓大的问题，小的问题交给别人去做。也希望各位系主任拿出六分之四的时间带个头，向学术方面进军。科学上没有长足进步，建设社会主义、共产主义不可能。过去走过一些弯路，不可避免，这个阶段已经过去了。我脑筋很简单，如何提高师资？多多注意他们，让他们很快变成骨干，十年、八年培养一批学者。不和别人比，那句话不讲，自己往前走吧！其他方面能做的一定要做（如教学设备、实验室、工具书、工作态度等）。

---

　　[*] 这是1962年7月3日李达在武汉大学理科系主任汇报工作会议上的讲话记录稿，标题系编者所加。——编者注

在 1962 年武汉大学文科系主任
汇报工作会议上的讲话[*]

（1962. 7）

文科复杂些。外文系俄语是重点，其他差。作为综合大学试点，法、德、日都重要，英语要加强，法、德、日要找人。一切都很好，"六十条"贯彻以来，教学、科研、师资培养都有成绩。在此基础上发展，师资提高是基本问题，各系青年教师中有培养前途的，着重创造条件培养。大学是最高学府，教师要有最高学术水平才行！

如何把师资提高，找骨干分子，三五年、十年八年培养出一批人。科研工作，青年教师结合本专业为好，不要离开本行去搞别的科研。留助教，要留一个算一个，五个条件：不要要求过高过急，做学问，要慢慢搞起来，但也不宜过慢。外文系要讲外国话，要翻译（中译外，外译中），要搞好外国文学史。社会科学、自然科学都要学一点。外文系教师要懂得一点外系专业的知识。哲学、经济学专业，就是要求看书。俄文专业当然不同。从去年以来是好现象，走上了轨道，教师学生努力，系主任工作认真。以后课堂讲授减少，有必要。文科学生没有时间读书不行！要读点书。

我是长年休养状态，只从何副校长那里了解一些情况，我很满意！学校这样办下去有前途！第一是北大，第二是复旦，武大也不说超过哪个学校，要努力。依靠教师提高，多出学者，这是学校办得好不好的标志！从现在努力，十年八年。

---

　　* 这是 1962 年 7 月 4 日李达在武汉大学文科系主任汇报工作会议上的讲话记录稿，标题系编者所加。——编者注

纪念王船山逝世 270 周年
学术讨论会开幕词*

（1962.12）

同志们：

纪念王船山逝世 270 周年学术讨论会开幕了。

去年 10 月，为了纪念辛亥革命 50 周年，中国历史学会在武昌举行了一次成功的学术讨论会。那次会后，我和谢华同志等函商，王船山是值得纪念和研究的一位历史人物，为了加强两湖学术界的活动，共同倡议在长沙举行一次学术讨论会来纪念他逝世的 270 周年。在中共湖南省委和中共湖北省委的关怀和指导下，以后又得到中国科学院哲学社会科学学部的大力支持，我们两省哲学社会科学学会联合会共同筹备了今天这个纪念王船山的学术讨论会。

今天到会的，除了我们两湖地区的哲学、史学、文学工作者以外，还有从北京、上海、广州、河南等地不远千里而来的专家学者们。我们感到非常高兴。在这里，我代表湖南和湖北两省哲学社会科学学会联合会对到会的同志们表示热烈的欢迎！

我们知道，明清之际，在我国学术史上是一个值得注意的时代。当时，在以农民革命为主流的阶级斗争和民族斗争的暴风雨中，诞生了一批大思想家。王船山就是其中杰出的一个。王船山名夫之，字而农，号姜斋，生于 1619 年，死于 1692 年，距今已经 270 年了。他是湖南衡阳人，有高度的民族气节，在积极参加抗清斗争以后，深藏不出，从事著述。他在哲学、史学以及文学等方面，

---

* 这是 1962 年 11 月 18 日李达在于长沙召开的纪念王船山逝世 270 周年学术讨论会上所致的开幕词，亦曾以"纪念王船山逝世 270 周年"为题发表于 1962 年 12 月 23 日《新湖南报》。——编者注

都有不少的贡献。他的著作和思想,在中国思想史上占据了很重要的地位。

我们纪念王船山,首先因为他是一个热烈的爱国主义者。他曾经在衡山举兵起义,抵抗清军。失败以后,转徙于苗瑶地区,不为清朝统治阶级服务。他当时反抗民族压迫,摸索救国真理,具有很大的热忱。我们比较年长的一辈,在少年时期,读过他的史论以及《黄书》等著作的,对于他的一些爱国主义的思想都有比较深刻的印象。但是他的爱国主义思想是有狭隘性的,他的政治思想并不都是进步的,比如他对农民革命运动就采取了反对的态度;因此,反动统治阶级也曾利用王船山思想中的封建糟粕,进行过反动宣传。

其次,特别值得重视的是,王船山是中国历史上一个杰出的唯物主义者。在宋明以来,唯心主义理学以及佛教、道教理论占统治地位的条件下,王船山继承以往的唯物主义思想的优良传统,高举唯物主义的旗帜,对唯心主义和神秘主义进行批判斗争,对我国传统的唯物主义和辩证法的思想都有所发展。这是难能可贵的。从清末到五四,据我所知,至少在湖南地区船山哲学思想的研究,对许多先进知识分子在摸索一条继承优秀传统和开辟文化革命相结合的正确途径上,曾发生过良好的思想影响。但王船山的哲学思想,毕竟是17世纪的时代产物,其中有许多少科学的成分,在历史观方面有没有唯物主义因素,都是有待于研究的问题。

至于王船山的治学态度,既有比较广阔的思想境界,又有比较严谨的求实精神。他以"六经责我开生面"的抱负,淹贯经史,参驳古今;并采取了他所说的"入其垒,袭其辎,暴其恃而见其瑕"的方法,来"推故而别致其新";因而,既没有脱离传统文化发展的大道,又能够在一些问题上,别开生面,推陈出新。这一方面,对以后的进步思想家,具有多方面的启发作用。另一方面,王船山迷信儒家经典,受到封建思想的严重束缚,并不能完全摆脱他所代表的阶级的偏见,这是我们研究船山思想所必须注意的。

由于王船山的思想具有以上这样一些主要特点,所以,我们怀着尊敬的心情来纪念他,并把批判地研究他的学术遗产看作是我们的一项任务。

毛主席早就指出过:要学习我们的历史遗产,用马克思主义的方法给以批判的总结。就哲学方面来说,中国的辩证法唯物论哲学思潮,并不是从继承与改造自己哲学的遗产而来,而是从马克思列宁主义学习来的;但为了使马克思列宁主义的哲学运动在中国深入发展下去,就有必要认真地清算我国古代的哲学遗产。若干年以来,特别是全国解放以后,在马克思列宁主义、毛泽东思想指导之下,全国学术界开始了自己的革命。我们对祖国哲学遗产的批判和研究,已取得一定的成绩。最近几年来,中国哲学史方面展开了一系列的争论,对问题的研究正在逐步深入。但从一些争论看来,在哲学史工作中,要做到如毛主席所说的:"详细地占有材料,在马克思列宁主义一般原理的指导下,从这些材料中引出正确的结论",并不是轻而易举的事。我国古代思想家给我们留下了大量遗著,卷帙浩繁,单是一部《船山遗书》,就有三百多卷,要系统地全面地占有历史材料,是需要下很大的功夫的。在学术研究工作方面,我们必须看重材料,决不能徒托空言;同时,要在占有材料的基础上,善于运用辩证唯物论和历史唯物论的观点和方法,对丰富的材料进行去粗取精,去伪存真,由此及彼,由表及里的具体分析。我们对某一哲学家的思想本质及其时代特点,对整个中国哲学发展的规律性,要有真正科学的了解,得出符合实际的结论,首先必须用阶级分析的方法来研究历史人物。分析历史人物的阶级属性,不仅要看他的阶级出身,更重要的是要看他的思想体系、他的政治活动究竟为哪个阶级服务,在当时起过什么作用,对以后有什么影响。历史上任何人物及其思想,都是有阶级性的,在阶级社会不存在什么超阶级的思想家。只有运用阶级观点去分析历史人物的思想、行动,才能正确地评价他们的历史作用和局限性,才不致于片面地肯定一切,或片面地否定一切。

我们学习历史遗产,给以批判地继承,目的是要古为今用。清理古代的哲学遗产,弄清人类认识史的逻辑,总结哲学斗争的历史经验,都是为了锻炼我们的理论思维能力,丰富我们的知识内容,为社会主义革命和社会主义建设服务。当我们用整理过的哲学史知识来教育青年时,必须对以往哲学家的思想中的精华和糟粕,严格地加以区分,正确地给以肯定和批判,使他们从祖国丰富的历史遗产中吸取有益的营养成分,引导他们向社会主义新文化前进。由于历史现象的复杂性和认识发展的曲折性,要做好这个工作,也是很不简单的。我们对历史遗产的研究,既不可以华而不实,浅尝辄止,更不可以把马克思主义公式化,或者把马克思主义庸俗化。好在这方面,这次我们邀请来的许多专家学者,已经作出了很大的成绩,并积累了宝贵的经验,值得我们年轻的研究工作者虚心学习。

在这次讨论会上，我们高兴地读到了一批关于王船山研究的科学论文。有老专家写的，也有青年同志写的。据我所知，在论文写作过程中，同志们都进行了刻苦的钻研，付出了很大的劳动，既注意从调查开始，从占有原始资料开始；同时也力图运用马克思列宁主义、毛泽东思想的观点和方法，贯彻史论结合、观点和材料统一的原则，因而取得了现有的成果。会前两省在分别准备论文的过程中，都同样地出现了一些新气象：以王船山研究为中心，哲、史、政、文、教诸方面，互相配合起来了；青年、中年、老年的科学工作者紧密地团结起来了。讨论初稿时，大家互相看文章、提意见，对于一些分歧问题，初步表现了争鸣精神。这些都是很好的风气。这次讨论已经有了踏实钻研、虚心学习、互相切磋的气氛作基础，大家一定乐于摆观点，谈意见，充分讨论，畅所欲言，把会议开得生动活泼。在讨论过程中，必须认真贯彻党的百花齐放，百家争鸣的方针，保证开好这次学术讨论会。在开讨论会期间，我们要求北京等地区应邀前来的专家学者们，给长沙的学术界讲学，还希望会后能应邀到武汉去讲学，积极促进两湖地区学术研究工作的进一步开展。这次讨论会，是关于王船山思想的研究工作的良好开端。我希望对他的著作能够系统搜集和整理出版，并继续深入研究。几年以后，我相信一定会出现有关这方面的有着高度科学水平的著作。

去年在武昌举行纪念辛亥革命 50 周年的学术讨论会，是利用历史事件的周年纪念来进行学术活动的；今年在长沙举行纪念王船山的学术讨论会，是利用历史人物的周年纪念来进行学术活动的。这都是推动学术研究、加强学术交流的很好的方法。这两次大型学术讨论会主要是促进了历史科学方面的研究，今后也可以考虑组织比较密切联系实际的其他学术部门的理论问题的讨论。我们提倡学术活动，要把现状、历史、理论三方面的研究结合起来，目的都在为社会主义服务。长沙是毛主席的故乡，武汉是全国的名城之一，它们不仅是两湖的政治、经济、文化的中心，同时还应当有浓厚的活跃的学术空气来反映两湖地区社会主义建设事业的成就，成为全国学术繁荣的重要据点。大型学术讨论会不可能开得很多，它要开得卓有成果，就必须依靠各地开展经常性的中小型学术活动做基础。湖北社联领导下的各个学会，准备在今冬明春开年会,这也是促进学术研究的一个好的方法。我们欢迎湖南学术界和其他地区到期派代表参加。我们希望通过这些具体的学术活动,加强两省和全国学术界的联系,使我们的理论队伍受到锻炼,得到培养提高,以便促进社会主义学术事业的繁荣发展。

我预祝纪念王船山的学术讨论会开得很成功!

(原载 1962 年《江汉学报》第 12 期,署名李达)

在武汉大学第三届科学讨论会上的开幕词

（1962.12）

同志们！

我校第三届科学讨论会，现在开幕了。这次科学讨论会，是在党的百花齐放、百家争鸣方针指导下召开的，是在进一步贯彻党的文教方针政策的基础上召开的。因此，这次的科学讨论会，也是同志们一年来积极从事科学研究工作的结果。让我首先代表学校向在教学工作和科学研究工作中辛勤劳动的教师同志们表示敬意。

这次科学讨论会，是检阅我校科学研究成果的会。一年来，我校的科学研究工作同其他工作一样，在党的调整、巩固、充实、提高的方针指导下，获得了显著的成绩。科学研究的成果，无论在数量上和质量上都有了提高。同时，这一年中，由于我们进一步贯彻了党的方针政策，科学研究与教学的关系更加密切了，对如何结合教学开展科学研究的方式和途径也作了一些探索，取得了初步的经验；并且，对如何运用马克思列宁主义的立场、观点、方法来解决本门科学的具体问题方面，也有所进步。这都是可喜的现象。

我们的科学讨论会是学术上自由讨论的会，是进一步贯彻"百花齐放、百家争鸣"方针的会。我们一向主张，学术上不同意见，应该自由讨论，只有这样，才能够促进认识向前发展，使比较正确的认识代替不正确的认识，比较全面的认识代替比较片面的认识，从而使科学工作者逐步掌握客观真理。"百花齐放、百家争鸣"的方针，是根据科学和艺术发展的客观规律，结合我国的具体情况提出的。我们必须在教学和科学研究工作中进一步贯彻这个方针，努力开展学术活动，今后除了组织经常性的科学报告会、讨论会等学术活动外，还准备每年举办一次全校规模的科学讨论会，以逐步活跃我们的学术空气,提高学术水平。明年是我校 50 周年校庆,我们打算集中地举办一次科学讨论会和科学著作展览会,来庆祝我们的校庆。希望教师们积极准备,以更多更好的科学研究成果来迎接校庆。

同志们,党号召我国的科学技术工作者奋发图强,向科学技术堡垒进军,大力支援农业。作为我国科学工作的一支力量的高等学校教师,担负着艰巨而光荣的任务。教师同志们一方面要努力提高教学质量,培养高质量的科学技术干部,另一方面要为我国的科学事业的发展、大力支援农业作出积极的贡献。这就要求我们进一步学习和掌握马克思列宁主义的世界观,并在这个世界观的指导之下踏踏实实地、一步一步地进行艰苦的研究,为迎头赶上世界科学的先进水平,为迅速提高教学质量而努力奋斗!

(原载 1962 年 12 月 7 日武汉大学校报《新武大》第 369 期,署名李达)

谈党的"一大"、"二大"情况*

（1962.12）

今天，主要谈谈 1918 年至 1924 年的情况，谈谈"一大"、"二大"的情况。

日本出兵东北，我们在日本的留学生听到这个消息，很紧张。我们一般是爱国的。当时我们分两路：一路去北京，一路去上海，唤醒学生。我是去北京一路的。在北京住在湖南会馆，联系北京大学等，发动学生闹一顿，但闹不起来，很少人到了我们那里。四五百人开了个会，闹不起来。当时学生对我们讲的话还不大相信。在上海的那一部分做了一些事，办了一个《救国日报》，进行鼓吹。上海的秘密警察监视得厉害，他们扮成人力车夫，我们的人一出去，他们就拉着车子等我们。我们很可疑。我们在北京的那一路人待了很久，运动发动不起来。×××找我们去了，说没有什么"君子协定"，一口否认。在北京的一路，说没有起作用，也起了一些作用，对第二年的五四运动起了影响作用。过去搞这些运动，游行、示威、请愿、抵制日货搞得不少，但都没有什么作用。我们感到没有路走了。正像毛主席所说的：十月革命一声炮响，给我们送来了马克思列宁主义。中国的马克思主义，最初是日本介绍过来的。苏联当时与中国交通很不便，被封锁了，东西介绍不进来，中国的马克思主义是从资本主义国家介绍来的。当时，我们只知道列宁的名字，知道一个工农政府，但知道列宁的东西很少。我是学理工科的，但感到搞理工、做官都不行，只有走苏联这条路。

第二年情况不同了。"五四"运动爆发了，巴黎和会提出把山东割给日

＊ 本文是 1962 年 12 月 26 日李达与长沙党内部分干部座谈时的讲话记录稿，标题系编者所加。——编者注

本,国内的学生听了很气愤,闹起来了,举行游行示威。"五四"运动主要是北京的学生,以后全国的学生也都纷纷响应。接着,"六三"运动也起来了,比"五四"运动规模更大,就不但是知识分子,而且有广大的无产阶级、小资产阶级和资产阶级参加,成了全国范围的革命运动了。"六三"以后,工人阶级登上了政治舞台,站起来了。从那以后,情况不同了,什么旧的东西都认为是不好的,新的东西就都认为是好的,易卜生主义、无政府主义、基尔特社会主义、马克思的社会主义都出来了,五花八门。国内新文化运动风起云涌,当时办了很多杂志,各色各样的。总之,把外国很多新东西都搬过来了。

1920年,苏联宣布取消对中国的不平等条约,中国人民,包括资产阶级在内,对苏联都有了好感。当时,上海学生罢课、工人罢工都搞得轰轰烈烈。1920年,苏联海参崴打电报给莫斯科第三国际,说支那革命搞起来了,为什么不去援助? 后来东方局派了一个代表叫维辛斯哥的来到中国,他还带了一个老婆来。派他来的原因,是因为那时我们和苏联消息不通。维辛斯哥住在美国,可能知道中国情况。维辛斯哥来到北京后,个个去看他,资产阶级学者胡适也去了。在北京开了几个座谈会,维辛斯哥讲了一套,大家对他有好感。以后他到了上海,当时陈独秀在上海办《新青年》。张东荪搞了一个供应社,出了很多书,表面上表示很进步。维辛斯哥当时提出是不是组织起来,陈独秀说好呀。张东荪也想参加,我们不要他参加,因为张东荪是一个无聊政客。1920年八、九月间,就组织中国共产党,不是小组。参加的有陈独秀、李汉俊、沈玄庐、陈望道、俞秀松和我,共七个人。沈玄庐家有两千亩田,作过都督,他宣布不做地主了。用两张八行纸写了一个中国共产党建党草案,记得草案第一条是:中国共产党用下列手段达到社会革命的目的:(一)劳工专政;(二)生产合作。发起以后,开了一个会,推举一个书记。维辛斯哥参加了,他讲了一套。会上推举陈独秀当书记,维辛斯哥没表示意见。陈独秀那时威信很高,日本报纸上说陈独秀是中国的列宁。一共六七个人,我们都是土包子。我们写信给李大钊,要他在北京发起。他在北京又召集张国焘、邓中夏等七八个人;又写信给王烬美,要他在济南搞,他搞了四五个人;李汉俊在武汉组织;又写信给陈公博、谭平山在广州组织;另外写信给×××,要他在东京组织,他找了个周佛海。又搞了个社会主义青年团,叫 S.Y.。长沙也组织了,是毛泽东同志组织的。主要是上海对外联络。以后又组织了一个工会，叫机械工会，都是一些知识分子。这个工会是最早的。机械工会负责人叫李巩。还搞了一个刊物，名叫《共产党》月刊，1920 年 11 月 7 号出创刊号。《新青年》不敢发表的寄到这里发表。维辛斯哥看到已经组织起来了，就回去了。当时还办了一个外国语学校，内地一些青年脱离家庭、脱离学校，要找出路的，都安置在那里面。由维辛斯哥的爱人教俄语，实际上是社会主义青年团，外面挂外国语学校的牌子。据说，罗尔农、刘少奇、任弼时都在那里搞过。

不久，孙中山做大元帅，要陈独秀去当教育厅长。他就把书记送给李汉俊去当，他到广东去了。到 1921 年春，发生了问题。陈独秀写了一个党纲，寄到上海来，主张中央集权。李汉俊也写了一个党纲，主张地方分权，寄给陈独秀。陈独秀看了大发雷霆，说李汉俊是无政府主义。李汉俊原来是个无政府主义者。后来两人闹了起来。《新青年》每月有一百多元收入。陈独秀说《新青年》是他的。《共产党》月刊出了两期，没有钱了。李汉俊写信给陈独秀，说是否可以在《新青年》那里弄点钱给《共产党》月刊，陈独秀回信说不行。李汉俊火了，宣布与陈独秀决裂，不当书记了，要我来当。我考虑七个人发起，闹分裂不像话，就答应了。以后陈独秀还写信来骂我，说我为什么要和李汉俊搞在一起。

6 月间，维辛斯哥回去以后，苏联又派了两个人来，一个叫马林，一个叫尼赫洛夫斯基。我们把情况一讲，他们说可以开成立大会了。于是写信给各单位，当时是七个单位，东京派了周佛海，广东派了陈公博，七个单位有两个地方是一个代表，其余是两个代表。长沙的代表是毛主席和何叔衡。开党代会，住在博文女校，毛主席住三楼，我们住楼下。那时我们叫 C.P.，社会主义青年团叫 S.Y.。毛主席说，怎么你们叫 C.P.，而我们叫 S.Y.？我们说，好吧，你们那里也改成 C.P.。有个文件说 1921 年毛主席参加党的第一次代表大会以后回到湖南组织共产党，那就是把 S.Y. 改成 C.P.。那时，我们不晓得怎么样开会。大概是七月一日，在望志路李汉俊姐姐家里一个小楼房里开会，连苏联两人共 14 人参加。实际上是马林主持。我们没有什么文件。开会首先马林致开幕词，他宣布今天东方局中国支部正式成立了。会开了不久，一个怪人敲门进来东张西望，我们问他干什么，他说是走错了路。我们想走错了路也没有什么，但马林很机警,马上就走了,我们也就散了。等了一会儿,大概不到一刻钟的光景,来了两辆大卡车,很多警察,他们跑进去一看,文件、标语、人,什么都没有,扑了一个空。

那时,我们没有经验,于是三三两两,走走谈谈,说也要分析一下形势,怎样搞工人运动,对于政府采取什么态度,有的说南北政府一样,没有什么分别等,谈了一些问题。当时我们提出了无产阶级革命的口号。隔了六、七天,又开了一次会,是在浙江嘉兴南湖开的,在一个很大的画舫内,苏联那两个人没有去。那天落了一些小雨。到十点多钟,人到齐了,就开会,讨论如何写一个宣言。这个宣言都是照抄的。第一句话就是:一切社会的历史都是阶级斗争的历史;无产者在革命中只会失去自己颈上的锁链,所获得的却是整个世界。搞了一天,下午四点钟才走。组织人数不多,共四十三人左右。选举了三个人,陈独秀是书记,张国焘是组织主任,我是宣传主任。还提出,湖南要挑选一些人做党员。第一次党代会的意义很大。它的伟大成就是把一个伟大的领袖毛泽东同志接进来了。这是这次会的最大功绩。那时,有些党员喜欢谈恋爱问题。毛主席当时也是青年,但是他不同,他住在对门的房子里,走来走去,人家打招呼他也不知道。他老是想在湖南应该如何干法,中国怎么个搞法。会散了,就回去了。当时叫中央临时工作部,也打了电报到苏联去。我搞宣传,办《共产党》月刊,同时成立"人民出版社",我担任编辑。人民出版社出了十几本书,前后出了十五种。我就搞这个工作。这时,陈独秀回来了。不久,有人告了密,法租界把他捉了去了,说他是共产党。我们营救无效。后来孙中山打电报给法国领事,把他保出来了。陈独秀不敢再住租界,住到中国地界去了。他有一个老婆,又搞了一个十几岁的女孩子住在一起,很少和我们见面。他胆小,当时所有通信,都经过我那里,陈隔了很久,出来看看信。陈独秀这个人,是个激进的民主主义者。他对马克思列宁主义书籍看得并不多。他的书架上摆了很多书,上面落了很多灰尘,我看他没有读什么书。马林对工作抓得很紧,每一两个星期,叫我和陈独秀、张国焘去报告工作,我没有什么工作好报告,我报告得少,张国焘报告得多。我就报告出了什么刊物。陈独秀怕麻烦,不愿去,有次还发牛脾气,说没有国际也可以革命。马林还是好的,到广州、汉口、长沙看了一下,说中国搞无产阶级革命时机还没有成熟,冬天他就回去向东方局作了汇报。以后,莫斯科开东方局会议,叫我们派个代表去。当时有两条路去,一条走海参崴,一条走哈尔滨。告诉我们到了哈尔滨,看到有两个人口里含着纸烟,不点火,就是接头的。接的人车票都买好了。刘少奇大概就是从海参崴去的,这是1921年冬。

张国焘用了一万多元,没有办什么事情,挂着中国劳动组合书记部的牌子,里面摆了桌子,搞了七八个人办公,像个办公的样子,但没有真正组织一个工人。有一天,一个英国巡捕进去问:你们是什么人,劳动组合书记部是干什么的?要他们汇报。张国焘回来听说这件事,害怕起来了,当晚就把书记部的牌子取下来烧了,把劳工部遣散了,他自己就跑到莫斯科去了。

1922年春,东方局打来了一个电报,说首先干国民革命。我们还不知道什么是国民革命。后来才知道,中国应先干民主革命,后搞社会主义革命。陈独秀没有什么主张,张国焘回来了就了不起了。

开第二次代表大会,没有要地方派代表参加,毛主席也没有参加,而是由苏联代表把在苏联入党的中国社会主义青年团同志分配代表哪一个地区。我和张国焘、蔡和森一个小组,我是组长,他们称我是元老派,他们是少壮派。这次会上开始懂得了一点分析中国的历史背景。小组会考虑好了,交给大会。开大会那天,张国焘又不同意,提出反对。我问他,小组会你不是已经同意了吗?他说他没有留意。第二次代表大会又发了一个宣言,其中谈到我们现在要帮助国民党革命,我们得到自由与权利。等资产阶级发起来了,工人阶级也起来了,那时根据国民党的法令,工人阶级去夺取政权。以后苏联派了越飞帮助中国革命,提出国共合作。当时对共产党和国民党合作的问题有三种见解:一主张共产党员全部加入国民党,和国民党一起搞;二是主张是与国民党合作,部分人参加国民党,但共产党仍保持自己组织的独立性;三是主张交叉。我是主张第二种意见的。

这是1920年8月到1922年11月党成立前后的大体情况。以后我就到湖南来了。

乔木同志写的《中国共产党的三十年》中,说1921年7月1日,各地共产主义小组选举代表在上海举行了党的第一次代表大会,情况并不是这样的,实际上在第一次代表大会以前不是共产主义小组,而是有了中国共产党。

第一次代表大会的参加者,毛主席、董老尚在。大家知道,我离开了组织很多年,我同陈独秀、张国焘闹翻了。我就是不服从他的领导而脱离开组织的。陈独秀是一个土匪头子,发脾气发惯了。1924年我到上海去时,讨论入国民党的事,他发脾气,说我没有资格发言。我说为什么?他说你没有参加游行。1922年11月以后,我到长沙,1924年办自修大学,以后自修大学被查封了,我只好教书,教书不能经常参加游行示威活动。我在教书,怎么参加游行?他发脾气,把我吓出了一身冷汗。当时,我想要我拥护他这土匪头子我就不干。1924年我就退了党。离开了组织后,我还介绍了很多同志入党,都被接收了。我离开组织,原因就是恼了陈独秀、张国焘。我离开组织是不对的,是小资产阶级思想作祟。但离开组织以后,没有做一点反动的事,组织上要我做什么我就做什么。到冯玉祥那里工作,到张家口工作,都是组织上要我去的。张国焘这家伙把事搞坏了,他杀了冯玉祥的得力助手,是冯玉祥的一个什么财政部长,结果冯玉祥翻了,把关系搞坏了。后来把张国焘开除,张国焘是托派。张国焘原是党派去的,好像是刘少奇派去的。张国焘这人,一脸横肉,是怪人,专搞阴谋。陈独秀自己并没有主张的,有些文章并不是他做的,但他受了托派的影响。

团结一致　增强信心
鼓足干劲　迎接新的胜利

——1963 年元旦广播讲话

（1963.1）

全校教师同志、职工同志、同学们！

1962 年过去了，现在我们高兴地迎接 1963 年的到来，我代表学校，并以我个人的名义，祝贺大家新年愉快，身体健康！

过去的一年，是团结一致，艰苦奋斗，克服困难，取得伟大胜利的一年。

过去的一年，国际范围内的阶级斗争是很激烈的。中国共产党和毛主席领导我国人民，高举反对帝国主义、保卫世界和平的旗帜，高举革命的旗帜，高举无产阶级国际主义的旗帜，高举马克思列宁主义的旗帜，团结社会主义阵营，团结一切争取民族解放和爱好和平的人民，反对以美国为首的帝国主义侵略政策和战争政策，支援被压迫人民和被压迫民族的民主和社会主义革命。不断揭露现代修正主义集团的叛变行为，打退了帝国主义者、反动派和现代修正主义者的反华大合唱，粉碎了一切窜犯、挑衅、侵略和在国内搞颠覆活动等阴谋，结成了广泛的反对美帝国主义的统一战线，保卫了马克思列宁主义的纯洁性。我们在国际共产主义事业的发展中，作出了伟大的贡献，取得了伟大的胜利。国际形势发展的方向，对于世界人民革命和保卫和平的斗争是有利的，对于我国的社会主义建设也是有利的。

过去的一年，国内形势很好。全国工人、农民、革命知识分子和爱国民主人士，紧密地团结在党中央和毛主席的周围，继续高举社会主义建设总路线、大跃进、人民公社三面红旗，发扬艰苦奋斗、自力更生、奋发图强的战斗精神，进行了切实的调整、巩固、充实、提高的工作，取得了显著的成绩。我们最困难的时期已经过去了。我国经济情况,无论在农村或者城市,都已出现一片欣欣向荣的景象。我想,新的一年会比过去一年更好。

过去的一年,国际和国内的形势,进入了一个新的历史转折点。我们生活在毛泽东同志的伟大时代,正如党的八届十中全会所指出的:"一切斗争的考验都证明,我们的国家不愧为伟大的国家,我们的人民不愧为伟大的人民,我们的军队不愧为伟大的军队,我们的党不愧为伟大的党"。我们的前途充满了无限光明。

在过去一年,我们学校的工作,成绩也是非常显著的。

第一,我校认真贯彻了党的教育方针,以教学为主,提高了教学质量。我们在加强政治理论教学的同时,加强了各个专业的基本理论和基本知识的教学以及基本技能的训练,教学秩序稳定,学习风气良好。教师们结合教学,有计划地开展了科学研究工作。最近,我校举行第三届科学讨论会,提出了一批科学论文,讨论非常热烈,充满着争鸣的精神,反映了科学研究力量的成长,标志着我校科学水平提高的新阶段。

第二,行政总务工作,为教学和科学研究服务,为师生员工的生活服务,克勤克俭,战胜困难,执行方针政策,遵守规章制度,工作态度有所改进,工作效率有所提高。

第三,我校在党委统一领导下,贯彻执行党对知识分子的政策,从思想上、政治上、组织上做了一系列的工作,调动了师生员工的积极性,加强了工作责任心,发扬了民主,增进了团结。大家同心同德为社会主义教育事业服务,这是非常可喜的现象。

上述各方面的工作取得显著的成绩,首先是由于中央和省委的正确领导,同时,也是我们全体师生员工提高自觉,辛勤努力的结果。

1962 年过去了,我们如何鼓足干劲,迎接新的 1963 年呢?

党的八届十中全会明确指出:"在科学文化教育方面,要加强科学、技术的研究,特别是要注意对农业科学技术的研究,大力培养这些方面的人才,同时要加强对知识分子的团结和教育工作,使他们充分发挥应有的作用。"我们应当根据这一指示的精神,全面规划学校各方面的工作。

首先,我们必须加强"以农业为基础、以工业为主导的发展国民经济的总方针"的教育,在思想上和理论上明确为农业服务的观点,逐步树立面向农村、支援农业、热爱农民、发展集体经济的牢固观念。我们的具体任务是:贯彻党的教育方针,提高教学质量和科学水平,培养各种合乎规格的人才、并且贯彻勤俭办学的方针,直接地或者间接地为贯彻发展国民经济的总方针,建设社会主义的新农村和现代化的大农业而努力。

其次,我们必须加强阶级教育,加强爱国主义和国际主义的教育。我们应当用马克思列宁主义、毛泽东思想的基本观点,武装青年一代的思想,促进他们逐步树立无产阶级共产主义的世界观,能够辨别风向,批判现代修正主义思潮,抵制资产阶级和旧社会的习惯势力以及小生产者的思想影响。在国际范围内阶级斗争激烈,而我国整个过渡时期还存在着两个阶级、两条道路的斗争的情况下,我们必须运用阶级观点和阶级分析方法观察问题,处理问题,坚持又红又专的政治方向。青年一代要继承革命的优良传统,加强共产主义道德品质的修养,加强劳动锻炼,加强组织性和纪律性,热爱祖国,热烈支持各国被压迫人民和被压迫民族反对帝国主义和殖民主义的革命斗争。

再次,我们必须加强培养和提高师资水平的工作。提高教学质量的关键,在于培养和提高师资的科学水平。我们的教师,必须以马克思列宁主义毛泽东思想为指导,有计划有步骤地深入钻研业务,精通本门学科,既要掌握基本理论,又要联系实际,既要熟悉最新科学成就,又要懂得学科的历史发展状况。努力钻研业务,绝不可忽视政治。无论社会科学也好,自然科学也好,都必须为无产阶级政治服务,为社会主义建设服务。在教学实践中,我们教师在政治思想和道德品质各方面都要为人师表,教书同时要教人。在学术活动中,要敢于提出问题,互相争辩,只要自己认为是正确的,就要坚持,不要苟同,同时也要实事求是,善于倾听不同的意见,勇于修正错误。我们提倡采取这种态度,贯彻"双百"方针,促进科学研究工作的顺利进行。我希望不断地通过教学实践和学术活动把我校教师的水平迅速提高起来,形成一支强大的又红又专的工人阶级知识分子队伍。

1963 年,适值我们武汉大学建校 50 周年纪念。全国解放十三年来,我们把旧大学改造为社会主义的新大学,积累了不少的经验,取得了很大的成绩。我们应当准备在 50 周年校庆的时候,检阅我们的教学、科学研究和各项工作的成绩,我要求全体师生员工进一步发挥积极性和自豪感,努力办好社会主义的武汉大学,办好附属中学,办好附属小学和幼儿园。

同志们,同学们,我们的事业一天一天好起来,一年比一年更为发展了,让我们在新的一年乘胜前进吧!

（原载 1963 年 1 月 1 日武汉大学校报《新武大》第 371 期,署名李达）

在武汉大学第三届团员代表大会上的讲话

（1963.2）

共青团武汉大学第三届团员代表大会今天开幕,我代表学校,并以我个人的名义特向出席大会的各位代表,并且通过你们向全校共青团员致以热烈的祝贺!

首先,我认为:过去几年,我校共青团组织在上级团委和学校党委的领导下,根据团章对共青团基层组织的要求,做了大量的工作,特别是对团员和青年师生员工进行共产主义和毛泽东思想教育方面,作出了很大的成绩,发挥了团结和教育广大青年的核心作用,不愧为党的好助手。我校广大的共青团员,在团委和各级团组织的领导下,自觉地、忠实地履行团员的义务,积极地行使团员的权利,遵循党的教育方针和中央关于高等学校工作的各项指示,学生团员勤奋刻苦地学习,教师团员认真负责地教学,职工团员积极努力地工作,在困难面前不畏缩,在胜利面前不骄傲,在各项活动中能起模范带头的作用,朝气蓬勃,精神奋发,不愧为毛泽东时代的好青年。

当前国内外的新形势向共青团提出了更高的要求。我希望你们通过这次大会,运用集体的智慧,将过去几年的团的工作,认真加以总结,吸取有益的经验,克服存在的缺点,遵照党的八届十中全会和团的三届八中全会的指示精神,坚持正确的政治方向,加强对团员和青年的共产主义教育,特别是阶级教育,加强团的建设,树立优良的思想作风和工作作风,使我校共青团今后的工作向前推进一大步。

其次,团委书记毛美同志要我同大家谈谈青年同志如何做共产主义事业接班人的问题,这无疑是一个非常重要的问题。

作为一个70岁以上的老人,当我每次回忆起自己在青年时代所走的道路时,总会联想到今天的青年一代。我们这一辈人生长在反动黑暗的年月,历尽艰辛,受尽磨难,是何等的痛苦! 你们生长在崭新的时代,毛泽东的阳光抚育着你们成长,是何等的幸福! 现在我们的祖国在党中央和毛主席的英明领导下,高举总路线、大跃进、人民公社三面红旗,正在社会主义革命和社会主义建设的大道上阔步前进,我们的前途充满无限光明。在这样美好的时代,我们老一辈的人自然是兴奋无比,同时也深深感到你们青年一代的责任重大。这就是如何继承中国人民的优良革命传统,承担我国人民的伟大革命事业,高举毛泽东思想的红旗,把革命进行到底,做共产主义事业的接班人的问题。如同毛泽东同志所说:"世界是你们的,也是我们的,但是归根结底是你们的。你们青年人朝气蓬勃,正在兴旺时期,好像早晨八九点钟的太阳。希望寄托在你们身上。"

如何做共产主义事业的接班人呢? 依我看,首先要认真学习毛泽东思想,学习阶级斗争知识。现在国内还有阶级和阶级斗争,国际范围内的阶级斗争尤其激烈,青年同志必须用毛泽东思想武装自己的大脑,用阶级分析的方法看待各种问题,坚决抵制资产阶级形形色色的思想侵蚀,在各种复杂的斗争中明辨大是大非,站稳无产阶级革命立场,并且把自己逐步锻炼成为具有高度的共产主义思想觉悟和道德品质的人,成为体力劳动和脑力劳动密切结合的新人。

第二,要踏实、刻苦、顽强地学习文化科学知识,积累和充实建设社会主义和共产主义事业的本领。要牢牢记住毛泽东同志的教导:我们的国家现在还是一个很穷的国家,并且不可能在短时间根本改变这种状态,全靠青年和全体人民在几十年时间内,团结奋斗,用自己的双手创造出一个富强的国家。社会主义制度的建立给我们开辟了一条到达理想境界的道路,而理想境界的实现还要靠我们的辛勤劳动。有些青年人以为到了社会主义社会就应当什么都好了,就可以不费气力享受现成的幸福生活了,这是一种不实际的想法。

第三,要继承和发扬党的革命传统。我国人民革命的胜利是由无数革命先烈和革命战士经过长期的艰苦奋斗,流血牺牲换来的。这种大无畏的革命精神和革命作风是我们民族的无限珍贵的精神财富。在建设社会主义和共产主义的伟大事业中,不可避免地还有很多困难,青年同志们应当从革命先辈身上汲取精神力量,培养坚强的革命意志,用不断革命的精神战胜一切困难,在困难中经受考验和锻炼,使革命事业继续向前发展,而不让革命事业中途停顿。古语说:"创业维艰,守成不易。"但是我相信,只要我们高举毛泽东思想的红旗,继承和发扬党的革命传统,一定会一代胜过一代,共产主义事业一定会得到最后的胜利。

最后,我希望你们贯彻民主集中制原则,把这次大会开好,开得生动活泼。预祝大会胜利。

(原载 1963 年 2 月 20 日武汉大学校报《新武大》第 374 期,署名李达)

在武汉大学第九次
校务委员会会议上的讲话[*]

（1963.4）

校庆 50 年是成绩大检阅。要各级领导拿东西出来，尽可能多一点，著作、学术论文。老同志著作多，都拿出来，年轻的同志可能少一些。师资水平同教学要求有矛盾，这是根本矛盾，要赶上，十年内赶上世界先进水平。多种设备要成龙配套。看教学，这也要紧，主要的是要拿出东西来。武汉大学在综合大学中占第几位？我很注重这事。有人说我们是第五位。要努力，迎头赶上，十年赶上先进水平。赶不上去，我们就落伍了。解决这个矛盾，把今年校庆作开端，希望各位领导注意，努力把东西拿出来，这是基本工作。年老的拿出著作、论文，成绩大检阅。我提出这几点意见，希望各位领导同志大力支持，能在校庆陈列起来！

＊ 这是 1963 年 4 月 29 日李达在武汉大学第九次校务委员会会议上的讲话记录稿。——编者注

在 1963 年武汉大学理科系主任
汇报工作会议上的讲话[*]

（1963.5）

培养师资是基本问题,没有教书前途的人恐怕不值得留在武大吧! 教学少而精不容易做到,要靠大力提高教师的质量,基本矛盾是教学要求与师资水平的矛盾。不广不博,就不能做到少而精。总的看来,两年以来学校有进步,确实有进步。

现在大家都很好,科研也有些项目,教学要求也会一步步提高,十年内可否解决这个问题? 到那时也许教学水平要求又要高了。我设想十年以后,武大水平线以上的教员数以百计,然后赶上国际水平,应当向这方向走。

科研要抓,这与提高师资有关系,逐步地解决,不赶已不行。

实验室主任要由讲师担任才好。

＊ 这是 1963 年 5 月 31 日李达在武汉大学理科系主任汇报工作会议上的讲话记录稿,标题系编者所加。——编者注

在 1963 年武汉大学文科系主任
汇报工作会议上的讲话*

（1963.6）

有些问题由各系自己解决,有的问题由校部想办法,有的马上可以解决,有的要花点时间。

十年之内要赶上国内先进学校的水平,甚至赶上国际水平。工作量可以增加一些。现在有几个教员教一门课,有的只有半年课,要解决。

我是官僚主义者,只知道 1961 年以来像个大学样子了,教员认真,学生努力,科研有点东西,劳动三结合搞得好,学雷锋起了作用。

我有点急躁,希望十年之内能作出点贡献。青年师资如何培养,青老关系如何搞好,是个问题。武大要追上去! 英文教员必须增加,日语教员也要找,俄英德法教员都要找。增加外文教员我坚决支持,大家提的意见很好。

无论如何,要在学术上迈进。

---

* 这是 1963 年 6 月 1 日李达在武汉大学文科系主任汇报工作会议上的讲话记录稿,标题系编者所加。——编者注

贯彻党的教育方针 办好社会主义大学

——庆祝武汉大学建校 50 周年

（1963.11）

武汉大学是全国历史较久的综合大学之一,它经历了长远曲折的发展道路。

武汉大学 50 年的历史,是资产阶级文化教育没落、无产阶级文化教育兴起的历史,是无产阶级意识形态与资产阶级意识形态斗争的历史。

武汉大学最初名为国立武昌高等师范学校,创办于 1913 年,是辛亥革命的产物。它在当时宣传资产阶级文化,反对封建阶级的文化,"五四"运动以后,中国共产党领导的新民主主义文化同资产阶级的旧民主主义文化作斗争。这个学校也已于 1924 年改为国立武昌大学,它在新民主主义文化思潮的影响下,滋长着反帝爱国的进步思想,在革命的启蒙运动中作出了一定的贡献。

第一次国内革命战争时期,武汉成为全国革命中心。1926 年,武昌大学改为国立武昌中山大学。这时革命进步势力起了主导作用,学校成为宣传新民主主义文化的重要据点,因而遭到一切反动势力的仇视。1927 年大革命遭受挫折,革命转入低潮,这个大学在国民党反动军队包围、搜捕共产党人和进步分子中,一度被迫解散。1928 年又改组为国立武汉大学。这时,国民党蒋介石反革命势力盘踞武汉,在学校实行法西斯统治,力图割断进步传统,扼杀革命思想影响,但是国民党反动派的阴谋并未得逞,到抗日战争初期,武汉抗日运动高涨,武汉大学师生在中国共产党的影响之下,激发了抗日爱国、要求民主的革命进步思想。此后,大学中的进步势力与反动势力的斗争随着革命形势的发展而不断起伏。抗日战争胜利,大学从四川嘉定迁回武昌,在全国革命形势影响下,进步势力日益壮大,学生运动蓬勃发展。1947 年 6 月 1 日,国民党反动军队黑夜包围学校,搜索进步分子,枪杀学生三人,造成"六一"惨案,全国震怒。与此同时,武汉大学在中国共产党地下组织的领导下,发动了大规模的"反饥饿,反内战,反迫害"的斗争,团结广大群众,不断打击校内外反动势力,到 1949 年 5 月胜利地迎接了解放,获得了新的生命。

武汉大学在旧社会经历了 36 年,受到英美帝国主义文化的奴役,日本帝国主义侵略军的破坏,军阀和国民党反动派的压迫。民主进步力量有时壮大,有时削弱;革命文化思潮的影响有时高涨,有时低落,曲折地反映了国内阶级斗争的发展。反动统治时期,尽管武汉大学是以资产阶级教育为反动统治阶级和旧的经济基础服务的,但在它的教师和培养出来的文、法、理、工、农、医各学科的毕业生中,毕竟有相当多数的人在不同程度上受到革命文化思想的影响,为我国文化教育科学技术积累了财富,做出了一定的贡献。我们应当继承这份有用的遗产,充分发扬它的积极作用。

1949 年武汉解放后,武汉大学归到人民的怀抱,从此和全国高等学校一样,随着革命形势的发展,逐步改造成为社会主义性质的大学。但是,把宣传资产阶级文化教育的旧大学改造成为宣传社会主义文化教育的新大学,是一桩非常复杂艰巨的工作。

首先,必须领导教师进行自我思想改造,建立一支以无产阶级思想武装起来的师资队伍。解放以来,武汉大学教师通过学习马克思列宁主义、毛泽东思想,通过参加社会实际斗争和各种政治运动,通过本门学科的教学改革,从政治思想、教育思想、学术思想、世界观、生活作风等各方面进行了除旧布新的改造,逐步树立了无产阶级的立场、观点、方法,从根本上改变了精神面貌。绝大多数教师经受了这一次改造过程的考验,愿意接受党的领导,积极为社会主义事业服务。我们在改造旧大学的实践中体会到:毛泽东教育思想是以能动的反映论为基础,强调认识的能动作用,强调理论一旦为群众所掌握,就会成为改造主观世界和客观世界的巨大力量。我校教师基于这一体会,深刻认识到教育者必须先受教育,只有掌握马克思列宁主义、毛泽东思想的真理,认真改造自己的主观世界,才能很好地为培养社会主义建设人才服务。

其次,必须把资产阶级的高等教育体系改造成为社会主义的高等教育体系,以适合于新的国民经济发展的要求。武汉大学原来设有文、法、理、工、农、医六个学院,系科庞杂,不适宜于分工发展。解放以后的重大改革措施之一,是实行院系调整,把工、农、医三个学院和个别其他系科与有关院系合并,分别另立为新的独立学院。现在的武汉大学是以原来的文、法、理三院为基础建成的新型综合大学,设有哲学、经济、历史、中文、外文、图书馆学、教学、物理、化学、生物等十个系,除图书馆学系是四年制外,各系都是五年制。对于教育方针、管理制度、教学组织、教学计划、教学内容、教学方法等各方面,我们更竭尽全力,作了全面的根本的改革。在整个改革过程中,我们贯彻了教育为无产阶级政治服务,教育与生产劳动相结合的教育方针,奠定了社会主义大学教育的基础。社会主义大学教育的形成和发展,是无产阶级教育思想同资产阶级教育思想尖锐斗争的结果。在这一斗争中,必须在以下三大根本问题上取得决定性的胜利:第一,确定教育必须为无产阶级政治服务,亦即为社会主义革命和社会主义建设服务,为工农群众服务,这不仅反对一切奴化的封建主义的、法西斯主义的文化教育,而且反对为教育而教育,为科学而科学的资产阶级教育。第二,确定教育必须与生产劳动相结合,通过参加劳动锻炼,使脑力劳动与体力劳动结合起来,使理论和实际结合起来,使知识分子和工农群众结合起来,从根本上清除旧教育脱离生产,脱离实际,脱离工农群众的传统恶习。第三,确定教育必须由无产阶级的政党——共产党来领导,根本反对资产阶级所谓"政治不能领导业务"的谬论。在所有这些根本问题上,都必须进行两条道路、两种思想的斗争。

改造旧大学的实践过程,同时也是一个认识过程,无论是对知识分子的思想改造或对旧高等教育体系的改造,在我校都不是直线进行的。从最初的课程改革到1958年的教育革命,我们由实践到认识,由认识到实践,经过多次反复。党的方针政策是正确的,我们的发展方向也是正确的,问题是要把正确的方针政策变成我们自己的认识,就需要经过反复的实践。在实践过程中,我们往往以为自己的认识,已经能够正确反映客观的规律,可是每当根据已有的认识订为计划、方案、办法来指导工作并予以执行的时候,却会发现并不能完全达到预期的目的。这是由于我们对党的方针政策的精神领会不深,对具体情况缺乏深刻的了解,因此,曾经以为正确的某些认识就不能在实践中得到验证,也不能真正发挥指导实践的作用。1960年以来,我们总结了教育革命的经验教训,进一步地明确了教学与生产劳动的关系,教学与社会活动的关系,教学与科学研究的关系,从而更好地贯彻教学为主的原则,建立稳定的教学秩序,培养师资,提高教学质量,这样就发扬了执行教育方针的主要的正确的方面,克服了工作中的缺点。我们在反复的实践中提高了认识,积累了比较丰富的经验,我们的事业也就一年比一年取得更多的成绩。

在党的领导下,武汉大学14年来发展很快,这是武汉大学过去历史上任何时期都不能比拟的。解放前武汉大学在校学生最多只有1700多人,现在约有4500人。14年来我们培养的毕业生已有8000多人,超过了旧武汉大学36年培养总数3000多人的一倍以上。更重要的是,我们培养的学生大多数是工农子弟,学生中的工农成分由1951年的23%增长为1963年的72%。他们属于新型的工人阶级知识分子的队伍,正在全国各地为社会主义事业服务,发挥应有的作用。解放前武汉大学只有教师100余人,现有教师近800人,其中大部分是解放以后成长起来的青年教师,他们已经成为教学工作和科学研究主力。老教师的进步也是很显著的。愿意为社会主义教育事业贡献自己的力量。我们已经有了一套比较完整的教学计划、教学组织、教学方法,全校各系课程,绝大部分已经编写或采用了新的教学大纲、教材或讲义。高度的革命性和严格的科学性相结合的学风正在形成。同时,教学设备和基本建设也有了很大的增加。

以上成就,充分显示了社会主义制度的优越性。我们其所以能够在短时期内就获得这样巨大的成就,是由于党的正确领导和全体师生员工团结一致,共同努力的结果。我校的经验说明,要办好社会主义大学,必须遵循以下的途径。(一)社会主义的文化教育,只能由党来领导,不能由资产阶级领导。从政治思想到教学和科学研究都必须全面地树立党的领导,正确地贯彻党的教育方针,坚持无产阶级的阶级路线,培养德育、智育、体育全面发展的又红又专的工人阶级知识分子,全心全意为社会主义事业服务。(二)综合大学要培养好以马克思列宁主义、毛泽东思想武装起来的有高度科学水平的社会科学和自然科学的两支师资队伍,必须正确贯彻党对知识分子的政策,从团结的愿望出发,耐心帮助他们进行自我思想改造,肯定他们在政治上的进步,帮助他们在业务上做出成绩。在工作中还必须认识知识分子改造的长期性和艰苦性,善于区别两类矛盾,对思想问题,任何时候都不能简单粗暴,也不能迁就放任。(三)贯彻全面发展以教学为主的原则,把教学同生产劳动、科学研究适当地结合起来。学生定期到农村工厂去参加劳动锻炼,是对传统教育最深刻的变革,是社会主义、共产主义教育的根本特点之一。从这里我们探索了一条道路,这就是接受生产斗争、阶级斗争和科学实验的实际锻炼,使脑力劳动和体力劳动相结合,使理论和实践相结合,使知识分子和工农群众相结合,保证学生向又红又专的方向健康成长。(四)马克思列宁主义、毛泽东思想,是社会主义阶级教育的指导思想,是一切科学的指导思想,学生学习的首要任务就是学习马克思列宁主义、毛泽东思想。要做到这点,必须把系统的政治理论教育和经常的政治思想工作结合起来,有的放矢,解决实际的思想认识问题,教育学生逐步树立无产阶级的世界观,反对现代修正主义和资产阶级思想的影响。各门课程应当从本门学科引导学生掌握辩证唯物论的观点方法,借以学好专业知识,而学习自然科学和社会科学的知识,又可以帮助学生形成辩证唯物主义和历史唯物主义世界观的基础。(五)高等学校必须开展科学研究,重视科学实验和社会调查。开展科学研究一定要坚决贯彻执行百花齐放、百家争鸣的方针。划清学术问题与政治问题的界限。学术问题和政治问题既有联系,又有区别,只要不违反六条政治标准,就都应作学术问题看待,学术问题必须采取自由讨论的方式,容许坚持和保留不同的意见,不能要求服从多数,只能要求服从真理。贯彻"双百"方针的目的,主要是促进科学发展,同时也要"兴无灭资",对资产阶级反动学术思想的批判,就是学术思想上的"兴无灭资",但它与政治上的"兴无灭资"方式不同,只能教育说服,不能压服。

以上说明我们经过长期的、反复的实践,对于办好社会主义的大学,已经提高了认识。现在情况比较明了,方法比较对头,只要我们谦虚谨慎,从实际出发,正确贯彻党的方针政策,就有可能在不太长的时期内,把我校建成为一所具有先进教学和科学水平的大学。我们今后的中心任务是要提高教学质量和学术水平,为此必须首先加强政治思想教育,进一步贯彻党的教育方针。国际国内的阶级斗争都是长期的、复杂的,有时是很激烈的,因此,必须高举毛泽东思想的红旗,加强阶级和阶级斗争的教育,批判现代修正主义和资产阶级思想,提高无产阶级的阶级觉悟,培养爱国主义和国际主义的精神。同时要加强劳动教育,安排适当的时间,让师生每年下放农村工厂参加劳动锻炼,增强劳动观点,联系工农群众,从而教育青年一代,坚持又红又专的方向,做无产阶级世界革命的战士,保证永不变质。其次是努力改进教学内容和教学方法,继续加强基础理论、基本知识和基本技能的教学和训练。教学内容必须以马克思列宁主义、毛泽东思想为指导,反映最新的科学成就。在教学中要贯彻理论联系实际、因材施教等教学原则,力求少而精学到手,注意培养学生的独立思考和独立工作能力,使他们很好地掌握专业知识,能够精通和应用,成为具有更高质量的社会主义建设人才。再次是积极开展科学研究,培养出一支具有国内先进水平的马克思列宁主义理论队伍和自然科学队伍。在高等学校开展科学研究,重视科学实验和社会调查,是提高教学质量、提高学术水平的重要途径。为了达到先进科学水平,必须充分发挥老教师的专长,鼓励青年教师刻苦钻研,共同向科学进军。理科应当结合专业特点和国家需要,一面加强基本理论的研究,一面联系当前生产实际和社会主义建设中的重大科学技术问题进行研究。文科要加强马克思列宁主义、毛泽东思想的学习,加强劳动锻炼,积极参加学术思想斗争,同时要努力运用马克思列宁主义、毛泽东思想的基本原理来研究总结我国革命和建设的丰富经验,研究世界人民革命的新经验,整理我国文化遗产,和吸收世界文化遗产,继续开展对现代修正主义和资产阶级学术思想的批判。我们要争取在较短时期内培养出一批又红又专的优秀教师和科学家。

值此 50 周年校庆,对比过去,我们充满着无比的信心;展望将来,我们是万里长征刚刚走过第一步。让我们在党的领导下,更高地举起毛泽东思想的红旗,坚持党的教育方针,发扬艰苦奋斗,勤俭建国,自力更生,奋发图强的精神,为办好社会主义的武汉大学而继续奋斗。

（原载 1963 年 11 月 15 日《湖北日报》,署名李达）

湖北省哲学社会科学学术工作会议开幕词*

（1963.12）

各位同志：

　　湖北省哲学社会科学学术工作会议开幕了。这次会议意义非常重要,规模如此盛大,参加会议的同志又是如此广泛,这在我们省里还是第一次。这次会议是在省委的直接领导下召开的,它标志着我省的学术研究工作将发展到一个新的阶段。召开这次会议,是为了锻炼队伍,发挥哲学社会科学的战斗作用,积极准备在哲学社会科学战线上展开反对现代修正主义的斗争。我希望今后每隔一定时期,还须召开第二次、第三次以至更多次同样的学术工作会议,来促进我省哲学社会科学研究工作的发展。

　　自从 1958 年以来,湖北省哲学社会科学战线也是和其他战线一样,在党的社会主义建设总路线的光辉照耀下,进行了紧张的劳动,开展了频繁的活动,取得了显著的成绩。我们做了大量的城乡社会调查,搜集并初步整理了湖北地区社会主义改造的各种资料,搜集并初步整理了湖北地区第一次国内革命战争以来各个时期的革命史料,搜集并初步整理了我省官僚资本企业和民族资本企业的发展和演变的资料;对民主革命和社会主义革命中的许多问题进行了探索,写了不少的文章和小册子,出版了一些专著和专辑。从 1959 年开始,为了配合教学改革和课程改革,进行了社会科学各门主要学科的教材建设,在学术领域中对如何批判现代修正主义,树立马克思列宁主义、毛泽东思想的指导,作了不少的努力。从 1961 年以来,进一步贯彻了百家争鸣的方针,

---

　　* 本文是 1963 年 12 月 11 日李达在湖北省哲学社会科学学术工作会议上所致的开幕词,标题系编者所加。——编者注

广泛地开展了学术问题的讨论,我们成功地组织了辛亥革命50周年学术讨论会、参与了纪念王船山逝世270周年的学术讨论会,这两次会议,不仅对我省的学术研究工作起了相当大的推动作用,也对全国学术界产生了一定的影响。今年九月以前社联所属各个学会都举行了第一届年会,在省委宣传部的直接指导之下,我们抓住了过渡时期的阶级斗争和反对现代修正主义这个纲领,有重点地展开了学术问题和政治理论问题的讨论,贯彻了学术为无产阶级政治服务的方针,大大地活跃了思想,提高了认识,经验证明年会的工作是成功的。当然我们的工作还有不少的缺点,但总的看来,我们哲学社会科学战线的工作步调和党在各个时期提出的方针任务是一致的;我们这支队伍是能够遵循马克思列宁主义的科学研究方向来进行工作的。我们这支队伍虽然还是一支新的队伍,却是一支不断向上发展的队伍。只要我们经常记住"虚心使人进步,骄傲使人落后"的教诲,紧紧团结在党的周围,团结在马克思列宁主义、毛泽东思想的旗帜下,联系实际,联系群众,坚持真理,修正错误,进一步贯彻执行"百花齐放、百家争鸣、推陈出新"的方针,我们就可以作出更大的贡献。

现在,随着国内外形势的发展,一个伟大的、光荣的任务又提到了我们的面前。这就是反对现代修正主义、研究当代革命和建设问题。反对现代修正主义,就是为了捍卫马克思列宁主义、为马克思列宁主义的发展开辟道路;研究当代革命问题,就是用马克思列宁主义的立场、观点、方法来总结革命的历史经验,对当代革命和建设问题,作出我们的结论,发展马克思列宁主义。前者是为了破,后者是为了立。不破不立,所以反对现代修正主义,是当前哲学社会科学战线的首要任务。哲学社会科学各个方面的活动,都应以反对现代修正主义为纲,抓住这条纲,我们就有了一个明确的方针和战斗的目标,就可以把哲学社会科学各个领域的具体任务和反对现代修正主义的总任务联结起来,通过反对现代修正主义来带动哲学社会科学的全面发展。但是,破只是为立创造条件,破不等于立,也不能代替立。因此,反对现代修正主义是我们工作的首要任务,而其结果将会大大有利于研究当代革命和建设问题,作出我们的结论,进一步发展马克思列宁主义。这两个方面的任务是有重点而又互相联结的。

要把反对现代修正主义和研究当代革命问题两个方面的任务承担起来,

并且把它做好,关键在于重新学习马克思列宁主义,学习毛泽东思想。因为打仗需要武器,建设也需要武器,没有好的武器,或虽然有了好的武器而不善于运用,是不能破好的,也不能立好的。只有重新学习马克思列宁主义,学习毛泽东思想,才能保证我们根据新的情况,新的战斗任务,进一步掌握武器,分析大量的资料,取得战斗的胜利。过去我们也在学习马克思列宁主义,学习毛泽东思想,但是我们体会不深,运用起来总是感到生疏,其原因之一,就是没有在战斗中学习,脱离战斗来学习。现在再来学习马克思列宁主义,学习毛泽东思想,有了现代修正主义这个对立面,情况就大不相同了。怎样来重新学习呢?重要的方法,就是把当代国际共产主义运动中的一切重大的政治、理论、学术问题放在我们的面前,先把毛泽东同志对这些问题的看法和现代修正主义对这些问题的看法对照起来,再把列宁时代,列宁和斯大林对这些问题的看法和老修正主义者对这些问题的看法对照起来。然后把马克思、恩格斯时代、马克思和恩格斯对他们那个时代的问题作出的回答和各种资产阶级、小资产阶级的社会改良主义者对这些问题的回答对照起来,这样我们不仅可以从历史的横断面看出马克思主义和修正主义的分歧的所在和分歧的实质;更可以了解马克思主义的发展历史,就是对修正主义不断斗争和取得胜利的历史。这样,马克思列宁主义就在我们的头脑中得到活用,毛泽东思想在我们的认识中就显得更为深刻。这样的学习方法才是"有的放矢"的学习方法,才能使我们更好地掌握马克思列宁主义、毛泽东思想的理论武器,才有可能在哲学社会科学领域中把现代修正主义的污垢清扫出去,在新的基础上系统地研究和总结我们时代的革命和建设的经验,进一步发展马克思列宁主义。

这次会议将要全面传达中国科学院哲学社会科学部学部委员第四次扩大会议的精神和内容,我们还将根据这些精神和内容,结合我们省里的情况进行讨论研究,并把我们的学术研究规划订出来。

当前国际共产主义运动中两条路线的斗争,已经从政治上扩展到哲学社会科学的各个领域。现代修正主义从各个方面向马克思列宁主义实行全面的猖狂进攻,我们在毛泽东同志和中国共产党的英明领导下,必须积极参加这个有伟大历史意义的斗争。中国科学院哲学社会科学学部委员扩大会议。已经在学术战线上吹起了向现代修正主义实行反击的号角。我们这次大会,是学术界反对现代修正主义的动员大会,是研究中国和世界的现状和历史的动员大会,也是重新学习马克思列宁主义、毛泽东思想的动员大会。

我相信这次会议既有北京会议这样一个好的基础,又在省委的直接领导下召开,再经过同志们的努力,我们一定能够把这次会议开好,并且通过这次会议,我省哲学社会科学战线一定会出现一个新的局面,我们每个人都将在马克思列宁主义、毛泽东思想的指导下,在党的领导下,通过反对现代修正主义这场严重的斗争和研究、总结当代社会主义革命和社会主义建设伟大实践的经验,我们将会得到更好的锻炼,对无产阶级革命事业作出更多的贡献。让我们党内的和党外的、年青的和年老的哲学社会科学工作者,紧密地团结起来,高举马克思列宁主义、毛泽东思想的红旗,为了彻底打垮现代修正主义的进攻而奋斗;为彻底粉碎现代修正主义而奋斗。

武汉大学第三次党代会开幕词*

（1964.4）

同志们：

我校第三次党员代表大会，现在正式开幕了。

我们这次代表大会是在国内外一片大好形势下召开的，是在我国社会主义建设新高潮中召开的，是在我校工作进一步走向革命化的关键时刻召开的，很显然，开好这次党员代表大会，对动员全党同志和全校师生员工乘全国大好形势之风，把我校工作向前推进，有着巨大的意义，对学习解放军，学习石油部的先进经验，促进学校革命化，有着深刻的影响。

从我校当前的形势出发，我们这次党员代表大会的任务是总结经验，明确任务，统一认识，增强团结，鼓足干劲，办好学校；同时选举新的党委会，进一步巩固和加强党对学校工作的领导，促进学校革命化。为了圆满地完成上述任务，我们要根据中央《关于加强相互学习，克服故步自封、骄傲自满的批示》，充分发扬党内民主，认真开展批评与自我批评，运用"两分法"，总结我校五年来的工作，肯定成绩，吸取教训，并在过去五年工作的基础上，动员全党高举毛泽东思想红旗，团结全校师生员工，大学解放军，大学石油部的先进经验，进一步加强学校思想政治工作，为使全校人员的思想革命化，学校工作革命化和机关工作革命化，继续深入教育革命，促进教学质量和学术水平的提高而奋斗！

同志们！摆在我们面前的任务是光荣而艰巨的，希望到会的全体代表，以学习解放军的精神，以革命化的精神，来开好这次党员代表大会，把这次代表

---

* 这是1964年4月24日李达在武汉大学第三次党代会上所致的开幕词。——编者注

大会开成为团结的大会,革命化的大会,在省委的亲切关怀下,在全校代表的积极努力下,在全党同志和全校人员的大力支持下,我们一定可以圆满地完成这次党员代表大会的任务,让我们预祝大会成功!

责任编辑:李琳娜

图书在版编目(CIP)数据

李达全集.第十九卷/汪信砚 主编. —北京:人民出版社,2016.12
ISBN 978－7－01－016665－0

Ⅰ.①李…　Ⅱ.①汪…　Ⅲ.①李达(1890—1966)-全集　Ⅳ.①C52

中国版本图书馆 CIP 数据核字(2016)第 212098 号

李达全集

LIDA QUANJI

第十九卷

汪信砚　主编

人民出版社 出版发行

(100706　北京市东城区隆福寺街 99 号)

北京新华印刷有限公司印刷　新华书店经销

2016 年 12 月第 1 版　2016 年 12 月北京第 1 次印刷
开本:710 毫米×1000 毫米 1/16　印张:29.75
字数:480 千字

ISBN 978－7－01－016665－0　定价:159.00 元

邮购地址 100706　北京市东城区隆福寺街 99 号
人民东方图书销售中心　电话 (010)65250042　65289539